UNE HISTOIRE DU MONDE MODERNE

PAUL JOHNSON

UNE HISTOIRE DU MONDE MODERNE
de 1917 aux années 1980

Tome 2

LE NOUVEL ÉCHIQUIER
1945-1980

traduit de l'anglais par Philippe Delranc et Philippe Vitrac

ROBERT LAFFONT / L'EXPRESS

Titre original : A HISTORY OF THE MODERN WORLD

© Paul Johnson, 1983

Traduction française : Éditions Robert Laffont, S.A., Paris, 1985

ISBN 2-221-04613-7 (édition complète)
ISBN 2-221-04827-X (volume 2)
(édition originale :
ISBN 0-297-78226-6 George Weidenfeld & Nicolson Ltd, Londres)

SOMMAIRE GÉNÉRAL

Tome 1

LA FIN DE LA VIEILLE EUROPE
1917-1945

Tome 2

LE NOUVEL HÉMISPHÈRE
1945-1980

I

La paix par la terreur

Dans le journal du parlementaire conservateur « Chips » Channon, on peut trouver l'anecdote suivante : « Le 10 juillet 1946, lors d'un grand mariage mondain, il se tourna vers l'une des invitées, lady Cunard, dite "Emerald", et lui dit : "C'est fou la rapidité avec laquelle nous sommes revenus à la vie normale !" Puis, désignant d'un geste la foule qui se pressait dans le salon, il ajouta : "En fin de compte, c'est pour cela que nous nous sommes battus.

Quoi ? dit Emerald, ne me dites pas que ce sont tous des Polonais[1] !" »

Il n'était que trop facile, alors, d'oublier la Pologne. Elle avait compté, pourtant ; sans elle, la guerre eût pris une tournure fort différente. C'était elle, encore, qui allait déterminer l'avenir, car elle provoquerait l'éclatement de l'alliance du temps de guerre et serait à l'origine du premier affrontement entre les communistes et les nations démocratiques. On eût dit que, sur le théâtre du monde, la pièce reprenait son cours à l'endroit même où le pacte germano-soviétique l'avait interrompue, en août 1939, mais c'était maintenant la Russie, et non plus l'Allemagne, qui tenait le rôle de l'État totalitaire expansionniste. Tel un pion gênant sur l'échiquier international, la Pologne venait rappeler à tous que la guerre avait été, plus qu'une lutte entre le bien et le mal, une affaire de survie.

Certes, l'altruisme supposé de la « Grande Alliance » n'était, dès l'origine, qu'une illusion. Elle fut largement une création de Roosevelt, en partie parce qu'elle servait ses propres desseins politiques, mais aussi parce qu'il y croyait. Ceux de ses compatriotes qui possédaient, professionnellement, une longue expérience des rapports avec Staline et le gouvernement soviétique s'y opposèrent avec une énergie désespérée. On peut le voir dans ce commentaire de Lawrence Steinhardt, successeur de Davies à l'ambassade de Moscou, partisan de la tendance

---

1. On trouvera les notes en fin de volume.

dure du Département d'État, également connue sous le nom d'« école de Riga » :

> « Toute offre de la part de la Grande-Bretagne ou des États-Unis sera considérée, ici, comme un signe de faiblesse... dès que ces gens s'imaginent que nous cherchons un compromis, que nous voulons les ménager, que nous avons besoin d'eux, ils cessent aussitôt d'être coopératifs... Je puis dire par expérience que la seule attitude susceptible d'en tirer quelque chose est de montrer sa force. Quand ce n'est pas possible, il ne reste que le marchandage à l'orientale[2]... »

Mais Roosevelt ne voulait rien entendre. Aussitôt que la déclaration de guerre de Hitler eut fait de la Russie une alliée, il se ménagea des procédures qui lui permettaient de communiquer directement avec Staline, sans passer par l'ambassade, ni par le Département d'État[3]. Harry Hopkins, qui lui servait d'intermédiaire, était un homme rompu à l'intrigue politique. Il fit savoir à Roosevelt que Staline — comme il fallait s'y attendre — était ravi. « Il ne fait pas confiance à notre ambassadeur ni à aucun de nos représentants officiels[4]. » Roosevelt avait également tenté de se passer de Churchill, qu'il considérait comme un vieil impérialiste incorrigible, incapable de comprendre l'idéalisme idéologique. Le 18 mars 1942, il lui écrivait : « Je sais que vous ne m'en voudrez pas de ma brutale franchise si je vous dis qu'à mon avis je suis plus apte à manier Staline que votre Foreign Office ou mon propre Département d'État. Il a une horreur viscérale de tous vos officiels. Il préfère avoir affaire à moi, et j'espère que cela continuera[5]. » Cette vanité rappelle fortement celle de Chamberlain — lui aussi se jugeait seul capable de « manier » Hitler —, et il s'y ajoute une étonnante naïveté. Il ne croyait pas que Staline eût des visées expansionnistes, et il gourmandait Churchill : « Vous avez dans les veines quatre cents ans d'instinct de conquête, et il vous paraît impossible qu'un pays ne cherche pas à acquérir des terres à la première occasion[6]. » « Je crois, disait-il en parlant de Staline, que si je fais toutes les concessions qui sont en mon pouvoir sans rien demander en échange, il ne songera pas — noblesse oblige — à annexer quoi que ce soit, mais qu'il travaillera avec moi à établir la paix et la démocratie dans le monde[7]. »

La menace que cet aveuglement représentait pour l'Europe d'après-guerre apparut dès novembre 1943, lors de la conférence qui réunit Churchill, Roosevelt et Staline à Téhéran. Le président des chefs d'état-major britanniques, sir Allan Brooke, résuma fort bien la situation : « Staline, dit-il, vient de mettre Roosevelt dans sa poche[8]. » Churchill, de son côté, se plaignait en ces termes à Harold Macmillan, l'un de ses ministres d'État : « Il faudra quelque temps pour déblayer le gâchis, mais l'Allemagne est fichue. Le vrai problème, c'est la Russie, et je n'arrive pas à le faire comprendre aux Américains[9]. » Bien que l'invasion de l'Europe ait pris un bon départ, tout au long de l'été 1944 les inquiétudes de Churchill ne firent que croître. Après la percée de juillet-août, l'avance s'était ralentie. Il était clair que la carte de l'après-guerre serait déterminée par le degré de pénétration des troupes en Europe centrale, mais le général Eisenhower, commandant suprême, se refusait à accepter cette évidence. « Je ne tiens pas, disait-il, à risquer des vies américaines pour des raisons purement politiques [10]. » Les Soviétiques progressaient, eux aussi, et ils ne cherchaient guère à dissimuler leurs intentions hostiles. Lorsqu'ils prirent la base expérimentale de sous-marins de Gdynia, ils en refusèrent l'accès aux experts navals des Alliés; la guerre de l'Atlantique battait encore son plein, et les convoyeurs qui approvisionnaient la Russie en armes faisaient l'objet d'attaques répétées de la part des sous-marins allemands, mais il n'était pas question, pour autant, de livrer les secrets de Gdynia aux Anglo-américains [11]. Pour les généraux américains, il s'agissait de maintenir au maximum la coopération avec les armées soviétiques afin qu'on puisse, le plus rapidement possible, transférer les troupes en Orient. On en finirait alors avec les Japonais (non sans l'espoir d'un appui massif de la part des Russes), et l'on rentrerait enfin chez soi. Pour Churchill, cela signifiait que la Grande-Bretagne allait se retrouver avec 12 divisions — soit environ 820 000 hommes — face à 13 000 tanks soviétiques, 16 000 avions de combat et 525 divisions russes représentant un total de 5 millions d'hommes [12]. Sa tâche, selon le mémorandum qu'il adressa au Foreign Office, était de déterminer comment il convenait d'« utiliser la puissance américaine » pour acheminer « cette énorme et encombrante péniche ''vers'' un port convenable », sans quoi « elle dériverait seule sur l'Océan » et deviendrait « un danger pour la navigation [13] ».

Churchill décida d'adopter une double politique : d'une part, il engagerait, chaque fois que c'était possible, un marchandage réaliste avec Staline, d'autre part, il s'attacherait avec fermeté à ramener Roosevelt à la raison. En octobre 1944, il se rendit à Moscou et présenta à Staline ce qu'il appela, par la suite, un « méchant document ». Celui-ci disait, en substance, que « puisque le maréchal Staline était un réaliste », il comprendrait que « la proportion des intérêts des grandes puissances » devrait être partagée dans les cinq États balkaniques; le document proposait, en Yougoslavie et en Hongrie, un partage égal de 50 %; 90 % pour la Russie en Roumanie et 75 % en Bulgarie; pour la Grande-Bretagne, enfin, en accord avec les États-Unis, 90 % en Grèce. Selon les notes prises par l'ambassadeur britannique, sir Archibald Clark-Kerr, Staline marchanda longuement sur le chapitre de la Bulgarie, où il entendait manifestement obtenir 90 %, puis il signa le papier d'un paraphe au crayon bleu. Il accepta également de restreindre l'activité des communistes en Italie [14].

Ce « méchant document » était, en fait, une tentative pour exclure la Russie de la Méditerranée en lui donnant, comme satellites, la Roumanie et la Bulgarie. Churchill avait calculé que la Grèce était le seul brandon qui pouvait encore échapper à l'incendie, parce que les troupes britanniques se trouvaient déjà dans la place. Ce qu'il voulait obtenir, à Moscou, c'était d'abord une assurance que Staline laisserait les mains libres à la Grande-Bretagne et, l'ayant eue, il ne tarda pas à en tirer parti. Le 4 décembre, la guerre civile éclatait à Athènes, et Churchill résolut d'utiliser la force pour écraser les communistes. Il travailla tard dans la nuit, envoyant des télégrammes, virevoltant dans son fauteuil, et « dictant à Miss Layton qui restait impassible, malgré les nombreux blasphèmes dont le vieil homme assaisonnait sa prose officielle ». Le meilleur résumé de ses instructions se trouve sans doute dans la dépêche qu'il envoya au commandant en chef britannique, sir Gerald Scobie : « Nous devons tenir et dominer Athènes. Il serait bon que vous y parveniez sans effusion de sang, mais, si c'est nécessaire, n'hésitez pas [15]. » Ce fut nécessaire, mais la Grèce était sauvée pour la démocratie. La stabilité qu'il recherchait ne fut vraiment acquise qu'après l'échec des communistes aux élections italiennes de 1948, mais il est sûr que Churchill, grâce à cette vigoureuse politique des derniers mois de l'année 1944, réussit, presque seul, à exclure le totalitarisme de la Méditerranée pour la durée d'une génération. Ce fut sa dernière grande contribution à la liberté humaine.

Mais Churchill ne pouvait rien pour l'Europe de l'Est. Comme il le nota pour son cabinet :

> « Il faut s'attendre, maintenant, à toutes sortes de chocs que notre pays n'est pas en mesure d'empêcher. En cette matière, la responsabilité est maintenant celle des États-Unis, et je désire qu'ils reçoivent tout l'appui que nous pourrons leur donner. Mais s'ils ne peuvent rien faire, alors nous serons contraints de laisser les choses suivre leur cours [16]. »

Dès janvier 1945, au moment crucial de Yalta, les efforts de Churchill pour coordonner d'avance la politique britannique et celle des États-Unis s'étaient heurtés à une obstruction volontaire de la part de Roosevelt. Selon Averell Harriman, celui-ci « ne voulait pas alimenter la suspicion des Russes quant à une éventuelle action concertée de la Grande-Bretagne et de l'Amérique [17] ». S'agissant de la Pologne, Roosevelt s'en tint à l'accord des Russes sur des élections « où tous les partis démocratiques et antinazis seraient représentés » et n'appuya pas la proposition britannique exigeant le contrôle international du vote. Il produisit, en revanche, un document typique de la rhétorique rooseveltienne, une Déclaration de l'Europe libérée qui s'engageait vaguement à défendre « le droit de tous les peuples de choisir librement la forme de gouvernement sous laquelle ils veulent vivre ». Les Russes signèrent sans sourciller, avec d'autant plus de facilité que Roosevelt venait de faire une déclaration stupéfiante : toutes les troupes américaines quitteraient l'Europe avant deux ans. C'était tout ce que Staline voulait savoir [18].

On peut dire que la guerre froide naquit des suites immédiates de la conférence de Yalta, et qu'elle commença, plus précisément, en mars 1945. Certes, dans son principe, la Russie la pratiquait déjà depuis octobre 1917, car elle était inhérente au déterminisme historique léniniste. L'alliance pragmatique de 1941 n'avait été qu'une interruption momentanée de cette politique, et il était prévisible que « la prédation » stalinienne reprendrait tôt ou tard. La seule erreur de Staline fut de commencer trop vite. Non pas qu'il fût impatient comme Hitler — il ne croyait pas à l'imminence de l'Apocalypse —, mais il était cupide. Il était certes trop prudent pour créer délibérément, comme Hitler l'avait fait, des occasions de pillage, mais si l'occasion se présentait d'elle-même, il ne savait pas y résister. La tactique la plus raisonnable eût été d'attendre que les Américains se soient retirés de l'autre côté de l'Atlantique, mais, voyant que le fruit polonais était mûr, il fallut qu'il le cueille. L'un des collaborateurs de Roosevelt, l'amiral Leahy, sans doute l'une des plus fortes têtes de la délégation américaine, se plaignait, à Yalta même, que l'accord sur la Pologne fût à ce point élastique « que les Russes pourraient l'étirer d'ici jusqu'à Washington sans la moindre rupture technique [19] ». La commission désignée à Yalta pour l'organisation des élections libres se réunit le 23 février, et, dès le départ, il parut évident que Staline n'avait nullement l'intention d'honorer ses engagements. Le moment critique fut atteint le 23 mars, lorsque Molotov annonça que le scrutin se déroulerait sur le mode soviétique. Lorsque Harriman, deux jours plus tard, lui fit le récit de cette rencontre, Roosevelt frappa du poing l'accoudoir de son fauteuil roulant et s'exclama : « Harriman a raison. Nous ne pouvons pas traiter avec Staline. Il n'a pas tenu une seule des promesses qu'il avait faites à Yalta [20]. » Cette tardive éducation politique fut renforcée par les treize messages de la dernière énergie que Churchill lui adressa, entre le 8 mars et le 12 avril ; puis, ayant perdu toutes ses illusions, il s'en fut mourir à Palm Springs, non sans avoir dit à un journaliste que Staline, ou bien n'avait plus le contrôle, ou bien « n'était pas un homme de parole [21] ».

Mais, même pendant les dernières semaines de sa vie, Roosevelt ne fit rien pour encourager Eisenhower à gagner rapidement du terrain sur les routes de Berlin, de Vienne et de Prague, comme le voulaient les Britanniques. « Ils ne pouvaient pas comprendre, devait écrire avec tristesse le général Montgomery, qu'il ne servait à rien de gagner la guerre sur le plan stratégique si, politiquement, nous la perdions [22]. » Roosevelt était issu de la bonne société de la côte Est, dont les riches familles pouvaient être motivées par un sentiment de culpabilité, mais le nouveau président, Harry S. Truman, n'était pas de ce milieu, et il ne partageait aucune des idées progressistes de bon ton qui avaient été celles de son prédécesseur. Il était ignorant, mais il apprenait vite ; son instinct était démocratique et sans détour. A 5 h 30, le 23 avril, il convoqua Molotov à Blair House (il n'avait pas encore déménagé à la Maison-Blanche) pour lui signifier que la Russie devait remplir, en Pologne, ses engagements de Yalta. « Je le lui dis tout net.

Il en prit pour son grade : deux directs en pleine mâchoire. Molotov :
— De ma vie, personne ne m'a jamais parlé de cette manière. Truman :
— Tenez vos engagements si vous voulez que ça cesse [23]. » Mais il ne
restait plus que quelques semaines jusqu'à la fin de la guerre, et c'était
trop peu pour que Truman parvienne à modifier la politique militaire
de l'Amérique. Le général Bradley avait estimé que la prise de Berlin
lui coûterait 10 000 hommes ; le général Marshall affirmait que celle
de Prague était impossible ; le général Eisenhower s'opposait à tout
mouvement qui risquât de mettre fin à la coopération avec l'Armée
rouge ; tous voulaient l'aide soviétique contre le Japon [24]. C'est ainsi
que l'Europe de l'Est et la majeure partie des Balkans furent perdues
au profit du totalitarisme.

Pendant quelque temps, il ne fut même pas certain qu'on pourrait sauver l'Europe occidentale. Nombre de semaines et de mois précieux furent perdus à inverser la politique de Roosevelt, ne serait-ce
que sur le plan intérieur et diplomatique. Pendant la première moitié
de 1945, le département d'État essayait encore d'empêcher la publication de toute littérature critiquant les Soviétiques, même quand il s'agissait d'un journaliste solide et parfaitement documenté, comme le
Rapport sur les Russes, de William White [25]. A Potsdam, en juillet, Truman avait pour voisin l'ancien ambassadeur Davies, qui arborait fièrement l'ordre de Lénine. « Je crois, dit Davies, que nous avons fait de
la peine à Staline. S'il vous plaît, soyez aimable avec lui [26]. » Churchill,
battu aux élections du 25 juillet, avait fait un rêve dans lequel il se voyait
mort, couché sous un drap blanc [27]. Ses successeurs travaillistes,
obsédés par l'effroyable situation financière de la Grande-Bretagne,
parlaient vaguement de reconstruire une alliance européenne
avec la France, mais ils craignaient davantage la résurrection de l'Allemagne que le rouleau compresseur soviétique [28]. Beaucoup de gens
pensaient que les jeux étaient faits. Harriman, à son retour de Moscou, dit au secrétaire de la Marine, James Forrestal, que, à son avis,
« à la fin de l'hiver, la moitié de l'Europe pourrait bien être communiste [29] ».

Mais, à nouveau, la cupidité de Staline le poussa à abattre ses cartes trop tôt, et c'est ce qui devait, finalement, inverser le mouvement,
et retenir les Américains en Europe. Cette fois, il n'était pas seulement
avide de terres et de pouvoir, mais aussi de sang. En Pologne, il fit arrêter 16 hommes politiques non communistes, les accusa de « terrorisme »
et mit en branle la machinerie de ses grands procès [30]. La même façon
d'agir était confirmée de partout par les correspondants et les officiers
supérieurs américains. De Belgrade, Robert Patterson faisait savoir que
toute personne qui avait été vue en compagnie d'un Anglais ou d'un Américain était immédiatement arrêtée ; un télégramme de Maynard Bar-
nes faisait état d'un massacre de 20 000 personnes en Bulgarie ; Arthur
Schoefeld décrivait l'imposition d'une dictature communiste en Hongrie ; Ellery Stone, à Rome, annonçait qu'un putsch du parti commu-

niste italien était probable. William Donovan, chef des Services stratégiques — c'était, alors, aux États-Unis, l'organisme le plus proche d'une agence centrale de renseignements —, proposa des mesures pour la coordination de la défense occidentale, en se fondant sur la terrifiante accumulation de rapports que les agents américains lui faisaient parvenir de tous les pays d'Europe [31]. Mais c'était la politique de Staline qui donnait matière à ces rapports et le type de diplomatie intransigeante qu'il pratiquait par l'intermédiaire de Molotov devait faire mûrir l'abcès, jusqu'à ce qu'il crève enfin, lors de la conférence des ministres des Affaires étrangères, à Moscou, en décembre 1945. Ce fut alors qu'Ernest Bevin, ministre nouvellement promu de la Grande-Bretagne, qualifia brutalement les arguments avancés par Molotov de « philosophie hitlérienne », tandis que le secrétaire d'État américain James Byrnes renchérissait, en affirmant que la Russie « tentait de dominer les nations de moindre importance par une action sournoise, tout comme Hitler l'avait fait par la force [32] ». Lorsque Byrnes fit son rapport, le 5 janvier, Truman se décida. « Je ne crois pas, dit-il, qu'il faille continuer à jouer au compromis avec les Soviétiques... J'en ai assez de les dorloter [33]. » Le mois suivant, George Kennan envoya de Moscou un télégramme de 8 000 mots qui tombait juste à point : il cristallisait ce que la plupart des membres de l'administration américaine commençaient à penser de la menace soviétique. Selon son propre auteur, le « long télégramme », comme on l'appela par la suite, « avait tous les caractères d'un de ces communiqués par lesquels un comité de congressistes inquiets ou de filles de la Révolution américaine alertent les citoyens des dangers d'une conspiration communiste [34] ».

Une quinzaine de jours plus tard, le 5 mars, Churchill rendait publique la guerre froide par le discours qu'il prononça, sous les auspices de Truman, à l'université de Fulton :

> « De Stettin, sur la Baltique, à Trieste, sur l'Adriatique, un rideau de fer est descendu sur le continent. Au-delà de cette ligne se trouvent les capitales de tous les anciens États d'Europe centrale et orientale... inclues dans ce qu'il nous faut bien appeler la sphère soviétique, et toutes sont sujettes, sous une forme ou sous une autre, non pas seulement à une influence, mais à un contrôle strict, et souvent croissant, de la part de Moscou. »

Puisque les Russes respectaient la force militaire, il fallait, ajoutait-il, que l'Amérique et la Grande-Bretagne continuent leur alliance défensive, afin qu'à la place d'un « équilibre tremblant et incertain des forces, ouvert à toutes les tentations de l'ambition et de l'aventurisme », il s'instaure « une irrésistible assurance de stabilité ». Lors du dîner offert, tout de suite après cette allocution, par Henry Luce, le propriétaire du magazine *Time*, l'orateur, à qui l'on avait fait un triomphe, put se gorger de caviar. « Vous savez, dit-il, l'oncle Joe m'en envoyait des quantités. Je pense que, maintenant, il ne le fera plus. »

En parlant juste au bon moment — en mai, les sondages américains allaient montrer que 83 % de la population étaient favorables au maintien de l'alliance militaire —, Churchill avait empêché la répétition du tragique retrait des troupes américaines en 1919. Il prétendit qu'il avait perdu 75 dollars en jouant au poker avec Truman, mais le voyage, ajoutait-il, « valait bien cela[35] ».

Staline entraînait les Américains toujours plus loin dans la guerre froide. En mars 1946, il laissa passer le délai qui avait été fixé pour le retrait de ses troupes en Iran, et ce n'est qu'après une confrontation orageuse avec le nouveau Conseil de sécurité des Nations unies, qu'il finit par les rappeler en URSS. En août, les Yougoslaves abattirent 2 avions de transport américains, et Staline commença à exercer des pressions sur la Turquie. La réponse américaine ne se fit pas attendre : on fonda ce qui allait devenir la CIA. Lors de la réception inaugurale, à la Maison-Blanche, Truman distribua des capes et des chapeaux noirs ainsi que des poignards en bois, et mit une fausse moustache sous le nez de l'amiral Leahy[36]. L'Amérique et le Canada coordonnèrent leurs systèmes de défense contre les attaques aériennes et les sous-marins. L'aviation américaine et la RFA échangèrent leurs plans de guerre et les Renseignements des deux pays reprirent contact. À la fin de juin, l'alliance anglo-américaine, officieusement, était à nouveau une réalité. Truman avait entrepris d'épurer son administration de ses éléments prosoviétiques. Le dernier des partisans du New Deal au cabinet ministériel fut Henry Wallace, secrétaire à l'Agriculture, grand admirateur de Staline, anglophobe et anti-Churchill. « C'est un de ces salauds qui agissent en douce », disait Truman. En juillet, il écrivit au Président une lettre confidentielle de 5 000 mots dans laquelle il se faisait l'avocat du désarmement unilatéral et d'un programme massif de relations aériennes et commerciales avec la Russie, puis il s'arrangea pour que le contenu en soit publiquement révélé. Truman nota dans son journal : « Wallace est un pacifiste à 100 %. Il veut que nous congédions nos forces armées, que nous livrions nos secrets atomiques aux Russes, et que nous fassions confiance à une poignée d'aventuriers au politburo du Kremlin... Il semblerait que les rouges, les crypto et les gauchistes de salon se soient ligués, et ils deviennent un danger national. Je crains qu'il ne s'agisse d'un sabotage de la part de l'oncle Joe Staline[37]. » Le lendemain, il limogeait Wallace, ce qui ne fit pas la moindre vague. Churchill put dire : « Ce que j'avais annoncé à Fulton a été dépassé par l'évolution des événements. »

De 1947 à 1949, l'Amérique prit, en Europe, une série d'engagements formels qui, pour la durée d'une génération, allaient servir de base à la politique générale des Occidentaux. Le processus débuta par un appel désespéré de la Grande-Bretagne, rappelant qu'elle n'était plus en mesure d'assumer le rôle d'une grande puissance. La guerre lui avait coûté 30 milliards de dollars, soit un quart de son revenu national. Elle avait perdu 5 milliards de son crédit à l'étranger et accumulé

12 milliards de dettes. Le prêt américain de l'après-guerre ne suffisait pas à couvrir le déficit de son commerce extérieur — en 1945, ses exportations représentaient moins d'un tiers de ce qu'elles avaient été en 1938 — ni les dépenses occasionnées par le mince édifice de forces qui maintenait une stabilité précaire en Europe, en Méditerranée et au Moyen-Orient. En 1946, la Grande-Bretagne dépensait, pour la Défense, 19 % de son produit national brut — contre 10 % aux États-Unis. Au début de 1947, 3 milliards de dollars étaient allés aux programmes de secours européens, dont 320 millions à l'Allemagne pour la seule année 1946 ; le maintien de la paix en Palestine avait coûté 330 millions de dollars ; pour la Grèce et la Turquie, enfin, les dépenses s'élevaient respectivement à 540 millions et 375 millions de dollars. Le 6 janvier, une tempête de neige annonça l'hiver le plus rigoureux depuis plus d'un siècle, qui dura jusqu'en mars. Le charbon gela sur les aires de stockage des mines et ne put être enlevé. Des coupures d'électricité provoquèrent la fermeture des usines, et plus de 2 millions de personnes se trouvèrent sans travail. Manny Shinwell, ministre des Carburants, parla d'une situation « absolument désastreuse ». Le prêt était pratiquement épuisé ; les réserves subissaient une ponction de 100 millions de dollars par semaine.

Le 21 février, les Britanniques firent savoir à Truman qu'ils seraient contraints de renoncer à leurs engagements en Grèce et en Turquie. Trois jours plus tard, le Président américain décidait de prendre la relève. Il y eut une réunion tendue au Salon ovale, le 26 février, lorsqu'il fallut exposer l'affaire aux principaux parlementaires. Le nouveau secrétaire d'État, le général Marshall, s'y prit fort mal, et son adjoint, Dean Acheson, dut intervenir. Il leur dit que la pression de Moscou sur le Moyen-Orient avait atteint un degré tel qu'une brèche risquait d'« ouvrir 3 continents à la pénétration soviétique ». C'était « comme la présence d'un fruit pourri dans un tonneau de pommes », la « corruption » de la Grèce « infecterait l'Iran et tout l'Orient ». Elle « gagnerait l'Afrique par l'Asie Mineure et l'Égypte, et l'Europe par l'Italie et la France ». La Russie « allait réaliser le plus fort coup de poker de l'histoire du monde, pour une mise infime » ; même si elle ne gagnait pas toutes les manches, « une ou deux d'entre elles représentaient déjà un avantage énorme ». L'Amérique seule « disposait d'une main qui lui permettrait d'inverser les positions ». Enfin, tel était l'enjeu que le retrait des Britanniques offrait à « un adversaire avide et sans scrupules ». Il y eut un long silence, puis Arthur Vandenberg qui, jusque-là, avait fait partie des isolationnistes, prit la parole au nom de ses collègues. « Monsieur le Président, si vous dites cela au Congrès et au pays, je vous appuierai, et je pense que la plupart de nos membres en feront autant [38]. »

La « doctrine Truman » fut annoncée le 12 mars. « Je suis convaincu qu'il appartient aux États-Unis de soutenir les pays libres lorsqu'ils se refusent à être asservis par des minorités armées ou par des pressions extérieures... nous devrons aider les pays libres à déterminer leur propre avenir de la façon qui leur convient. » L'aide devait être « avant tout » économique. Pour commencer, il demanda de l'argent pour la Grèce et la Turquie, ainsi que des experts militaires et civils, et il obtint une majorité de deux contre un aux deux chambres. C'est ainsi que mourut l'isolationnisme, achevé par Joseph Staline. Deux mois plus tard, le 5 juin, le secrétaire d'État dévoilait, à Harvard, l'existence du plan Marshall. Celui-ci était encore assez vague. Selon la paraphrase qu'en fit Dean Acheson, il pouvait se ramener à ceci : « Si les Européens, tous ou certains d'entre eux, se mettaient d'accord et soumettaient un bilan de ce qu'ils jugent nécessaire pour les tirer de leur terrible situation... nous serions prêts à l'examiner, afin de déterminer quelle aide pratique nous sommes en mesure de leur apporter[39]. » 22 nations européennes allaient prendre rang. Les Tchèques et les Polonais voulaient se joindre à elles, mais un veto de Staline s'y opposa.

Le programme débuta en juillet 1948, se poursuivit sur trois ans et coûta au gouvernement américain la somme totale de 10,2 milliards de dollars. La logique économique de l'affaire était parfaite dans la mesure où, au deuxième trimestre de 1947, les surplus de la production américaine atteignaient 12,5 milliards. Comme le fit remarquer Hugh Dalton, le chancelier de l'Échiquier britannique, « la pénurie de dollars était universelle et ne cessait de croître. Le revenu américain représentait la moitié du revenu total du monde, et ils ne voulaient ni le dépenser pour acheter les produits des autres, ni le prêter, ni le donner... Combien de temps fallait-il, dans ces conditions, pour que la pénurie du dollar entraîne une crise générale ? ». La consommation moyenne, aux États-Unis, était de 3 300 calories par jour, contre 1 000 ou 1 500 pour les 125 millions d'Européens. L'aide apportée par le plan Marshall recycla une partie des surplus, diminua l'écart de consommation et rétablit les bases d'une autonomie économique dans l'Europe du Sud et de l'Ouest. Vers 1950, le succès total de l'opération ne faisait plus aucun doute[40]. Elle avait commencé par supprimer l'écart entre le niveau de vie des Européens et celui des Américains, mais elle installait aussitôt un abîme de même nature entre l'Europe de l'Ouest et celle de l'Est ; le rideau de fer devenait une frontière entre l'abondance et la pénurie.

Mais l'Amérique, jusque-là, n'avait encore rien engagé pour la défense militaire de l'Europe. À coups répétés, Staline devait l'y contraindre. Il n'y avait que 500 militaires russes en Tchécoslovaquie, mais le gouvernement tchèque était mixte, et les hommes de Staline contrôlaient la police. Marshall considérait que la Tchécoslovaquie faisait partie du bloc soviétique. Tout cela était loin d'être suffisant pour la gourmandise de Staline. Le 19 février 1948, il envoya à Prague le sous-secrétaire des Affaires étrangères, V. A. Zorine. Le lendemain, 12 ministres non communistes donnaient leur démission. Après une crise de quinze jours, il y eut un nouveau gouvernement. La Tchécoslovaquie était devenue un pays satellite. L'ambassadeur des États-Unis,

Lawrence Steinhardt, jugeait que, comme les Finnois ou les Italiens, les Tchèques auraient pu résister. Il accusa de lâcheté le président Benes et le ministre Mazaryk, qui se suicida après la capitulation [41]. Mais l'un des facteurs déterminants fut certainement l'absence d'une politique énergique de la part des États-Unis, et c'est aussi ce qui permit à Staline de ne pas s'arrêter là. Le 24 juin, il bloqua l'accès de la zone ouest de Berlin et coupa l'électricité dans tout ce secteur.

N'ayant pu se mettre d'accord sur une formule commune, les deux blocs rivaux avaient, en 1946, entamé la création séparée de deux Allemagnes. Le 18 juin 1948, les 3 alliés occidentaux annoncèrent que leur zone d'occupation adopterait désormais la nouvelle unité monétaire allemande. Ce fut le prétexte de l'intervention soviétique. Il est intéressant de noter que le commandant de la zone américaine, le général Lucius Clay, n'avait guère compté, jusque-là parmi les partisans de la guerre froide. Cet incident devait amener, chez lui, un changement radical. Il reconnut que l'accès de Berlin n'existait qu'en vertu d'« un accord oral, confirmé par près de trois ans d'application ». Il proposait maintenant qu'un certain déploiement de forces soit judicieusement mis en œuvre pour examiner les « difficultés techniques » qui, selon les Russes, rendaient impossible l'accès de la ville. Il demanda l'autorisation d'« utiliser l'équivalent d'un régiment de police, dont la troupe serait munie d'armes légères, et d'un bataillon du génie... ces effectifs auraient pour mission d'accompagner les convois et de dégager la voie, même si leur intervention devait déclencher une attaque [42] ».

Cette suggestion fut longuement discutée à Washington, puis rejetée. Le nouveau secrétaire de la Défense, Forrestal, dit à Marshall que « les chefs d'état-major n'envisageaient pas d'approvisionner Berlin par convoi armé, en raison des risques de guerre que cela entraînait et de l'insuffisante préparation des États-Unis à un conflit généralisé [43] ». Mais quels étaient ces risques ? Nikita Khrouchtchev admit, par la suite, que Staline ne faisait que « chatouiller le capitalisme avec une baïonnette ». L'enjeu se trouvait alors en Yougoslavie, où il venait de rompre avec le maréchal Tito, l'ayant expulsé du Kominform, organisme de coordination des partis communistes internationaux qu'il avait institué en 1947. Ces événements avaient eu lieu quatre jours avant la fermeture de la route de Berlin. Khrouchtchev devait ajouter : « Je suis absolument sûr que si la Yougoslavie avait eu une frontière commune avec la Russie, Staline serait intervenu militairement [44]. » Il avait donc à résoudre un problème intérieur à son empire, et on le voit mal, dans ces conditions, risquer de perdre le contrôle d'une simple opération de sondage qu'il pouvait annuler et reprendre à volonté.

Mais si le danger était alors discutable, il n'en allait pas de même pour le manque de préparation des États-Unis sur le plan militaire. Les chefs d'état-major estimaient que les effectifs de l'Armée rouge s'étaient alors stabilisés autour de 2,5 millions d'hommes, auxquels il fallait ajouter une force de sécurité de 400 000. En contrepartie, les Américains avaient le monopole de l'armement nucléaire, mais il était plus théorique que réel. Le 3 avril 1947, Truman avait appris, avec horreur, que s'il existait bien de quoi fabriquer 12 bombes A, aucune n'était disponible pour un usage immédiat. On avait commandé un arsenal de 400 bombes qui devaient être prêtes en 1953, mais, au milieu de l'année 1948, leur nombre était encore insuffisant, ne serait-ce que pour réaliser l'opération Pincher de l'aviation, qui prévoyait la destruction complète de l'industrie pétrolière de l'URSS[45]. Quelque 60 B 29, intitulés « bombardiers atomiques », avaient été envoyés en Angleterre, à grand renfort de publicité, mais ils étaient loin d'avoir chacun leur bombe. On décida donc de faire une démonstration de la puissance aérienne des États-Unis en ravitaillant Berlin par avion. Ce fut un succès : le pont aérien transportait 4 500 tonnes par jour dès le mois de décembre, et 8 000 tonnes par jour au printemps suivant, ce qui représentait l'équivalent de l'approvisionnement par voie terrestre[46]. Le 12 mai 1949, les Russes abandonnaient le blocus. Certes, en un sens, c'était une victoire. Mais en ne profitant pas du blocus de Berlin pour contraindre par la force les Russes à se retirer, on renouvelait, dans les années 40, l'histoire d'une autre occasion manquée : celle de la crise rhénane de 1936.

Le blocus n'en fut pas moins un événement décisif pour les Occidentaux car il les poussa à éclaircir leurs idées et à prendre des décisions à long terme. Il les contraignit à admettre dans leurs plans le fait accompli d'une Allemagne divisée, et donc à créer un État ouest-allemand. Sa constitution fut rédigée en février 1949, adoptée en mai, et elle entra en application à l'automne de la même année. Cette Allemagne nouvelle serait l'objet d'un éventuel réarmement, et il fallait donc qu'elle soit incluse dans une structure de défense occidentale plus étendue. C'est ainsi que, le 4 avril 1949, à Washington, 11 nations démocratiques vinrent à signer le pacte de l'Atlantique Nord. La politique américaine reposait sur le fait que 5 régions du monde étaient seules susceptibles d'être la source d'une puissance militaire moderne : les États-Unis, le Royaume-Uni, la zone industrielle du Rhin et de la Ruhr, le Japon et l'Union soviétique. Son objet était de s'assurer que l'URSS ne pourrait compter sur aucune autre source que la sienne. Cette doctrine géopolitique du « confinement » avait été esquissée dans un article intitulé « Les sources de la conduite soviétique », publié par *Foreign Affairs* en juillet 1947. L'article était signé « X », mais son auteur, en fait, était George Kennan. Il postulait que la Russie, bien qu'elle désirât éviter la guerre ouverte, était déterminée à continuer son expansion par tous les moyens, sauf celui-là ; et que la réponse de l'Amérique devait être un « confinement à long terme, patient, mais ferme et vigilant, des tendances expansionnistes de la Russie », ce qui impliquait « l'utilisation d'une contre-force que l'on appliquerait avec adresse et vigilance en divers points, tant géographiques que politiques, qui pourraient être constamment modifiés[47] ». La crise de Berlin fournit l'élan qui allait permettre la réalisation pratique de cette doctrine.

En février-mars 1949, un groupe de membres du département d'État et de la Défense rédigèrent un document intitulé « Conseil National de sécurité 68 », qui définissait, pour les trente années à venir, ce que seraient les lignes directrices de la politique étrangère et de la défense américaines [48]. On y trouvait la proposition suivante : l'Amérique étant la plus grande puissance du monde libre, il lui revenait de défendre les institutions démocratiques dans le monde entier. Ses obligations, dans ce domaine, étaient à la fois morales, politiques et idéologiques, et il fallait qu'elle se donne, sur le plan militaire, les moyens de les assumer. Elle devait se pourvoir d'une force de frappe suffisante d'armes conventionnelles autant que nucléaires. Pour ces dernières, la résolution était d'autant plus ferme que, le 3 septembre 1949, les observations d'un B 29 patrouillant à 5 500 mètres au-dessus du Pacifique Nord apportaient des preuves certaines que les Russes avaient réalisé, en août, leur première explosion atomique [49]. Le monopole nucléaire de l'Amérique avait donc pris fin. Il ne lui restait plus qu'à recouvrir la terre d'une protection militaire aussi diversifiée que possible, et c'était une tâche de longue haleine. Le CNS 68 notait que l'URSS consacrait 13,8 % de son PNB aux armements, contre 7 % pour les États-Unis, mais ceux-ci pourraient, en cas de nécessité, aller jusqu'à 20 %. Ce document fut officiellement approuvé en avril 1950. Il représentait une inversion historique de ce qui avait été, jusqu'alors, la politique traditionnelle de l'Amérique envers le reste du monde. Peu à peu, il allait l'engager militairement à l'égard de 47 nations, mener à la création de 657 bases et au maintien, outre-mer, de 1 million d'hommes [50].

Il ne faudrait pas, cependant, attribuer à la politique américaine plus de logique et de cohérence globale qu'elle n'en possédait réellement. Il n'y eut jamais, à proprement parler, de plan directeur ; il s'agissait plutôt d'expédients de fortune, souvent contradictoires, avec de nombreuses omissions et, parfois, d'énormes brèches. On était parvenu, avec un certain succès, à rétablir la stabilité militaire et économique en Europe occidentale, mais la vision trop confiante qu'on avait pu former, après l'éclatante victoire de 1945, de la situation extrême-orientale commençait à s'assombrir. À nouveau, on allait payer cher les illusions et la frivolité de Roosevelt. Il éprouvait, à l'égard de la Chine, un attachement sentimental plus vif que pour toute autre nation. La Chine, pour lui, n'était pas un problème, mais une solution. Il la considérait comme l'une des 4 grandes puissances ; elle devrait être, elle pourrait devenir le principal facteur de stabilité en Asie. Lorsque l'Amérique entra en guerre, il travailla ferme à transformer cette vision — ou cette illusion — en réalité. Cela faisait rire Staline, mais Churchill fulminait : « Que la Chine soit l'une des grandes puissances mondiales, écrivait-il à Eden, c'est une farce ridicule ! » Il voulait bien être « raisonnablement poli » au sujet de cette « obsession américaine », mais c'était tout [51]. Roosevelt faisait entrer la Chine dans le système des 4 Grands, mais

il est bien caractéristique de cet homme qu'il ait été prêt à l'en exclure
aussi, quand cela lui eût convenu : que l'on songe au traité secret de
Yalta sur le Japon, qui devait permettre aux Russes d'entrer en Mandchourie. Peut-être se sentait-il quelque peu coupable lorsque, par la
suite, il rencontra Tchang Kaï-chek. « La première chose que je lui
demandai fut : "Voulez-vous l'Indochine ? Il me répondit : — Elle ne
nous servirait à rien. Nous n'en voulons pas. Ce ne sont pas des
Chinois[52]." »

L'idée que, après la guerre, Tchang pourrait être l'artisan de la
stabilité en Extrême-Orient était absurde. En Chine même, jamais il
n'avait, à aucun moment de sa carrière, contrôlé plus de la moitié du
pays. C'était un mauvais administrateur et un général tout à fait moyen.
En tant qu'homme politique, il ne possédait pas assez d'intuition pour
voir que la Chine avait besoin à la fois de ferveur patriotique et d'un
idéal de gauche, chose que Mao, lui, avait parfaitement comprise.
Tchang ignorait tout de la classe paysanne et ne s'en préoccupait guère,
alors que Mao, justement, y trouvait son audience. Il eût donc été un
partenaire idéal pour Tchang. Les deux hommes avaient déjà collaboré,
et Mao était prêt à le faire à nouveau, quoiqu'il y eût probablement mis
des conditions plus strictes, la Longue Marche lui ayant conféré la première place au sein du mouvement communiste. En février 1942, il avait
lancé sa première grande campagne idéologique, dite « de rectification »,
car il s'agissait de corriger le Parti communiste chinois de son marxisme
abstrait et stérile, et de le ramener aux réalités historiques de la Chine.
En 1944, il louait la démocratie américaine : « Le travail que font
aujourd'hui les communistes, disait-il, est le même que celui de Washington, de Jefferson ou de Lincoln[53]. » Mais si Mao amorçait alors un
mouvement vers le centre, Tchang, lui, virait nettement à droite. En
janvier, les forces du Kouo-min-tang tuaient 9 000 hommes de Mao, au
sud du fleuve Jaune. À partir de ce jour, les deux groupes continuèrent
à se battre séparément contre le Japon, sans grand succès, d'ailleurs,
ni d'un côté ni de l'autre. Souvent, ils s'affrontaient. À la fin de 1943,
Tchang publiait *Le Destin de la Chine*, où il était dit que le communisme
et le libéralisme étaient également mauvais pour le pays ; son seul idéal
ne pouvait être que le conservatisme de Confucius. Ce texte était si hostile à l'Occident qu'il dut être censuré dans sa version anglaise. En 1944,
les Américains firent de gros efforts pour réconcilier les troupes de Mao
et celles de Tchang. Ils étaient favorables à une coalition du Kouo-min-
tang et du Parti communiste chinois, et prêts à leur apporter aide et
financement. Tchang refusa, mais Mao fit preuve d'un enthousiasme
qui le mettait dans une curieuse position, car il défendait alors les Anglo-
Saxons contre les attaques de Tchang. Les déclarations qu'il put faire
à cette époque furent d'ailleurs supprimées, par la suite, de ses œuvres
complètes[54].

Après la fin de la guerre, les Américains s'efforcèrent à nouveau
de réaliser cette coalition, mais Tchang insista pour que Mao congédie

son armée. Staline trouvait que cette exigence était raisonnable. Il conseilla à Mao de « se joindre au gouvernement et de dissoudre l'armée... puisqu'une insurrection, en Chine, était sans avenir [55] ». Mao refusa. Il voulait bien tenir le second rôle, mais non pas s'abaisser (et risquer, par surcroît, d'être exécuté). La constitution du Parti, rédigée en 1945, montre qu'il avait déjà commencé à créer son propre « culte de la personnalité » ; on y lisait, en effet, que « la pensée de Mao Tsö-tong » était un guide essentiel pour « le travail du Parti sous toutes ses formes », et que Mao était « non seulement le plus grand révolutionnaire et le plus grand homme d'État de l'histoire de la Chine, mais aussi son plus grand théoricien et son plus grand homme de science ». Ce texte était en grande partie dû à Mao lui-même [56]. Mao était un romantique ambitieux. Il s'était bien tiré de la guerre et voulait faire mieux encore en temps de paix. Tchang, qui tenait la place, ne supportait pas l'idée qu'il pût avoir un successeur, surtout si ce dernier avait des prétentions intellectuelles. Historiquement, il n'était pas inévitable qu'il y eût une guerre civile en Chine. C'était un conflit de personnes.

L'issue de cette guerre ne reposa nullement sur l'entrée en jeu de forces profondes, nées de l'économie ou de la lutte des classes. À aucun moment il ne concerna la majorité de l'énorme population chinoise. Il est vrai que Mao réussit à mobiliser l'énergie et le mécontentement des paysans pour servir ses desseins. Mais s'il put le faire, c'est en grande partie grâce au succès de la campagne d'instruction publique du Kouo-min-tang qui, en 1940, avait atteint la plupart des villages. Il est vrai aussi que certains paysans craignaient une victoire de Tchang parce qu'elle signifiait le retour des propriétaires terriens. Mais Mao ne prit jamais la tête d'une croisade de « restitution » des terres aux paysans car, dans les régions où il était le mieux implanté, ceux-ci les possédaient déjà. Le système domanial était loin d'être aussi répandu qu'on l'a dit. La terre était travaillée par ceux qui la possédaient dans les quatre cinquièmes du nord de la Chine, dans les trois cinquièmes du centre, et dans la moitié du sud [57]. Dans la plupart des cas, il s'agissait de savoir non pas qui serait le propriétaire, mais qui apporterait la paix et la sécurité.

On peut dire que la guerre civile de 1945-1949 fut, en fait, le point culminant d'une période d'instabilité qui avait commencé, après la chute de la monarchie, avec les seigneurs de la guerre. Le succès, dans un cas comme dans l'autre, dépendait des mêmes facteurs : contrôler les villes et les voies de communication, maintenir la cohésion des armées en leur assurant, en même temps qu'un bon moral, la régularité de la paie et du ravitaillement. De ce point de vue, si Mao fut un meilleur seigneur de la guerre que Tchang, c'est surtout parce qu'il sut maintenir ses armées en dehors de l'économie urbaine. Pour la raison inverse, ce fut l'inflation qui amena la chute du Kouo-min-tang. Elle était devenue incontrôlable dans la dernière phase de l'Empire japonais dont la Chine, rappelons-le, constituait une part importante. Au

Japon même, en 1945, le papier-monnaie avait perdu toute valeur, et l'on était revenu pratiquement à une économie à base de troc. Par contagion, cette maladie gagna les villes chinoises et remonta le long des grands fleuves. Le régime de Tchang, quand il prit la relève dans les derniers mois de 1945, hérita de l'hyperinflation sous-jacente et ne sut pas prendre des mesures adéquates pour la juguler. Les Américains étaient généreux : ils apportaient de l'argent et des fournitures. Tchang pouvait demander une série de prêts, et il en obtint de substantiels : 500 millions de dollars pour la stabilisation économique, 2 milliards de dollars pour toute la période de 1945 à 1949. Mais lorsque la guerre civile prit de l'ampleur, l'incidence de l'aide américaine cessa de se faire sentir. Le gouvernement de Tchang ne se bornait pas à être incompétent, il était également corrompu. L'inflation entraînait la faiblesse militaire, et l'échec militaire, un surcroît d'inflation.

Tchang ne trouva pas d'autre solution que de faire comme si le problème n'existait pas. Sa force déclina, lentement d'abord en 1947, puis rapidement dans la première moitié de 1948. À Pékin, les prix quintuplèrent entre la mi-septembre et la mi-octobre. Le *Peiping Chronicle* se faisait l'écho des commentaires de Tchang : « Les rapports de presse ont grandement exagéré, récemment, l'augmentation des prix et la course aux achats... Lors de son inspection personnelle des villes de Peiping, T'ientsin et Mukden (le général Tchang) ne vit rien qui pût justifier ces allégations [58]. » Pourtant, en Mandchourie comme dans le nord de la Chine, l'inflation avait entraîné un arrêt presque total de l'industrie. Et la pénurie chronique de riz avait mis de nombreux ouvriers hors d'état de travailler. Selon le rapport du consul général d'Amérique à Mukden :

> « Des efforts puérils ont été faits contre l'inflation, et pour combattre le stockage des denrées... ils ont consisté surtout... en réquisitions forcées de grain, à la pointe des baïonnettes, obtenu ainsi à des prix de contrôle puis revendu à ceux du marché noir pour remplir les poches de rapaces fonctionnaires civils ou militaires [59]. »

À Shanghai, le prix des denrées de consommation courante fut multiplié par 20 entre le 19 août et le 8 novembre 1948. Ce jour-là, le prix du riz passa de 300 dollars chinois le *picul* (environ 58 kilogrammes) le matin à 1 000 dollars à midi, puis à 1 800 dollars le soir [60]. Des centaines de personnes mouraient chaque jour dans les rues, et leurs cadavres étaient enlevés par les camions de ramassage des ordures municipales. Tchang fit de son fils, le général Tsiang-King-kouo, une sorte de dictateur économique. Ce fut lui qui institua la réforme du « dollar-or ». Elle n'avait rien de si reluisant, car elle transforma l'inflation en une véritable panique, défiant tout contrôle. Elle eut, pour effet, entre autres, de retirer à Tsiang l'un de ses principaux appuis, celui des gangsters de Shanghai, car cette mesure leur soutirait l'équivalent de 5 millions de dollars américains, qui passèrent dans ses propres « réserves de guerre [61] ».

Selon les mêmes modalités que pour les seigneurs de la guerre, l'effondrement de la situation économique devait entraîner aussitôt un fléchissement de la force militaire. Au cours de l'été 1948, en session secrète, le Parlement du Kouo-min-tang apprit comment les choses se présentaient. En août 1945, son armée était de 3,7 millions d'hommes et possédait 6 000 canons lourds. À la même époque, celle du Parti communiste ne dépassait pas 320 000 hommes, dont 166 000, au plus, étaient armés. Mais les unités rouges vivaient du produit de la terre, ou bien elles écrémaient les villes conquises. Les soldats du Kouo-min-tang, en revanche, étaient payés avec des billets de banque qui suffisaient de moins en moins à les nourrir, aussi vendaient-ils leur armement individuel ou tout autre équipement qu'ils pouvaient se procurer. Les officiers étaient, en cette matière, pires que les hommes, et les généraux faisaient mieux encore. En juin 1948, les effectifs du Kouo-min-tang étaient tombés à 2,1 millions. Dans le même temps, l'armée communiste avait atteint 1,5 million d'hommes équipés de 1 million de fusils et de 22 800 canons, ce qui représentait davantage que l'ensemble de l'artillerie du Kouo-min-tang (21 000 pièces). Presque toutes ces armes avaient été achetées aux troupes gouvernementales. Les Américains, qui avaient fourni à Tchang la valeur de 1 milliard de dollars de surplus de la guerre du Pacifique, devinrent ainsi les pourvoyeurs des deux parties[62].

Pendant les derniers mois de 1948, les communistes remportèrent une série de victoires indiscutables qui devaient culminer, à la fin de l'année, par la bataille décisive de Hsuchow. En décembre, la plus grande partie de la Mandchourie et de la Chine du Nord se trouvaient aux mains de Mao. Tientsin tomba en janvier 1949 et Pékin se rendit. Hsuchow avait coûté 400 000 hommes au Kouo-min-tang, mais, sur ce nombre, il y avait 200 000 prisonniers, affamés et sans le sou, qui furent immédiatement intégrés à l'armée communiste et pourvus de 140 000 fusils américains. Le 1er février 1949, aux États-Unis, le département de l'Armée annonça que les troupes du Kouo-min-tang étaient passées de 2,723 millions d'hommes au début de 1948 à moins de 1,5 million, et que, sur ce dernier chiffre, plus de la moitié étaient des non-combattants. À la même date, les forces du Parti communiste chinois comptaient 1,62 million d'hommes, presque tous entraînés au combat. Tchang se préparait à évacuer ses effectifs à Taiwan (Formose). Néanmoins, Staline conseillait encore à Mao un compromis, selon lequel le Nord reviendrait au Parti, et le Sud au Kouo-min-tang, mais Tchang refusait toute négociation. En avril 1949, Mao traversait, au sud, le Yang-tseu et s'emparait de Nan-king. Au mois d'octobre, il contrôlait l'ensemble de la Chine continentale, rétablissant ainsi, à sa manière, ce qui avait été la précaire unité de l'époque impériale[63].

Après quarante années d'une affreuse guerre civile où des millions de personnes avaient péri, aucun des objectifs originels de Sun Yat-sen — ni la démocratie parlementaire, ni la liberté de la presse, ni l'*habeas corpus* — n'avait été atteint. La Chine se retrouvait à son point de départ, soumise à un nouveau despotisme, mais bien plus sûr de soi, plus oppressif que le précédent. Le premier acte de Mao fut de généraliser la « réforme des terres » qu'il avait commencée dans le Nord. Il désignait comme cibles à la vindicte populaire les « tyrans locaux et les mauvais aristocrates », encourageant les paysans à en tuer « non pas quelques-uns, mais un bon nombre [64] ». Près de 2 millions de personnes périrent ainsi. La moitié de ces despotes possédait moins de 5 hectares. Mao, le révolutionnaire romantique, lança alors la nation la plus peuplée du monde dans un activisme violent et frénétique qui devait rivaliser avec les manipulations sociales de Hitler ou de Staline.

Les planificateurs américains voyaient, avec désarroi, se désintégrer sous leurs yeux le pilier de stabilité dont avait rêvé Roosevelt. Il laissait un gigantesque vide. Comment allait-on le combler ? Bien que le Japon fût l'une des quatre régions clés qu'il leur fallait tenir, ils n'avaient jamais envisagé d'en faire le point focal de leur implantation en Orient, comme c'était le cas, en Europe, pour la Grande-Bretagne. Par un effet miraculeux de la providence, les Russes étaient entrés en guerre contre le Japon trop tard pour qu'il leur fût possible de revendiquer leur part dans l'occupation du pays. Selon les accords de Potsdam, les Américains avaient donc les mains libres. Le général MacArthur régnait comme une sorte de substitut constitutionnel du Tenno. Dès l'été 1947, on avait envisagé de lâcher les amarres au Japon en signant un traité de paix et en retirant les troupes d'occupation, bien que le pays fût désarmé, qu'il n'eût pas de système central de police pour combattre la subversion soviétique et que, la Russie s'étant rendue maîtresse des îles Kouriles, du sud de Sakhaline et de la Corée du Nord, il fut confronté à un demi-cercle d'hostilité active [65]. Mais avant que ce projet puisse être mis en œuvre, le désastre chinois de 1948-1949 amenait les Américains à changer d'avis. La Russie ne disposant d'aucune voix officielle dans l'affaire, les Américains pouvaient prendre une décision unilatérale, et ils ne tardèrent pas à le faire. Le début de l'année 1949 vit un retournement de leur politique ; on retira au gouvernement japonais le poids de l'occupation. L'heure n'était plus celle du châtiment, mais de l'expansion, l'accent n'était plus mis sur le neutralisme et la démilitarisation ; un généreux traité de paix intégrait le Japon dans le système occidental.

Le « confinement » supposait des frontières précises que les Russes ne franchiraient qu'à leurs risques et périls. En Europe, elles étaient maintenant fort claires. En Asie, à partir de 1949, le Japon se trouvait, sans équivoque, à l'abri du parapluie américain. Mais ailleurs ? Le 12 janvier 1950, Dean Acheson fit, au National Press Club de Washington, un discours de la plus grande imprudence. Il paraissait exclure du périmètre de la défense américaine non seulement Taiwan et l'Indochine, mais aussi la Corée. Les troupes soviétiques et américaines s'étaient alors retirées de ce pays qui se trouvait divisé en une zone Nord et une zone Sud. Dans cette dernière, les États-Unis n'entretenaient qu'un contingent d'entraînement de 500 personnes. Le principal argument d'Acheson était que le passage de la Chine au communisme ne présentait pas que des aspects négatifs, car les Chinois et les Russes n'allaient pas tarder à se prendre à la gorge. Il jugeait que « l'absorption » partielle ou totale « des 4 provinces septentrionales de la Chine » (les 2 Mongolies, le Sinkiang et la Mandchourie) était « le fait le plus important dans les relations de l'Asie avec toute-puissance non asiatique ». Il ne fallait pas indisposer la Chine, ni « risquer de détourner sur nous-mêmes la colère justifiée, la haine que le peuple chinois finirait par éprouver à l'égard des Russes ». Acheson, en fait, était mal renseigné. Il s'appuyait sur un dossier du général W.E. Todd, responsable de la section de Renseignements de l'assemblée des chefs d'état-major. Selon ce document, de tous les objectifs possibles pour une agression soviétique, « la Corée venait en fin de liste ». Il ignorait aussi que des négociations étaient en cours entre Mao et les Russes, et que ceux-ci s'apprêtaient à céder le chemin de fer de Mandchourie et Port-Arthur à la Chine[66].

Que cachait donc cette générosité inhabituelle de Staline ? Il s'agissait pour lui de ne pas répéter l'erreur qu'il avait commise avec Tito, de ne pas traiter Mao comme un pantin, mais de l'aborder sur un pied d'égalité, comme un autre dictateur qui avait instauré son régime par ses propres efforts. Staline semble avoir décidé de mettre de l'ordre dans son empire d'Orient pendant l'été 1947, après l'annonce du plan Marshall. Le premier congrès du Kominform s'était tenu à Belgrade, pour bien montrer que la Yougoslavie faisait partie intégrante du système, mais il s'agissait, en fait, de remplacer ceux des dirigeants communistes dont la situation n'était issue que de leur audience nationale par des hommes qui devraient tout à Staline et à l'appui des Soviétiques. Le « coup » de février 1948, en Tchécoslovaquie, allait dans le sens de cette manœuvre. Staline avait également l'intention d'abattre Tito, car il ne lui avait jamais pardonné le peu de civilité d'un certain message reçu pendant la guerre : « Si vous ne pouvez pas nous aider, cessez au moins de nous gêner par des conseils inutiles[67]. » Dans le courant du mois qui avait vu l'absorption de la Tchécoslovaquie, Staline avait convoqué à Moscou Dimitrov, le dirigeant communiste bulgare, qu'il avait humilié, ainsi qu'Edward Kardelj et Milovan Djilas, 2 Yougoslaves ; l'un ou l'autre de ces derniers devait, s'il se montrait assez souple, remplacer éventuellement Tito. Il leur ordonna d'associer la Yougoslavie et la Bulgarie en une fédération économique semblable au Benelux, dont il pensait qu'il se composait de la Belgique et du Luxembourg. Lorsqu'on lui dit qu'il intéressait aussi les Pays-Bas, il le nia et s'écria rageusement : « Quand je dis non, c'est non ! » Puis, passant au chapitre du bakchich, il offrit comme appât aux Yougoslaves la petite victime de Mussolini : « Nous ne verrions pas d'inconvénient à ce que la Yougoslavie avale l'Albanie[68] », dit-il, faisant le geste de sucer l'index de sa main droite.

Lorsqu'on rapporta cette entrevue à Tito, il subodora aussitôt un putsch contre sa personne. Comme Staline, c'était un gangster politique, et il n'ignorait rien des règles qui commandent à la survie. Il décida aussitôt d'interrompre toute communication d'informations aux organes intérieurs de son parti, à la police et à l'armée, et fit de même pour leurs homologues russes. Le 1er mars, il mena la crise à son point culminant en obtenant de son Comité central qu'il rejette la proposition de Staline. Au cours de la dispute théologique qui suivit, le 27 mars, Tito fut accusé d'antisoviétisme, de tendances antidémocratiques, d'incapacité à l'autocritique, d'une absence de conscience de classe, d'avoir des relations secrètes avec l'Occident et de se livrer au contre-espionnage antisoviétique ; le parti yougoslave, dans son ensemble, fut flétri en tant qu'organisme mencheviste, boukhariniste et trotskiste ; le réquisitoire, enfin, se termina par une menace de mort à peine déguisée à l'égard de Tito lui-même : « Nous pensons que la carrière de Trotski est fort instructive[69]. » Le 28 juin, le Kominform mit loyalement en garde le monde communiste : l'objectif de Tito était de « s'immiscer dans les bonnes grâces de l'impérialisme », ce qui n'était que le prélude à « l'instauration d'une république bourgeoise ordinaire », laquelle ne tarderait pas à devenir « une colonie des impérialistes ». Il invitait « les éléments sains » du Parti communiste Yougoslave à « remplacer les dirigeants actuels ».

Comme le montre sa rage et la violence croissante de son langage, Staline découvrait, à chaque stade de la dispute, que Tito avait encore une longueur d'avance. L'affaire ne lui servit à rien, si ce n'est à identifier, au sein du parti yougoslave, ceux qui restaient inconditionnellement fidèles à Moscou. Mais ce fut également évident pour Tito. Il limogea deux de ses principaux collègues, fit fusiller son chef d'état-major de la guerre, mit en prison le commandant adjoint de son armée ainsi que 8 400 suspects, membres du Parti, de la police et de l'armée. Les arrestations continuèrent jusqu'en 1950[70]. Staline imposa des sanctions économiques, fit manœuvrer son armée aux frontières de la Yougoslavie, monta de toutes pièces dans divers pays satellites des procès qui prenaient Tito comme épouvantail. Mais Tito savait rassembler son parti sur une ligne nationaliste — « quel que soit l'amour que chacun de nous porte à l'URSS, patrie du socialisme, il ne peut l'aimer davantage que son propre pays » —, et Staline comprit qu'il ne pourrait renverser le régime sans avoir recours à une invasion ouverte par l'Armée rouge ; cela signifiait d'importants combats et, peut-être, une intervention occidentale. Tito n'entra jamais, officiellement, sous le parapluie de l'Occident, mais cette sauvegarde éventuelle était implicite. Lorsqu'il se rendit à Londres, en 1953, Churchill, qui était à nouveau Premier ministre, lui dit : « Si notre alliée de la guerre, la Yougoslavie, était attaquée, nous irions combattre et mourir à vos côtés. » À quoi Tito répondit : « Ce vœu sacré nous suffit. Nous n'avons pas besoin d'autre traité[71]. »

Khrouchtchev devait dire, par la suite, qu'il eût été possible de régler toute l'affaire Tito sur la base d'une discussion raisonnable[72]. Staline, rétrospectivement, en vint sans doute aux mêmes conclusions, mais il ne l'admit jamais. L'échec de sa politique yougoslave devint flagrante pendant l'été 1948 ; c'est alors que Jdanov, qui avait présidé à l'excommunication de Tito, mourut subitement, le 31 août 1948, probablement assassiné sur l'ordre de Staline[73]. En concédant à Mao qu'il était maître chez lui, Staline adoptait maintenant une tactique tout à fait différente. Il semble bien qu'il ait décidé d'attacher la Chine au bloc soviétique non par des menaces ou par l'imbrication des systèmes économiques, mais en faisant monter la température en Extrême-Orient. En janvier 1950, Acheson prenait ses désirs pour des réalités, lorsqu'il suggérait que, si l'Occident la laissait faire, la Chine ne tarderait pas à rompre avec la Russie. C'est aussi ce qui peut avoir mis Staline en garde, tandis que le même discours, en parlant de la Corée dans les termes que l'on sait, lui proposait les éléments d'une solution. Une guerre par contumace en Corée serait en effet un bon moyen de faire comprendre à la Chine où se trouvaient, sur le plan militaire, ses véritables intérêts. Si tel fut bien le raisonnement de Staline, il était juste. La guerre de Corée repoussa d'une décennie la rupture entre la Chine et la Russie. Cependant, on ne peut guère penser que Staline conçut le plan de la future guerre telle qu'elle se déroula en fait. Il semble qu'au printemps 1950 il ait suggéré à Kim Il-sung, le dictateur communiste de Corée du Nord, d'effectuer, au mois de novembre, une poussée limitée au-delà du 38e parallèle[74]. Mais Kim n'était pas un homme facile à manœuvrer. Selon la description qu'il faisait de sa propre personne dans le quotidien national, il était « le chef respecté et bien-aimé », « le grand penseur et théoricien », « l'idée directrice de la révolution de notre ère », « le grand praticien révolutionnaire qui accomplit d'innombrables et légendaires miracles », « le radieux commandant sans égal, toujours victorieux », mais aussi « le père au cœur tendre de son peuple, qu'il embrasse dans son large sein ». Là où Staline avait envisagé une prudente opération de sondage, Kim lança une attaque de première grandeur, avec toute son armée, et son succès fut suffisant pour semer la panique chez les Américains.

La guerre de Corée fut une tragédie typique du XXe siècle. Elle avait été déclenchée pour des raisons purement idéologiques, sans la moindre étincelle de justification morale, et sans appui populaire. Elle tua 34 000 Américains, 1 million de Coréens et le quart d'1 million de Chinois. Aucune de ses conséquences n'avait été prévue et, dans son déroulement, elle ne fut qu'une suite de maladresses. Kim et Staline avaient sous-estimé la réaction américaine. Truman jugea que l'invasion n'était que le prélude à une attaque contre le Japon ; de plus, elle jetait un défi direct à l'Amérique dans la mesure où celle-ci se faisait le champion de la légalité internationale aux Nations unies. Jusque-là, cet organisme avait eu, pour fonction principale, de refléter l'équilibre des grandes puissances et le Conseil de sécurité, avec son droit de veto, mettait l'accent sur ce principe. Truman n'avait nullement besoin de faire appel à l'ONU ; les accords de Potsdam donnaient assez de latitude à l'Amérique pour qu'elle pût agir seule[75]. Mais il désirait bénéficier de « l'autorité morale » des Nations unies. Il évita d'en référer au Conseil de sécurité et obtint, par majorité simple, une autorisation de l'Assemblée générale, qui était alors dominée par les Américains. La première conséquence à long terme de la guerre de Corée fut de remettre en cause le concept même de l'ONU ; organisme utile, à l'intérieur de ses limites, il allait dorénavant s'engager dans une voie qui en ferait une plate-forme de propagande idéologique. Bien entendu, si Truman désirait le blanc-seing de l'Assemblée, c'est qu'il entraînait les États-Unis dans la guerre sans approbation préalable du Congrès. Ce fut la seconde conséquence imprévue : la présidence se trouvait promue au rang d'une instance supraconstitutionnelle susceptible, surtout dans le contexte de l'Extrême-Orient, de décider la guerre. Une troisième conséquence fut de placer une épée sur le chemin de tout rapprochement sino-américain ; c'était ce qu'avait souhaité Staline, mais les circonstances qui allaient produire cette évolution ne correspondaient en rien à son attente.

Il avait supposé que la guerre par contumace augmenterait, sur le plan militaire, la dépendance de la Chine vis-à-vis de l'URSS. Ce fut l'inverse qui se produisit. MacArthur vint rapidement à bout des Coréens ; en trois mois, il avait reconquis Séoul, la capitale du Sud. Mais il n'était pas plus facile à manipuler que Kim. « À moins que l'ennemi ne capitule, ou tant qu'il ne l'aura pas fait, dit-il à Washington, je considérerai que toute la Corée reste ouverte à nos opérations militaires. » Puis, il poussa jusqu'à la frontière chinoise, sur le Yalu. Sous le couvert de la crise, les Chinois commencèrent par annexer, le 21 octobre 1950, les régions quasi indépendantes du Tibet, puis, le 28 décembre, ils attaquèrent MacArthur avec une énorme armée de « volontaires ». Il fut battu et, en avril 1951, Truman le limogea, ce qu'il eût logiquement dû faire à l'automne précédent. Avec difficulté, les forces de l'ONU rétablirent le front près du 38e parallèle (en octobre 1951), et l'on engagea des pourparlers d'armistice. Ils furent marqués, du côté américain, par un sentiment de frustration et d'intense amertume. Il ressort du journal de Truman qu'il songea par 2 fois à faire usage de l'arme atomique, d'abord le 27 janvier, puis le 18 mai 1952. Lorsque le général Eisenhower lui eut succédé à la présidence, la Chine rencontra à nouveau la menace d'une guerre nucléaire, cette fois par l'intermédiaire du gouvernement indien[76].

L'affrontement sino-américain avait poussé Mao à faire de la Chine une puissance militaire de première importance, chose qui n'entrait sûrement pas dans les plans de Staline. Mao parvint même à obtenir de ses successeurs qu'ils aident la Chine à acquérir une force de frappe nucléaire. Il s'opposa à l'établissement de bases nucléaires en territoire chinois et développa son propre programme d'armement atomique. Les Russes se sentirent obligés de le seconder. Khrouchtchev devait, par la suite, se plaindre de ce que l'URSS ait donné aux Chinois « presque tout ce qu'ils demandaient ». « Nous n'avions pas de secrets pour eux, ajouta-t-il, nos experts collaboraient avec leurs ingénieurs et leurs dessinateurs qui s'activaient à la fabrication d'une bombe. » Les Russes, dit-il encore, étaient sur le point de livrer un prototype aux Chinois quand, subitement, ils changèrent d'avis. Selon les Chinois eux-mêmes, ce fut le 20 juin 1959 que « le gouvernement soviétique revint unilatéralement sur son accord... et refusa de remettre à la Chine un échantillon de la bombe atomique[77] ». Mais l'élan que l'aide soviétique avait apporté au programme chinois ne pouvait plus être arrêté. Lorsque la rupture intervint, en 1963, la Chine était à la veille de réaliser son premier essai de bombe A ; à son sixième test, elle était déjà en mesure de faire exploser un engin de plusieurs mégatonnes. La ruse de Staline avait reculé l'opposition sino-soviétique d'une décennie entière, mais elle était infiniment plus grave qu'on aurait pu s'y attendre. L'URSS se trouvait confrontée, sur ses frontières du sud-est, à un pouvoir militaire de toute première grandeur.

Ce changement de l'équilibre des pouvoirs était d'autant plus dangereux pour elle qu'une autre conséquence involontaire du conflit coréen avait été l'accélération radicale du réarmement. Si les crises de Berlin et de Tchécoslovaquie poussèrent l'Amérique à adopter un système de défense collective, c'est bien la guerre de Corée qui se trouve à l'origine de la course aux armements. En 1950, Truman avait pris la décision de fabriquer la bombe H. Mais, jusqu'à ce que les Nord-Coréens déclenchent une guerre chaude, il avait eu les plus grandes difficultés à obtenir du Congrès le financement du programme CNS 68. Pour l'année fiscale 1950, la Défense ne représentait que 17,7 milliards de dollars. La Corée provoqua, à cet égard, une révolution dans l'attitude du Congrès et du pays ; l'année 1952 vit la montée spectaculaire de ces dépenses à 44 milliards, et elles atteignaient un plafond de 50 milliards l'année suivante. Cette nouveauté allait permettre le développement d'un armement nucléaire tactique, l'établissement de 4 divisions supplémentaires en Allemagne, l'accélération de la construction des bases aéronautiques à l'étranger, le déploiement mondial du commandement stratégique aérien, la création d'une flotte de transporteurs nucléaires et l'augmentation des capacités d'intervention conventionnelle mobile[78]. En février 1951, la production aéronautique retrouvait son niveau maximal de 1944. Le réarmement reprenait également dans les pays alliés, et la remilitarisation de l'Allemagne devenait effective. Si la Pologne fut à l'origine de la guerre froide, c'est grâce à la Corée qu'elle atteignit sa pleine maturité et qu'elle connut un développement mondial. Staline avait réalisé la polarisation du globe.

Sans doute n'avait-il pas souhaité une pareille levée de boucliers ; mais il ne pouvait regretter que son empire et ses satellites fussent ainsi séparés du reste du monde par un abîme de crainte et de suspicion. Le rideau de fer était son œuvre. On savait, d'autre part, qu'il en existait un autre, intérieur au monde communiste, et qu'il se trouvait sur la frontière de l'URSS, la protégeant de la contagion des idées occidentales et même de celle des pays satellites. Staline haïssait les Occidentaux comme Hitler les Juifs, et c'était le même mot, « cosmopolitisme », qui leur servait à tous deux pour flétrir leur ennemi. C'est ce qui explique le soin extrême et la virulence qu'il mit à supprimer, ou à isoler dans les camps, tous ceux qui avaient pu toucher à des idées non soviétiques ; il ne s'agissait pas seulement de prisonniers de guerre, mais aussi d'officiers, de techniciens, de journalistes que leurs fonctions, pendant la guerre, avaient mis en contact avec d'autres pays. Le nombre de non-Russes à qui il était permis de visiter l'URSS, et à plus forte raison d'y vivre, se limitait à ce que commandait la plus stricte nécessité, et ils n'avaient de rapports qu'avec des employés du gouvernement ou de la police secrète. Tous les autres Russes surent bientôt, par expérience, que la fréquentation d'un étranger, même la plus innocente et la plus fortuite, risquait de leur valoir le goulag.

La victoire et le développement industriel qui l'avait permise laissaient espérer quelques modestes améliorations de la vie quotidienne. Elles étaient attendues par une nation qui avait eu 20 millions de morts et connu des privations inouïes. Mais, en février 1946, tous ces espoirs furent brisés, car Staline annonçait que les 3 et peut-être les 4 plans quinquennaux à venir seraient centrés, à nouveau, sur l'industrie lourde, afin d'augmenter la puissance de l'Union soviétique et de la préparer, comme il le disait sombrement, « à toute éventualité ». Il était clair qu'il allait remettre à l'épreuve le peuple entier. Son servile collègue du Politburo, Andrei Jdanov, fut chargé de diriger une campagne qui n'omettait aucun aspect de la vie des Russes et dont le but était de combattre l'apolitisme, d'induire, par la crainte, un engagement actif des individus[79]. Tous les intellectuels furent mis sous pression. La chasse aux sorcières débuta le 14 août 1946, et il est significatif qu'elle ait d'abord visé Leningrad, une ville que Staline détesta toute sa vie, avec autant de passion que Hitler haïssait Vienne. Les premières attaques se portèrent sur des journaux, *Zvezda, Leningrad*, sur la poétesse Anna Akhmatova, sur l'humoriste Mikhail Zoshchenko. Mais bientôt elles allaient s'étendre à tous les arts. Aleksandr Fadaev, qui avait reçu le prix Staline, en 1946, pour son roman *La Jeune Garde* fut contraint, en 1947, de le récrire d'une manière plus conforme à la ligne directrice du Parti. Muradelli fut dénoncé pour son opéra *La Grande Amitié*. La chasse visa ensuite la *Neuvième Symphonie* de Chostakovitch, et celui-ci, terrifié, s'empressa de composer une ode à la louange du plan forestier de Staline. Elle condamna le *Concerto pour piano* de Khatchatourian ; il changea complètement de style. Puis elle se tourna vers

Eisenstein, dont le film *Ivan le Terrible* fut accusé d'avoir déprécié son héros. En juin 1947, ce fut le tour des philosophes ; les défaillances de *L'Histoire de la philosophie en Europe occidentale*, de G.F. Alexandrov, servirent de prétexte initial à l'épuration. Il en fut de même, dans le domaine de l'économie, pour l'ouvrage dans lequel Jeno Varga décrivait le fonctionnement économique des pays capitalistes pendant la guerre. A partir de 1948, la physique théorique, la cosmologie, la chimie, la génétique, la médecine, la psychologie, la cybernétique furent toutes systématiquement ratissées. La théorie de la relativité fut condamnée, non pas, comme chez Hitler, parce qu'Einstein était juif, mais pour des raisons tout aussi absurdes : Marx avait dit que l'univers était infini, et Einstein tenait certaines de ses idées de Mach, qui se trouvait avoir été proscrit par Lénine. Tout ceci n'avait d'autre cause que la méfiance de Staline envers toute idée qui, de près ou de loin, pût être associée aux valeurs bourgeoises. Il avait entrepris ce que les communistes chinois appelèrent, par la suite, une révolution culturelle ; il s'agissait, pour lui, de provoquer un changement d'attitude fondamental sur tout l'éventail du savoir humain, et ceci avec l'aide non déguisée du pouvoir policier[80].

Des milliers d'intellectuels perdirent leur travail. D'autres, en aussi grand nombre, furent envoyés dans les camps. Ils étaient remplacés par des individus plus faciles à plier, par des hurluberlus ou des hypocrites. La biologie soviétique tomba aux mains d'un excentrique rempli de fanatisme, T.D. Lyssenko, qui défendait l'hérédité des caractères acquis et ce qu'il appelait la « vernalisation », la transformation du blé en orge, du pin en sapin, et toutes choses de ce genre. C'était une pensée parfaitement digne du Moyen Age. Staline était fasciné. Il corrigea le discours présidentiel de Lyssenko à l'Académie des sciences agricoles, qui devait préluder à une nouvelle chasse aux sorcières dans le domaine de la biologie. (Lyssenko montrait volontiers à ses visiteurs un exemplaire de ce discours raturé par Staline[81].) La génétique scientifique fut sauvagement déchiquetée, en tant que « pseudo-science bourgeoise et antimarxiste », destinée à « saboter » l'économie soviétique. Ceux qui la pratiquaient virent la fermeture de leurs laboratoires. Un autre charlatan de l'agriculture, V.R. Williams, connut son heure de gloire dans ce règne de la terreur. En médecine, une femme du nom de O.B. Lepeshinskaya, prétendit que le vieillissement pouvait être différé par des lavements de bicarbonate de soude, idée qui plut — brièvement — à Staline. En linguistique, N.Y. Marr assura que tout le langage humain pouvait se ramener à 4 éléments de base : *sal, ber, yon* et *rosh*[82]. Staline se vautrait dans le luxe de ces eaux huileuses qu'il avait fait jaillir des tréfonds de la culture. Il lui arrivait d'en extraire l'une ou l'autre des créatures qui y nageaient et de lui conférer un court moment de célébrité, avant de lui tordre le cou. Le 20 juin 1950, il publia dans la *Pravda* un article de 10 000 mots, intitulé « Du marxisme dans les problèmes linguistiques », qui constitue une véritable pièce de collection, mais, le plus souvent, il laissait à d'autres le soin de prendre la plume en son nom. Voici ce qu'on pouvait lire, à l'époque dans la *Pravda* :

> « Si vous éprouvez des difficultés dans votre travail, ou que tout à coup vous doutiez de vos capacités, pensez à lui — à Staline — et vous retrouverez la confiance qui vous manquait. Si vous êtes las à une heure où vous ne devriez pas l'être, pensez à lui — à Staline — et votre travail reprendra sans peine. Si vous cherchez la décision juste, pensez à lui — à Staline — et elle viendra d'elle-même [83]. »

Staline avait mis en scène sa propre apothéose — en tant qu'incarnation de la sagesse humaine — dans la *Grande Encyclopédie soviétique* qui parut à partir de 1949. Cet ouvrage était rempli de perles. La section historique de l'article « automobile » commençait ainsi : « En 1751-1752, Leonty Shamshugenkov, paysan de la province de Nijni-Novgorod, construisit un véhicule automobile actionné par deux hommes. » Staline prenait plaisir à revoir, avant publication, les articles qui se rapportaient à ses mérites personnels ou à ses réalisations. On imagine le sourire de cet ancien séminariste lorsqu'il amena Leonov — ce romancier connu était censé être chrétien — à proposer, toujours dans la *Pravda*, un nouveau calendrier fondé non plus sur la date de naissance du Christ, mais sur celle de Staline ! L'humour noir et la monomanie se disputèrent la possession d'une certaine vacuole creusée dans la substance de son esprit. Il récrivit la très officielle *Biographie abrégée* en y ajoutant cette phrase : « Staline ne permit jamais que son œuvre soit ternie par le moindre soupçon de vanité, de suffisance ou de louange de soi [84]. »

En 1948-1949, l'antioccidentalisme de Staline se manifesta plus particulièrement sous forme d'antisémitisme. Il avait toujours détesté les juifs et racontait souvent des histoires antisémites. Khrouchtchev assura qu'il encourageait les ouvriers à battre leurs collègues israélites [85]. Lors de la visite de Golda Meir, qui venait inaugurer la première ambassade d'Israël à Moscou, il y eut de modestes manifestations d'enthousiasme de la part des juifs russes. Cela devait suffire à provoquer un véritable spasme de fureur chez Staline. Toutes les publications en yiddish furent immédiatement interdites. Dans les caricatures soviétiques, les banquiers de Wall Street accusèrent un « type juif » évident. L'acteur juif Mikhoels fut assassiné dans un faux accident de voiture. D'autres juifs connus disparurent dans les camps. Ceux dont les noms avaient été russifiés virent leurs « véritables » noms révélés dans la presse, selon l'ancienne technique des nazis. La campagne fut menée par des juifs « sûrs », ce qui est également caractéristique. Elle se mêlait, dans l'esprit de Staline, à cette incessante poursuite d'ennemis réels ou imaginaires qu'il mena toute sa vie à l'intérieur du Parti. Jdanov ayant cessé d'être utile, disparut comme dans une trappe après le fiasco yougoslave. Ses partisans furent poursuivis lors de l'« affaire de Leningrad », nouvelle chasse aux sorcières dans la cité haïe. Les procès furent menés en secret, Beria et Malenkov fournissant les motifs d'accusation, et 10 000 personnes furent fusillées, dont l'un des responsables du Politburo, N.A. Voznesensky, et A.A. Kutsnetsov, secrétaire du Comité central[86]. Si l'on était juif, on pouvait craindre à tout moment l'arrestation et la mort, mais personne n'était à l'abri. En 1946, parce qu'il était trop populaire, le maréchal Joukov fut limogé et envoyé en province; il ne fit plus parler de lui. En 1949, Staline fit arrêter Polina, la femme de Molotov, et l'expédia au Kazakhstan. Elle était juive, et on l'accusa de « conspiration sioniste », mais la véritable raison de son arrestation pourrait bien être qu'elle avait été l'amie de la femme de Staline, Nadya. Il fit également emprisonner la femme de Kalinine, le président de l'Union soviétique. Il y eut d'autres cas encore où il s'employa à poursuivre les épouses de ses collègues; ce fut l'un des derniers plaisirs de sa vieillesse[87]. Un certain nombre de ses proches avaient épousé des juives, et il ne le supportait pas; parmi ses 8 petits-enfants, il y en eut 5 qu'il refusa toujours de voir.

Au second semestre de 1952, époque pendant laquelle il fabriquait des armes nucléaires à vitesse grand V, Staline voyait des complots juifs partout. Les organes au sommet de l'État avaient pratiquement cessé de fonctionner. Le véritable travail s'effectuait au cours de mornes dîners dans sa villa de Kuntsevo; Staline donnait à qui se trouvait là des ordres verbaux, souvent dictés par le caprice de l'instant; exactement comme faisait Hitler. C'était maintenant un vieil homme au visage grêlé, aux yeux jaunis et aux dents dépigmentées, « un vieux tigre couturé par les luttes », comme le surnomma un visiteur américain, et qui flairait le danger partout. A Moscou, Beria et lui tissèrent autour de chacun un nouveau réseau de surveillance électronique. Cet été-là, on découvrit dans la résidence de l'ambassadeur un micro caché dans la plaque portant le sceau américain ; Kennan le décrivit comme « un exemple d'électronique appliquée incroyablement avancée pour l'époque[88] ». Mais il semble que l'étau se referme également autour de Beria; et c'était parfaitement logique car Staline finissait toujours par éliminer les tueurs de sa police secrète — sans compter qu'il s'était mis à penser que Beria était juif[89]. Au dix-neuvième Congrès du parti, en octobre 1952, certains signes qui ne trompaient pas laissaient entrevoir qu'une nouvelle terreur était sur le point de s'abattre sur la tête de ses vieux compagnons. Khrouchtchev affirma plus tard que Molotov, Mikoyan et Vorochilov étaient parmi les victimes désignées[90].

L'orage éclata le 4 novembre, avec l'arrestation de plusieurs médecins juifs du Kremlin. Ils étaient accusés, en particulier, d'avoir assassiné Jdanov, et leurs « aveux spontanés », selon les mêmes principes qu'en 1934, servirent de base à une nouvelle série d'arrestations et de procès. Lorqu'il donna l'ordre de les interroger, Staline s'écria : « Frappez, frappez, frapper-les tous ! » « Si vous n'obtenez pas des aveux complets, dit-il encore à Ignatov, le chef des services de Sécurité, c'est votre tête qui tombera. » Distribuant à des gens qu'il considérait aussi comme des suspects les premiers exemplaires de ces « confessions », Staline faisait preuve d'une certaine inquiétude : « Que deviendra le pays sans moi ? Il périra, parce que personne n'est capable de reconnaître ses ennemis[91]. » Il vivait alors dans un isolement total qu'il s'était lui-même imposé. Car il n'épargnait personne, et son vieux compère Vlasik, un général de la Sûreté qui lui servait de valet de chambre, fut, lui aussi, arrêté pour espionnage. Il ne touchait à aucune nourriture tant qu'elle n'avait pas été analysée dans un laboratoire. Il pensait que l'air de sa maison pourrait être empoisonné par la vapeur mortelle dont il avait été question au procès de Yogoda, en 1938. Tout cela fait curieusement penser aux dernières années de Hitler.

Staline avait alors perdu tout contact avec le monde normal. On sait, par sa fille, que lorsqu'il parlait de prix, c'étaient ceux de 1917 qui lui revenaient, et que les enveloppes contenant son salaire s'entassaient sur son bureau sans qu'il les ouvrît jamais. (Elles disparurent mystérieusement après sa mort.) Svetlana alla voir son père le 21 décembre 1952 et le trouva malade. Il refusait de se laisser approcher par les médecins, et se soignait lui-même, à la teinture d'iode. Il pensait que le docteur qui l'avait suivi personnellement pendant vingt ans avait été, dès le départ, un agent britannique, et cet homme était maintenant en prison, enchaîné, au sens littéral du terme[92]. Au cours des réunions, il avait l'habitude de griffonner des dessins représentant des loups, et ces fauves furent l'obsession des derniers mois de sa vie. Le 17 février 1953, il expliquait à son dernier visiteur non communiste, K.P.S. Menon, comment il convenait de traiter ses ennemis : « Quand un paysan russe voit un loup, disait-il, il ne se demande pas ce que la bête va faire — il le sait ! Il n'essaie pas de l'apprivoiser, il ne perd pas de temps à discuter — il le tue[93] ! » Quinze jours plus tard, le 2 mars, une attaque lui ôtait l'usage de la parole. Selon sa fille, sa mort, le 5 mars, fut « difficile et terrible ». Son dernier geste fut de lever la main gauche pour maudire ou pour écarter quelque chose[94]. Lénine avait quitté ce monde en délirant sur l'électricité, Staline s'en fut au milieu des hurlements d'une meute de loups imaginaires. Une foule s'assembla, désemparée, à l'annonce de sa mort et, si l'on en croit le poète Evtouchenko, les hommes de Beria tuèrent alors des centaines de personnes en improvisant des barrières à l'aide de camions MVD dont les flancs ruisselaient de sang[95].

Jusqu'en mars 1953, l'État soviétique assassina judiciairement — quand il ne s'agissait pas de meurtre pur et simple — près de 500 000 personnes. Cette agonie de la Russie stalinienne forme un macabre contraste avec ce qui se passait de l'autre côté, en Amérique. Les sujets de Staline vivaient dans la crainte, ils se voyaient sans cesse écrasés sous de nouveaux fardeaux. Les Américains — contrairement au prédictions de leurs économistes gouvernementaux qui avaient annoncé, pour les années de reconversion, un taux de chômage élevé — vivaient, de leur côté, une période de consommation débridée ; ce fut sans doute la plus longue et la plus intense de leur histoire. Elle débuta en 1946 et connut, dès l'année suivante, une accélération certaine. « C'est le grand boom américain, pouvait-on lire dans *Fortune*. Il est impossible d'en mesurer l'ampleur, car les anciens critères ne permettent aucune comparaison... La demande est partout sans précédent : se nourrir, se vêtir, se disfraire, lire, réparer, peindre, boire, voir, conduire, goûter, se détendre, il n'est pas un de ces domaines où la consommation ne soit en pleine ascension [96]. » C'était le premier élan du plus long cycle d'expansion qu'avait connu le capitalisme. Dans les années 50, après le coup de pouce du plan Marshall, il allait s'étendre à l'Europe, puis, à partir de 1960, au Japon et au Pacifique. Il devait, malgré quelques fléchissements passagers, se poursuivre jusqu'au milieu des années 70. Plus que tous, l'Amérique jouissait de cette prospérité nouvelle ; elle y trouvait comme un poignant arrière-goût d'une époque révolue : le paradis perdu des années 20.

Il y avait aussi d'autres échos de cette décennie. La chasse aux sorcières ne prit jamais le caractère xénophobe qu'elle avait eu sous l'administration de Woodrow Wilson, mais, tandis que les Américains se carraient sous le poids de leur responsabilité mondiale, on pouvait sentir, dans l'air, une certaine tension patriotique. A nouveau, le contraste avec la Russie est ici des plus marqués, et particulièrement instructif. La société américaine restait étonnamment ouverte et, par certains côtés, fort vulnérable. Lorsque le stalinisme, dans les années 30, avait entrepris, avec une ampleur sans précédent, de pénétrer ses organes essentiels, elle n'y avait opposé qu'une bien faible résistance. Les agents des gouvernements étrangers étaient, en vertu de la loi McCormack de 1938, astreints à un certain contrôle. Les décrets de Hatch, en 1939, et de Smith, en 1940, prévoyaient que les membres d'organisations qui se proposaient de renverser le gouvernement des États-Unis par la force ou la violence pourraient faire l'objet de poursuites judiciaires. Mais cette législation n'était d'aucune utilité quand il s'agissait d'empêcher les activistes communistes ou les « compagnons de route » — parmi lesquels il y avait immanquablement des agents soviétiques — d'entrer au gouvernement. Ils le firent en grand nombre à l'époque du New Deal, et plus encore pendant la guerre. Selon Kennan :

> « La pénétration des services gouvernementaux, à la fin des années 30, par des membres ou des agents — conscients ou inconscients — du parti communiste américain est loin d'être une vue de l'esprit. Elle eut réellement lieu, et ceci dans des proportions qui, même si elles ne furent jamais énormes, étaient loin d'être négligeables. »

Il ajoute que ceux qui avaient servi à Moscou ou dans la division russe du département d'État étaient « très conscients » du danger. L'administration de Roosevelt fut longue à réagir. « Des mises en garde dont il aurait fallu tenir compte sur-le-champ tombaient trop souvent dans des oreilles sourdes ou incrédules [97]. »

Truman fut plus actif. En novembre 1946, il nomma une commission temporaire à la loyauté des employés, puis, sur les recommandations de celle-ci, il passa, en mars de l'année suivante, l'Ordre exécutif 9835, qui autorisait des enquêtes relatives aux associations politiques et aux opinions des employés fédéraux [98]. Cette procédure fut raisonnablement efficace, dès son application en 1947, mais ce n'est que plus tard, lorsqu'on les jugea responsables de la « perte » de l'Europe de l'Est puis, en 1949, de la Chine, que le Congrès et le public comprirent l'importance des erreurs commises pendant la guerre. L'engouement de Roosevelt pour Staline et la frivolité fondamentale de sa politique étaient davantage en cause que les « taupes » stalinistes. Mais Roosevelt était mort, et, à mesure que la guerre froide s'intensifiait et que l'on était contraint de se pencher sur un regrettable passé, on se mit à débusquer les « taupes » avec une vigueur accrue.

Aucun des documents rendus publics jusqu'à ce jour n'indique que des agents soviétiques aient été à l'origine de décisions majeures de la politique américaine — sauf en ce qui concerne le Trésor. Il en est de même pour les fuites d'informations classifiées : aucune ne sembla avoir été officiellement enregistrée — sauf en ce qui concerne les secrets atomiques. Mais ces deux exceptions sont de première importance. L'agent soviétique Harry Dexter White était l'une des personnalités les plus écoutées parmi les hauts fonctionnaires du Trésor. Après la guerre, ce fut lui qui créa le système monétaire international, avec l'aide de Keynes. En 1944, Dexter White amena le gouvernement américain à remettre aux Soviétiques des planches du Trésor destinées à imprimer la monnaie d'échange de l'occupation. Cette décision devait coûter aux contribuables la somme de 225 millions de dollars [99]. En 1945, une ancienne espionne communiste, Elisabeth Bentley, révéla au FBI l'existence de 2 réseaux soviétiques aux États-Unis. L'un était dirigé par un économiste du Trésor, Nathan Gregory Silvermaster, et l'autre par Victor Perlo, du bureau de la Production de guerre. Des fuites d'informations classifiées émanaient également du département de la Justice, de l'administration des Économies étrangères et du bureau de la Guerre économique. Des enquêtes menées par le FBI et l'Office des services stratégiques (OSS) en découvrirent d'autres, provenant des départements de l'Armée et de la Marine, de l'Office des renseignements de guerre et de l'OSS lui-même. Enfin, au département d'État, il y avait Alger Hiss, qui siégea auprès de Roosevelt à Yalta. Il avait été aussi, ce qui est plus grave, l'adjoint d'Edward Stettinius. Pour les Britanniques, ce dernier représentait — même s'il n'en était pas personnellement conscient — l'un des atouts majeurs de Staline dans le camp des Alliés. Dans le domaine des secrets atomiques, les agents soviétiques étaient Julius et Ethel Rosenberg, Morton Sobell, David Greenglass, Harry Gold, J. Peters (alias Alexander Stevens) dont les renseignements étaient transmis par Whittaker Chambers, ainsi que Jacob Golos et

Klaus Fuchs enfin, qui avait été blanchi par les services de Sécurité britanniques.

Le dommage que ces espions ont pu causer aux intérêts de l'Occident ne seront pas connus tant que les archives soviétiques n'auront pas été rendues publiques, mais les Russes ne mirent que quatre ans — de 1945 à 1949, le même temps que pour le projet Manhattan — à construire la bombe A, et ce fut un choc sévère pour l'administration de Truman et les dirigeants de la Défense. (Il n'en fut pas de même pour certains des membres de la communauté scientifique.) La nouvelle fut mal reçue par le public américain, d'autant plus qu'elle coïncidait avec la chute du Kouo-min-tang en Chine. Elle arrivait à un moment où le problème de la pénétration soviétique au sein du gouvernement était pratiquement résolu, mais on n'avait pas achevé de juger les responsables. Ce n'est que le 25 juin 1950 qu'Alger Hiss fut reconnu coupable de parjure et d'avoir dissimulé son appartenance au parti communiste. Son cas fut sans doute celui qui eut le plus de retentissement.

Quinze jours plus tard, le sénateur McCarthy faisait, à Wheeling, en Virginie, un discours appelé à devenir célèbre, dans lequel il assurait que 205 communistes notoires travaillaient au département d'État. C'est alors seulement que la chasse aux sorcières prit toute son ampleur. On peut dire que ce phénomène intervenait avec retard. On avait déjà réglé leur compte aux réalités qui le motivaient. McCarthy était un républicain radical, et non un homme de droite. Son intérêt pour l'espionnage datait de l'automne précédent, où il avait eu sous les yeux un rapport confidentiel du FBI, déjà vieux de deux ans. Peu de temps avant le discours de Wheeling, il avait dîné avec le père Edmund Walsh, régent de l'école des Affaires étrangères de l'université de Georgetown. C'était un collège de jésuites conservateurs — les jésuites ne devinrent réformistes que dans les années 60 —, et il fournissait bon nombre de ses diplômés au département d'État. On s'y inquiétait du nombre de personnes ultra-libérales qui étaient entrées au gouvernement entre 1933 et 1945. Le sénateur sentit qu'il y avait là une chance et s'en saisit. Ce n'était pas un homme politique sérieux, mais un aventurier, qui traitait sa carrière comme un jeu. Comme devait l'écrire le plus pénétrant de ses biographes : « Ce n'était nullement un fanatique... il était aussi incapable de rancœur, de malveillance ou d'animosité véritable qu'un eunuque est inapte au mariage... Tout, chez lui, n'était que comédie, et il ne comprenait pas qu'il n'en fût pas de même chez les autres [100]. » Le futur procureur général, Robert Kennedy, qui travailla quelque temps pour lui, niait qu'il fût en rien un mauvais homme. « Toute sa méthode était compliquée par le fait qu'il se sentait coupable, et même blessé, chaque fois qu'il avait foudroyé quelqu'un de son ire. Il aurait tant voulu qu'on l'apprécie ! Il ne mesurait pas les conséquences de ses actes [101]. »

Mais McCarthy n'aurait eu que peu de poids si la guerre de Corée n'avait éclaté, justement, cet été-là. Le temps de son ascension coïncide

exactement avec celui de l'amertume et de la frustration qu'entraîna
ce conflit. On pourrait dire que McCarthy fut le dernier cadeau de Staline au peuple américain. Dès que la guerre prit fin, il fut rapidement
vaincu. McCarthy sut, au Congrès, tirer parti du système qui conférait
à des commissions le pouvoir d'enquêter dans divers domaines. Il est
parfaitement légitime que le législatif dispose des moyens de mener
de telles enquêtes, d'un caractère quasi judiciaire. C'est une procédure
parlementaire d'origine anglaise, fort ancienne, et qui se montra pré-
cieuse, aux XVIIᵉ et XVIIIᵉ siècles, pour l'établissement des libertés
constitutionnelles. Elle donna aussi lieu à de graves abus dans la mesure
où, justement, elle autorisait de véritables chasses aux sorcières, sur
le plan politique ou religieux. 2 de ses aspects étaient particulièrement
sujets à caution : la possibilité d'user de procédures inquisitoriales, si
contraires à l'esprit du droit coutumier, et le pouvoir de condamner
pour outrage à la loi toute personne qui y ferait obstacle. Le Congrès
avait hérité à la fois, car ils étaient inséparables, des vertus et des vices
de ce système. Dans les années 30, les libéraux s'en étaient servi pour
donner la chasse à la communauté financière de Wall Street, maintenant, c'était à leur tour d'être poursuivis. Dans les années 60, ce seraient
les monopoles d'affaires, et dans les années 70, l'administration de
Nixon. Dans l'ensemble, les avantages du système l'emportent sur ses
inconvénients, et c'est pourquoi il se maintient. De plus, son fonctionnement implique qu'il puisse éventuellement corriger ses propres abus,
ce qui se produisit en effet, quoique lentement, dans le cas qui nous
occupe. McCarthy devait, en fin de compte, être répudié, censuré, puis
définitivement mis hors jeu par ses propres collègues du Senat. Le mal
que McCarthy put faire aux individus était dû à deux facteurs : le premier résidait dans l'inefficacité de la loi américaine sur le chapitre de
la diffamation. C'est ce qui permit à la presse de publier impunément
les allégations non prouvées du sénateur, même quand elles n'étaient
pas officielles. Ce fut la presse, et tout particulièrement les communications rapides, par télex, qui changèrent ses accusations injurieuses
en un scandale généralisé. Quelque vingt ans plus tard, et de la même
manière, elle allait donner de l'ampleur à l'affaire Watergate et déclencher, là aussi, une chasse aux sorcières [102]. Le second facteur fut la
lâcheté de certaines institutions, en particulier à Hollywood et à Washington, qui ne surent que plier au vent dominant de la déraison, mais
il faut y voir, à nouveau, un phénomène récurrent. On le retrouve, en
effet, entre 1965 et 1975, où de nombreuses universités cédèrent à la
violence des insurrections d'étudiants.

    Sans ces 2 facteurs, le maccarthysme n'était rien, et la comparai-
son avec le jdanovisme est ici fort instructive. McCarthy n'avait pas
de police. Loin d'être investi d'un quelconque mandat officiel, il fut,
au contraire, combattu aussi bien par l'administration de Truman que
par celle d'Eisenhower, et toutes deux firent ce qu'elles purent pour
l'entraver. Mais, surtout, son activité était extérieure à toute procédure

judiciaire, et les tribunaux ne furent, à aucun moment, affectés par le maccarthysme. Comme le fait remarquer Kennan : « Pour ceux qui parvenaient à amener leur cas devant un tribunal, le niveau de justice n'était, en général, nullement inférieur à celui dont ils auraient bénéficié à toute autre période de l'Histoire [103]. » Les tribunaux résistaient, et leur attitude d'alors contraste avec celle qu'ils adoptèrent une vingtaine d'années plus tard, à l'époque de Watergate, où ils se laissèrent gagner par l'hystérie ambiante. En dernière analyse, l'atout majeur de McCarthy fut avant tout la publicité, mais c'était, comme dans toute société libre, une arme à deux tranchants, et ce fut elle, encore, qui le perdit ; l'homme qui, dans les coulisses, avait orchestré sa chute n'était autre que le nouveau Président, Dwight Eisenhower.

Le maccarthysme jouait sur une ambiance de peur et de frustration, elle-même issue directement de la guerre de Corée et des incertitudes qui présidaient à la négociation du cessez-le-feu, et cela, Eisenhower l'avait parfaitement compris. C'est pour mettre fin à la guerre qu'il avait été élu, en novembre 1952. Aux États-Unis, la paix fut, de tout temps, un argument électoral prépondérant, mais il est intéressant, dans cette perspective, de comparer l'action des démocrates à celle des républicains. En 1916, Wilson l'emportait par une promesse de maintenir l'Amérique en dehors de la guerre ; l'année suivante, elle y entrait. Même promesse lors de l'élection de Roosevelt, en 1940, et même résultat. En 1964, Lyndon Johnson mena, contre les républicains « bellicistes », une campagne fondée sur le retour à la paix ; il fut élu et s'empressa de faire une guerre majeure du conflit vietnamien. Les seuls Présidents de ce siècle qui tinrent leurs promesses en cette matière furent Eisenhower, en 1952, et Richard Nixon, en 1972.

Mais on a sous-estimé ce qu'Eisenhower avait pu faire dans ce sens. Il considérait que la guerre de Corée avait été inutile et qu'on y avait commis des erreurs de jugement répétées. Il était atterré par le nombre d'occasions où la précédente législature avait envisagé de se servir de l'armement nucléaire, contre la Mandchourie, la Chine, et même la Russie ; par la facilité, aussi, avec laquelle elle projetait d'importants bombardements conventionnels en territoire chinois [104] Lorsqu'il dut résoudre l'impasse de l'armistice, au lieu de préparer, en secret, une attaque atomique, il se servit officieusement, au niveau diplomatique. de la menace nucléaire, et cette tactique lui réussit car, neuf mois plus tard, il avait obtenu un accord relatif. A l'époque, comme d'ailleurs par la suite, il fut amèrement critiqué ; on lui reprochait de n'avoir rien fait pour enrayer l'hystérie anticommuniste [105]. C'est qu'il avait compris un point essentiel : la guerre, et elle seule, était responsable du maccarthysme ; sitôt qu'elle serait écartée, l'influence du sénateur se réduirait bien vite à des proportions plus normales. Il donna donc priorité à la paix, et ce n'est qu'après l'avoir assurée qu'il organisa la chute de McCarthy. Avec une habileté certaine, et en grand secret, il amena ses partisans du Sénat à le censurer, en se servant de son directeur de presse, Jim Haggerty, pour orchestrer la publicité de l'affaire. Ce système atteignit son maximum d'efficacité en décembre 1954, et c'est peut-être un des meilleurs exemples du style de direction en « sous-main » qu'Eisenhower aimait à pratiquer. Des recherches ne l'ont fait ressortir que bien des années après sa mort [106].

De tous les Présidents que l'Amérique s'était donnés au XXᵉ siè-cle, Eisenhower fut, sans doute, celui qui réussit le mieux, et les années qui correspondent à son mandat — de 1953 à 1961 — sont aussi les années les plus prospères de toute l'histoire des États-Unis, ou même du monde. Toute une mythologie entourait sa présidence, et, pour la plus grande part, il en était lui-même l'auteur. L'idée qu'il cherchait à donner de sa propre personne était celle d'un simple monarque constitutionnel, déléguant ses décisions à ses collègues — voire au Congrès —, et dont la principale préoccupation était de se ménager assez de temps pour pouvoir jouer au golf. Ce stratagème réussit fort bien. Le sénateur Robert Taft, son rival de droite pour la direction du parti républicain, disait, avec une méprisante ironie, qu'à son avis, « il était vraiment fait pour être un golfeur professionnel [107] ». Son premier biographe put écrire que « l'accord était unanime... les journalistes, les universitaires, les "cercles autorisés", les prophètes, la communauté nationale des intellectuels et des critiques », tous pensaient que la présidence d'Eisenhower avait été « sans habileté, floue dans sa définition même », et qu'il avait choisi d'« abandonner la nation au pilotage automatique [108] ». On le jugeait plein de bonne volonté mais peu intelligent, ignorant, mal doué pour la parole, souvent faible et toujours paresseux.

La réalité était tout autre. « Complexe et retors », c'est ainsi que le définissait son vice-président, Richard Nixon, qui devait être assez bon juge de ce genre de choses. « A chaque problème, il appliquait deux, trois ou quatre lignes de raisonnement différentes, et il choisissait généralement la plus indirecte [109]. » A la fin des années 70, les dossiers secrets tenus par sa secrétaire personnelle, Anne Whitman, furent rendus publics, ainsi que ses résumés de communications téléphoniques, ses agendas et d'autres documents personnels. On s'aperçut alors qu'Eisenhower avait travaillé bien davantage, et que personne, y compris ses collègues, n'aurait pu s'en douter. Une journée moyenne commençait à 7 h 30 — à ce moment, il avait déjà lu le *New York Times*, le *Herald Tribune* et le *Christian Science Monitor* — et se terminait aux alentours de minuit, ou plus tard encore. Beaucoup de ses rendez-vous, en particulier ceux qui concernaient le Parti, la Défense ou la politique étrangère, étaient volontairement supprimés des listes que Haggerty remettait à la presse. Avant chaque session officielle du Conseil national de sécurité, il avait de longues et très sérieuses entrevues avec le secrétaire de l'État ou celui de la Défense, avec la direction de la CIA, avec d'autres personnalités encore; toutes étaient tenues secrètes et ne faisaient l'objet d'aucun enregistrement par écrit. Sa façon de mener la politique étrangère où la Défense était loin d'être bureaucratique et inflexible, comme le supposaient ses critiques. Ses équipes de travail fonctionnaient selon des principes de la plus haute efficacité, contrastant singulièrement avec l'anarchie romantique dont le régime Kennedy fit preuve par la suite. A tous les niveaux, c'était Eisenhower lui-même qui tenait les choses en main[110].

Il pratiquait la pseudo-délégation des pouvoirs. Tout le monde pensait que c'était Sherwood Adams, le chef de son équipe gouvernementale, qui prenait les décisions intérieures, et, dans une certaine mesure, Adams lui-même partageait cette illusion. Il put affirmer, par exemple, qu'Eisenhower était le dernier homme d'État dans le monde qui eût une vive aversion pour le téléphone, et qu'il évitait de s'en servir[111]. En fait, ses notes révèlent une quantité d'appels dont Adams n'avait aucune idée. Loin de déléguer sa politique étrangère à Foster Dulles, il prenait conseil à de nombreuses sources que son ministre ignorait totalement, et, bien que ce fût en secret, il le tenait fermement en bride. Il recevait quotidiennement les rapports de Dulles, même quand celui-ci était à l'étranger. Il prenait personnellement connaissance d'une énorme quantité de documents officiels et entretenait une correspondance suivie avec les nombreux amis qu'il s'était faits dans les hautes sphères de la diplomatie, des affaires et de l'armée, tant aux États-Unis qu'à l'étranger. Il traitait Dulles comme un serviteur, et celui-ci devait se plaindre d'avoir souvent, à la Maison-Blanche, travaillé tard dans la nuit auprès du Président, sans que jamais on l'ait invité à un « dîner familial[112] ». Lorsqu'il donnait la vedette à Adams ou à Foster Dulles, Eisenhower agissait volontairement et en toute connaissance de cause. Si quelque erreur était commise, c'est à eux qu'en revenait le blâme, et la présidence demeurait exempte de tout reproche, technique éprouvée d'ailleurs, qui avait été pratiquée par de nombreuses têtes couronnées des siècles passés, notamment Elisabeth Ire. Mais il arrivait aussi, à l'inverse, qu'il se serve de sa réputation de naïveté politique pour endosser la responsabilité d'autres erreurs commises par ses subordonnés. Ce fut le cas, par exemple, pour une série de bévues de Dulles lors de la nomination, en 1953, de Winthrop Aldrich à l'ambassade de Londres[113]. Kennan entrevoyait la vérité lorsqu'il écrivait que, sur le chapitre des affaires étrangères, Einsenhower « faisait preuve d'un esprit pénétrant et d'une vive intelligence politique... Lorsqu'il abordait ce sujet sérieusement, en comité restreint et à l'abri des indiscrétions, il arrivait bien souvent que ses auditeurs soient surpris par des paroles de la plus haute perspicacité qui transparaissaient, par éclairs, au milieu du curieux sabir à base d'argot militaire dont il se servait autant pour s'exprimer que pour dissimuler sa pensée[114] ». En fait, ce sabir avait pour principale fonction, lors des conférences de presse, d'éviter à Eisenhower des réponses qui, exprimées en anglais courant, eussent peut-être été trop claires, et c'est pour la même raison qu'il affectait souvent d'être ignorant. Il poussait le machiavélisme jusqu'à faire semblant, quand il avait affaire à des étrangers difficiles, d'avoir mal compris son interprète[115]. Les transcriptions de ses prises de parole dans les conférences secrètes font ressortir, au contraire, la puissance et la lucidité de sa pensée. On possède des brouillons de discours écrits pour lui et ceux d'allocutions prononcées par Foster Dulles ; les corrections qu'il y apporta montrent qu'il possédait une parfaite maîtrise de la langue anglaise, quand il s'en donnait la peine et qu'il le jugeait utile. Churchill était une des rares personnes qui l'appréciait à sa juste valeur, mais faut-il s'en étonner ? Ces 2 hommes d'État furent peut-être les plus grands de ce milieu de siècle.

Eisenhower dissimulait ses dons et ses activités parce qu'il jugeait que l'Amérique aussi bien que le monde avaient alors besoin d'une direction autoritaire, et qu'il était préférable de l'exercer furtivement. Il avait 3 principes parfaitement clairs. Le premier était d'éviter la guerre. Certes, la Russie cherchait à saper les bases de l'Occident, et, puiqu'il en était ainsi, il fallait qu'on lui résiste, que l'Amérique soit assez forte pour le faire. Mais les occasions de guerres inutiles (comme la Corée) devaient être évitées par la clarté, la fermeté, la prudence et la sagesse. Il se donnait là un objectif limité, et sa réussite y fut certaine[116]. Il mit fin au conflit de Corée. Il évita la guerre avec la Chine. Il éteignit dès ses premières flammes, en 1956, le feu qui menaçait à Suez. En 1958, il évita avec habileté une nouvelle guerre du Moyen-Orient. Au sujet du Viêt-nam, il disait : « Je ne puis concevoir, pour l'Amérique, de plus grande tragédie que d'engager, dans ces régions, une véritable guerre. » Ou encore : « Il n'y aura pas d'engagement de notre part... à moins qu'il ne résulte du processus constitutionnel qui autorise le Congrès à le déclarer nécessaire[117]. » Approbation du Congrès, appui des Alliés, c'étaient les 2 conditions qu'il mettait comme préalable à toute intervention militaire américaine, en quelque lieu que ce fût, et l'on en retrouve l'écho dans les systèmes d'alliance du Moyen-Orient et de l'Asie du Sud-Est qu'il introduisit à l'Otan.

Son deuxième principe était lié au précédent. C'était la nécessité d'un contrôle constitutionnel pour toute entreprise militaire. Il se servit beaucoup de la CIA, et ce fut le seul Président américain qui l'ait eue vraiment en main. Il supervisa habilement les opérations de la CIA en Iran et au Guatemala, sans aucun dommage pour sa réputation[118]. En 1958, le « coup » de l'Indonésie fut un échec parce que, pour une fois, il l'avait confié à Foster Dulles. On imagine difficilement qu'en 1961 Eisenhower eût permis à l'affaire de la baie des Cochons d'évoluer comme elle le fit. En 1954, il avait créé, en mettant à sa tête un vieux diplomate roublard, David Bruce, un bureau civil de conseillers aux Activités de renseignements étrangers ; c'était l'un des moyens qu'il se donnait pour maintenir les activités des militaires sous son propre contrôle[119]. Il n'aimait pas que les généraux s'occupent de politique. En 1952, à la convention républicaine de Chicago qui le désignait comme candidat à la présidence, il y avait déjà tant de généraux appuyant le sénateur Taft et MacArthur, qu'il demanda à son principal adjoint, le colonel Bob Schultz, et à son médecin, le général Howard Snyder, de ne pas l'accompagner en ville [120]. Eisenhower fut sans cesse conscient de l'équilibre difficile qu'il avait à réaliser entre l'isolationnisme et un engagement excessif dans les affaires mondiales. Lorsqu'il s'agissait de satisfaire les activismes du Sénat, il se servait de Dulles. Ancien secrétaire d'État de Wilson et neveu de Lansing, Dulles était allé à Versailles, et lorsque le Sénat abandonna le traité de 1919, il en tira une leçon qu'il ne devait jamais oublier. Selon Kennan, « il était fortement conscient de sa dépendance ; pour le succès de sa politique, un secrétaire d'État ne pouvait se passer du Sénat [121] ». Sous la direction d'Eisenhower qui, d'avance, examinait avec soin chacune de ses interventions, il se laissait aller, parfois, à une certaine enflure verbale. Il parlait de « retour de flammes », du « bord de l'abîme », d'une « angoissante réévaluation », mais il s'agissait seulement de s'assurer l'appui du législatif là où tout n'était en fait que réalisme politique et militaire. Dulles et le Président étaient seuls à savoir s'il s'agissait de rhétorique pure ou d'engagements réels à l'étranger.

Dans l'atmosphère tendue engendrée par la guerre froide, la principale crainte d'Eisenhower était que le gouvernement ne subît l'emprise combinée de sénateurs bellicistes, de généraux trop enthousiastes et d'avides fabricants d'armes — c'était ce qu'il appelait « le complexe industriel et militaire ». Car son troisième principe, qui ressort de ses notes et d'autres documents personnels, était que, dans le monde entier, le maintien de la liberté reposait, en dernier lieu, sur la santé de l'économie américaine. Si on lui en laissait le temps, elle entraînerait un égal équilibre en Europe occidentale et au Japon. Mais, en Amérique même, l'économie pouvait encore être ébranlée par des dépenses immodérées. Parlant des militaires, il disait : « Ils ne savent pas grand-chose de l'inflation. Ce pays pourrait s'étouffer à mort par l'accumulation des dépenses militaires, mais il risque tout autant de se perdre en étant trop avare sur le plan de la défense. » Ou encore : « Que vaut la défense d'un pays, quand il a fichu son économie en l'air [122] ? » Il n'était pas opposé aux mesures préconisées par Keynes pour combattre une récession naissante. En 1958, devant une menace de cet ordre, il s'autorisa un déficit de 4,9 milliards de dollars, le plus important qu'ait connu, en temps de paix, le gouvernement américain [123]. Mais c'était un cas d'urgence. Ce qu'Eisenhower tenait avant tout à éviter, c'était qu'il s'établît de façon permanente une énorme augmentation des engagements financiers du gouvernement fédéral. Le contrôle de l'inflation prenait le pas sur la sécurité sociale, parce qu'en fin de compte c'était, pour lui, le seul moyen valable d'assurer cette sécurité. Au fond, il était profondément conservateur. Il devait d'ailleurs l'admettre, d'une certaine manière, en 1956 : « Taft, disait-il, était finalement plus libéral que moi sur les questions intérieures [124]. » Son principal cauchemar était la conjonction éventuelle d'une dépense excessive sur le plan de la défense avec un système d'assistance incontrôlable — rencontre désastreuse qui allait devenir une réalité à la fin des années 60. Tant qu'il fut en place, et malgré de nombreuses pressions, le pourcentage des dépenses fédérales par rapport au produit national brut demeura toujours, de même que l'inflation, dans les limites du raisonnable. C'était, de sa part, une notable réalisation, et l'on comprend que la période d'Eisenhower ait pu être la période la plus prospère des Temps modernes. Cette prospérité ne cessait de rayonner vers de nouvelles parties du monde.

Partout, on connaissait aussi une plus grande sécurité. Entre 1950 et 1952, le risque d'un conflit généralisé avait été considérable. A la fin de cette période, on avait atteint une sorte de stabilité ; des frontières s'étaient dessinées, on avait fixé des règles, conclu des alliances et des engagements sur la terre entière. Le projet politique du « confinement » avait été réalisé. Le léninisme militant qui, dans les années 40, avait connu une expansion rapide, ne progressait plus que lentement, ou pas du tout. Mais à peine le confinement était-il devenu une réalité qu'il cessait d'être suffisant. L'effondrement des anciens empires libéraux de l'Europe avait fait naître une nouvelle catégorie d'États, et ceux-ci, rebelles, promettaient de nouveaux dangers.

II

La génération de Bandung

Le même processus historique qui créa les superpuissances plaça les pays traditionnels devant un dilemme. Quel était leur rôle ? Les nations qui avaient connu la défaite, comme la France, l'Allemagne et le Japon, étaient contraintes à une réévaluation fondamentale, mais l'Angleterre, elle, n'avait pas été vaincue. Elle s'était maintenue debout seule, et était sortie victorieuse du conflit. Ne pouvait-elle continuer comme auparavant ? Churchill avait désespérément défendu les intérêts britanniques. Il rejetait absolument le point de vue de Roosevelt considérant l'Amérique et la Russie comme les 2 puissances « idéalistes », et l'Angleterre comme la vieille puissance impérialiste et avide. Il savait l'insondable cynisme si bien reflété par l'ambassadeur Maisky lorsque celui-ci disait qu'il additionnait toujours les pertes alliées et nazies dans la même colonne [1]. Il fit remarquer au représentant du gouvernement britannique à Moscou que la Russie « n'avait jamais obéi à rien d'autre qu'à son propre intérêt, froidement calculé, avec un mépris total de nos vies et de nos destinées [2] ». Il ne se faisait pas d'illusion, et savait que la Russie était impatiente de réduire l'Empire britannique en pièces et de se repaître de ses débris, et que l'Amérique, appuyée par les dominions, surtout l'Australie et la Nouvelle-Zélande, soutenait aussi la « décolonisation ». L'acariâtre ministre des Affaires étrangères australien, H.V. Evatt, fit inscrire ce genre de concepts dans la charte des Nations unies [3]. Churchill montra les dents à Yalta : « Tant qu'il y aura la moindre parcelle de vie en moi, il n'y aura pas de transfert de la souveraineté britannique [4]. »

Six mois plus tard, Churchill avait été écarté du pouvoir par les électeurs. Ses successeurs travaillistes avaient l'intention de désarmer, de décoloniser, de s'allier à la Russie et de construire un Etat providence. En réalité, ils furent tout simplement la proie des événements. En août 1945, le rapport de lord Keynes faisait la preuve que le pays était en faillite. Sans l'aide américaine, « la situation économique ne permet aucun espoir pour l'avenir du pays [5] ». Ernest Bevin, le leader

syndicaliste devenu ministre des Affaires étrangères, lança son slogan :
« La gauche peut parler à la gauche », espérant partager les secrets atomiques avec la Russie. Mais on l'entendit bientôt dire à son collègue
Hugh Dalton : « Molotov s'est comporté tout simplement comme un
communiste dans un parti travailliste local. Si vous le traitez mal, il
crie à l'injustice et exploite au maximum ses griefs, et si vous le traitez
bien, il augmente simplement son prix et vous roule le lendemain[6]. »
Peu à peu, Bevin incarna la volonté britannique d'organiser la sécurité
collective. Il dit à Molotov en 1949 : « Vous voulez attirer l'Autriche derrière votre rideau de fer ? C'est impossible. Vous voulez la Turquie et
le détroit ? C'est impossible. Vous voulez la Corée ? C'est impossible.
Vous sortez si bien la tête qu'un jour on vous la coupera[7]. »

La politique étrangère de Bevin obligea la Grande-Bretagne à rester dans la course aux armements stratégiques. Un an exactement après
le rapport de Keynes annonçant la faillite du pays, le chef d'état-major
de l'armée de l'air passait une commande de bombes nucléaires pour
le gouvernement. Le 1er janvier 1947 paraissait la description précise
du premier bombardier atomique britannique[8]. Premier savant
nucléaire anglais, P.S.M. Blackett n'était pas favorable à une bombe
britannique. Par la suite, il pensa que l'Angleterre pouvait et devait
adopter une position de neutralité vis-à-vis de l'Amérique et de la Russie[9]. Sir Henry Tizard, premier conseiller scientifique, était également
opposé à une force nucléaire indépendante : « Nous *ne* sommes *pas* une
grande puissance et ne le serons plus jamais. Nous sommes une grande
nation, mais si nous continuons à nous conduire comme une grande
puissance, nous cesserons bientôt de nous conduire comme une grande
nation[10]. » Cependant, lorsque les Soviétiques réussirent à faire exploser une bombe A en août 1949, Tizard fut consterné et attribua ce succès à un vol de matériel. En tout cas, la décision de fabriquer l'arme
nucléaire fut prise en janvier 1947, au plus fort de la terrible crise de
carburant, et juste avant que la Grande-Bretagne n'abandonne à Truman la responsabilité de la Grèce et de la Turquie. Seuls Atlee, Bevin
et 4 autres ministres étaient présents[11]. La dépense fut « noyée » dans
les prévisions budgétaires et dissimulée au Parlement. Quand Churchill
revint au pouvoir en 1951, il fut stupéfait de découvrir que 100 millions
de livres sterling avaient ainsi été déboursées et que le projet était bien
avancé[12].

La décision de fabriquer l'arme nucléaire, et le brillant succès avec
lequel cela fut réalisé, permit sans aucun doute à la Grande-Bretagne
de rester dans le club des Grands pendant trente ans de plus. Ce fut
le premier essai de la bombe A anglaise, au large de l'île de Monte-Bello,
en octobre 1952, qui amena les Américains à reprendre la collaboration atomique ; la première expérimentation de la bombe H, à l'île
Christmas, en mai 1957, permit l'officialisation de cette association en
poussant le Congrès à amender la loi Mac-Mahon de 1946 : les accords
bilatéraux de 1955 et 1958 n'auraient pu être obtenus sans les possibi-

lités nucléaires britanniques. Une fois dans le club, l'Angleterre eut la possibilité de jouer un rôle prépondérant dans les négociations de 1958-1963 visant l'interdiction des essais nucléaires, et dans les tractations qui aboutirent au traité de non-prolifération de 1970. En 1960, Aneurin Bevan prononça sa phrase célèbre pour défendre la force nucléaire britannique devant ses collègues du parti travailliste, alléguant que, sans elle, un ministre des Affaires étrangères britannique « entrerait tout nu dans les salles du conseil du monde ». Cela pourtant était mal formulé. Sans la bombe, la Grande-Bretagne n'aurait pris part ni à ces négociations ni à aucune autre : comme tous les autres clubs de « gentlemen », le club nucléaire n'admet pas de nudistes dans sa salle de conseil. En 1962, l'accord anglo-américain de Nassau accordait à l'Angleterre 64 plates-formes de lancement nucléaires modernes, pour 1 038 aux Etats-Unis et environ 265 à l'Union soviétique. Dès 1977, l'Amérique en possédait 11 330, la Russie 3 826 et l'Angleterre 192. C'est ce rapport de forces défavorable qui exclut la Grande-Bretagne des pourparlers sur la Limitation des armes stratégiques (SALT), bien qu'à cette époque déjà le dispositif « préventif » anglais eût pu détruire tous les grands centres urbains et industriels de la Russie, et provoquer 20 millions de morts [13].

A partir de 1945-1946 donc, la politique britannique adopta pour principe de participer, avec les Américains, à la mise en place de mesures de sécurité collective pour contenir l'expansion soviétique, et de leur apporter le soutien de leur force nucléaire. Ce fil conducteur demeura au centre de la politique de Londres à travers tous les changements d'humeur et de gouvernement, jusqu'aux années 80. Mais ce fut bien le seul élément stable. Tout le reste n'était que confusion et indécision. La clairvoyance et la volonté faisaient cruellement défaut. A la fin de l'été 1945, l'Empire britannique et le Commonwealth semblaient être revenus à l'apogée de 1919 et la puissance anglaise s'étendait pratiquement sur le tiers du globe. Outre ses possessions légitimes, l'Angleterre administrait l'empire italien en Afrique du Nord et de l'Est, un grand nombre d'anciennes colonies françaises et beaucoup de territoires libérés en Europe et en Asie, y compris les étincelants empires de l'Indochine et les Indes néerlandaises. Aucune nation n'avait jamais assumé d'aussi vastes responsabilités. Vingt-cinq ans plus tard, il n'en restait plus rien. Jamais auparavant l'Histoire n'avait assisté en si peu de temps à une transformation d'une telle envergure.

On devait souvent entendre dire, au cours de cette période de désagrégation, que dès le début de 1941 la chute de Singapour avait préfiguré l'effondrement de l'empire. Mais ceci est faux. Il n'y eut pas de déshonneur en 1941. Malgré la carence du commandement dans la défense de la ville, l'ensemble de la campagne fut honorable. En Malaisie, les Anglais n'eurent pas le tort de sous-estimer les Japonais. Au contraire : ils avaient prédit exactement ce qui arriverait si on ne renforçait pas la garnison et, surtout, si on ne les approvisionnait pas en armes. Au lieu de cela, on décida de sauver la Russie. Quoi qu'il en soit, 200 000 Japonais bien équipés et très bien entraînés, avec des forces aériennes et navales d'une supériorité écrasante, furent tenus en échec pendant soixante-dix jours, par trois divisions et demie, seulement, des troupes du Commonwealth. En tout cas, l'image de la victoire asiatique fut totalement effacée par l'ampleur de la défaite japonaise. En 1941, l'Angleterre rendit les armes à Singapour avec 91 000 hommes. Quand le général Itagaki remit son épée à l'amiral Mountbatten, en 1945, il avait sous ses ordres 656 000 hommes à Singapour. Ailleurs, les Anglais reçurent la capitulation de plus d'1 million d'hommes. Plus de 3,175 millions de soldats japonais encore en armes furent rapatriés du front russo-mandchou. C'était la plus grande défaite qu'aucune nation asiatique ou non blanche ait jamais subie. Dans tous les secteurs, la technologie et l'organisation occidentales (c'est-à-dire blanche) avaient prouvé leur supériorité de manière irrésistible. Ce n'était pas seulement une victoire caractéristique, mais l'archétype même de la victoire de style colonial, la victoire de la puissance des armes à feu sur la force corporelle [14]. »

Il n'y avait pas non plus de preuve matérielle d'une remise en question de la fidélité des peuples sujets à l'Empire britannique. Bien au contraire. Les efforts intenses des Japonais pour créer une armée nationale indienne et un régime indépendant échouèrent totalement. Un « gouvernement » fut formé en octobre 1942 sous la direction de Chandra Bose. Il déclara la guerre à l'Angleterre et installa sa capitale à Rangoon. L'ANI se désagrégea dès qu'elle entra en action contre l'armée régulière. Les Japonais ne réussirent jamais à persuader ou à forcer plus de 30 000 Indiens, civils ou militaires, de servir contre l'Angleterre. Plusieurs milliers de prisonniers de guerre indiens préférèrent la torture et la mort à la trahison : par exemple, en avril 1945, sur les 200 officiers et soldats du 2/15 du Pendjab capturés à Kuching, pratiquement tous avaient été tués, certains battus à mort, d'autres décapités ou passés à la baïonnette. L'opposition à la guerre d'une partie de la « nation politique » de l'Inde n'eut aucun effet sur la « nation militaire ». Alors que 1,457 million d'Indiens avaient servi dans l'armée de 1914-1918, pendant la Seconde Guerre mondiale, leur nombre dépassa 2,5 millions et le nombre d'indiens décorés de la Victoria Cross passa de 11 à 31 [15].

Qui, en fait, pouvait prétendre parler au nom de l'Inde ? La « nation politique » ? La « nation militaire » ? Quelqu'un pouvait-il parler au nom de l'Inde ? En 1945, l'Inde comptait plus de 400 millions d'habitants : 250 millions d'hindous, 90 millions de musulmans, 6 millions de sikhs et des millions de disciples de sectes diverses, de bouddhistes, de chrétiens ; 500 princes et maharajas indépendants ; 23 langues principales, 200 dialectes ; 3 000 castes et 60 millions d'« intouchables » — tout en bas de l'échelle sociale ; 80 % de la population habitait dans 500 000 villages, dont la plupart étaient inaccessibles, même par la route. Pourtant, à toutes fins utiles, la décision avait-elle été prise en 1917, au moment des réformes Montagu, d'entamer le processus de transmission du pouvoir sur cette nation vaste et disparate, non pas à ses leaders traditionnels, religieux, éthniques, économiques, militaires — ou à tous ensemble — mais à une minuscule élite qui avait bien assimilé l'idéologie, les techniques et, par-dessus tout, le langage de la politique occidentale. La décision avait été confirmée par la réaction à Amritsar. Il devenait évident que l'Empire britannique n'avait plus l'intention d'imposer sa règle à tout prix. La loi de 1935 déclencha le processus d'abdication. L'« establishment » britannique, quel que soit le scandale possible, savait exactement ce qui était en train de se tramer. Comme le rapportait à Baldwin son éminence grise, J.C.C. Davidson :

> « Le fait est que le gouvernement anglais, le vice-roi et, dans une certaine mesure, les Etats des maharajas ont été bluffés par Gandhi qui a réussi à leur faire croire qu'une poignée d'agitateurs urbains mal léchés, à peine instruits, représentent l'opinion de 365 millions de cultivateurs laborieux et relativement satisfaits. Il me semble que l'éléphant ait été mis en fuite par la puce [16]. »

L'Inde illustre bien le processus par lequel le politicien professionnel a hérité de la planète au XXᵉ siècle. Les réformes instaurèrent un système de représentation peu en accord avec les mœurs du pays, et des hommes d'une certaine classe, surtout des hommes de loi, s'organisèrent pour le manipuler. Le pouvoir passa ainsi entre leurs mains en temps voulu. Le dialogue se situait uniquement entre les anciennes et nouvelles élites. Le peuple n'entrait pas en scène, sinon à l'arrière-plan comme une gigantesque foule de figurants. Le procédé devait se répéter dans toute l'Asie et dans toute l'Afrique. On avait gardé la forme des modèles de Westminster, de Paris ou de Washington, mais il ne restait presque rien — ou rien du tout — de l'esprit. Les bolcheviques de Lénine en 1917, les cadres PCC de Mao en 1949 et les membres du Congrès en Inde sont venus au pouvoir par des voies différentes. Mais ils avaient ceci en commun : ils étaient tous des hommes qui n'avaient jamais rien fait d'autre que de la politique, et qui avaient consacré leur vie à l'exploitation d'un concept très élastique appelé « démocratie ».

Lénine avait choisi de gouverner avec les méthodes d'un « caudillo » ; Mao avec celles d'un seigneur de la guerre. Gandhi et Nehru s'engouffrèrent dans le vide créé par la carence d'une volonté ferme, et la loi de 1935 avait rendu l'Empire difficile à gouverner, sinon par la répression permanente. En 1942, en partie sous la pression de Roosevelt, Churchill accepta de déclarer que l'Inde aurait son autonomie après la guerre. Le 28 juillet il déjeuna avec George VI, qui nota dans son journal : « Il m'a stupéfié en disant que ses collègues, ainsi que 2, peut être même les 3, partis au Parlement étaient tout à fait prêts à rendre l'Inde aux Indiens après la guerre [17]. » Cela se révéla tout à fait exact. En 1945-1947, les discussions portèrent uniquement sur la manière et le moment, mais jamais sur le fait du départ des Anglais. Le véritable projet de loi sur l'Indépendance de l'Inde, qui devint loi le 18 juillet 1947, fut adopté par les 2 chambres du Parlement sans scrutin et au milieu de l'indifférence presque totale du public.

A vrai dire, si l'Angleterre n'avait pas abdiqué, rapidement et par lassitude, on voit difficilement comment l'indépendance indienne aurait pu être acquise. Gandhi n'était pas un libérateur, mais une plante exotique de la politique qui n'a pu fleurir que dans l'environnement protégé et entretenu par le libéralisme de l'administration anglaise. Il avait un an de plus que Lénine, avec qui il partageait une approche quasi religieuse de la politique, bien qu'en excentricité pure il ressemblait beaucoup plus à Hitler, son cadet de vingt ans. Dans sa langue natale, le gujarati, Gandhi signifie « épicier », et tout comme sa mère, dont il avait hérité une constipation chronique, il était obsédé par les fonctions du corps, l'ingestion et l'évacuation de la nourriture. Cette préoccupation ne fit que s'accroître lorsqu'il vint à Londres et évolua dans les milieux végétariens. Sa vie intime nous est mieux connue que celle d'aucun autre être humain dans l'Histoire. Il vivait en public dans son *ashram*, ou lieu de retraite, servi par un entourage nombreux de femmes dévouées, dont la plupart ne demandaient pas mieux que de raconter sa vie dans les moindres détails. Vers 1970, il existait déjà plus de 400 biographies de Gandhi, et le recueil en version anglaise de ses moindres propos, composé par 50 chercheurs et 30 employés du ministère de l'Information indien qui créa un service spécial dans ce dessein, remplira 80 volumes d'environ 550 pages chacun [18].

La première question que posait Gandhi, en se levant, aux femmes qui le servaient chaque matin était : « Vos intestins ont-ils bien fonctionné ce matin, mes sœurs ? » *La Constipation et notre civilisation* était l'un de ses livres préférés : il le relisait sans cesse, convaincu que le mal naît de la saleté et d'une nourriture impropre. Aussi, bien qu'il eût un excellent appétit — « C'était l'un des hommes les plus affamés que j'ai jamais connu », déclarait un de ses disciples —, sa nourriture était soigneusement choisie et préparée. Il buvait un mélange de bicarbonate de soude, de miel et de jus de citron, et tous ses plats végétariens étaient accompagnés d'une bonne quantité d'ail pilé, qui remplissait un bol près de son assiette (il n'avait aucun odorat, qualité pourtant très utile en Inde) [19]. A l'âge mûr, Gandhi se détourna de sa femme, ses enfants ; et, en fait de la sexualité, il jugeait les femmes meilleures que les hommes parce qu'il pensait qu'elles ne prenaient pas de plaisir dans le sexe. Menant son expérience dite *brahmacharya* qui consistait à dormir avec des jeunes filles nues rien que pour la chaleur. La seule éjaculation qu'il ait eue dans ses dernières années se produisit dans son sommeil, en 1936, alors qu'il avait 66 ans, et cela le troubla profondément [20].

Les extravagances de Gandhi séduisaient un peuple qui adore les excentricités rituelles. Mais ses enseignements n'avaient aucun rapport avec les problèmes ou les aspirations de l'Inde. Le tissage à la main n'avait aucun sens dans un pays dont la principale industrie était la fabrication de textiles en grande série. Son programme alimentaire aurait conduit à une famine générale. En fait, il fallut 3 princes marchands pour subventionner l'*ashram* de Gandhi, avec ses goûts « simples » très coûteux et ses innombrables « secrétaires » et servantes. Comme le faisait remarquer un membre de son entourage : « Cela coûte très cher d'entretenir la pauvreté de Gandhi[21]. » Autour du phénomène Gandhi, il y eut toujours une forte odeur de mystification, bien dans le genre du XXᵉ siècle. Ses méthodes ne pouvaient être appliquées que dans un régime ultra-libéral. « Non seulement les Anglais firent preuve de beaucoup de patience à son égard », écrivait George Orwell :

> « [...] mais surtout il était toujours à même de forcer l'attention du public... Il est difficile de savoir comment les méthodes de Gandhi pourraient être appliquées dans un pays où les adversaires du régime disparaissent au milieu de la nuit et ne réapparaissent plus jamais. Sans une presse libre et le droit de réunion, il est impossible non seulement de faire appel à l'opinion publique mais de susciter un mouvement de masse... Y a-t-il un Gandhi en Russie en ce moment[22] ? »

La carrière de Gandhi a seulement démontré le caractère non répressif de la loi britannique, l'empressement de Londres à abdiquer. Gandhi a coûté cher en vies humaines, comme en argent. Les événements de 1920-1921 ont prouvé qu'il était capable de susciter un mouvement de masse, mais incapable de le contrôler. Cependant, il continua de jouer à l'apprenti sorcier, tandis que la liste des morts s'élevait à des centaines, puis des milliers, puis des dizaines de milliers, et que s'accumulaient les risques d'une gigantesque explosion raciale et religieuse. Ce refus de prendre en compte la loi des probabilités, dans un sous-continent cruellement divisé, rendait absurde ses déclarations selon lesquelles il ne tuerait pas, en aucune circonstance.

On trouvait la même insigne légèreté chez Jawaharlal Nehru, brahmane d'une caste de prêtres qui, d'une manière caractéristique, s'étaient tournés, dans les Temps modernes, vers le droit et la politique. Il était fils unique ; « fils à sa mère », élevé d'abord par des gouvernantes et des théosophes, puis rapatrié à Harrow, où il se fit connaître sous le nom de Joe, et à Cambridge. Jeune homme, il mena une vie élégante à Londres et dans les stations thermales, pourvu d'une rente annuelle de 800 livres sterling. S'ennuyant facilement, il laissa pourtant son père, avocat à Allahabad et surchargé de travail, choisir une femme pour lui, une brahmane du Cachemire. Mais (comme Lénine) jamais il ne manifesta le moindre désir de prendre un travail pour entretenir sa famille. Comme le lui reprochait son père :

> « As-tu eu le temps de t'occuper des pauvres vaches... qui ne sont réduites à l'état de vache que par une négligence coupable de ta part et de la mienne — je parle de ta mère, de ta femme, de ton enfant et de tes

sœurs ?... Je ne pense pas qu'un homme qui est capable de laisser mourir de faim ses propres enfants puisse être d'une grande utilité à la nation [23]. »

Entraîné en politique dans le sillage de la campagne de Gandhi, Nehru fut nommé en 1929, président du Congrès par le Mahatma. Il s'occupa un peu de la vie des paysans. « J'ai eu le privilège de travailler pour eux, de me mêler à eux, de vivre dans leurs huttes en torchis et de partager, avec le plus grand respect, leur maigre nourriture », selon ses propres termes, et fut emprisonné pour agitation, en même temps que Hitler à Landsberg : « Ce sera une nouvelle expérience, et dans ce monde blasé, c'est quelque chose de faire une nouvelle expérience. » Selon lui, l'Inde pourrait être sauvée par « l'étude des livres de Bertrand Russel ». A bien des égards, on eût dit un intellectuel de Bloomsbury, un Lytton Strachey politisé, transplanté dans un pays exotique. « Un intellectuel des intellectuels », écrivait Leonard Woolf. « Le dernier cri du raffinement et de la culture aristocratiques voué au salut des opprimés », déclarait Mrs. Webb avec enthousiasme [24]. Il avala toute la pharmacopée gauchiste européenne, s'enflammant pour l'Espagne républicaine, prenant les simulacres de procès staliniens pour argent comptant, pacificateur et champion du désarmement unilatéral. Il passa la plus grande partie de la guerre en prison, après une révolte putative, en 1942, qui n'eut que très peu de partisans, et il acquit ainsi des connaissances étendues sur le régime pénitentiaire indien.

Mais il ne savait rien du processus de développement et d'administration dont dépendait le sort de 400 millions de personnes. Jusqu'à la fin des années 40, il semble avoir pensé que son pays était souspeuplé, et sa méconnaissance de l'Inde véritable lui fit refuser jusqu'au tout dernier moment d'admettre que si les Britanniques cédaient le pouvoir au Congrès, les musulmans exigeraient un Etat séparé [25]. Plus étonnant encore, il était persuadé que le sectarisme violent et endémique d'avant le XIXe siècle n'était réapparu qu'avec le mouvement de Ghandi et Amritsar, et qu'il était essentiellement le produit de la domination anglaise. En 1946, il déclara à Jacques Marcuse : « Quand les Anglais seront partis, il n'y aura plus de luttes intercommunautaires en Inde [26]. »

En fait, il était déjà évident que la scission serait inévitable et que l'on pourrait s'attendre à un déferlement de violence lorsque, aux élections d'après-guerre, la Ligue musulmane remporterait pratiquement tous les sièges réservés aux musulmans grâce à son programme de partition. On a présenté la transmission du pouvoir en Inde comme une prouesse de la diplomatie anglo-indienne. En vérité, le gouvernement de Londres perdit tout simplement le contrôle de la situation. L'économie anglaise était au bord de la faillite lorsque lord Mountbatten fut nommé vice-roi des Indes, le 20 février 1947. Il reçut l'ordre d'agir à son gré (« carte blanche », comme il dit au roi), pourvu que la question de l'indépendance soit réglée avant la date limite de juin 1948 [27]. Les massacres avaient commencé avant même son arrivée en Inde. Selon Churchill, « un délai de quatorze mois serait fatal au bon ordre de la transmission du pouvoir », car cela donnerait aux extrémistes des deux bords le temps de s'organiser. L'ancien vice-roi, lord Wavell, aurait voulu que l'Angleterre restitue un pays uni, laissant aux Indiens eux-mêmes le loisir de le diviser si bon leur semblait. Le général Francis Tuker, qui avait prévu toutes les divisions éventuelles, pensait que la partition était inévitable si l'on précipitait le processus de transmissions des pouvoirs. Mountbatten le précipita et se prononça en faveur de la partition moins de deux semaines après son arrivée. Dirigeant la commission chargée de fixer les frontières, sir Cyril Radcliffe fut obligé de prendre seul les décisions, car les membres hindous et musulmans étaient effrayés à l'idée de prendre une telle responsabilité.

Les conséquences furent identiques à celles de la dissolution de l'empire des Habsbourg en 1918-1919 : la suppression du principe unificateur créa plus de problèmes qu'elle n'en résolut. Les princes furent abandonnés, les sectes et tribus minoritaires, oubliées et les intouchables, ignorés. On fit comme si tous les problèmes — le Pendjab, le Bengale, le Cachemire, la frontière du Nord-Ouest, le Sind, le Baloutchistan anglais — allaient se résoudre d'eux-mêmes. Mountbatten avait le génie des relations publiques et sauva la façade. Cependant, la transmission des pouvoirs et la partition donnèrent lieu à un véritable carnage, mettant ainsi ignominieusement un terme à deux siècles de règne extrêmement réussi, fondé sur le bluff. 5 à 6 millions de personnes fuirent dans toutes les directions,et un cortège d'hindous et de sikhs terrorisés s'étira sur une centaine de kilomètres à partir du Pendjab occidental. Forte de 23 000 hommes, l'armée qui surveillait la frontière était trop inefficace, et certains de ses soldats ont sans doute même participé à la tuerie [28]. Le carnage atteignit même l'incomparable palais de Lutyen, car un grand nombre de serviteurs musulmans de lady Mountbatten furent massacrés. Elle aida à transporter leurs cadavres à la morgue. Responsable de tout cela, Gandhi lui avoua : « Ces événements sont sans précédent dans l'histoire du monde, et cela me fait baisser la tête de honte [29]. » Imaginant que les Indiens libérés seraient autant de « bloomsburies » Nehru avoua, de son côté, à lady Ismay : « Les gens ont complètement perdu la raison et se révèlent pires que des brutes [30]. »

Gandhi fut parmi les victimes, et mourut assassiné par l'un des fanatiques dont l'heure avait sonné. On ne saura jamais combien disparurent avec lui : les estimations de l'époque annonçaient 2 millions de morts ; d'après les calculs les plus récents, le nombre des victimes se serait situé entre 200 000 et 600 000 [31]. Depuis, tout le monde s'est efforcé de minimiser la tragédie, de l'oublier, de peur qu'elle ne se reproduise. Ce désordre causa d'autres grandes injustices. Pays natal de Nehru, le Cachemire était, en majeure partie, musulman ; malgré cela, il y envoya des troupes afin d'imposer l'autorité indienne, sous prétexte que le gouverneur était un hindou ; là-bas, en effet, les musulmans étaient des « barbares ». A Hyderabad, où la majorité de la population était hindoue et le gouverneur musulman, il inversa le principe et y envoya également des troupes, sous le prétexte, cette fois, que « ce sont des fous qui gouvernent Hyderabad [32] ». Ainsi, même le Cachemire qui constitue la plus belle province de l'Inde fut coupé en deux et reste partagé encore aujourd'hui, plus de trente ans après les événements, tout était prêt pour les 2 conflits qui n'allaient pas manquer de survenir plus tard entre l'Inde et le Pakistan.

A la tête de la république de l'Inde pendant dix-sept ans, Nehru fonda une dynastie parlementaire. Dirigeant assez populaire, mais néanmoins peu efficace, il fit pourtant de son mieux pour faire fonctionner le Parlement indien, le Lok Sabha, et y passa beaucoup de temps ; mais sa tendance autocratique était contraire au principe de gouvernement ministériel. Il gouvernait seul : « Je crois que mon départ pourrait bien être quelque chose de catastrophique [33] », se plaisait-il à dire. A l'étranger, on partageait généralement ce point de vue : « Le plus grand personnage de l'Asie », écrivait Walter Lippmann. « S'il n'existait pas, il eût fallu l'inventer », disait Dean Acheson. « Un titan mondial », déclarait le *Christian Science Monitor*. Et le *Guardian* d'ajouter : « M. Nehru peut dire, sans se vanter, que Delhi est l'école de l'Asie. » Selon Adlai Stevenson, c'était l'un des rares hommes dignes de « porter une auréole de son vivant [34] ». Mais, au fond de lui-même, Nehru en vint à douter de toutes ces flatteries. « Il est terrible de penser que nous risquons de perdre toutes nos valeurs et de sombrer dans la sordidité de la politique opportuniste », écrivait-il en 1948. Il fit voter une réforme agraire, mais elle ne profita qu'à quelques paysans parmi les plus riches, et ne favorisa en rien la productivité agricole. Quant à la planification, il pensait qu'elle « changerait la physionomie du pays de façon si totale que le monde en serait abasourdi. » Il ne se produisit cependant rien de tel. En 1953, il avouait qu'« en économie, je suis complètement dépassé ». A une époque il songea à construire 1 barrage ou 2, mais plus tard il s'en désintéressa. Dans l'ensemble, « nous fonctionnons de plus en plus comme le vieux gouvernement britannique, écrivait-il au général gouverneur Rajagopalachar, mais nous sommes moins efficaces [35] ». Il semble que Nehru ne sût pas gouverner. Il passait quatre à cinq heures par jour à dicter à 8 dactylos au moins des réponses aux 2 000 lettres de doléances que lui envoyaient quotidiennement les Indiens [36].

Son activité favorite consistait à disserter de morale internationale devant un public mondial. Il devint, dans les années 50, le principal interprète de la grande mystification. Pratiquant une politique d'annexion à l'intérieur de ses propres frontières, il envoya l'armée, en 1952, soumettre la tribu Naga (interdisant toutefois le mitraillage aérien), et quand les Goans portugais refusèrent obstinément de se soulever pour s'unir à l'Inde, il envoya des « volontaires » et les libéra de force. Pourtant, il dénonçait l'« impérialisme » à l'étranger, en tout cas l'impérialisme occidental. Selon lui, le comportement des Américains en Corée montrait qu'ils étaient « le plus hystérique de tous les peuples », excepté peut-être les Bengalis (qui continuaient de se massacrer entre eux). Les opérations franco-anglaises contre l'Egypte, en 1956, constituaient « un renversement de l'Histoire qu'aucun d'entre nous ne saurait tolérer ». « Je ne puis imaginer de cas d'agression caractérisée plus manifeste [37]. »

Son attitude à l'égard du monde communiste était fort différente. Jusqu'à la fin, les livres mensongers de Webbs, « la grande œuvre », comme il l'appelait, furent son évangile concernant la Russie soviétique. Lorsqu'il visita ce pays en 1955, il trouva les gens « heureux, gais... et bien nourris ». Il ne remarqua pas l'absence de libertés civiles. On avait une « impression générale » de « satisfaction », chacun étant « occupé et affairé », et « si les gens se plaignent, c'est à propos de détails secondaires [38] ». Il ne prêta jamais la moindre attention au colonialisme soviétique, ni même ne reconnut son existence. Il attaqua violemment sir John Kotelawala, le Premier ministre de Ceylan, lorsque celui-ci se permit de critiquer le système soviétique des Etats satellites de l'Europe orientale. Il refusa de condamner l'invasion de la Hongrie par les Soviétiques en 1956, prétextant son « manque d'information », et soulagea sa conscience en privé, en formulant de légers regrets [39]. Mais il aurait pu sauver le Tibet et empêcher l'invasion chinoise, purement impérialiste ; de nombreux Indiens auraient souhaité qu'il réagisse : en vain. Selon lui, il fallait comprendre l'agression en fonction de la « psychologie chinoise », et son « passé de longue souffrance [40] ». Néanmoins, il n'expliquait pas pourquoi ces malheureux Chinois avaient eu besoin de se venger sur les pauvres Tibétains, dont la vieille société fut écrasée comme une boîte d'allumettes. Tandis que la population était repoussée brutalement vers le centre de la Chine, et remplacée par des « colons » chinois, Nehru employait, pour défendre la politique de Pékin, les mêmes arguments que ceux émis en faveur de Hitler dans les années 30. Il ne fut pas seulement le dernier des vice-rois, il fut également le dernier des pacificateurs.

A ce moment, Nehru rêvait de jouer un rôle d'impresario et de présenter la Chine nouvelle à la communauté internationale. Chou Enlai l'encensait (« Votre excellence connaît mieux le monde et l'Asie que moi. »), et Nehru était ravi. D'ailleurs, il idolâtrait le viril et militariste Mao, et fut tout à fait séduit par son farouche et sinistre voisin Hô Chi Minh (qu'il trouvait beau, le visage ouvert, aimable et doux ».) Il fut « stupéfait » par « l'extraordinaire accueil émotionnel » que lui réserva le peuple chinois lors de sa visite [41]. Il ne semble pas lui être venu à l'esprit que les intérêts de la Chine et de l'Inde étaient fondamentalement contradictoires et qu'en renforçant le prestige chinois, il préparait lui-même des verges pour se faire battre. Le premier coup tomba en 1959, lorsque les Chinois commencèrent à modifier leur frontière himalayenne et à construire des routes militaires après avoir obtenu tout ce qu'ils désiraient du Pandit. Pour avoir respecté les droits de la Chine au Tibet, Nehru était pris à son propre piège. La grande crise survint en 1962 : induit en erreur par la présomption de ses propres généraux, il se lança dans la guerre et fut battu à plate couture. Redoutant que les Chinois ne parachutent des troupes sur Calcutta, il dut alors subir l'humiliation de solliciter l'aide américaine immédiate : les C 130 « néocolonialistes » furent dépêchés par Washington et la VIIe flotte « impérialiste » se porta à son secours dans le golfe du Bengale. Le rouleau compresseur chinois s'arrêta alors mystérieusement, et Nehru fut heureux, en s'épongeant le front, de demander conseil aux Etats-Unis et d'accepter un cessez-le-feu [42]. Il était alors âgé et ne comptait plus pour grandchose sur la scène internationale.

Jusque vers le milieu des années 50, cependant, il fut le point de mire d'une nouvelle entité que les journalistes progressistes français appelaient déjà le « tiers monde ». L'idée reposait sur un tour de prestidigitation verbale : on supposait pouvoir changer (et améliorer) des faits importuns et incontournables, en inventant des phrases et des mots nouveaux. Il y avait le premier monde occidental, avec son capitalisme rapace ; le deuxième monde, avec son socialisme totalitaire et ses camps d'esclaves : l'un et l'autre pourvus de leurs horribles arsenaux prometteurs de destruction totale. Pourquoi ne devrait-il pas naître, comme un phénix, des cendres de l'Empire, un troisième monde, libre, pacifique, non aligné, industrieux, lavé des vices du capitalisme et du socialisme, rayonnant de vertus civiques, se sauvant lui-même aujourd'hui par ses propres efforts, et sauvant le monde, demain, par son exemple ? Tout comme au XIXe siècle, les idéalistes avaient vu dans le prolétariat opprimé le dépositaire de la vertu morale, et, dans un Etat prolétaire futur, la réalisation du vieux rêve d'utopie. Il suffisait maintenant d'avoir un passé colonial et une peau de couleur pour avoir droit à l'estime internationale : tous les pays anciennement colonisés étaient, par définition, bons et sympathiques ; en se rassemblant, ils formeraient naturellement une assemblée de sages !

L'idée prit corps à la conférence afro-asiatique qui se tint à Bandung, à l'initiative du président indonésien Sukarno, du 18 au 24 avril 1955. 23 pays asiatiques indépendants étaient présents, ainsi que 4 pays africains auxquels il faut ajouter le Ghana et le Soudan dont la libération était proche. La célébrité mondiale de Nehru était à son apogée ; il saisit donc cette spectaculaire occasion pour présenter Chou En-lai au monde. Bien d'autres vedettes se pressèrent à Bandung : U Nu de Birmanie, Norodom Sihanouk du Cambodge, Mohammed Ali du Pakistan, Kwame Nkrumah, le futur premier Président noir d'Afrique, l'archevêque Makarios de Chypre, le congressiste noir Adam Clayton Powell et le grand mufti de Jérusalem [43]. Le dispositif de sécurité comptait 1 700 policiers. Certains des participants à cette conférence devaient par la suite comploter pour s'assassiner les uns les autres. D'autres allaient finir leurs jours en prison, en disgrâce ou en exil. Mais, à cette époque, le tiers monde n'avait pas encore sali sa propre image par des invasions, des annexions, des massacres et des dictatures cruelles. Il était encore dans l'âge de l'innocence, et l'on croyait fermement que le pouvoir abstrait des chiffres, et plus encore des mots, transformerait le monde. « C'est la première conférence internationale et intercontinentale des peuples de couleur dans l'histoire de l'humanité », déclarait Sukarno dans son discours d'ouverture. « Frères et sœurs, nous vivons une époque d'un extraordinaire dynamisme !... Les nations et les Etats se sont réveillés d'un sommeil séculaire ! » On assistait à la fin de la vieille ère de l'homme blanc qui avait ravagé la planète avec ses guerres, à l'aube d'une ère meilleure qui mettrait fin à la guerre froide et ferait naître une société nouvelle, fraternelle, multiraciale et multireligieuse, car « toutes les grandes religions se rejoignent dans leur message de tolérance ». Les peuples de couleur introduiraient une morale nouvelle : « Nous, les peuples d'Asie et d'Afrique... qui représentons beaucoup plus que la moitié de la population du monde nous pouvons mobiliser au service de la paix ce que j'ai appelé la "violence morale des nations"[44]. » A cette phrase saisissante, succéda une véritable débauche d'éloquence. L'écrivain noir américain Richard Wright fut l'un des témoins de ce raz de marée oratoire : « C'est la race humaine qui parle[45] », écrivit-il.

Parfaitement désigné pour présider cette assemblée, Sukarno illustrait mieux que personne les illusions, la religiosité politique et l'insensibilité intérieure des dirigeants de l'ère postcoloniale. Pour former les Indes néerlandaises, on avait rassemblé des milliers d'îles en une seule unité administrative qui constituait un véritable empire. Jusqu'en 1870, il avait été régi par des principes relevant de la cupidité pure et simple ; mais, par la suite, sous l'inspiration du grand érudit islamique C. Snouk Hurgronje, on adopta un système baptisé « ordre éthique », qui mêlait l'occidentalisation, le principe d'« association » et la création d'élites indigènes[46]. Fort louable, l'intention ne reflétait cependant que le nationalisme hollandais, qui ne résista d'ailleurs pas à la montée d'un nationalisme javanais rival dans les années 30. Il semble que Sukarno et d'autres aient préparé ce mouvement depuis 1927, dans les camps de concentration où étaient enfermés les agitateurs indigènes, notamment à Upper Digul, en Nouvelle-Guinée[47]. Terne mélange de clichés islamiques, marxistes et libéraux européens, il était recouvert d'une phraséologie rutilante. Quoi qu'il ait pu faire d'autre, Sukarno fut bien le plus grand faiseur de phrases de son temps. La volonté de gouverner des Hollandais s'effondra lorsqu'ils furent évincés en 1941, et en 1945 les nationalistes javanais commencèrent de prendre leur succession. En partant, les Hollandais entraînèrent avec eux 83 % des métis. Minorité non représentée, les Chinois furent de plus en plus persécutés, et les populations non javanaises majoritaires, dont la plupart vivaient en sociétés tribales, se retrouvèrent prises dans un système colonial qui faisait d'elles les sujets d'un empire javanais appelé « Indonésie ».

    Pas plus que Nehru en Inde, Sukarno n'avait de compétence
morale pour diriger et gouverner un Etat de 100 millions d'habitants.
Il en avait, en fait, plutôt moins. Aussi dépourvu de qualités administratives que son collègue indien, il possédait en revanche le don des
mots et résolvait n'importe quel problème par une phrase. Puis il transformait la phrase en acronyme qu'il faisait scander par les foules illé-
trées mais bien endoctrinées. Sukarno gouvernait par les concepts
konsepsi. Les militants de son parti recouvraient les murs des immeu-
bles de son slogan : « Appliquez les concepts du président Sukarno. »
Le premier de ceux-ci, en 1945, fut « *Pantja Sila* » ou les « Cinq principes fondamentaux » : nationalisme, internationalisme (humanitarisme),
démocratie, prospérité sociale, foi en Dieu. Là résidait l'essence de
l'esprit indonésien[48]. Le gouvernement s'appelait *nasakom*, mot qui
symbolisait les 3 principaux courants de la révolution : *nationalisme*,
agama (religion) et *kommunisme*. La constitution s'appelait *usdek* ; son
manifeste politique, *manipol*. Un gouvernement de coalition se nommait *gotong-rojong*, « aide mutuelle ». Puis, il y avait *musjawarah* et
mufakat, « délibération menant à un consensus » et « représentation
fonctionnelle » (son expression pour « corporatisme »). Mécontent du
gouvernement des partis, il fit un discours intitulé : « Enterrez les partis », suivi par une introduction à ce qu'il appelait la « démocratie dirigée » ou *demokrasi terpimpin*, qui impliquait une « économie dirigée »
ou « *ekonomi terpimpin*, exprimant « l'identité indonésienne », *képriba-
dian indonésia*. Lui-même se sentait appelé à jouer un rôle de guide,
selon la formule : « Le Président Sukarno a demandé au Citoyen
Sukarno de former un gouvernement[49]. »
    Les difficultés intérieures s'aggravant au cours des années 50,
Sukarno consacra plus de temps et plus de discours aux affaires extérieures. Il parla de « neutralisme libre et actif, de la dichotomie des
« vieilles forces établies » et des « nouvelles forces montantes », puis de
l'« axe Djakarta-Phnom Penh - Pékin - Pyongyang » ; enfin, il attaqua le
mouvement scout international ; « une nation a toujours besoin d'un
ennemi » était son principe favori. Aussi introduisit-il un autre *konsepsi* :
la « grande Indonésie » ; en d'autres termes, l'expansion territoriale en
Nouvelle-Guinée hollandaise, qu'il rebaptisa Irian occidental, en Malaisie, dans l'île portugaise de Timor et dans les territoires australiens.
Dans ce dessein, il inventa le terme de « confrontation », forgea le slogan « *Ganjang Malaysia* ! » (« Ecrasez la Malaisie ! ») et mit au point une
technique de mise en scène de « manifestations contrôlées » devant les
ambassades étrangères, autorisant de temps à autre quelques « débor-
dements d'enthousiasme » (comme en 1963, lorsque l'ambassade de
Grande-Bretagne fut incendiée !). On donnait un slogan à la foule pour
chaque occasion. Par exemple, « *Nekolim* ». Contre l'exploitation étrangère : « Néo-colonialisme, colonialisme, et impérialisme ! » Ou encore
« *Berdikari* » « marcher tout seul », lorsque l'aide étrangère fut coupée
ou qu'il fut critiqué par les Nations unies. L'année 1962, pendant

laquelle il s'empara de l'Irian occidental fut « l'année du triomphe » ; 1963, celle où il échoua en Malaisie fut « l'année du risque ». Ce dernier slogan, « *Tahun vivere pericoloso* », et son vieux *Resopim* (« Révolution, socialisme indonésien, dirigeants locaux ») reflètent l'étrange mélange de mots (et d'idées) hollandais, indonésiens, français, italiens et anglais dont se servait Sukarno pour gouverner son empire chancelant [50].

Si quelqu'un aima jamais vivre dangereusement, ce fut bien cet homme bavard, hyperactif et jouisseur ; militant fervent du pluriracisme, Sukarno acquit une collection remarquablement variée d'épouses et de maîtresses, et poussa plus loin encore ses recherches au cours de ses nombreuses fugues à l'étranger. La police secrète chinoise le filma en pleine action, fixant ainsi sa *konsepsi* sexuelle pour la postérité. Déjà au courant de tout cela par les rapports secrets de l'agence Tass, Khrouchtchev n'en fut pas moins profondément choqué, lors de sa visite en 1960, de voir le Président bavarder gaiement avec une femme nue [51]. Toutefois, au fil des années 60, l'économie indonésienne frôla de plus en plus la faillite ; la disparition effective de la minorité chinoise détruisit le système de distribution intérieur : la nourriture pourrissait dans les campagnes ; les citadins mouraient de faim ; les capitaux étrangers s'enfuyaient. A part le pétrole qui coulait toujours à flots, l'industrie fut nationalisée et peu à peu écrasée par une bureaucratie rapace. A l'automne 1965, la dette étrangère s'élevait à plus de 2 400 millions de dollars et le crédit était épuisé. Sukarno était même à court de slogans. Ne sachant plus quelle attitude adopter, il semble qu'il ait donné le feu vert à un coup d'Etat du parti communiste indonésien, le PKI.

Le putsch se produisit à l'aube du 1er octobre ; il avait pour but de décapiter le commandement des forces armées. Le général Abdul Yani, chef d'état-major, et 2 autres généraux furent tués sur le coup. Le général Nasution, ministre de la Défense, se sauva en escaladant le mur de sa maison, mais sa fille fut assassinée. 3 généraux furent capturés et torturés à mort, selon le mode rituel, par des femmes et des enfants du PKI : yeux arrachés et organes génitaux coupés, puis leurs corps jetés dans le Lubang Buaja, le Trou du crocodile [52]. Par la suite, un tribunal militaire spécial fut chargé de l'enquête sur ces événements : le volumineux dossier qui fut constitué ne laisse aucun doute sur la culpabilité des communistes [53]. Cependant le mouvement appelé *Gestapu*, fut un échec. Commandant les forces stratégiques de réserve, le général Sukarno prit le pouvoir ; une terrible vengeance s'ensuivit : la tuerie commença le 8 octobre, après l'incendie du quartier général des PKI à Djakarta. Organisée selon le principe des responsabilités collectives locales, la répression frappa des familles entières et déboucha sur l'un des plus grands massacres organisés du XXe siècle, qui est vraiment le siècle des massacres. Elle fit sans doute 1 million de morts, bien que les statistiques officielles n'en annoncèrent que 200 à 250 000 [54]. En résidence surveillée dans son palais, Sukarno réclamait

sans cesse, mais sans résultat, la fin de la boucherie, car les victimes
étaient pour la plupart ses partisans. Personne ne l'écouta, et, peu à
peu, on lui retira tous ses pouvoirs : lent supplice politique. Chaque
étape de sa déchéance voyait le départ d'une de ses épouses, de sorte
qu'il n'en restait plus qu'une, lorsqu'il mourut d'une maladie de foie,
le 21 juin 1970, oublié et sans audience.

Pour l'heure, à Bandung, la parole triomphante était encore toute-
puissante. Parmi les invités, on pouvait apercevoir le président égyptien, Gamal Abdul Nasser, élégant nouveau venu dans l'entreprise de
mystification, mais rhétoricien déjà habile. Indubitablement à ranger
dans les pays afroasiatiques, Israël n'était pas représentée à la conférence. Toute une histoire, longue et complexe, issue de la bissection
des 2 forces les plus puissantes et les plus paranoïdes du XXe siècle,
explique cette absence : l'insatiable demande en pétrole et le fléau de
l'antisémitisme.

L'Angleterre avait fait son entrée sur la scène des champs pétrolifères du Proche-Orient en 1908, suivie par les Etats-Unis en 1924. En
1936, Londres contrôlait 524 millions de réserves prouvées et les Américains, 93 millions. Ces chiffres étaient montés respectivement à
2 181 millions et 1 768 millions en 1944 ; essentiellement alimentée par
les gisements saoudiens les plus riches de tous, la production américaine avait, en 1949, dépassé la production anglaise [55]. Depuis le début
des années 40, tout le monde savait déjà que le Proche et Moyen-Orient
renfermaient la plus grande partie des réserves mondiales de pétrole :
« Le centre de gravité de la production mondiale de pétrole est en train
de se déplacer, et il sera bientôt fermement ancré dans cette région »,
disait Everett Degolyer, chef de la Commission américaine du pétrole
en 1944. A la même époque, on commença de laisser entendre que l'Amérique pourrait bien être à court sur ses propres gisements : en 1944,
les statistiques annonçaient qu'il ne restait plus que pour quatorze ans
de réserves [56]. Quatre ans plus tard, le ministre de la Défense Forrestal déclarait aux représentants de l'industrie des hydrocarbures : « A
moins que nous n'ayons accès au pétrole du Moyen-Orient, l'industrie
américaine devra inventer une quatre cylindres [57]. » Mais la dépendance de l'Europe, elle, grandit beaucoup plus rapidement. A l'époque
de Bandung, sa consommation augmentait de 13 % par an, tandis qu'au
Moyen-Orient la croissance était passée de 25 % en 1938 à 50 % en 1949
et atteignait maintenant plus de 80 % [58].

La dépendance croissante de l'industrie américaine et européenne
par rapport à une source d'approvisionnement unique était, en soi, un
phénomène inquiétant. Quand vinrent s'y ajouter les prétentions irréconciliables des Arabes et des Juifs sur la Palestine, le problème devint
insoluble. La Déclaration de Balfour et l'idée d'une patrie juive fut l'un
des chèques postdatés que signa l'Angleterre pour gagner la Grande
Guerre. N'impliquant pas un Etat sioniste, il est possible de concevoir
qu'elle eût pu être honorée sans nuire aux Arabes, si Londres n'avait

commis une fatale erreur. En 1921, les Anglais autorisèrent le Conseil musulman suprême à diriger les affaires religieuses. Ce conseil nomma Mohammed Amin el-Hoesseini, chef de la plus grande famille de propriétaires terriens en Palestine, au poste de juge suprême, ou *mufti* de Jérusalem. Cette nomination à vie fut certainement l'une des plus funestes dans l'histoire moderne. En effet, un an auparavant, Mohammed Amin avait été condamné à dix ans de travaux forcés pour avoir provoqué de sanglantes émeutes antijuives. Ses yeux bleus innocents et ses manières douces, presque craintives, cachaient un tueur fanatique dont toute la vie adulte fut consacrée au meurtre raciste. Photographié avec Himmler, on voit les 2 hommes se sourire cordialement et une charmante dédicace du chef des SS : « A son Eminence, le Grand Mufti. » C'était en 1943, la « solution finale » battait alors son plein.

Surpassant Hitler dans sa haine des juifs, le mufti ne se rendit pas seulement coupable d'exactions sanglantes contre les colons juifs ; chose plus grave, et de conséquence bien plus désastreuse pour l'avenir, il organisa la destruction systématique des classes arabes modérées. Celles-ci étaient nombreuses dans la Palestine des années 20. Certaines firent même bon accueil aux juifs et à leurs techniques agricoles modernes, à tel point qu'elles leur vendirent des terres. Juifs et Arabes auraient pu vivre ensemble et former deux colonies prospères. Mais le mufti trouva un chef terroriste au talent exceptionnel en la personne d'Emile Ghori, dont les brigades de la mort assassinèrent systématiquement, pour les faire taire, tous les chefs arabes modérés qui constituèrent, en fait, la grande majorité de ses victimes. C'est ainsi qu'à la fin des années 30, la tendance modérée avait cessé d'exister en milieu arabe, du moins ouvertement, et les Etats étaient mobilisés derrière l'extrémisme et le fanatisme. Persuadé que le libre accès aux sources de pétrole était incompatible avec la poursuite de l'immigration juive, le ministère britannique des Affaires étrangères y mit pratiquement fin en 1939, par le *Livre blanc*, qui désavoua pratiquement la Déclaration de Balfour, « une violation de foi flagrante [59] », selon Churchill.

En 1942, arrivèrent les premiers rapports authentiques sur la « solution finale » ; ils ne suscitèrent pas la pitié mais la peur ; les Etats-Unis durcirent leur réglementation d'attribution des visas. 7 autres États latino-américains, ainsi que la Turquie, firent de même [60]. A cette époque encore, Chaïm Weizmann croyait pouvoir s'entendre avec les Anglais afin de reprendre l'immigration. En octobre 1943, Churchill (en présence d'Atlee, représentant le parti travailliste) lui affirma que le partage était acceptable, et le 4 novembre 1944, il promit à Weizmann de laisser émigrer 1 million ou 1,5 million de juifs vers la Palestine, dans les dix années à venir [61]. Mais Churchill était pratiquement le seul sioniste parmi les dirigeants politiques anglais, ce qui l'amena peut-être à prendre une autre initiative beaucoup plus intéressante, parce que immédiate et concrète : il créa, au sein de l'armée britannique, une brigade juive indépendante, dont les membres constituèrent finalement le noyau professionnel de la Haganah. Cette dernière se transforma en force de défense de l'agence juive quand elle devint une armée.

A cette époque, Churchill croyait encore que l'Angleterre pouvait contrôler les destinées de la Palestine, mais, en fait, elle échappait déjà à son emprise. 2 facteurs principaux dominaient la situation. En premier lieu, le terrorisme juif. Fondé par un Juif polonais devenu fasciste et anglophobe à l'université de Florence, Abraham Stern essaya, par la suite, de faire financer son mouvement par les nazis, en utilisant l'intermédiaire de la Syrie vichyste. Stern fut tué en 1942, mais sa bande continua de sévir, ainsi qu'un autre groupe beaucoup plus important, commandé depuis 1944, par Menahem Begin : l'Irgoun. La naissance du terrorisme juif marqua un fait d'importance capitale : pour la première fois, on assistait au mélange de la propagande moderne avec le système cellulaire léniniste et la technologie de pointe, pour faire aboutir, par le meurtre, des projets politiques. Au cours des quarante prochaines années, l'exemple devait être suivi dans le monde entier, comme le cancer des Temps modernes rongeant le cœur de l'humanité. Infailliblement doué pour remonter à la source des événements, Churchill avertit le monde de la tragédie « [...] si nos rêves de sionisme doivent finir dans la fumée du pistolet d'un assassin et si les efforts déployés pour son avenir doivent produire une nouvelle bande de nervis dignes de l'Allemagne nazie ». De son côté, Weizmann promit que le peuple juif « fera tout ce qui est en son pouvoir pour extirper ce fléau de son sein[62] ». En fait, la Haganah tenta de détruire à la fois la bande de Stern et l'Irgoun ; mais, comme la guerre touchait à sa fin, et que les juifs s'acharnaient à rejoindre la Palestine, elle mit toute ses énergies au service de la cause légitime de l'immigration clandestine. La « solution finale » ne mit pas fin à l'antisémitisme : ainsi, le 5 juillet 1946, lorsque le bruit courut dans la ville polonaise de Kielce, que les juifs se livraient au meurtre rituel d'enfants chrétiens, la foule se souleva et, avec l'aide de la police communiste et de l'armée, battit 40 juifs à mort[63]. Ce fut l'un des nombreux incidents qui sema la panique.

Echappant au contrôle de la Haganah, occupée ailleurs, les gangs se multiplièrent, encouragés par les éléments extrémistes de la presse américaine, comme en témoigne cet extrait d'un article de Ruth Gruber, paru dans le *New York Post*, sur la police palestinienne :

> « Ces hommes qui exécraient l'idée de combattre leurs amis, les nazis, acceptaient avec enthousiasme de combattre les juifs. Ils arpentaient les rues de Jérusalem et de Tel-Aviv, ville construite par les juifs, en chantant le *Horst Wessel Lied*, et traversaient la foule des marchés en faisant le salut hitlérien[64]. »

Le 22 juillet 1946, l'Irgoun fit sauter le plus grand hôtel de Jérusalem, le *King David*, provoquant la mort de 41 Arabes, 28 Anglais, 17 Juifs et 5 autres personnes. Begin prétendit qu'une partie de l'hôtel, abritant un service gouvernemental anglais, recelait des documents secrets que la bombe avait pour but de détruire. Dans ce cas, alors, il aurait été possible de provoquer l'explosion en dehors des heures de service, ainsi que le fit remarquer la Haganah. A cela Begin prétendit qu'une alerte avait été donnée : en fait, le standardiste la reçut deux minutes avant l'explosion et la bombe éclata au moment même où il avertissait le directeur de l'hôtel[65]. Ce crime allait devenir, pour les dix ans à venir, le modèle de l'attentat terroriste, et les premiers, bien sûr, à imiter les techniques nouvelles dans ce domaine furent les terroristes arabes ; la future Organisation de libération de la Palestine fut un enfant illégitime de l'Irgoun.

A bien d'autres égards, le terrorisme juif se révéla négatif. Le 30 juillet 1947, 2 sergents anglais prisonniers furent assassinés et leurs cadavres, piégés : l'Agence juive stigmatisa ce crime comme « le meurtre ignoble de 2 innocents par une bande de criminels[66] ». Il y eut des émeutes antisémites à Manchester, Liverpool, Glasgow et Londres ; à Derby, on brûla une synagogue. Mais la principale conséquence de cet événement, venu couronner les autres, fut d'introduire l'antisémitisme dans l'armée anglaise. Tout comme en Inde, les troupes britanniques n'avaient pas été assez sévères : ainsi, les statistiques font ressortir 141 Anglais assassinés, sans compter les morts de l'hôtel *King David*, entre le mois d'août 1945 et le 18 septembre 1947, auxquels il faut ajouter 44 Arabes et 25 Juifs non terroristes. D'autre part, 37 terroristes juifs périrent dans des fusillades, mais 7 seulement furent exécutés (2 se suicidèrent en prison)[67]. Se sachant mal jugés et en ressentant l'injustice, officiers et hommes de troupes britanniques s'arrangèrent, lors de l'évacuation, pour faire passer les armes, les postes, et la nourriture aux mains des Arabes : les conséquences militaires furent désastreuses et très graves. En effet, le terrorisme juif coûta à l'Etat hébreu, la vieille ville de Jérusalem et la rive occidentale du Jourdain, qu'il ne reconquit qu'en 1967, à la faveur d'une action illégale.

Comme Ponce Pilate, l'Angleterre, victime du terrorisme, se lava les mains du sort de la Palestine. Au pouvoir depuis juillet 1945, Ernest Bevin était un antisémite à l'ancienne mode, issu de la classe ouvrière, et relativement débonnaire. Il expliqua au Congrès du parti travailliste, en 1946, que si les Américains proposaient d'accepter 100 000 émigrants de plus en Palestine, c'était pour « les motifs les plus purs ; ils ne voulaient pas avoir trop de juifs à New York[68] ». Rendu amer par le terrorisme, Bevin pensait que si son pays se désengageait, les juifs seraient tous massacrés, et que les soldats britanniques étaient présentement assassinés par ceux-là mêmes qu'ils protégeaient. Au début de 1947, lassé, Bevin prit la décision de l'abandon, que la crise du carburant ne fit que corroborer. Au moment même où Atlee décidait de quitter l'Inde sur-le-champ et de se décharger sur les Etats-Unis de la responsabilité sur la Grèce et la Turquie, Bevin faisait venir les chefs juifs dans son bureau le 14 février, et leur annonçait qu'il allait transférer le problème de la Palestine devant les Nations unies. Comme il n'y avait pas de courant électrique, mais seulement des bougies, Bevin plaisanta : « Nous n'avons pas besoin de bougies, puisque les Israé*lites* sont là [69*]. »

Le second facteur d'extrême importance, pendant cette période et dans cette région du monde, fut l'entrée en scène de Washington. En 1941, David Ben Gourion se rendit aux Etats-Unis et y sentit battre « le pouls de la grande juiverie américaine, qui compte 5 millions de membres [70] ». Pour la première fois, il eut l'impression que le sionisme pouvait devenir une réalité tangible dans un avenir immédiat, avec l'aide des juifs d'Amérique. Dès lors, il poussa Weizmann dans ce sens. Qu'on ait tort ou raison de transformer le concept de patrie juive en celui d'Etat reste matière à discussion ; Weizmann eut l'honnêteté de reconnaître que le coût de l'opération serait lourd pour les Arabes et déclara au Comité d'enquête anglo-américain, créé après la guerre, qu'il ne s'agissait pas de savoir si l'on avait eu raison ou tort, mais de choisir entre une plus grande ou moins grande injustice. Ben Gourion adopta un point de vue déterministe : « L'Histoire a décidé que nous devions retourner dans notre pays et y établir l'Etat juif [71]. » C'était là le langage d'un Staline ou d'un Hitler, car il n'existe personne du nom d'Histoire, et ce sont les hommes qui font cette histoire ou en décident.

En vérité, pour la première fois, la communauté juive américaine prit confiance en elle-même pendant les années de guerre et commença de mettre en œuvre la force politique que lui avaient donnée son nombre, sa richesse et son habileté. Dans l'immédiat après-guerre, elle devint le *lobby* (« groupe de pression ou d'influence »), le mieux organisé et le plus influent des USA, et montra qu'elle était capable d'orienter les scrutins susceptibles de faire basculer les Etats comme New York, l'Illinois et la Pennsylvanie. Cependant, Roosevelt possédait une assise assez solide pour l'ignorer ; avec une légèreté caractéristique, il semble qu'il soit devenu antisioniste à son retour de Yalta, après un bref entretien avec le roi d'Arabie Saoudite. « J'en ai davantage appris sur tout ce problème en parlant cinq minutes avec Ibn Séoud que je n'aurais pu en apprendre dans un échange de deux ou trois douzaines de lettres », déclara-t-il au Congrès... [72] Passionnément prosioniste, le vice-président David Niles affirmait : « Je doute fort qu'Israël ait pu exister si Roosevelt avait vécu [73]. » Politiquement, Truman était beaucoup plus faible et savait qu'il lui faudrait les votes juifs pour emporter les élections de 1948. En outre, il était sincèrement prosioniste et se méfiait du lobby pro-arabe des « petits chefs » du département d'Etat [74]. Par sa détermination, c'est lui, en tout cas, qui fit accepter le projet de partage aux Nations unies (29 novembre 1947) et reconnaître le nouvel Etat d'Israël que Ben Gourion allait proclamer au mois de mai suivant. Au sein de la société américaine, beaucoup de forces s'y opposaient ; parlant au nom des intérêts pétroliers, Max Thornburg de Cal-Tex, écrivait que Truman avait « amené l'Assemblée à considérer que les critères

---

* N.d.T. (Israë) LITS se prononce comme *lights* qui veut dire : « lumière, lampe ».

religieux et raciaux constituaient l'essence même de l'Etat politique »,
et ainsi avait fait oublier « le prestige moral de l'Amérique » et « la
confiance des Arabes en ses idéaux [75] ». Le département d'Etat fit des
prédictions funestes et Forrestal, le ministre de la Défense, était
consterné : « On ne devrait permettre à aucun groupe de pression dans
ce pays d'influencer notre politique au point de mettre en danger notre
sécurité nationale », écrivait-il amèrement en parlant du lobby juif [76].

En fait, il est probable que si la crise était survenue un an plus
tard, quand la guerre froide battait son plein, les pressions antisionis-
tes sur Truman auraient été beaucoup plus fortes. Le soutien américain à Israël fut le dernier luxe idéaliste que se permit Washington avant
d'entreprendre une *real-politik* de confrontation globale. Ce même facteur de temps et d'époque intervint pour la Russie ; elle apporta son
soutien au sionisme pour démolir la position des Anglais au Proche-
Orient ; car non seulement elle reconnut Israël, mais, pour intensifier
les combats et le chaos en résultant, elle chargea la Tchécoslovaquie
de lui vendre des armes [77]. Un an plus tard, lorsque tout le monde politique des superpuissances cherchait des alliés pour entrer dans la
guerre froide, aucune de ces considérations n'auraient prévalu. Israël
est, si l'on peut dire, venu au monde par une brèche courte et étroite,
dans le continuum du temps.

Il est donc non seulement erroné mais faux de dire qu'Israël est
né de l'impérialisme. Tout l'Occident, des diplomates aux militaires en
passant par les milieux d'affaires, était hostile à l'idée sioniste et aux
sionistes et les Français ne leur envoyaient des armes que pour se venger de l'Angleterre qui leur avait « perdu » la Syrie. Forte de 21 000 hommes, la Haganah ne possédait pratiquement aucune artillerie, aucun
blindé, aucune aviation : Israël ne survécut à ce moment que grâce à
l'aide apportée par les communistes tchèques qui, sur l'ordre de Moscou, fournirent des armes et permirent la construction d'un aérodrome
militaire facilitant l'ouverture d'un pont aérien avec Tel-Aviv et permettant des navettes d'avions chargés d'armes [78]. Tout le monde ou
presque s'attendait à une défaite juive ; devant les combattants sionistes, 10 000 soldats égyptiens, 4 500 hommes de la légion arabe (de Jordanie), 7 000 Syriens, 3 000 Irakiens, 3 000 Libanais, auxquels
s'ajoutaient l'Armée de libération arabe de Palestine, armés jusqu'aux
dents, se tenaient prêts à foncer sur la communauté juive. Voilà l'une
des raisons qui poussa les Arabes à refuser le projet de partage des
Nations unies, qui n'accordait aux juifs que 5 500 kilomètres carrés de
territoire, principalement situé dans le désert du Néguev. Par l'accep-
tation de ce projet et malgré tous les inconvénients qui en découlaient
(l'État ainsi créé aurait compté 538 000 juifs et 397 000 Arabes), les sionistes prouvèrent leur bonne foi en se déclarant prêts à accepter l'arbi-
trage de la loi internationale. Les Arabes, eux, choisirent la force.

Comme celle de Troie, ce fut une petite guerre héroïque, qui mit
en scène beaucoup de personnalités : le général Néguib, le colonel Nas-

ser, Hakim Amir, Yigal Allon, Mosché Dayan. La haine qui opposait le mufti et son horrible clique d'une part et le commandement en chef Fawzi el-Qawukji d'autre part, fut certainement à l'origine de la défaite arabe. Le mufti accusait Qawukji d'être un « espion à la solde des Anglais... Buveur de vin et coureur de femmes [79] ». Irakiens et Syriens n'avaient pas de cartes de la Palestine. Certaines armées arabes étaient bien équipées, mais toutes étaient mal entraînées, sauf la légion jordanienne du roi Abdullah qui voulait et réussit à mettre la main sur Jérusalem. Le gouvernement jordanien ne voulait absolument pas d'une Palestine arabe gouvernée par le mufti ; lors d'une entrevue secrète qu'il eut avec Golda Meir, Abdullah déclara : « Nous avons tous deux un ennemi commun, le mufti [80]. » Un coup d'œil rétrospectif sur ces événements montre à l'évidence que la seule chance des Arabes était de remporter une victoire rapide et écrasante dès les premiers jours de la guerre. Ben Gourion leur coupa l'herbe sous le pied en attaquant préventivement au mois d'avril 1948 ; il ne put prendre cette décision — la plus importante de sa vie — que grâce aux armes fournies par les communistes tchèques [81]. Dès ce moment, et malgré des moments angoissants ultérieurement, la puissance israélienne ne fit qu'augmenter, en décembre les juifs disposaient d'une armée de 100 000 hommes, bien équipés, qui démontra une supériorité militaire évidente et la conserva jusqu'aux années 80.

Mettant un terme définitif à l'antisémitisme européen, sauf derrière le rideau de fer, la création de l'État d'Israël eut pour conséquence de faire naître le problème des réfugiés arabes, attisé par les extrémistes des deux bords. En 1918, lors de la Déclaration de Balfour, la population arabe en Palestine était de 93 % et de 65 % en 1947, quand la crise éclata. Ils auraient pu bénéficier alors d'un État indépendant doublé d'une forte participation aux affaires israéliennes, si le mufti et ses sbires n'avaient déjà accompli leur œuvre de mort. Lorsque Azzam Pasha, secrétaire général de la Ligue arabe, rencontra à Londres le négociateur juif Abba Eban, le 14 octobre 1947, il lui déclara de but en blanc que le temps de la raison était passé ; s'il acceptait le partage, il serait, selon ses propres termes, « un homme mort dans les heures qui suivraient son retour au Caire [82] ».

Classique exemple des ravages que peut provoquer le meurtre politique, car dès le début du conflit, Azzam lui-même tenait le langage de l'horreur à la radio : « Ce sera une guerre d'extermination et un massacre abominable [83] », annonçait-il. Avant même le commencement des hostilités, plus de 30 000 Arabes, surtout des nantis, avaient quitté la Palestine en espérant y faire un retour triomphal : parmi eux, les muktars, les juges et les caïds, mais aussi beaucoup de pauvres qui s'enfuirent sans aucune aide. Lors de la prise d'Haïfa par les troupes israéliennes, 20 000 Arabes étaient déjà partis, et 50 000 s'apprêtaient à le faire, malgré les propositions faites par les juifs. Ailleurs pourtant, la Ligue arabe ordonna aux populations de rester chez elles, et il n'existe aucune preuve permettant d'accréditer l'affirmation juive selon laquelle les gouvernements arabes seraient responsables de l'exode des réfugiés[84]. Celui-ci fut, en revanche, certainement encouragé par l'ignoble massacre perpétré par l'Irgoun, dans le village de Deir Yassin, le 9 avril 1948, dès le début du conflit : environ 250 hommes, femmes et enfants furent assassinés. Le soir même de cette atrocité, un porte-parole de l'Irgoun déclara : « Nous avons l'intention d'attaquer, de conquérir et de continuer jusqu'au jour où nous posséderons toute la Palestine et la Transjordanie, pour y établir un grand État juif... Nous espérons améliorer nos méthodes dans l'avenir et pouvoir épargner les femmes et les enfants[85]. » Les unités de l'Irgoun furent exclues de l'armée israélienne au cours de la trève de juin, au milieu de la guerre, et ce furent les honorables soldats de la Haganah qui, pratiquement, créèrent et sauvèrent l'État d'Israël.

Lorsque la fumée se dissipa, le mal était déjà fait et plus de 500 000 réfugiés arabes avaient quitté la Palestine (650 000 selon les Nations unies ; 538 000 selon Israël[86]). De leur côté, entre 1948 et 1957, 567 000 juifs demeurant dans 10 pays arabes furent contraints de fuir[87]. Presque tous se rendirent en Israël, et, dès 1960, y étaient réinstallés. Il aurait pu en être de même pour les réfugiés arabes, comme cela s'était passé après les conflits gréco-turcs de 1918-1923, mais les pays arabes préférèrent garder les réfugiés palestiniens dans des camps. Ces malheureux, qui devaient y vivre avec leurs enfants, constituaient donc un véritable titre de propriété humain donnant droit à la reconquête de la Palestine et permettant de justifier les futures guerres de 1956, 1967 et 1973.

En raison de la bonne volonté manifestée par le roi Abdullah qui était prêt à accepter un compromis, le conflit arabo-israélien aurait pu être rapidement résolu. En effet, le personnage qui régnait sur la Jordanie avait les meilleures qualifications historiques pour assumer la direction et la responsabilité de la cause arabe. Mais son royaume ne comptait que 300 000 habitants et ne possédait un revenu que de 1 million 200 000 livres sterling. Pour soutenir leur effort de guerre, les Anglais avaient encouragé les Arabes à créer une ligue devenue essentiellement une institution égyptienne et cairote, depuis que la guerre était dirigée du Caire et parce que l'Égypte était le plus grand pays de la région. Le déchaînement de ce pays contre Israël était à la fois une anomalie et une tragédie, car leur situation géographique faisait de ces deux États des alliés naturels depuis l'Antiquité. Les « purs » Arabes du Hedjaz comme Abdullah ne considéraient absolument pas les Égyptiens comme des frères, mais comme des pauvres Africains, misérables et arriérés. Play-boy et roi d'Égypte, Farouk éveillait particulièrement le mépris d'Abdullah au point de cracher par terre dans un coin de sa tente chaque fois qu'il prononçait son nom[88]. Au contraire, les Égyptiens se considéraient comme la plus ancienne civilisation du monde et les représentants naturels de la cause arabe. Farouk rêvait d'une Égypte toute-puissante et pleinement musulmane qui prendrait peu à peu en main le destin du monde arabo-musulman tout entier. Aussi identifia-t-il la poursuite de la campagne contre Israël à l'honneur et aux aspirations égyptiens de régenter cette partie du monde. Cet ensemble de motivations, essentiellement futiles, engendra la tragédie qui fit de l'Égypte l'ennemie implacable d'Israël pendant un quart de siècle.

L'instabilité fut encore accrue par la répugnance croissante de la Grande-Bretagne à jouer son rôle de puissance souveraine dans cette partie du monde. Dès 1946, elle décida de retirer la plupart de ses troupes du Proche et Moyen-Orient pour les transférer en Afrique orientale, et faire de Simonstown, près du Cap, une nouvelle grande base navale remplaçant Alexandrie. Atlee n'aimait pas les chefs arabes : « Je dois dire que j'avais une piètre opinion des classes dirigeantes [89]. » Plus encore que la débâcle en Inde, le fiasco palestinien écœurait l'opinion publique anglaise encore conditionnée par la notion de responsabilité liée à l'Empire. Churchill lui-même fut ébranlé : « [...] Un tel désastre que je ne peux plus en parler... et suis obligé de l'effacer autant que possible de mon esprit [90] », confia-t-il à Weizmann en 1948. Et pourtant, ce n'était que le début des tribulations politiques de Londres dans la période d'après-guerre. Le train de vie, fastueux et grotesque, de Farouk ainsi que la corruption de son régime (la défaite de 1948 fut liée à un scandale de trafic d'armes) suscitèrent des critiques de plus en plus violentes, et la colère atteignit son paroxysme en 1951, lorsqu'il épousa la princesse Narriman et lui offrit, à grand renfort de publicité, une lune de miel en pleine période de ramadan. Pour distraire le public, il annula unilatéralement le traité anglo-égyptien, le 8 octobre, et au début de l'année suivante, il déclencha une guerre de guérilla contre la zone du canal où les Anglais possédaient une base importante : 38 camps et 10 terrains d'aviation, capables de recevoir 41 divisions et 38 escadrilles. C'est le tort des monarques obsolètes d'inviter la foule à monter sur la scène des événements de leurs royaumes. En effet, le 26 janvier, celle-ci envahit les rues du Caire, massacrant les Européens, les juifs et les riches de tous les pays. Les jeunes officiers qui avaient mal ressenti les ordres venus de l'état-major, pendant la guerre contre Israël, virent là une issue possible pour leur mouvement : six mois plus tard, leur Comité des officiers libres renvoyait Farouk sur son yacht avec ses collections pornographiques et sa bimbeloterie.

Meneur de l'action, le colonel Gamal Abdel Nasser évinça rapidement Muhammad Néguib, général très populaire qui avait servi, au départ, de figure de proue. Fils d'un employé des postes et de la fille d'un marchand de charbon, il opta très tôt pour des idées radicales et idéalistes. Lors du désastre de 1948, il confia son admiration pour le système socialiste des kibboutz à un officier d'état-major israélien ; système qu'il opposait à celui de l'absentéisme pratiqué en Égypte. À cette époque, il était davantage anglophobe qu'antisioniste : « [les

Anglais] nous ont précipité dans la guerre. Que représente donc la Palestine pour nous ? Tout cela ne constituait qu'une ruse des Anglais pour détourner notre attention de leur présence en Égypte[91] ». Chef-d'œuvre d'emphase, son ouvrage *Philosophie de la révolution* était un mélange parfaitement creux de clichés marxistes et de formules empruntés au libéralisme occidental et à l'Islam. Nasser était le modèle type de « la génération de Bandung », expert en discours ne recouvrant que peu de chose. Comme Sukarno, il excellait dans l'art d'inventer des slogans et des titres ; souvent, d'ailleurs, il changeait les noms des partis qu'il avait fondés et ceux des fédérations arabes de pacotille qu'il négociait. Spécialiste dans l'art de manipuler les foules, il possédait une rhétorique ampoulée qui touchait le peuple et particulièrement les étudiants ; et pouvait amener la foule cairote à scander tous les slogans qu'il désirait, même s'il en changeait tous les jours[92].

Nasser est rapidement corrompu par le pouvoir. Comme Sukarno, il dissout les partis, crée des tribunaux du peuple et enferme 3 000 personnes derrière les barreaux, pour des motifs politiques. Il entretint toujours une certaine terreur qu'il jugeait « nécessaire ». Pays pauvre, l'Égypte avait une croissance démographique rapide (40 millions d'habitants dans les années 70) et une surface cultivable plus petite que la Belgique. La philosophie de Nasser ne contenait pas d'idées pratiques pour le développement du pays : au contraire, elle l'appauvrissait. Ainsi, la terreur ne suffisant pas, il lui fallait, comme Sukarno, un ennemi extérieur, voire, de préférence, plusieurs. Afin de couvrir le triste silence de la misère de son pays, le colonel Nasser se lança dans une assourdissante série de crises outre-mer et intensifia la campagne contre la base de Suez. Les Anglais acceptèrent de l'évacuer, n'y laissant que quelques unités de surveillance et d'entretien. Signé le 27 juillet 1954, l'accord octroyait à Nasser pratiquement tout ce qu'il réclamait, et lorsque les collègues de Churchill le défendirent à la Chambre des communes, le vieil homme garda la tête basse. Après cela, Nasser se tourna vers le Soudan qui représentait à ses yeux un satellite potentiel, mais que son accession à l'indépendance sauva de la convoitise de son voisin du Nord.

Comme tous les jeunes hommes politiques de sa génération, Nasser acheva de se corrompre à la conférence de Bandung. Pourquoi, en effet, s'épuiser à cette tâche ingrate qui consiste à nourrir et vêtir un pays pauvre quand la scène mondiale vous appelle ? Bandung ouvrit les yeux de Nasser sur les possibilités qu'offrait son époque à un expert publiciste et inventeur de slogans, prêt, qui plus est, à jouer la carte anticolonialiste. Cette carte, il la tenait depuis longtemps : c'était les juifs ! Il était facile d'inclure Israël dans une vaste théorie de conspiration impérialiste. Dès le 16 juillet 1946, Azzam Pasha avait fourni la mythologie justificative. Les Arabes avaient perdu à cause de l'Occident : « L'Angleterre et l'Amérique ont suivi tous les efforts des peuples arabes pour se procurer des armes, mais s'y sont opposés de toutes leurs forces, tandis que, au même moment, ils déployaient toutes leurs énergies pour approvisionner les juifs en matériel et en hommes [93]. » Après Bandung, donc, Nasser inversa sa première analyse : il travailla à la réalisation d'une coalition des États arabes « anti-impérialistes », afin de renverser la décision de 1948 et créer ensuite un super-État arabe dont il tiendrait la barre.

La guerre froide servit son jeu. Toujours afin de contenir l'expansion soviétique, les Anglais et les Américains avaient formé au Proche et Moyen-Orient une alliance comprenant la Turquie, l'Iran et le Pakistan, connue sous le nom de « ligne de défense du Nord ». À l'encontre de la volonté américaine, Londres désirait relier ce groupe à son propre système de clients arabes, notamment l'Irak et la Jordanie. Anthony Eden, qui avait pris la succession de Churchill comme Premier ministre, voulait renforcer l'autorité britannique, affaiblie dans cette région, avec l'aide des États-Unis. En Russie, le nouveau régime de Nikita Khrouchtchev, pressé de réparer les erreurs de l'époque stalinienne en 1948, vit dans l'avènement de Nasser l'occasion d'ouvrir une brèche à travers la ligne de défense du Nord et de se constituer des États-clients à sa botte. Aussi les Russes proposèrent-ils de soutenir la coalition anti-israélienne de Nasser par la fourniture à crédit de grandes quantités d'armes soviétiques. D'un bond, les Russes enjambèrent la ligne de défense du Nord, et le raïs se trouva placé dans la situation d'un chef politico-militaire du tiers monde.

Nasser se garda d'oublier le non-alignement, autre leçon de la conférence de Bandung, qui consistait à renvoyer l'Est et l'Ouest dos à dos, et signifiait qu'il fallait traiter avec les deux sans appartenir à aucun. Dans cette optique, les pays neufs devaient créer leurs propres bases industrielles, afin de se libérer de l'« impérialisme ».

Il est évidemment plus facile, plus rapide et, bien sûr, beaucoup plus spectaculaire, en disposant de ressources financières, de construire une aciérie que d'augmenter la productivité agricole. Nasser revint donc de Bandung décidé à accélérer le projet de construction d'un barrage géant à Assouan, sur le Nil. Barrage censé produire de l'énergie pour l'industrialisation du pays et de l'eau pour l'irrigation, ce qui permettrait d'augmenter la surface cultivable de 25 % [94]. La réalisation de ce barrage nécessitait l'emprunt de 200 millions de dollars à la Banque mondiale, notamment aux USA. Le projet suscita beaucoup d'objections, d'ordre économique et écologique, qui se révélèrent, en fin de compte, totalement justifiées. Terminé par les Russes en 1970, le barrage provoqua la montée du chômage et diminua la productivité agricole. Les Américains, après beaucoup de tergiversations, repoussèrent le projet le 19 juillet 1956 ; ce n'était pas le genre d'action qu'un régime aussi aléatoire que celui de Nasser pouvait admettre sans broncher. La réponse ne se fit pas attendre : Le Caire nationalisa le canal de Suez franco-britannique.

Comme l'Abyssinie en 1935, la crise de Suez en 1956-1957 fut l'un de ces événements internationaux héroïco-comiques qui illustrent les tendances historiques plutôt qu'il ne les déterminent. Sans doute, et peut-être inévitable, le déclin de l'Angleterre en tant que puissance mondiale fut accéléré par la volonté nationale ; en effet, les événements de l'après-guerre avaient laissé entrevoir que cette volonté était pratiquement inexistante. De relatif, le déclin industriel reprit pour de bon cette fois, comme le révéla la crise économique de l'automne 1955. Sir Anthony Eden, qui avait si longtemps attendu dans l'ombre de Churchill, n'était pas homme à sauver un jeu perdu. Nerveux, émotif, souvent malade, il avait une fâcheuse tendance à confondre l'importance relative des événements. Dans les années 30, il avait un moment pensé que Mussolini était plus redoutable que Hitler. Obsédé par l'idée que l'Angleterre se devait de jouer un rôle au Moyen-Orient, indépendamment de l'Amérique, il voyait en Nasser un nouveau *duce* : « Je n'ai jamais pensé que Nasser était un Hitler, écrivit-il à Eisenhower, mais sa ressemblance avec Mussolini est frappante[95]. » L'erreur était grossière. Nasser avait besoin de drames, il voulait des drames, donc, l'indifférence était le meilleur moyen de le neutraliser : tactique adoptée par Eisenhower, d'autant qu'il était en pleine année électorale, et que « la paix » a toujours été l'argument menant droit au cœur des Américains. Eden avait besoin lui-même d'un drame, car sa première année de pouvoir, hors de l'ombre de Churchill, avait été décevante. Les critiques pleuvaient, surtout à l'intérieur de son propre parti, parce qu'il lui manquait « la poigne nécessaire à un gouvernement ferme ». Comme le disait le *Daily Telegraph* : « Le Premier ministre a un geste favori. Pour insister sur quelque chose, il serre un poing pour frapper la paume ouverte de l'autre. Mais on entend rarement le bruit de la claque. » La réaction d'Eden fut à la mesure de son incompétence : mortellement frappé par cette raillerie, elle lui arracha « un juron peiné et amer[96] ». Il allait leur donner, cette claque !

Le soir où Eden apprit le décret de nationalisation promulgué par Nasser, il convoqua à Downing Street les différents chefs de service concernés et leur demanda de préparer l'invasion de l'Égypte. Ils répondirent qu'ils n'étaient pas en mesure d'envisager une telle action avant six semaines. La question aurait, normalement, dû être réglée : une nation incapable d'envahir un petit État arabe en moins de six semaines ne peut prétendre au titre de grande puissance et ferait mieux de recourir à d'autres moyens pour servir ses intérêts. En outre, l'illégalité de l'action entreprise par Nasser n'était pas évidente. Celui-ci n'avait pas violé la convention de 1888 régissant le canal ; tout État souverain est libre de nationaliser les biens étrangers moyennant une juste compensation (comme il le proposait). Lorsque le régime iranien de Muhammad Mossadegh avait nationalisé la raffinerie de la British Petroleum d'Abadan en 1951, Londres, avait raisonnablement laissé la CIA faire tomber de son perchoir, le dirigeant iranien. Les accords sur le canal allaient, de toute façon, expirer dans douze ans ; le premier mouvement de colère passé, la situation aurait dû s'éclaircir, et Eden embrouiller Nasser dans les négociations, attendre la réélection d'Eisenhower et, ensuite, chercher avec lui le moyen de faire tomber le colonel. Mais le Premier ministre voulait sa claque, et les Français étaient dans le même état d'esprit. La IVᵉ République était aux abois : elle avait perdu l'Indochine, la Tunisie et était sur le point de perdre le Maroc. Elle était empêtrée dans la révolution algérienne que Nasser encourageait bruyamment. Les Français voulaient l'abattre et préféraient l'attaquer de front plutôt que d'user de l'intrigue. Eux aussi voulaient un drame.

Par une opération combinée des troupes françaises et anglaises, l'opération Mousquetaire devait permettre la prise du Caire, le 8 septembre [97]. Bien que peu élaboré, le projet aurait pu réussir, s'il avait été poursuivi avec détermination. Mais Eden ne cessa de l'ajourner et finit même par l'abandonner au bénéfice d'un plan beaucoup plus lent et difficile, visant l'occupation du canal lui-même qui lui semblait plus légal. En réalité, il ne savait s'il devait sortir de la légalité ou bien la respecter fermement. À ces « gesticulations » existait une alternative parfaitement acceptable : laisser les Israéliens déloger eux-mêmes les soldats de Nasser car, à l'époque, Israël et les pays arabes étaient encore techniquement en guerre. En effet, les Égyptiens bloquaient à l'État hébreu l'accès à l'océan Indien — ce qui constituait en soi un acte de guerre — et empêchaient les bateaux israéliens d'emprunter le canal, en violation flagrante de la convention de 1888. Plus grave encore : avec l'aide de l'URSS et par un système d'alliances militaires et diplomatiques, Nasser renforçait considérablement son potentiel militaire pour lancer sur Israël une attaque concertée, qui se terminerait par un génocide. Son dispositif était parfaitement opérationnel le 25 octobre 1956, quand il forma un commandement unifié égypto-syro-jordanien. Manœuvre qui était parfaitement de nature à justifier un avertissement préventif de Tel-Aviv. Approuvant cette tactique, les Français envoyèrent même des armes à Israël, y compris des avions de chasse modernes, pour favoriser son intervention. Toutefois, il manquait aux Israéliens les moyens de bombarder l'aviation égyptienne, de la clouer au sol et de protéger ainsi ses propres villes des attaques ennemies. Seule l'Angleterre était à même de fournir ses moyens aériens, mais Eden refusa cette solution qui allait à l'encontre de ses instincts pro-arabes.

On pourrait croire que la solution finalement retenue après beaucoup d'hésitations, avait été manigancée pour placer le Premier britannique dans la pire des situations. Au cours d'entretiens secrets à Sèvres, près de Paris, des 22 au 24 octobre, les représentants français, israéliens et britanniques imaginèrent un complot extrêmement compliqué, selon lequel Israël attaquerait l'Égypte le 29 octobre ; cette attaque devant fournir aux Anglais un juste prétexte pour réoccuper le canal afin d'y protéger des vies humaines et la liberté de navigation. Puis,

Londres lancerait un ultimatum qu'Israël accepterait, mais le refus de l'Égypte autoriserait le bombardement par les Anglais de toutes les bases aériennes. Enfin, Français et Anglais débarqueraient à Port-Saïd. Cette « collusion » fit couler beaucoup d'encre ; toutefois, Eden et son ministre des Affaires étrangères, Selwyn Lloyd, le nièrent jusqu'à leur mort[98]. Néanmoins, les participants français et israéliens affirmèrent la réalité d'un plan concerté. Selon le général Mosché Dayan, commandant en chef de l'armée israélienne, Llyod aurait supplié « que notre action ne soit pas une petite escarmouche mais un acte de "guerre véritable", sans quoi, l'ultimatum anglais ne serait pas justifié et l'Angleterre apparaîtrait comme un agresseur aux yeux du monde[99] ».

La mise en place de ce plan absurde aurait pu réussir si Eden avait eu la volonté de le mener jusqu'à son terme. Seulement, il était un homme honorable qui faisait un mauvais Machiavel, tout à fait incompétent dans son rôle d'agresseur par procuration. Le complot était transparent pour tout le monde, à tel point que le parti travailliste le condamna et provoqua un début de scandale. Mal informé, le gouvernement britannique se sentit, dès le début, mal à l'aise et fut épouvanté par la violence de la réaction américaine au début de l'invasion. Par ses lettres des 2 et 8 septembre, Eisenhower avait lancé un avertissement solennel à Eden, lui conseillant, dans les termes les plus énergiques, de ne pas faire usage de la force, certain qu'il était des conséquences négatives qui pourraient en résulter : « Nasser se nourrit de drames[100]. » En pleine campagne électorale, Eden fut très en colère d'avoir pu aussi malencontreusement miner ses propres pas. Grinçant littéralement des dents — selon son habitude lorsqu'il était en colère —, il ordonna au ministre des Finances de vendre des livres sterling ; beaucoup de gens avaient eu la même idée. Son gouvernement s'en ressentit très vite. Le Premier ministre, en effet, était pris entre les feux de 2 aspirants à la succession : le vieux pacificateur R.A. Butler d'une part, qui voulait tirer le parti vers la gauche, et Harold Macmillan, qui voulait le tirer vers lui-même. Chacun était parfait dans son rôle. Butler ne disait rien, mais combattait le projet dans les coulisses ; Macmillan, lui, recommandait l'audace, mais, lorsque l'échec se dessina à l'horizon, il vira de bord et fit valoir, en tant que chancelier de l'Échiquier (ministre des Finances), qu'il n'y avait pas d'autres solutions que de se soumettre à la volonté d'Eisenhower, demandant le cessez-le-feu. Une semaine seulement après avoir lancé l'opération et 24 heures après les premiers débarquements franco-britanniques, Eden céda, c'était le 6 novembre ; il capitula à la suite d'un message particulièrement violent d'Eisenhower, qui le menaça sans doute de prendre des sanctions dans le domaine pétrolier[101]. Cela marqua la fin de sa carrière politique : il se retira, malade et résigné.

Cet épisode lamentable fut une remarquable victoire pour les nationalistes de la génération de Bandung. Nehru se répandit en leçons de morale dans le monde entier : il était dans son élément. Le prestige de Nasser en sortit grandi car, dans l'excitation provoquée par ce fiasco, personne n'avait remarqué qu'en moins d'une semaine les troupes israéliennes avaient infligé une écrasante défaite à la grande armée du raïs, équipée par les Soviétiques. On attribua tous les malheurs de l'Égypte aux forces franco-anglaises. C'est ainsi que ce qui aurait pu provoquer un coup fatal pour le prestige de Nasser ne fit que l'accroître : la « collusion » apporta, en effet, des arguments supplémentaires en faveur de la mythologie arabe, qui faisait d'Israël un simple mandataire impérialiste. L'affaire de Suez confirma la vision du monde adoptée à Bandung, incarnation même de cette mythologie.

Il est souvent répété que l'opération de Suez fit perdre à la Grande-Bretagne son statut de grande puissance mondiale. Rien n'est plus faux. Ce statut a été perdu en 1947. Suez a seulement rendu ce fait évident. La raison profonde de ce déclin ne réside pas dans un manque de puissance, mais de volonté; l'échec de l'expédition de Suez, auquel Eden fut immolé de façon pathétique, l'illustre à merveille. MacMillan, son successeur, en tira la leçon : une puissance de taille moyenne survit mieux, dans un monde de superpuissances, grâce à de bonnes relations publiques plutôt qu'à des navires de guerre. À terme, pourtant, ce furent les États-Unis qui firent les frais de leur veto. Eisenhower agit avec beaucoup d'autorité et obtint rapidement satisfaction : l'Angleterre se soumit, et il sauva sa réputation de défenseur de la paix. Mais, ce faisant, il contribua à forger une arme redoutable qui allait se retourner contre l'Amérique : le tendancieux concept d'« opinion mondiale », formulé pour la première fois à Bandung et qu'Eisenhower lui-même introduisit aux Nations unies.

Jusqu'au début des années 50, l'ONU avait été contrôlée par les Américains. Ils commirent leur première erreur en l'impliquant dans la guerre de Corée, notamment par l'intermédiaire du forum de l'Assemblée générale, cette pseudo-assemblée représentative qui ne représentait généralement que des gouvernements antidémocratiques. La Corée provoqua la chute du secrétaire général norvégien, Trygue Lie, fidèle aux principes de la vieille alliance occidentale. Lorsque les Russes le boycottèrent et poussèrent la gauche à dresser son propre secrétariat contre lui, il donna sa démission. Dès ce moment, les démocraties occidentales auraient dû quitter les Nations unies et s'appliquer à développer l'Otan pour en faire une alliance de pays libres afin de garantir la sécurité du monde.

Au lieu de cela, après bien des discussions orageuses, les puissances nommèrent un ancien diplomate suédois, Dag Hammarskjöld, pour le remplacer au poste de secrétaire général. On ne pouvait imaginer choix plus mauvais. Issu d'une famille de fonctionnaires florissants, et d'un pays mal à l'aise de devoir son immense prospérité à sa neutralité pendant deux guerres mondiales, Hammarskjöld était la culpabilité faite homme. Il avait décidé que l'Occident devait expier. Très cultivé, sévère, dénué de tout sens de l'humour, célibataire (mais pas homosexuel, selon son biographe officiel : « Dans sa vie, Hammarsk-jöld n'accorda que très peu ou pas d'importance au sexe [102] »), il suin-tait une religiosité séculière. De manière caractéristique, et selon le bon goût avant-gardiste des années 50, dont il était le fidèle représentant, il transforma la Salle de méditations des Nations unies, toute simple et sans prétention, en une caverne sombre et dramatique, à la perspec-tive et à l'éclairage saisissants, et dont le centre s'ornait d'un énorme bloc de minerai de fer rectangulaire, éclairé par un seul rayon de lumière. Que symbolisait tout cela ? Une morale toute relative peut-être. Hammarskjöld avait manifestement l'intention de couper le cordon ombilical entre les Nations unies et la vieille alliance occidentale du temps de guerre, et d'aligner l'organisation sur ce qu'il considérait comme la nouvelle force de justice apparaissant dans le monde : les nations non-alignées, c'est-à-dire « non engagées ». Bref, malgré, ou à cause de son visage blême, il faisait partie lui aussi de la génération de Bandung. Lors de l'affaire de Suez, quand Eisenhower se retourna contre Eden, le fit céder et remit toute la situation ainsi créée entre les mains des Nations unies, il fournit à Hammarskjöld l'occasion qu'il attendait.

Le secrétaire général se mit alors en devoir de déloger les forces franco-anglaises et les Israéliens, afin de les remplacer par un contin-gent multinational des Nations unies, devant servir de « gardien de la paix ». Par la même occasion, il se vit lui-même dans le rôle de l'homme d'État mondial, propulsé par l'implacable mécanique du non-alignement. Aussi, malgré sa prétendue impartialité, se mit-il entière-ment au côté des Afro-asiatiques et, par là même, ne traita pas Israël comme une petite nation vulnérable, mais comme un avant-poste de l'impérialisme. Votée avant son arrivée, une résolution des Nations unies de 1951 sommait l'Égypte d'ouvrir le canal aux bateaux israéliens ; à aucun moment, cependant, Hammarskjöld ne fit la moindre tenta-tive pour la faire appliquer. Pas plus qu'il ne reconnut qu'en refusant la liberté de navigation des navires israéliens dans le golfe d'Aqaba, les Arabes menaçaient la paix. Or, la cause immédiate de l'attaque israé-lienne s'appuya bel et bien sur ce refus, aggravé et renforcé par le pacte militaire arabe des Trois puissances en date du 25 octobre 1956. À plu-sieurs reprises, il refusa de condamner la mainmise de Nasser sur le canal, ainsi que d'autres actes arbitraires ; selon lui, l'attaque israé-lienne et l'intervention franco-britannique étaient des actes d'aggres-sion totalement injustifiés : il s'en déclara « choqué et scandalisé ». D'ailleurs, le 31 octobre, il fit une démarche sans précédent, en blâmant publiquement les gouvernements de Londres et de Paris. Quant à l'inva-sion soviétique en Hongrie, qui se déroulait au moment de la crise de Suez, il la qualifia seulement de désordre ennuyeux. Sa bienveillance ininterrompue envers les Égyptiens et sa froide hostilité envers la France, la Grande-Bretagne et Israël prouvaient bien vers quel camp allaient ses sympathies. Il parvint à son but en humiliant publiquement

les 3 puissances. Lorsqu'il déploya les forces d'urgence de l'ONU pour
remplir le vide créé par le retrait des forces occidentales, il insista sur
le fait que ces troupes étaient là avec l'accord et l'autorisation de
l'Égypte ; selon ses propres termes : « La base même et le point de départ
ont été la reconnaissance par l'Assemblée générale de la souveraineté
totale et illimitée de l'Égypte [103]. » Les Casques bleus de l'ONU pouvaient donc être retirés à la simple demande de l'Égypte qui ne manqua pas d'user de ce droit en 1967, lorsqu'elle se crut assez forte pour
détruire Israël : Hammarskjöld légua ainsi à ses successeurs une nouvelle guerre au Proche-Orient. Chose plus importante encore : il fit
l'éclatante démonstration de la manière dont l'ONU pouvait être utilisée pour distiller et exprimer la haine contre l'Occident. Ce fut, en 1956,
le tour de la France et de l'Angleterre ; bientôt, ce serait celui des
États-Unis.

Les répercussions de l'affaire de Suez en France furent également
néfastes pour les États-Unis. Si cet épisode ne fit que précipiter le déclin
de l'Angleterre, il contribua à aggraver la crise nationale provoquée par
l'agonie de l'Algérie française. La guerre d'Algérie fut la plus grande
et, à bien des égards, la plus typique de toutes les guerres anticolonia-
les. Les Européens ne gagnèrent les aventures coloniales au XIXe siècle que par le manque de volonté des indigènes. Au XXe, les rôles
s'inversèrent, et ce fut l'Europe qui perdit la volonté de préserver ses
conquêtes. Cependant, derrière cette fluctuation des volontés, se des-
sinent des réalités démographiques. Une colonie meurt lorsque le taux
de croissance des indigènes dépasse celui de la population coloniale.
Le colonialisme du XIXe siècle avait correspondu à un très grand essor
démographique européen ; la décolonisation du XXe correspondit à une
stabilité de la population européenne et à une forte poussée démographique des peuples indigènes.

L'Algérie fut un exemple type de ce renversement de situation.
Davantage une colonie méditerranéenne qu'une colonie française, elle
ne comptait dans les années 30 que 1,5 million d'Arabes, et leur nombre allait en diminuant. Émigrant des côtes septentrionales de la Méditerranée vers les côtes sud qui semblaient désertées, ses habitants
considéraient la grande mer intérieure comme une unité et estimaient
avoir le droit, comme tout un chacun, de s'installer sur ses bords, en
participant au développement de la région ; c'est ce qu'ils firent : grâce
à eux, la surface de terre cultivée passa de 3 500 kilomètres carrés en
1830 à 45 000 en 1954 [104]. En incluant les Corses et les Alsaciens, la
population *pied-noir* ne comprenait que 20 % de Français d'origine ; la
grande majorité était formée d'Espagnols dans la région oranaise et
d'Italiens dans le Constantinois, ainsi que des Maltais. La nouvelle prospérité attira d'autres populations : Kabyles, Chaouïas, Mzabites, Mau-
ritaniens, Turcs et Arabes purs venus des montagnes, de l'Ouest, du
Sud, et de l'Est. Les services médicaux français éliminèrent presque
entièrement la malaria, le typhus et la typhoïde, modifiant ainsi radi-

calement les taux de mortalité infantile parmi les populations non européennes. En 1906, la population musulmane avait atteint le nombre de 4,5 millions d'habitants ; en 1954, elle était de 9 millions, et vers le milieu des années 70, elle avait encore doublé. Un essor démographique identique en France métropolitaine aurait donné plus de 300 millions de Français en 1950. Aussi, la politique française d'« assimilation » était-elle absurde : en l'an 2 000, les musulmans algériens auraient représenté plus de la moitié de la population française ; l'Algérie aurait assimilé la France et non l'inverse[105].

À partir des années 50, le nombre des *pieds-noirs* ne permettait plus à ceux-ci de se maintenir comme classe dominante ni même de former une colonie. Majoritaires à Oran seulement, les 900 000 Algérois ne comprenaient qu'un tiers d'Européens. Et dans une région aussi fortement peuplée que la Mitidja, les exploitations agricoles ne fonctionnaient que grâce à la main-d'œuvre arabe. En 1914, 200 000 Européens vivaient de la terre ; en 1954, 93 000 seulement. Au moment du déclenchement de l'insurrection, la plupart des *pieds-noirs* exerçaient des petits métiers citadins, mal rémunérés, que les Arabes auraient pu exécuter mieux qu'eux ou du moins aussi bien. En fait, la structure sociale de l'Algérie ressemblait à une pièce montée de préjugés raciaux : « Les Français méprisaient les Espagnols, qui méprisaient les Italiens, qui méprisaient les Maltais, qui méprisaient les juifs — et tous méprisaient les Arabes[106]. » Il n'existait même pas un semblant d'égalité des chances : en 1945, il y avait 1 400 écoles primaires pour recevoir 200 000 enfants européens ; 699 seulement accueillaient les 1,25 million de petits musulmans, et les manuels scolaires commençaient ainsi : « Nos ancêtres, les Gaulois... »

Plus grave encore était le caractère frauduleux du système électoral : ou bien les réformes votées par le Parlement français n'étaient pas appliquées, ou bien les élections étaient truquées par les autorités locales elles-mêmes. Cette situation priva d'audience les nombreux intellectuels arabes qui souhaitaient sincèrement une véritable fusion des cultures française et islamique. Ahmed Boumendjel, l'un des plus nobles d'entre eux, devait déclarer : « La République française a triché. Elle s'est moquée de nous. Pourquoi devrions-nous nous sentir liés par les principes des valeurs françaises, alors que la France elle-même refuse de les respecter[107] ? » Les élections de 1948 furent truquées ; celles de 1951, également. Dans ces conditions, les modérés ne pouvaient jouer un rôle efficace, et ce furent les partisans de la violence qui prirent la relève.

Tout commença dès le mois de mai 1945, lorsque les Arabes massacrèrent 103 Européens. Les représailles françaises furent sauvages : 40 villages furent pulvérisés par des bombardiers en piqué, et d'autres, pilonnés par un croiseur de la marine portant le nom de *Liberté*. Le journal du parti communiste algérien demanda que les rebelles soient « punis rapidement et sans pitié, et les instigateurs, fusillés ». Selon le rapport officiel français, les émeutes firent entre 1 020 et 1 300 victimes dans la population arabe ; de source arabe, on parla de 45 000. Nombre de soldats indigènes démobilisés trouvèrent à leur retour les membres de leurs familles, morts, et leurs maisons, détruites ; les dirigeants du futur Front de libération nationale (FLN) furent en effet, le plus souvent, d'anciens sous-officiers musulmans. Comme le déclara le plus éminent d'entre eux, Ahmed Ben Bella : « Les horreurs de Constantine, en mai 1945, m'ont persuadé qu'il n'y avait qu'une seule voie à suivre : l'Algérie aux Algériens. » Le général Duval, commandant en chef des troupes françaises, déclara, lui, aux *pieds-noirs* : « Je vous ai donné la paix pour dix ans. »

Il eut pratiquement raison. Ulcérés, les sous-officiers étaient prêts le 1er novembre 1954 : Ben Bella, désormais rompu aux techniques du terrorisme urbain, fit alliance avec Belkacem Krim pour fomenter un soulèvement national. Il est nécessaire de bien comprendre que jamais, du début à la fin des événements, ils n'ont eu l'intention de vaincre l'armée française ; tâche impossible. Leur but était de détruire le concept d'assimilation et de pluralité raciale en éliminant les modérés des deux bords. La première victime française, Guy Monnerot, fut un instituteur arabophile et libéral ; le premier Arabe exécuté fut un gouverneur local francophile, Hadj Sakok ; en effet, la plupart des exactions du FLN furent dirigées contre les éléments musulmans les plus fidèles à la France : des fonctionnaires furent assassinés, leurs corps mutilés — langue coupée, yeux arrachés — et marqués d'une étiquette sur laquelle se lisaient les trois lettres FLN [108]. C'était une réplique de la stratégie inaugurée par le mufti en Palestine. De fait, beaucoup de chefs rebelles avaient été sous ses ordres. Mohamedi Saïd, l'un des plus capables d'entre eux, commandait la Wilaya 3 dans les montagnes de Kabylie, et avait fait partie de la légion SS musulmane du mufti, avec laquelle il avait été parachuté en Tunisie en tant qu'agent de l'Abwehr. « Je croyais que Hitler détruirait la dictature française et libérerait le monde », disait-il. De temps à autre, il portait encore son vieux casque SS. Parmi ses fidèles, se trouvaient certains des pires tueurs du XXe siècle, tels Aït Hamouda, connu sous le nom d'Amirouche, et Ramdane Abane qui avait, lors des événements de 1945, coupé des seins et des testicules, lu en prison Marx et *Mein Kampf*, et dont la devise était : « Un cadavre en complet-veston vaut toujours beaucoup mieux que vingt en uniforme. » Ces hommes, qui avaient assimilé tout ce que le XXe siècle pouvait offrir de pire, régnaient sur les villages par la terreur pure et simple. Ils n'ont jamais employé d'autres méthodes. À un journal yougoslave, Krim déclara que la méthode d'initiation d'une jeune recrue consistait à la forcer d'assassiner un « traître », un *mouchard* (espion ou indicateur de la police), un gendarme français ou un colonialiste qu'on lui désignait : « L'assassinat marque la fin de l'apprentissage de chaque candidat. » Un journaliste reporter américain, notoirement pro-FLN, entendit même dire : « Après avoir fusillé [la victime musulmane], nous lui couperons la tête et lui agraferons une étiquette à l'oreille pour bien montrer qu'il était un traître. Ensuite, nous abandonnerons la tête sur la grand-route. » Parmi les instructions écrites de Ben Bella, on pouvait lire : « Liquider toutes les personnalités qui veulent jouer le rôle *d'interlocuteur valable.* Tuer toutes les personnes qui tenteraient de faire dévier les militants en leur inculquant un esprit "bourguibien". » Et encore : « Tuer les *Caïds*... prendre leurs enfants et les tuer. Tuer tous ceux qui paient des impôts et ceux qui les collectent. Brûler les maisons des sous-officiers musulmans qui sont en service actif hors du territoire algérien. » Le FLN avait donc aussi ses propres *règlements de comptes* internes ; Bachir Chihani, l'homme qui transmit la dernière de ces consignes de Ben Bella, fut accusé (comme Roehm) de pédérastie, de meurtres sexuels sadiques, de corps découpés en morceaux avec huit de ses amants. Toutefois, les tueurs du FLN haïssaient davantage encore les pacifistes musulmans. Durant les deux premières années et demie de la guerre, ils n'exécutèrent que 1 035 Européens, mais 6 352 Arabes (cas dont l'authenticité a été vérifiée, mais la réalité semble plus proche de 20 000 [109]. À partir de ce moment, les modérés ne pouvaient survivre qu'en choisissant de devenir eux-mêmes des tueurs ou de s'exiler.

La stratégie du FLN consistait donc, en fait, à prendre la population musulmane dans un étau de terreur. D'un côté, les modérés étaient remplacés par les terroristes du FLN, de l'autre, les atrocités de celui-ci étaient destinées à provoquer les représailles des Français, et ainsi, attirer la population musulmane dans le camp des extrémistes. Avec une froide précision, la doctrine du Front de libération nationale a été exposée clairement par le terroriste brésilien Carlos Marighela :

> « Il est nécessaire de transformer la crise politique en un conflit armé, en commettant des violences qui obligeront ceux qui sont au pouvoir à transformer la situation politique du pays en une situation militaire. Ceci provoquera la colère des masses qui, à partir de là, se révolteront contre l'armée et contre la police... Le gouvernement ne pourra qu'intensifier sa répression, ce qui rendra la vie des citoyens plus dure que jamais... La terreur policière deviendra à l'ordre du jour. La population refusera de collaborer avec les autorités, ce qui amènera celles-ci à penser que leurs problèmes ne pourront être résolus que par la liquidation physique de leurs adversaires. La situation politique du pays sera, alors, devenue une situation militaire [110]. »

Il est clair que cette variété de léninisme particulièrement odieuse peut avoir un impact irrésistible si elle est intégralement appliquée. Composé en grande majorité par des hommes libéraux et civilisés, de tendance radicale-socialiste, le gouvernement français de 1954 partageait cette illusion — ou vision — selon laquelle l'Algérie pourrait devenir une véritable société multiraciale, fondée sur les principes de liberté, d'égalité et de fraternité. Mendès France, qui avait réussi la libération de l'Indochine et de la Tunisie, déclara à l'Assemblée : « *Les départe-*

ments algériens font partie de la République française... ils sont irrévocablement français... aucune sécession n'est imaginable. » François Mitterrand, son ministre de l'Intérieur, renchérit : « Pour l'Algérie, la seule négociation possible, c'est la guerre[111]. » Les deux hommes étaient persuadés que, si les principes français étaient désormais pleinement appliqués avec générosité, s'ils prenaient enfin corps en une réalité algérienne, le problème serait résolu. Pour créer cette réalité qu'ils appelaient de leur vœux, ils nommèrent au poste de gouverneur général de l'Algérie un brillant ethnologue et ancien résistant sur lequel ils comptaient beaucoup : Jacques Soustelle. Ils n'avaient pas réalisé que le but du FLN était de transformer la générosité française en sauvagerie.

Considérant comme « fasciste » l'organisation du FLN, Soustelle pensait obtenir la victoire et désarmer les Arabes en leur offrant une véritable démocratie et une justice sociale. Pour ce faire, il créa les *Képis bleus* (SAS). 400 détachements de ceux-ci furent envoyés dans les régions isolées pour protéger les loyalistes. Faisant appel à des libéraux convaincus, comme Germaine Tillon et Vincent Monteil, pour mettre en place des réseaux de *centres sociaux* et entretenir les relations avec les Arabes, il chercha désespérément à introduire ceux-ci dans tous les niveaux du gouvernement[112]. Ses instructions à la police et à l'armée interdisaient l'usage de la terreur et de la brutalité, sous quelque forme que ce soit et, naturellement, les représailles collectives[113]. De toute façon, il est peu probable que la politique d'intégration, menée et voulue par Soustelle, ait pu réussir, compte tenu des implications futures dont les Français ne voulaient pas entendre parler : la France ne souhaitait pas devenir une nation à moitié arabe, à moitié musulmane, pas plus que la majorité des Arabes ne désiraient devenir français. Pourtant, on peut affirmer, en tout état de cause, que le FLN torpilla systématiquement les instruments de la politique libérale de Soustelle, tant français et qu'arabes. Par tous les moyens, ils empêchèrent, par l'assassinat, les administrateurs français sincèrement amis des Arabes de déployer une action pacificatrice ; en règle générale, ils y parvinrent. L'une de ces victimes, dont Soustelle écrivit qu'il fut un « saint laïc », se nommait Maurice Dupuy. En larmes à son enterrement, et lorsqu'il épingla la *Légion d'honneur* sur la poitrine de l'aîné des huit orphelins de la victime, Soustelle parla pour la première fois de « vengeance[114] ».

Au cours de l'été 1955, la politique du FLN franchit une nouvelle étape en adoptant la forme du génocide par le massacre de tous les Français, sans distinction d'âge ni de sexe. Les tueries débutèrent le 20 août. Comme toujours, il y eut de nombreux Arabes parmi les victimes : ainsi Allouah Abbas, qui s'était permis de critiquer les atrocités du FLN. Mais le principal objectif était de provoquer les représailles de l'armée française. À Ain Abid, près de Constantine, par exemple, 37 Européens, y compris des femmes et des enfants de moins de quinze ans, furent

découpés en morceaux, les hommes eurent les bras et les jambes sec-
tionnés, les enfants, la cervelle éclatée, et les femmes furent éventrées
— un bébé encore dans le ventre de sa mère, *pied-noir*, fut lacéré de
coups de couteau. Le « massacre de Philippeville » atteignit son objectif : les parachutistes stationnés dans le secteur reçurent l'ordre
d'ouvrir le feu à volonté sur tous les musulmans : d'après Soustelle lui-
même, les représailles françaises firent 1 273 victimes parmi les « insur-
gés » (la propagande FLN transforma ce chiffre en 12 000). Le pays assistait bien à une réédition du massacre de 1945. « Un abîme avait bel et
bien été creusé, où coulait une rivière de sang. » Alors, des personnalités libérales, françaises et musulmanes, tels Albert Camus et Ferhat
Abbas, prirent la parole ensemble dans des réunions publiques pour
lancer un appel à la raison : ils furent salués par les huées de tout
bord[115]. Dès lors, l'expérience de Soustelle était morte. La guerre
devint effective et escalada les marches de la terreur. Abritant
100 000 Algériens au kilomètre carré, la casbah d'Alger fut le centre
des événements. L'exécution de l'assassin infirme, Ferradj, auteur du
meurtre d'une petite fille de sept ans et de 7 autres civils, donna le
signal. Le chef FLN Ramdane Abane donna l'ordre d'exécuter 100 civils
français pour chaque assassinat d'un membre du Front. Son principal
adjoint, le tueur Saadi Yacef, qui contrôlait un réseau de fabriques de
bombes artisanales, perpétra 49 crimes entre le 21 et le 24 juin 1956.
Parallèlement à l'amorçage de l'affaire de Suez, la violence augmenta
régulièrement tout au long de la seconde moitié de l'année 1956. Le
maire français d'Alger fut assassiné, et une bombe explosa exactement
au milieu de la cérémonie des funérailles : Yacef avait discrètement
ordonné à tous ses agents de quitter les lieux auparavant afin de s'assurer que les féroces représailles, qui ne manqueraient pas de s'ensui-
vre, ne frappent que des musulmans innocents[116].

   La débâcle de Suez joua, à ce moment, un rôle capital, car elle
convainquit finalement l'armée que les gouvernements civils ne pourraient pas gagner la guerre. Le successeur socialiste de Jacques Soustelle, Robert Lacoste, d'accord sur ce point, donna, le 7 janvier 1957,
toute liberté au général Massu et à ses 4 600 hommes pour liquider le
terrorisme à Alger. Pour la première fois, les restrictions imposées à
l'armée, y compris l'interdiction de la torture, furent levées. Abolie en
France le 8 octobre 1789, la torture était condamnée par l'article 303
du code pénal, qui frappait de la peine de mort quiconque la pratiquait ;
pourtant, un rapport secret, rédigé en mars 1955 par un haut fonctionnaire, recommandait son usage comme unique solution pour prévenir
tout acte de torture non contrôlée et donc beaucoup plus brutale. Catégoriquement rejetée par Soustelle, elle était désormais autorisée par
Massu, ainsi qu'il le reconnut plus tard : « À la question "A-t-on vraiment pratiqué la torture ?" je ne peux que répondre affirmativement,
bien qu'elle n'ait jamais été institutionnalisée ou codifiée[117]. » La thèse
était simple : elle reposait sur le fait qu'un interrogatoire réussi proté-

geait des vies humaines, principalement des vies arabes, et que les musulmans qui fournissaient des renseignements étaient torturés à mort par le FLN, sans aucune réserve ; de même, il était vital pour les Français de se faire craindre davantage encore. Autant que la torture elle-même, l'idée que les Arabes se faisaient de la cruauté de Massu poussait les prisonniers à parler. Les musulmans ne furent pas les seuls à en être victimes : un juif communiste, nommé Henri Alleg, écrivit un livre à grand tirage sur ce sujet, qui provoqua une explosion de révolte à travers toute la France en 1958 [118]. Pour sa défense, Massu fit valoir que les interrogatoires menés par ses hommes ne laissaient pas de handicaps définitifs. Voyant Alleg, entier et bien portant sur les marches du Palais de justice, en 1970, il s'exclama :

> « Est-ce que les tourments qu'il a endurés comptent beaucoup, comparés à l'amputation du nez et des lèvres, quand ce n'était pas celle du pénis, devenue le cadeau rituel des *fellaghas* à leurs "frères"récalcitrants ? Tout le monde sait que les appendices physiques ne repoussent pas [119] ! »

Il est néanmoins absurde de penser que l'on puisse contrôler et limiter la torture efficacement dans une guerre de survie. Plus tard, le secrétaire général de la préfecture d'Alger, le libéral Paul Teitgen, témoigna de la disparition d'environ 3 000 prisonniers pendant la bataille d'Alger. En tout cas, Massu gagna celle-ci ; ce fut la seule fois que la France s'attaqua aux terroristes du FLN en utilisant ses propres armes et ses propres méthodes. Alger débarrassée du terrorisme urbain, les voix musulmanes modérées purent à nouveau se faire entendre courageusement, mais la victoire remportée fut annulée par une nouvelle politique de *regroupement*, qui allait toucher plus de 1 million de pauvres *fellahs* ; réforme sociale maladroite s'il en fut, puisqu'elle devait faire par la suite le jeu du FLN. En outre, l'expérience du général Massu provoqua des tensions insupportables au sein même du gouvernement et de la société française. En libérant l'armée du contrôle politique et en renforçant l'autorité de ses chefs, la bataille d'Alger encouragea la tendance indépendantiste des milieux militaires : les colonels se considéraient de plus en plus, comme sous l'Ancien Régime, propriétaires de leurs régiments et commençaient d'inciter leurs généraux à la révolte ou à la désobéissance. Dans la confusion morale régnant alors, les officiers étaient de jour en jour davantage tentés de penser que leur obligation envers leurs hommes primait celle envers l'État [120].

Pendant ce temps, les informations qui avaient filtré sur les agissements de l'armée à Alger dressèrent l'opinion libérale et centriste française contre la guerre. Dès 1957, un nombre de plus en plus élevé de Français de France finirent par penser qu'il valait mieux accorder son indépendance à l'Algérie, quoi qu'il en coûte, plutôt que d'assister au pourrissement de la conscience nationale. Ainsi, le mouvement en faveur du rétablissement du contrôle politique de la guerre, et des négociations avec le FLN s'intensifia au moment même où l'armée pensait obtenir la victoire en affirmant son indépendance. Le conflit entre ces positions irréconciliables provoqua l'explosion de mai 1958 qui ramena le général de Gaulle au pouvoir et engendra la Ve République.

Anticolonialiste, persuadé que le temps des colonies était passé, de Gaulle, qui, physiquement, appartenait au passé, avait l'esprit tourné vers l'avenir. Il racontait qu'en s'efforçant d'entraîner l'Afrique noire dans la Résistance, à Brazzaville en 1944, il avait cherché à « transformer les anciens rapports de dépendance en relations politiques, économiques et culturelles privilégiées [121] ». Selon lui, l'enlisement de la politique coloniale française était le résultat direct de la faiblesse de la Constitution de la IVe République, qu'il méprisait, et du « régime des partis », incapable de prendre « les décisions franches et nécessaires à la décolonisation ». Dans ces conditions, « comment aurait-elle pu surmonter — voire briser si nécessaire — toutes les oppositions sentimentales, conservatrices ou égoïstes, qu'une telle entreprise devait fatalement susciter ? ». Cette attitude ne pouvait provoquer que des hésitations et des contradictions, d'abord en Indochine, puis en Tunisie et au Maroc, enfin et surtout en Algérie. Évidemment, « la colère de l'armée ne pouvait que grandir contre ce système politique incarnant l'indécision [122] ».

Délibérément sans doute, le coup fut déclenché par la décision du FLN, le 9 mai 1958, d'« exécuter » 3 soldats français, accusés de « torture, viol et meurtre ». Quatre jours plus tard, le gouvernement général à Alger fut pris d'assaut par des étudiants européens. Massu demanda à Lacoste, qui s'était réfugié en France, l'autorisation de tirer sur la foule. Il se heurta à un refus. Le soir même, une pièce de Brecht, dirigée contre les généraux, était frénétiquement applaudie par une salle comble de spectateurs de gauche [123]. Cependant, personne ne tenait vraiment à se battre pour la IVe République. Les généraux prirent le pouvoir à Alger et demandèrent le retour de De Gaulle. 30 000 musulmans manifestèrent leur approbation dans les rues, en chantant *La Marseillaise*, tandis que l'armée entonnait le *Chant des Africains* : manifestation spontanée en faveur de la civilisation française et contre la barbarie du FLN. Massu déclara alors : « Qu'ils sachent que la France ne les abandonnera jamais [124] ! » Les généraux mentaient en réclamant le retour de De Gaulle : ils avaient seulement l'intention de se servir de lui comme d'un bélier pour enfoncer la IVe République et prendre eux-mêmes le pouvoir. Il est incontestable que De Gaulle considérait comme impossible le maintien de l'Algérie française ; selon lui, il eût entraîné l'armée française à sa perte, voire pire. Atterrissant en Corse le 24 mai, un détachement de l'armée d'Algérie fraternisa avec les autorités locales et les policiers envoyés de Marseille se laissèrent désarmer. De Gaulle prit donc le pouvoir afin d'empêcher une invasion de la France métropolitaine, qui aurait sans doute réussi ou provoqué une guerre civile. Inquiétant rappel, dans son esprit, du commencement de la tragédie espagnole de 1936, qui aurait marqué le terme de la mission civilisatrice de la France. Si Paris valait bien une messe, la France valait bien quelques mensonges.

Dès sa prise de pouvoir, De Gaulle se rendit donc à Alger pour mentir. Le 4 juin, il déclara à la foule hurlante des *colons*, sur le forum d'Alger : « *Je vous ai compris* ! » « Je leur ai jeté les mots d'un air très spontané, écrivit-il, mais, en réalité, ils étaient soigneusement pesés. J'espérais ainsi enflammer leur enthousiasme sans m'engager plus que je ne le souhaitais [125]. » Un an auparavant, il avait dit en privé : « Bien sûr, l'indépendance viendra, mais ils sont trop stupides là-bas pour le savoir. » En juin 1958, il cria à la foule : « Vive l'Algérie française ! » Et dans l'intimité : « *L'Afrique est foutue, et l'Algérie avec !* » Il appelait l'Algérie française « une utopie ruineuse » ! Pourtant, il continua de rassurer les colons et l'armée « L'Indépendance ? Dans vingt-cinq ans » (octobre 1958). « L'armée française ne quittera jamais l'Algérie, et je ne traiterai jamais avec les gens du Caire et de Tunis » (mars 1959). « Il n'y aura pas de Diên Biên Phu en Algérie. L'insurrection ne nous jettera pas hors de ce pays. » « Comment pouvez-vous écouter les menteurs et les conspirateurs qui vous disent qu'en accordant la liberté de choix aux Algériens, la France et De Gaulle veulent vous abandonner, se retirer d'Algérie et la livrer à la rébellion ? » (janvier 1960). « L'indépendance ?... Une folie, une monstruosité » (mars 1960) [126].

Son emprise sur l'État s'étant resserrée, il put faire adopter, le 28 septembre 1958, par le peuple français, la Constitution de la Ve République, qui concentrait le pouvoir entre les mains du Président, et, le 21 décembre de la même année, il était élu à la magistrature suprême. Le même référendum, qui donnait à la France une nouvelle constitution, offrait à tous les territoires d'outre-mer, le droit de choisir entre l'association et la sécession ; le consentement devenant ainsi universel. Un par un, De Gaulle cassa ou révoqua les hommes qui l'avaient hissé au pouvoir. En 1960, il demanda et obtint les « pouvoirs spéciaux », puis, quatre mois plus tard, il entamait des pourparlers secrets avec les chefs du FLN. Organisant un référendum en janvier 1961, qui offrait à l'Algérie la liberté dans l'association avec la France, il obtint une majorité écrasante de « oui ». L'agonie de *l'Algérie française* déclencha la fureur de ses partisans extrémistes qui sortirent dans la rue, les bombes à la main.

Avec ou sans de Gaulle, les chefs militaires auraient pu prendre le pouvoir en 1958, s'ils en avaient vraiment eu la volonté. En avril 1961, réalisant que De Gaulle les avait trompés, il était trop tard pour le renverser ; l'occasion était perdue. Possédant des transistors, les appelés du contingent suivaient les événements parisiens et refusèrent d'obéir à leurs officiers. La révolte échoua, les meneurs se rendirent ou furent arrêtés et emprisonnés : la voie était ouverte à la débandade totale ; les chefs du FLN emprisonnés furent libérés et conviés à participer aux négociations ; au même moment, les généraux français commençaient de purger leurs peines.

Les terroristes européens de l'OAS *(Organisation armée secrète)* furent plus difficiles à maîtriser. Ils se déchaînèrent pendant plus d'un an, à coups de bombe, de mitrailleuse et de lance-roquettes, faisant plus de 12 000 victimes civiles (la plupart musulmanes) et environ 500 hommes des services de police et de sécurité, illustrant par là même le terrible pouvoir de corruption de la violence politique. En fait, à bien des égards, l'OAS était la réplique du FLN. Son chef, le général d'armée Salan, qui avait derrière lui une remarquable carrière de soldat, ordonna, le 23 février 1962 :

> « ... Une offensive générale... le feu sera systématiquement ouvert sur les CRS et les unités de gendarmerie. On jettera des "cocktails Molotov" sur leurs véhicules blindés... nuit et jour... [l'objectif est de] détruire les meilleurs éléments musulmans parmi les professions libérales, de façon à obliger la population musulmane à avoir recours à nous... paralyser les pouvoirs existants et les empêcher d'exercer l'autorité. Des opérations brutales seront menées sur l'ensemble du territoire... contre les ouvrages d'art et tout ce qui représente l'exercice de l'autorité, de manière à créer un climat d'insécurité générale et paralyser complètement le pays [127]. »

La corruption ne fut pas l'apanage de la seule OAS. Pour la vaincre et protéger De Gaulle (2 fois victime de tentatives d'assassinat), le pouvoir créa ses propres commandos de la terreur, qui assassinèrent et torturèrent impunément de très nombreux prisonniers [128]. Cette fois, ni la France libérale ni la communauté internationale n'émirent la moindre protestation. Finalement, le terrorisme de l'OAS tua l'idée même d'une colonie française en Algérie. À la fin de 1961, de retour d'Alger, Bernard Tricot, le plus proche conseiller de De Gaulle, notait dans un rapport : « Les Européens sont si farouchement opposés à ce qui se prépare, et leurs rapports avec la majorité musulmane si mauvais que le plus urgent maintenant est... d'organiser leur retour [129]. »

La tragédie se termina en mars 1962, dans une orgie de massacres et d'intolérance. Pressentant la victoire, la foule musulmane avait déjà mis à sac la Grande Synagogue au cœur de la casbah, n'en laissant subsister que les quatre murs, après avoir déchiré les rouleaux de la Torah, tué les dignitaires juifs et couvert les murs de graffiti antisémites, du genre « Mort aux juifs ». Le 15 mars, faisant irruption dans le centre social de Germaine Tillon, où l'on rééduquait les enfants handicapés, l'OAS prit 6 hommes et les tua à coups de fusil, en commençant par les jambes. Parmi eux, se trouvait Mouloud Feraoun, l'ami de Camus, qui le surnommait « le dernier des modérés ». « Il y a du français en moi, il y a du kabyle en moi. Mais j'ai horreur de ceux qui tuent... *Vive la France* telle que je l'ai toujours aimée ! *Vive l'Algérie* telle que je l'espère ! Honte aux criminels [130] ! » avait-il écrit. Le cessez-le-feu intervint le 19 mars 1962 et fut salué par une explosion de rage meurtrière de la part de l'OAS : 18 gendarmes et 7 soldats furent assassinés. Le général Ailleret, commandant en chef de l'armée, riposta en détruisant le bastion de *l'Algérie française* : peuplé de 60 000 habitants, le quartier populeux *pied-noir* de Babel-Oued fut attaqué en piqué par des bombardiers armés de roquettes, des chars et 20 000 fantassins. C'était la réédition de la répression de la Commune de 1870 ! — mais l'épisode ne figure pas dans les manuels marxistes [131]. L'Algérie était morte en tant que communauté multiraciale ; alors commença le tragique exode vers la France. Un grand nombre d'hôpitaux, d'écoles, de laboratoires, de terminaux pétroliers et autres manifestations de la culture et de la présence de l'œuvre française — y compris la bibliothèque de l'université d'Alger — furent délibérément détruits. Environ 1,38 million de personnes (dont quelques musulmans) quittèrent le pays, et, en 1963, il ne restait plus de cette communauté méditerranéenne unique dans l'Histoire qu'une trentaine de milliers d'Européens [132].

Les accords d'Evian, par lesquels la France acceptait de quitter l'Algérie, contenaient un grand nombre de clauses sans aucune signification, mais dont le seul but était de lui permettre de sauver la face. Il s'agissait en fait d'une capitulation politique pure et simple. Même sur le papier, aucune protection n'était envisagée et prévue pour assurer la sécurité des 250 000 fonctionnaires musulmans, dont beaucoup, de condition très modeste, qui avaient continué de servir fidèlement la France jusqu'à la fin. Bien trop préoccupé de dégager la France de ce bourbier, de Gaulle ne leur accorda pas la moindre pensée. Lorsqu'un député musulman, dont 10 membres de la famille avaient été assassinés par le FLN, lui déclara : « Avec l'autodétermination, nous allons souffrir », de Gaulle lui répondit froidement : « *Eh bien, vous souffrirez* ! » Il en fut ainsi, car seuls 15 000 d'entre eux avaient les moyens de partir. Les autres furent exécutés sans jugement, utilisés comme détecteurs de mines humains le long de la frontière tunisienne, torturés, obligés de creuser leurs propres tombes et d'avaler leurs médailles militaires avant de mourir ; certains furent brûlés vifs, traînés derrière des camions, donnés en pâture aux chiens ; dans certains cas, des familles entières furent massacrées, y compris les jeunes enfants. Pendant ce temps, les derniers soldats français, leurs anciens camarades d'armes assistaient, horrifiés et impuissants, à ce drame que les accords d'Évian étaient impuissants à arrêter. En effet, leur mission consistait à désarmer les *harkis* sous le prétexte de leur donner des armes plus modernes : il s'agissait, en réalité, de les envoyer au massacre. En cette circonstance, la trahison de la France se révéla même pire que celle de l'Angleterre lorsque celle-ci livra des prisonniers de guerre russes à la vengeance de Staline. Quant au nombre des victimes, les estimations varient de 30 000 à 150 000 [133].

Mais qui le sait vraiment ? Un voile obscur, jamais levé depuis, est tombé sur l'Algérie nouvelle. Les mensonges ont continué jusqu'à la fin. « La France et l'Algérie marcheront comme des frères sur la route de la civilisation », déclarait encore de Gaulle le 18 mars 1962 [134]. En réalité, la nation algérienne devait son existence à l'exercice effréné d'une cruauté sans bornes. Composé principalement de gangsters parvenus, son gouvernement élimina rapidement ceux de ses membres qui avaient été élevés dans la tradition occidentale. Vers le milieu des années 60, ils étaient tous morts ou en exil.

Exactement vingt ans après les accords d'indépendance, l'un des principaux signataires, et premier président de la République algérienne, Ben Bella, résuma les deux premières décennies de la vie de l'Algérie « algérienne ». Le résultat a été « totalement négatif », dit-il. Le pays était « en ruine ». Son agriculture avait été « assassinée ». « Nous n'avons rien. Aucune industrie. Rien que de la ferraille. » Tout est « corrompu, du haut en bas de l'échelle [135] ». Sans doute Ben Bella était-il d'autant plus amer qu'il avait passé la plupart de ces années décisives dans la prison où l'avaient jeté ses camarades révolutionnaires. Mais, en substance, son jugement était assez exact. Malheureusement, l'Algérie nouvelle n'avait pas gardé l'exclusivité de ses crimes ; elle devint et resta, pendant longtemps, le principal lieu de séjour et de refuge des terroristes internationaux de tout acabit. L'Afrique était victime d'une grande corruption morale que ce modèle de régime, fondé sur le crime, fit proliférer à travers tout un continent, désormais maître de son destin.

III

Les royaumes de Caliban

Voyageant un jour de mars 1959 en Afrique orientale, Evelyn Waugh écrivait ces quelques lignes à sa femme : « J'ai passé une journée avec les Massaï... Ils se sont bien amusés pendant le soulèvement des Mau-Mau ; engagés dans l'armée, ils avaient été chargés de rapporter toutes les armes des Kikuyus et sont fièrement revenus avec des paniers pleins de bras* coupés[1]. » Dans ses romans fictions d'avant-guerre, Waugh avait donné de l'Afrique indépendante une image horrifiante (*Le Mal noir* et *Scoop*). Maintenant, le vieil anarchiste qui sommeillait en lui voyait avec bonheur la fiction devenir réalité : confusion des objectifs et du langage, désagrégation d'un ordre éphémère et retour du chaos.

Dans le chapitre IV du présent ouvrage, nous avons vu qu'il était impossible d'élaborer une généralisation valable sur le problème du colonialisme. Il en est de même pour le processus de décolonisation : on ne peut en conclure que l'existence de faits précis. Tout le reste n'est que propagande ou rationalisation *ex post facto*. Le colonialisme a été présenté comme une conspiration des pays capitalistes, et, lorsque la prudence économique a dicté le passage au « néocolonialisme », la décolonisation comme une nouvelle conspiration : s'il en avait vraiment été ainsi, on peut se demander pourquoi les conspirateurs ne se sont jamais rencontrés afin d'échanger leurs plans et leurs idées ? La vérité est que le colonialisme naquit et mourut d'une farouche rivalité ; les puissances coloniales n'ont pas conspiré contre les indigènes ; elles ont conspiré les unes contre les autres. Chacune d'elles haïssait toutes les autres, méprisait leurs méthodes, se réjouissait de leurs infortunes réciproques et mettait tout en œuvre pour les aggraver lorsque cela les arrangeait. Jamais elles n'ont voulu coopérer, même dans leurs propres intérêts. A la veille de l'attaque japonaise d'août 1941, il apparut que

---

* N.d.T. Il s'agit d'un quiproquo sur le mot anglais *arms* qui signifie à la fois « armes » et « bras ».

l'Angleterre et la Hollande, tout en étant alliées dans la guerre, n'avaient strictement rien entrepris pour coordonner les plans de défense de leurs empires du Sud-Est asiatique[2]. Durant toute la période de la colonisation s'étendant de 1945 à 1975, pas une rencontre n'eut lieu entre les anciennes puissances tutélaires, pas une décision ne fut élaborée en commun, pas le moindre effort, même officieux, de coordination. En quête d'indices dans ce domaine, l'historien ne trouve absolument rien de concret.

On peut sans crainte affirmer que s'il n'exista pas de politique commune dans le domaine de la décolonisation, c'est qu'en fin de compte aucune des 2 plus grandes puissances coloniales, la France et l'Angleterre, n'en posséda une pour elle-même. Toutes deux firent grand bruit à propos de la logique de leurs actions ; en réalité, il ne s'agit que d'opportunisme. Lorsque de Gaulle brandit la bannière de la France libre, en 1940, les territoires français arabes et indochinois restèrent au régime de Vichy ; seule l'Afrique noire se rallia à lui. C'est pourquoi, en 1944, à la conférence de Brazzaville, le général ouvrit pour eux la voie de la liberté, bien que les fonctionnaires coloniaux qui y assistèrent, fussent d'un autre avis : « La formation de gouvernements indépendants dans les colonies ne saurait être envisagée, même dans l'avenir le plus lointain, déclarèrent-ils. L'image que nous nous faisons de l'Empire se réfère au sens romain et non anglo-saxon, du terme[3]. » Après la guerre, le gouvernement gaulliste abolit l'odieux code pénal indigène et le travail forcé, mais le soulèvement malgache de 1947 fut réprimé avec une étonnante férocité, causant 80 000 victimes parmi la population indigène[4]. En 1947 encore, François Mitterrand déclarait : « Sans l'Afrique, la France n'aura pas d'histoire au XXIᵉ siècle. » Jusqu'à la débâcle algérienne, la politique française fut un dédale de contradictions : le vieux paternalisme régnait dans la jungle et la brousse, tandis que les boutefeux coloniaux et les intellectuels noirs nationalistes siégeaient côte à côte à l'Assemblée nationale à Paris. Il arrivait qu'un député « africain » passe d'une circonscription « blanche » à une circonscription « noire » : ce fut le cas du docteur Aujoulat, en 1951 ; changeant sa politique, ce sous-secrétaire aux Affaires coloniales fit campagne sur le slogan : « Son visage est blanc, mais son cœur aussi noir que celui d'un Noir[5]. »

Lors de son retour au pouvoir en mai 1958, de Gaulle contempla les débris de la IVᵉ République et le gâchis en Algérie ; brusquement, il décida de lâcher la bride aux Noirs de l'Afrique française. Quand ceux-ci eurent le choix entre le « oui » (interdépendance) et le « non » (séparation), au moment du référendum du 28 septembre, tous votèrent « oui », sauf la Guinée et Madagascar ; en fait, il ne s'agissait que d'une indépendance camouflée sous un autre vocable, car de Gaulle voulait sauvegarder une certaine forme d'union. Lors d'une réunion de chefs d'État africains à Saint-Louis, le 12 décembre 1959, il déclara : « Comme le disaient les pèlerins d'Emmaüs au voyageur : ''Reste avec nous, car il se fait tard et le jour décline[6]." » Cependant, ils choisirent « l'association » impliquant l'aide et le soutien militaires, plutôt que la « communauté » ; certains d'ailleurs de ces chefs d'État, tels Houphouët-Boigny (Côte-d'Ivoire), Philibert Tsiranana (Madagascar), Léopold Senghor (Sénégal), Mamani Diori (Niger), Ahmadou Ahidjo (Cameroun), Léon M'Ba (Gabon), François Tombalbaye (Tchad) et Moktar Ould Daddah (Mauritanie), se lièrent personnellement d'amitié avec le général, dont le charme magnétique les fascinait : ils devinrent « intimes », selon sa propre expression[7]. Il ne s'agissait pourtant que d'une époque transitoire car leurs chemins durent bientôt se séparer. A l'exception de la Côte-d'Ivoire, tous ces territoires étaient très pauvres, certains plus « mûrs » que d'autres pour l'indépendance, certains même ne l'étaient pas du tout ; mais le processus par lequel ils l'obtinrent ne reposa sur aucun principe : s'ils se retrouvèrent un beau jour indépendants, ce fut simplement parce que la France avait décidé d'en finir avec eux.

En théorie, l'Empire britannique, appelé par la suite « Commonwealth » avait toujours fonctionné de façon très différente : tous les territoires devaient être préparés à l'indépendance, et celle-ci ne devait être accordée qu'au moment le plus opportun pour eux. En juin 1948, le *Livre blanc* de la Grande-Bretagne affirmait : « L'objectif essentiel de la politique coloniale anglaise est... de conduire les territoires coloniaux vers la responsabilité et l'autonomie au sein même du Commonwealth, dans des conditions permettant d'assurer un niveau de vie correct aux populations concernées, et de les protéger contre toute oppression, d'où qu'elle vienne[8]. » Cependant, ces beaux principes étaient invariablement abandonnés lorsque les circonstances l'exigeaient. Trop lente jusque vers le milieu des années 50, l'avance fut trop rapide à partir de 60 ; cette progression ne refléta aucunement ni les désirs ni les besoins réels des territoires concernés, mais bien davantage les pressions subies par le gouvernement britannique, et sa volonté d'y résister ou non. Il est certain que le processus déclenché par le mouvement de Bandung joua un rôle décisif. La France ayant mis en place sa politique de désengagement en 1958, le Royaume-Uni l'imita un an plus tard, lorsque Harold Macmillan se sentit libre de suivre l'exemple donné par le général de Gaulle. Chef de la communauté blanche du Kenya, sir Michaël Blundell affirma avec beaucoup de perspicacité : « [...] un changement décisif devait se produire dans la politique du gouvernement britannique après les élections générales d'octobre 1959 [...] ils décidèrent de se retirer d'Afrique aussi vite que la décence le permettrait[9] ». Dans son discours de Cape Town du 3 février 1960, et intitulé « les vents du changement », Macmillan tenta bien de justifier et normaliser ce revirement, mais il ne put faire que la manœuvre ne se traduise en une série de violentes secousses et non par un harmonieux demi-tour. Secrétaire aux Affaires coloniales et représentant de Macmillan, Ian MacLeod reconnut plus tard qu'il n'y avait pas eu de « décisions fracassantes », mais plutôt une « série de décisions mineures soigneusement pesées [10] ».

Par « soigneusement pesées », MacLeod signifiait que les formes de la négociation furent toujours respectées : on se mit à fabriquer des constitutions en série, émanant, en général, des bureaux londoniens de Lancaster House. En tout état de cause, il est une chose que l'on peut sans crainte affirmer aujourd'hui : la décolonisation ne manqua pas de constitutions couchées sur papier. Entre 1920 et 1975, par une ironie du sort dont l'Histoire est parfois coutumière, l'Angleterre, qui n'en posséda jamais, produisit (d'après mes calculs) plus de 500 constitutions pour ses territoires coloniaux ; la plupart d'entre elles n'eurent qu'une éphémère existence de quelques mois, tout au plus quelques années, tandis que d'autres ne furent jamais appliquées ; en tout cas, elles avaient toutes disparu en 1980. Nés dans le paternalisme et le mépris de la politique, les empires européens moururent dans l'excès inverse, celui de la démocratisation à outrance et l'éléphantiasis idéologique. L'âge d'argent de l'Empire fut entièrement dominé par d'interminables conférences et la rédaction des constitutions : ainsi, les 2 Rhodésies et le Nyassaland mirent trente ans pour décider de former ou non une fédération. De 1927 à 1929, il eut la Commission Hilton-Young, de 1948 à 1949, la Commission Bledisloe, en 1936, la Constitution des Colons (qui ne fut jamais appliquée), 2 conférences en 1951 (boycottées par les Africains), une troisième enfin en 1953. En fin de parcours, cela aboutit à une constitution « définitive » tellement complexe que la plupart des électeurs n'y pouvaient rien comprendre, et qui, de surcroît, était déjà périmée lors de sa mise en application.

Le système électoral était tellement compliqué que, bien souvent, les électeurs et électrices ne savaient pas s'ils avaient le droit de voter et comment ils pouvaient exercer ce droit : listes électorales fondées sur d'étranges critères de propriété, de revenus, de lieu d'habitation, de niveau d'éducation ; tous ces ingrédients divers et multiples engendraient des circonscriptions électorales bizarres et des candidatures curieusement « équilibrées ». On comptait également plusieurs niveaux de gouvernement et une multitude de partis dans chacun d'eux ; ainsi, les destinées d'un pays pouvaient échoir entre les mains d'une poignée d'individus, ou être livrées à la plus noire des pagailles. 12 000 Africains sur 65 000 votèrent aux élections de 1962 qui provoquèrent la longue crise rhodésienne et des milliers de morts : il n'aurait fallu que 500 voix africaines supplémentaires pour porter les modérés au pouvoir et changer ainsi, pour vingt ans, les destinées du pays [11]. La plupart des indigènes, et bon nombre de Blancs avec eux, ne savaient pas ce qu'ils faisaient.

Les différentes constitutions rivalisaient de complexité, même lorsque les problèmes raciaux ne venaient pas les envenimer : la Tanzanie put se vanter de posséder l'un des textes constitutionnels les plus embrouillés jamais conçus pour un territoire colonial, suite à la

« réforme » de 1955 ; cela à la seule fin d'exclure les plus nationalistes et les plus virulents des candidats. D'autres subtilités vinrent s'ajouter en 1957-1958, y compris une clause électorale tripartite, selon laquelle chaque électeur inscrit devait voter pour un candidat de chaque race (africaine, européenne et asiatique), sous peine d'invalidation. Une nouvelle engeance de bureaucrates — spécialistes des constitutions multiraciales « équilibrées » — fit son apparition et envahit les couloirs du secrétariat des Nations unies, acquérant ainsi une dimension internationale. Sous la pression des fonctionnaires internationaux de la « maison de verre », les Belges mirent en place, dès 1956, une des constitutions les plus baroques imaginées par cervelle humaine, créant au Ruanda-Urundi des scrutins multilistes aux Conseils des sous-chefs, des chefs, aux Conseils territoriaux, au Conseil africain, et pour finir, au Conseil général chargé de conseiller le vice-gouverneur général, soit un système à cinq niveaux ! Donc, l'un des pays les plus pauvres du monde se vit attribuer une structure politique plus élaborée que celle des États-Unis [12].

Jadis sous-gouvernées, les colonies étaient aujourd'hui surgouvernées. Cela pouvait s'expliquer par le fait que « l'indépendance » signifiait « souveraineté totale », avec toutes les conséquences pouvant découler de cette situation. Peuplée de 300 000 habitants regroupés finalement dans la seule ville de Bathurst, la Gambie, dont l'arrière-pays était entouré sur trois côtés par le Sénégal, devint un État à part entière, écrasé sous le poids d'un appareil gouvernemental tellement lourd et complet qu'il conduisit le pays à la faillite en 1981. L'autre solution consistait à rassembler ces poussières d'empire colonial dépareillé et d'en faire une sorte de fédération ; en tout cas, le système ne fonctionna pas longtemps, impliquant des niveaux de gouvernement supplémentaires, souvent composés de deux assemblées législatives pour chacun, et des garanties destinées à calmer les haines mutuelles et à assurer l'intégrité des territoires selon les différentes susceptibilités et les divers mélanges raciaux. Ainsi, même du temps où elles dépendaient encore de la couronne, les rouages administratifs des Indes occidentales britanniques étaient hypertrophiés, pour des raisons qui tenaient purement à l'Histoire. L'indépendance ajouta un autre niveau gouvernemental, la fédération, un troisième, de sorte que tant que vivait celle-ci — généralement peu de temps —, ces îles, pour la plupart pauvres et arriérées, possédaient davantage de législateurs par tête d'habitant qu'aucune autre communauté dans l'histoire du monde.

C'est par ce biais que les anciennes colonies devinrent des proies idéales pour le grand fléau de l'humanité au XXe siècle : le politicien professionnel. En vérité, s'il exista un principe politique pour présider au phénomène général de la décolonisation, ce fut bien celui selon lequel les formes idéologiques sont l'ultime critère de valeur, le seul vrai brevet d'existence ratifiant la naissance d'un État. L'exemple indien le démontre à souhait : introduite en 1918 par le rapport Montagu, cette notion était très condescendante : « Lorsque nous parlons de "l'opinion indienne", il faut comprendre que nous faisons référence à la majorité de ceux qui sont capables d'avoir une opinion sur le sujet que nous traitons [13]. »

Cependant, tout adulte, homme ou femme, même illettré et vivant dans un village reculé, est en mesure d'avoir une opinion sur l'avenir de la société à laquelle il appartient. En fait, la signification exacte du rapport impliquait la validité exclusive du discours des politiciens professionnels. Ce mode de pensée prévalut jusqu'à la fin tragique et brutale du processus de la décolonisation, lors des innombrables négociations pour l'accession à l'indépendance : une opinion qui ne s'exprimait pas dans le vocabulaire et selon les règles de ce mode de discours ne pouvait porter le nom d'« opinion », on pouvait donc, soit l'ignorer, soit la fouler aux pieds.

Ainsi, les hypothèses sur lesquelles reposèrent la décolonisation, et plus encore la pagaille constitutionnelle qui l'accompagna, élargirent le fossé entre la nation « réelle » et la nation « politique », réduisant cette dernière à son sens le plus étroit et le plus sectaire. Les bénéficiaires de la décolonisation furent donc ceux qui manipulèrent les élections ; là réside l'origine d'une immense escroquerie. La *res publica* est une affaire de votes pour les politiciens professionnels, une affaire de justice pour les hommes ordinaires. Aux yeux de la nation « réelle », la démocratie importe moins que le contenu de la loi : la première constitue la forme, la seconde la substance. Ayant enfin atteint l'indépendance, les peuples anciennement colonisés ont cru, par la même occasion, atteindre la justice ; mais ils n'ont reçu, en fait, que le droit d'élire des politiciens. Il est certain que le colonialisme ne pouvait engendrer l'égalité politique ; au mieux, et dans le meilleur des cas, il ne pouvait offrir qu'une égalité de tous devant la loi. Mais, le droit de vote devenant le critère majeur du progrès, le processus de transmission des pouvoirs laissa la loi se régir elle-même, de sorte que, au bout du compte, la grande majorité des Africains se retrouva du jour au lendemain orpheline de structures cohérentes et stables.

Cela explique pourquoi les territoires, qui connurent les processus de transmission les plus longs et les plus compliqués, ne furent généralement pas mieux lotis que ceux dont l'indépendance se fit dans la précipitation. La Côte-de-l'Or en constitua l'exemple le plus frappant et le plus pathétique. État le plus riche d'Afrique noire après 1945, tout le monde s'accordait à le considérer comme le plus prometteur : le problème racial y était inconnu, et il obtint son indépendance en premier malgré un long chemin à parcourir pour accéder à la liberté. Ce territoire était doté d'un conseil législatif depuis 1850, dans lequel siégeait 1 représentant noir (nommé) dès 1888 ; ils étaient 6 en 1916. En 1925, on procéda à des élections générales pour constituer un gouvernement local ; en 1946, les Noirs obtenaient la majorité au Conseil législatif ; en 1948 : Commission d'enquête constitutionnelle ; en 1949 : Comité à

majorité africaine chargé d'élaborer une nouvelle constitution ; en 1951 :
élections sous la nouvelle constitution ; en 1952 : Kwame Nkrumah
devint Premier ministre ; en 1954 : enfin, Constitution de l'indépendance ; en 1956 : nouvelles élections ; en 1957 : indépendance totale. Telle
fut la progression sage, lente et sûre, vers l'autonomie ; modèle de
l'homme d'État africain, Nkrumah était considéré comme le prototype
d'un dirigeant politique de nation nouvellement indépendante dans ce
continent. Jeune, beau, doué d'une très belle diction, il joua un rôle très
important à Bandung.

Pourtant, dès avant l'indépendance, les augures étaient mauvais
et laissaient présager des difficultés. Le long cheminement du Ghana
vers l'indépendance avait été l'œuvre de l'avocat J.-B. Danquah ; ce dernier avait engagé Nkrumah comme meneur de jeu professionnel : aussi,
dès le début, celui-ci se transforma-t-il en politicien professionnel et
rien d'autre. Torpillant l'organisation du parti et le transformant en
un mouvement de masse autour de sa propre personne, il réussit à persuader les Anglais que leur intérêt était de miser sur lui au cours de
cette montée vers la liberté, soit parce qu'il était le meilleur, soit parce
qu'il leur facilitait la tâche. Par la création de conseils politiques qui
tombèrent immédiatement sous la coupe du Parti de la convention du
peuple de Nkrumah, les décrets du gouvernement local de 1951 et de
1953 brisèrent le pouvoir des chefs qui détenaient l'autorité traditionnelle. Avant même la passation des pouvoirs, le Ghana devint donc, en
puissance, un État à parti unique. Une fois en place, Nkrumah appliqua les méthodes britanniques telles que les « enquêtes judiciaires »,
et se fit assister par des conseillers politiques et juridiques anglais politiquement orientés à gauche : cela afin de détruire toutes les autres
sphères d'influence, d'éliminer toute entrave ou limitation à son pouvoir personnel au sein de la constitution, et de rendre l'opposition illégale. Ayant confisqué à son profit exclusif tous les mécanismes de l'État,
il commença de porter atteinte à l'autorité de la loi. L'événement décisif se produisit en décembre 1963. Le 9 décembre, 3 dirigeants de l'opposition (anciens compagnons de Nkrumah) furent blanchis de
l'accusation de trahison par un tribunal d'exception composé de 3 juges.
Modèle de la dialectique judiciaire anglaise, le jugement dura cinq heures et lecture en fut donnée par le premier président du tribunal, sir
Arkhu Korsah. Diplômé de la célèbre école de droit de Middle Temple,
avocat pendant quarante-quatre ans, juge depuis 1945, et premier Président depuis 1956, il symbolisait donc le principe essentiel qui devrait
être à la base de tout gouvernement : à savoir que tous les individus
et toutes les institutions — y compris et surtout l'État — sont soumis
à la loi et égaux devant elle. Il était véritablement le produit de mille
ans d'expérience constitutionnelle britannique, mais, le 11 décembre,
Nkrumah le révoqua. Les 3 hommes furent rejugés et déclarés coupables. Deux ans plus tard, le vieux Danquah, détenu sans jugement, mourut en prison [14].

Tandis que la loi perdait de son autorité, la dégradation morale de Nkrumah et celle de la vie économique du pays croissaient, les 3 phénomènes intimement liés. En 1955, dans la grisante ambiance de Bandung, Nkrumah avait fait siens deux sophismes fatals qui devaient par la suite faire long feu : le premier d'entre eux consistait à penser que tous les problèmes économiques peuvent se résoudre par les voies politiques. Selon ce fallacieux axiome, les colonies et ex-colonies n'étaient pas intrinsèquement pauvres et arriérées — sur le plan physique et humain —, mais l'étaient devenues à cause du phénomène politique de la colonisation. La conférence de Bandung donna une énorme impulsion à cette théorie selon laquelle le colonialisme, non content d'entraver leur progrès économique, aurait délibérément plongé les colonies dans un processus de « sous-développement [15] ». Donc, ce que la politique avait fait, elle pouvait le défaire ; la situation de délabrement économique pouvait être inversée par de vastes programmes d'investissements soutenus par une action politique. Celle-ci était en mesure de rendre à l'Afrique sa prospérité. Nkrumah prêcha cette doctrine au congrès panafricain qu'il inaugura à Accra en mai 1958 ; il la résuma à Addis-Abeba en mai 1963 : « L'unité africaine est avant tout un concept politique, qui ne peut être conquis que par des voies politiques. Le développement de l'Afrique se produira au sein d'un concept politique et non l'inverse. » Aussi réclama-t-il un Gouvernement d'union des États africains, un Marché commun africain, une monnaie panafricaine, une zone monétaire africaine, une banque centrale, un système de communications à l'échelle du continent et une politique étrangère commune : « Nous entamerons ainsi la marche triomphale du royaume de la personnalité africaine [16] ! » Non content de prêcher ses fariboles, Nkrumah tenta de les mettre en pratique. Le Ghana, auquel le colonialisme n'avait pas mal réussi, aurait pu consolider et même améliorer son modeste niveau de prospérité, par une économie domestique intelligente. Au lieu de cela, la politisation économique entreprise par Nkrumah gaspilla rapidement l'excédent budgétaire du pays ; vers le milieu des années 60, la dette étrangère accumulée était énorme, et le crédit international, particulièrement bas.

Le second sophisme ou, pourrait-on dire, la seconde maladie contractée par Nkrumah (et d'autres) à Bandung — cette conférence fonctionna d'une façon assez semblable à un club de mutuelle admiration — se traduisit par cette idée que les nouvelles nations ne pourraient se dégager du processus pernicieux de « sous-développement » que sous la houlette d'hommes à la personnalité charismatique. Déjà implicite dans le léninisme qui attribuait aux élites d'avant-garde (et à leur guide) une intuition quasi surnaturelle de l'évolution historique, cette idée était également présente chez les disciples de Gandhi qui attribuaient un rôle politique déterminant à celui qui se posait comme un « saint homme ». De même exerça-t-elle une influence primordiale sur la génération de Bandung. Nehru, Sukarno et Nkrumah, ainsi que bien d'autres encore, étaient non seulement des dirigeants politiques, mais aussi des chefs spirituels au sens où la nation incarnait les aspirations spirituelles d'un peuple, et ses « libérateurs » personnifiaient la nation.

Peu après son retour de Bandung, Nkrumah permit à ses partisans de le surnommer *Osagyefo*, le « rédempteur » ; la corruption s'installa rapidement ; une forme bâtarde de stalinisme fit son apparition, et, en 1960, il autorisa la publication d'une biographie dans laquelle on pouvait lire : « Il est notre père, notre maître, notre frère, notre ami ; il est notre vie, car sans lui nous aurions sans doute existé, mais nous n'aurions pas vécu... Ce que nous lui devons est plus important même que l'air que nous respirons, car c'est lui qui nous a faits, aussi bien qu'il a fait le Ghana [17]. » Bientôt, le « rédempteur » lui-même se mit à croire à ses extravagances. « Tous les Africains savent, dit-il, que je représente l'Afrique et que je parle en son nom. C'est pourquoi aucun Africain ne peut avoir une opinion différente de la mienne [18]. » Dans ce contexte, Nkrumah écrasa l'opposition et saborda l'autorité de la loi. Le charisme produisit un moment son effet, notamment au cours des conférences internationales. Cependant, même là, à mesure que l'on avançait dans les années 60, on vit apparaître des personnalités nouvelles, plus modernes, plus en vogue, qui ternirent quelque peu son image de vedette. Nkrumah perdit son prestige. A l'intérieur du pays, le fait qu'il se soit arrogé des pouvoirs quasi divins le rendit d'autant plus vulnérable que l'effondrement progressif, puis rapide, du niveau de vie mit en évidence l'inefficacité de son charme ; hélas, au milieu des années 60, on ne disposait plus de moyens constitutionnels pour chasser le « rédempteur » : il fut renversé par un coup d'État militaire en février 1966, et mourut en exil en 1972.

Ainsi, le premier État modèle d'Afrique noire bascula dans un régime militaire ; le coup fut d'autant plus rude et douloureux que son grand voisin, le Nigeria, était passé, un mois auparavant, d'un régime constitutionnel à une dictature. Par le nombre de ses habitants, le Nigeria était de loin l'État le plus important d'Afrique noire, et, au cours des années 60, le développement du pétrole en fit un des partenaires économiques les plus solides. Son chemin vers l'autonomie fut également une œuvre de longue haleine : elle avait commencé en 1922-1923, par l'élection des premiers représentants africains, dont le système de « double mandat », chef-d'œuvre de lord Lugard, constituait l'apport le plus consciencieux et généreux jamais conçu par l'administration coloniale. Les rivalités entre tribus dominantes — Hausa et Loulani au nord, Ibo à l'est, et Yoruba à l'ouest, existaient bien avant l'intervention des Anglais : elles subsistèrent malgré tous les efforts déployés dans le dessein d'inventer un système fédéral. L'histoire du Nigeria illustre bel et bien le caractère éminemment superficiel et éphémère de l'impact du colonialisme. Mettant l'accent sur les « droits » de chaque communauté ethnique, l'apparition du nationalisme, sous sa forme afroasiatique, eut un impact infiniment plus important. Le Nigeria serait ou aurait été une fédération de 200 États si l'on avait pris tous les droits en considération [19]. L'affirmation intransigeante des « droits » de chacun fit du Nigeria un pays impossible à gouverner par un système démocratique normal, fondé sur la discussion et le compromis. En 1964, soit quatre ans après l'indépendance, le régime manqua de s'effondrer, et s'écroula pour de bon en 1966 ; la dictature militaire conduisit, à son tour, à la sécession de la province de l'Est, qui prit le nom de « Biafra », le 30 mai 1967. Deux années de guerre civile et la perte de nombreuses vies humaines s'ensuivirent.

Ce conflit tragique divisa l'Afrique, car seuls la Tanzanie, la Zambie, le Gabon et la Côte-d'Ivoire soutinrent le Biafra. Tous les autres États africains se rangèrent derrière le régime militaire nigérian, craignant, pour la plupart, de semblables sécessions dans leurs pays et redoutant que celles-ci ne servent les intérêts « impérialistes ». Cependant, si la balkanisation représentait le véritable but recherché par les puissances « impérialistes », pourquoi donc les anciennes nations coloniales avaient-elles déployé tant d'efforts pour créer des États unitaires ou, à défaut, des fédérations viables ? Dans cette mesure, on peut aussi se demander pourquoi les grandes puissances (précisément) appuyèrent le Nigeria contre les sécessionnistes permettant ainsi l'anéantissement du Biafra ? La réponse demeure un mystère. La philosophie politique sur laquelle reposait le nationalisme africain s'appuyait sur une théorie du colonialisme qui était non seulement fausse, mais fondamentalement et systématiquement fallacieuse : elle ne pouvait engendrer que la désillusion, la frustration et la guerre.

Lorsque les puissances coloniales commencèrent de se retirer à une cadence de plus en plus accélérée, au cours des années décisives que furent 1959-1960, cette théorie erronée fut malheureusement adoptée, comme étant la suprême sagesse, par les Nations unies, sous l'influence de la génération de Bandung et surtout de Dag Hammarskjöld. Le moment le plus critique advint lorsque la Belgique se laissa persuader, malgré elle, de se retirer du Congo, le 30 juin 1960. A partir des années 20, l'administration belge avait certes gouverné ce vaste pays — de grande valeur quoique primitif — avec un paternalisme excessif, mais le bilan économique ne cessait de croître : les investissements industriels importants commencèrent de produire des bénéfices notables au cours des années 50. De 1948 à 1958, l'indice de la production industrielle passa de 118 à 350, et la productivité doubla pendant ces années. Contrairement aux affirmations de type léniniste sur l'impérialisme, la production industrielle augmenta de 14,3 % par an au cours des années 50, et ne se ralentit qu'à la perspective de l'indépendance [20]. Ainsi, au moment de celle-ci, le Congo possédait une plus grande proportion de lits d'hôpitaux (560 pour 100 000 habitants) que la plupart des pays africains, et même plus que la Belgique elle-même ; le taux d'alphabétisation y était également plus important : 42 % de la population (ce taux variait de 30 % en Ouganda à 15 au Tanganyika et au

Nigeria, dans les colonies anglaises ; en territoire portugais, il gravitait autour de 10 %[21]. Toutefois, les Belges avaient axé toute leur politique éducative sur le seul secteur primaire : pas un Congolais n'était médecin, ingénieur, ou haut fonctionnaire ; de plus, on ne comptait pas un seul officier indigène parmi les 25 000 hommes de l'impressionnante *force publique*.

Au cours des dernières années frénétiques de son existence, le système n'avait produit qu'une moisson de politiciens professionnels qui, sous un vernis idéologique de style européen, dissimulaient tous des attaches tribales profondes. Les trois plus importants d'entre eux, le président Joseph Kasavubu, le Premier ministre Patrice Lumumba, et Moïse Tschombé, Premier ministre du Katanga (la plus riche des provinces), étaient non seulement divisés par des rivalités tribales, mais par des ambitions de leaders populaires[22]. Bien que tous trois d'une humeur très variable, Lumumba était de loin le plus instable. Ancien employé des postes, puis ouvrier dans une brasserie, il était devenu agitateur politique à plein temps, puis ministre de la Défense et chef du gouvernement. Quoique fragile, il aurait été possible de préserver quelques années encore l'héritage belge ; mais Lumumba profita des cérémonies de l'indépendance pour exciter la populace contre la domination des Blancs. Cinq jours plus tard, le 5 juillet, la garnison de Léopoldville, la capitale, se mutina contre ses officiers européens, puis se répandit dans la ville en se livrant au pillage, au viol et la tuerie tant des Africains que des Européens. Tandis que la terreur se répandait, grandissait et gagnait l'ensemble du pays, les Belges attendirent cinq jours. Bien que les représentants des Nations unies au Congo fussent expulsés de leurs chambres d'hôtel par les mutins triomphants et fusils au poing, dans les couloirs du siège de l'ONU à New York, Hammarskjöld restait étrangement silencieux. Les Belges n'envoyèrent leurs propres troupes rétablir l'ordre que le 10 juillet : aussitôt, le secrétaire Hammarskjöld saisit cette occasion pour se retourner contre le gouvernement de Bruxelles, et, le 13 juillet, devant le Conseil de sécurité, il dénonça violemment l'intervention comme une menace contre la paix et l'ordre[23]. Il avait attendu une occasion pour élargir le rôle des Nations unies et se faire porter au gouvernement mondial par la marée montante du sentiment tiers-mondiste. Paul-Henri Spaak, grand homme d'État belge, devait plus tard écrire : « *Il a vécu l'anticolonialisme exacerbé et triomphant. Il y a participé par devoir mais aussi, j'en suis sûr, par conviction*[24]. » Les Nations unies devaient être, selon lui, le catalyseur de la nouvelle Afrique. Ne déclara-t-il pas à André Malraux : « Les relations entre la France et l'Afrique étaient comme un bon Martini : la France pourrait être le gin, mais les Nations unies sont certainement l'angustura » (ce qui laisse à penser que ses idées sur le Martini devaient être aussi précises que celles qu'il entretenait sur les problèmes africains). En ce qui concerne les pays afro-asiatiques, dit-il, « seules les Nations unies, dont ils sont eux-mêmes membres, peuvent les libérer du maléfice colonial et sortir le problème du contexte de la guerre froide[25] ». La crise aurait pu être résolue en peu de temps et avec un minimum d'effusion de sang si Hammarskjöld s'était tenu tranquille et avait laissé la Belgique rétablir l'ordre. Afin de sortir l'industrie minière du chaos, Tshombé avait proclamé l'indépendance du Katanga, le 11 juillet : cette question aurait pu également être traitée par la négociation ; mais le secrétaire général des Nations unies entreprit la création et le déploiement immédiat d'une armée de l'ONU, dont les soldats provenaient non des puissances qui siégeaient au Conseil de sécurité (ainsi que le prévoyait clairement la charte constitutive), mais des pays « non alignés » d'où Hammarskjöld tirait ses partisans. Qui plus est, il voulait utiliser ce corps expéditionnaire non seulement dans le dessein de rétablir l'ordre — ce que les Belges étaient parfaitement en mesure de faire eux-mêmes —, mais aussi pour réunifier de force le Katanga et le Congo : il s'imaginait dans le rôle d'un faiseur de roi, et concevait de mettre Lumumba sur un trône ! S'il donna un tel appui à ce dernier qui semble ne pas avoir eu beaucoup de partisans hors de sa propre tribu, la raison en est que son éloquence était de celle qui pouvait séduire les intellectuels panafricains et les dirigeants afro-asiatiques : le secrétaire général comptait précisément sur ce beau monde pour le soutenir.

Dans cette tentative désespérée, les vies humaines, blanches ou noires, tenaient peu de place aux yeux d'Hammarskjöld. Froid, indifférent, mû par une dévorante ambition déguisée en idéal, il pensait en termes d'abstractions politiques et non d'êtres humains. Il formula et mit au point le système « deux poids, deux mesures », si caractéristique des Nations unies : tandis que le massacre d'Africains par les Blancs (comme à Sharpeville, en Afrique du Sud, le 21 mars 1960) constituait un problème international et une menace pour la paix, le massacre d'Africains par des Africains (ou de Blancs par des Africains, ou d'Asiatiques par des Africains, ou de membres des 3 races par des Africains) était une affaire purement intérieure et non du ressort de l'ONU. Ainsi, cet organisme s'identifia-t-il à une forme de racisme à rebours, qui devait coûter un nombre incalculable de vies africaines au cours des vingt années qui suivirent. Déjà à l'époque d'Hammarskjöld, les pertes furent lourdes. Son armée des Nations unies contribua davantage à accroître l'instabilité plutôt qu'à la réduire. Lumumba, son protégé, tenta de créer son propre État indépendant, tomba entre les mains de l'armée congolaise (alors contrôlée par l'ancien sous-officier Mobutu, devenu « général »), fut livré aux Katangais et assassiné le 17 ou 18 janvier 1961. La disparition de ce vaurien, responsable de la mort de milliers de personnes, fut qualifiée de « crime révoltant contre les principes défendus par cette organisation », selon les propres termes d'Hammarskjöld[26]. En fait, il ne s'agit de rien de plus que d'un incident insignifiant au cours d'une longue lutte pour le pouvoir ; le secrétaire général perdit alors son beau détachement et fut désormais obsédé par le désir de venger la mort du « roi » qu'il n'avait pas réussi à fabriquer, en se servant des troupes de l'ONU pour chasser les Blancs du Katanga et changer le régime de ce pays : cela donna naissance à ce que l'on peut qualifier d'impérialisme de la bureaucratie internationale. Pourtant, dans cette affaire, il commit l'erreur de descendre du monde abstrait et chimérique de ses bureaux, et de pénétrer dans l'univers réel du bassin du Congo. Mal lui en prit : il mourut dans un accident d'avion, qui percuta un arbre près de Ndola, en septembre 1961[27].

Comme beaucoup d'autres profanes, Hammarskjöld croyait pouvoir discerner et aborder comme tels des principes politiques de type occidental, dans ce qui n'était en fait rien de plus qu'un bouillonnant chaudron de politicaillerie tribale et personnelle. Tous les politiciens congolais changeaient d'attitude et de discours, selon les besoins du moment et de leur propre sécurité. Il était donc absurde de lier au sort d'aucun d'entre eux la politique définie par les Nations unies ; les Algériens et autres redresseurs de torts afro-asiatiques commirent la même erreur : Ben Bella (qui devait lui-même tomber dans une oubliette), écarta Tshombé en le traitant de « musée ambulant de l'impérialisme[28] ». En fait, ce dernier devint un Premier ministre très populaire, lorsque Kasavubu, ayant viré de bord, le nomma à ce poste. Il n'y resta pas longtemps. Aussi inconstante que la foule romaine dans le théâtre de Shakespeare (ou celle du Caire endoctrinée par Nasser), la masse congolaise scandait un jour le slogan « Vive Tshombé ! Les Arabes à la porte ! » pour crier le lendemain un verset contraire du style « A bas Tshombé ! Arabes, mettez-le à la porte ! » (Depuis, il avait été condamné à mort pour trahison[29].) L'événement décisif se produisit en décembre 1965, lorsque Mobutu mit fin à l'ère politique par un *coup* d'État militaire et rendit hommage à l'homme dont il avait ordonné l'assassinat, au cours d'une cérémonie marquant l'anniversaire de l'indépendance : « Gloire et honneur à un illustre citoyen du Congo, à un grand Africain, et au premier martyr de notre indépendance — Patrice Emery Lumumba —, qui fut la victime d'un complot colonialiste ! » A partir de ce moment, Mobutu, désormais président, gouvernera le pays avec l'aide de capitaux de l'Ouest, dans le seul dessein d'enrichir des centaines d'amis, et en commençant surtout par sa propre personne : on le disait milliardaire au début des années 80, et il passait pour être l'homme le plus riche du monde sans doute, plus riche que le roi Léopold de Belgique, qui, jadis, avait possédé le pays[30].

La longue crise congolaise, dans laquelle les Nations unies intervinrent de façon si maladroite, contribua à faire des années 1959-1960 des années décisives. Elles virent s'éloigner à jamais sans doute l'espoir de tout système constitutionnel devenir la norme dans les nouveaux États africains ; on avait trop investi dans la nouvelle classe de politiciens professionnels, et ceux-ci ne pouvaient répondre à l'attente. Ils croulèrent donc sous l'effort, ou bien on les fit crouler. Les militaires prirent le pouvoir. Au début du XIXe siècle, dans un autre continent, le même phénomène s'était développé : à la génération de Bolivar, le *Liberador,* succéda la première génération de *caudillos.* De même, dans les pays arabes où les militaires commencèrent à s'emparer du pouvoir dès 1952, sous la houlette du colonel Nasser et de ses collègues. En Afrique noire, le premier coup d'État militaire réussi eut lieu au Togo, en janvier 1963. Sylvanus Olympio y perdit la vie. Six mois plus tard, Fulbert Youlou était renversé à Brazzaville, suivi, deux mois après, par son collègue Hubert Maga à Cotonou. En janvier 1964, des révoltes éclatèrent au Kenya, en Ouganda et en Tanzanie ; le mois suivant, Léon M'ba fut destitué (par les parachutistes de De Gaulle). Dès lors, les coups d'État se succédèrent très rapidement : au Zaïre, celui de Mobutu en novembre 1965 ; au Dahomey, deux coups d'État successifs ; en République centrafricaine et en Haute-Volta, en janvier 1966 ; puis au Ghana, en février de la même année. Le premier coup d'État togolais fit l'objet d'une immense publicité internationale ; exactement cinq ans plus tard, le second passa totalement inaperçu à l'étranger. A cette date (janvier 1968), l'Afrique noire avait subi 64 coups d'État réussis ou avortés, révoltes et rébellions [31]. La fin des années 60, qui marquent pourtant la décennie de l'indépendance, avait déjà vu 6 coups d'État au Dahomey, 3 au Nigeria et au Sierra Leone, et 2 au Ghana, au Togo, au Congo-Brazzaville, en Haute-Volta et au Zaïre. Bien d'autres pays en avaient connu au moins un, et, au cours des années 70, le putsch militaire devint la méthode la plus répandue pour changer la ligne politique ou les élites au pouvoir dans les pays d'Afrique noire ; et déjà en 1975, 20 États sur 41 étaient aux mains d'un gouvernement militaire, ou partagé entre civils et militaires [32].

Lorsque les casernes n'étaient pas les arbitres normaux de la vie politique, la démocratie parlementaire, au sens occidental du terme, impliquant le droit essentiel de chasser un gouvernement par le processus électoral, disparut totalement après quelques années d'indépendance. Elle céda la place à des systèmes léninistes, à parti unique ; dans quelques cas très rares, dont le Kenya est un frappant exemple, le parti unique coexistait parfaitement avec un reste d'économie de marché libre et, jusqu'à un certain point du moins, avec l'autorité de la loi. Le parti au pouvoir devenait un organisme dépourvu de tout idéal, destiné simplement à promouvoir les carrières des élites de la tribu dominante [33]. La corruption était générale, même dans les États et régimes quasi constitutionnels ; les signes extérieurs de richesse étaient devenus des preuves manifestes de l'aptitude à diriger. Lors d'une réunion publique, le président kényen Jomo Kenyatta, rare chef terroriste ayant réussi le passage à un gouvernement responsable, reprocha ouvertement à Bildad Kaggia, l'un de ses opposants de gauche, de n'avoir pas su s'enrichir :

> « Nous étions tous les deux en prison avec Paul Ngei. Si vous allez chez Ngei [vous verrez qu']il a planté beaucoup de café et d'autres choses. Et vous ? Qu'avez-vous réalisé ? Si vous allez chez Kubai, il a une grande

maison et une belle *shamba*. Et vous, Kaggia, qu'avez-vous réalisé personnellement ? Nous étions tous les deux en prison avec Kungu Karumba. Aujourd'hui, il possède une compagnie d'autobus. Et vous, qu'avez-vous réalisé personnellement [34] ? »

En fait, pourvu que certaines conventions africaines fussent respectées (un manquement dans ce domaine pouvant entraîner une traduction devant les tribunaux), un faible degré de corruption représentait le moindre mal dans la période postcoloniale. Elle pouvait même se banaliser (comme en Angleterre au XVIIIe siècle par exemple) et donc être maîtrisée dans un pays où une économie de marché était encore autorisée et où le rôle de l'État était réduit ainsi d'autant. Devenue un cancer organique dans les pays où l'État a voulu jouer des rôles utopiques, elle gangrena littéralement le monde africain pendant les années 60, et peut-être encore davantage dans les années 70. Les thèses léninistes étaient en grande partie responsables de cet état de choses ; plus encore s'il est possible, l'interprétation qui en avait été donnée à Bandung, vantant les multiples mérites du processus politique. Celui-ci était censé apporter des solutions salvatrices à tous les maux et problèmes, ainsi que l'annoncèrent ses défenseurs les plus acharnés, tel Nkrumah.

Les philosophies collectivistes ne furent pas les seules à pousser les États africains à l'expansion et à la corruption. Certains aspects du colonialisme sont également à blâmer, car il est vrai que la plupart des colonies furent gérées, le plus souvent, selon les principes inoffensifs du *laisser faire* : l'empire colonial britannique fut, à cet égard, exemplaire. Le gouvernement protégeait la colonie de l'agression extérieure, y faisait régner l'ordre et gérait ses finances. Le marché faisait le reste. Il y eut, malheureusement, d'innombrables exceptions à ces règles, qui eurent pour effet, dans certains cas, de faire naître un système alternatif.

La grande tentation du colonialisme, le ver dans le fruit installé au cœur du marché libre, fut sa propension à vouloir se mêler d'organisation et de planification sociales. Il était hélas tellement facile pour l'administrateur des colonies de se persuader qu'il pouvait améliorer la loi de l'offre et de la demande en traitant son territoire comme une fourmilière et ses habitants comme des ouvriers fourmis qui seraient avantagés par une organisation bienveillante. Le Congo belge, dont les colons n'avaient reçu aucun pouvoir politique de peur qu'ils n'oppriment les indigènes, était un modèle de paternalisme bien intentionné. La loi y enjoignait les firmes de se comporter comme « un bon chef de famille ». A l'image de la Russie soviétique, on adopta des mesures restrictives afin de limiter ou juguler éventuellement les mouvements indigènes, particulièrement dans les grandes villes. Par exemple, à Elisabethville, les Noirs devaient respecter un couvre-feu. Le principe évoqué pour justifier ces actes reposait sur l'idée que l'on pouvait bousculer les Africains dans leur propre intérêt. Il est évident que, dans la pratique, l'organisation fut largement moins bienveillante que dans la théorie. Jusqu'en 1945, les Français se lancèrent à corps perdu dans une politique de planification sociale, instituant le travail obligatoire et des codes pénaux indigènes. Le système était néanmoins infiniment plus souple et moins barbare que l'archipel du goulag, mais reposait, dans ses grandes lignes, sur le même principe.

Maîtres du premier et dernier empire colonial, les Portugais étaient les plus ardents des organisateurs. En Angola et au Mozambique, ils pratiquèrent l'esclavage des Africains, l'institutionnalisèrent et l'intégrèrent dans leur système administratif. Pendant trois cents ans, le commerce des esclaves, surtout avec le Brésil, fut le pilier central de l'économie de ces deux pays. Les traités que signèrent les Portugais avec les chefs africains concernaient la main-d'œuvre et non les produits (au Mozambique, toutefois, les Arabes jouaient le rôle d'intermédiaires). Seul parmi toutes les puissances coloniales européennes à faire reposer l'essentiel de son économie sur le commerce des esclaves, le Portugal défendit ce système jusqu'au bout et refusa d'y mettre un terme. Il n'accepta de l'abolir que sous la contrainte des Anglais et le remplaça aussitôt par un système de travail obligatoire et commercialisé, qui fut maintenu jusqu'à la fin des années 70, toujours avec la collaboration complice des chefs africains; lesquels, au temps de l'esclavage, dirigeaient les convois ou *shabalos*.

Cecil Rhodes voulut persuader l'Angola et le Mozambique d'entrer dans le système libéral de l'Empire britannique, considérant que le colonialisme portugais était parfaitement anachronique : il ne réalisa pas, dans sa naïveté, que cette forme de colonialisme présageait le totalitarisme qui devait fleurir au XXe siècle. Après 1945, les Portugais fournirent annuellement et principalement à l'Afrique du Sud environ 300 000 travailleurs sous contrat en provenance du Mozambique et 100 000 d'Angola. Tout Africain non assimilé et non titulaire de la citoyenneté portugaise (la discrimination raciale n'existait pas officiellement chez les Portugais) devait posséder un *caderneta* ou livret de travail sur lequel devaient figurer les références de ses emplois. Les mauvais ouvriers étaient envoyés au *jefe de posto* local, aux fins de châtiments corporels : ceux-ci consistaient souvent à recevoir des coups de *palmitora*, ou raquette de ping-pong perforée, sur la main. La condamnation aux travaux forcés, sur « les îles » de Sao Tomé ou Principe, étant considérée comme le suprême châtiment. Comme les Belges, les Portugais avaient institué un couvre-feu, et les Africains n'avaient, en principe, pas le droit de sortir après 9 heures du soir[35].

Défendant avec acharnement leurs méthodes au nom de principes moraux, les autorités portugaises prétextaient que l'exportation de la main-d'œuvre permettait aux 2 pays de gagner des ports, des voies ferrées et autres services qu'ils n'auraient jamais pu acquérir par un autre moyen. Ils se vantaient de prendre leur mission civilisatrice au sérieux : les Africains n'étaient pas des enfants, mais des adultes que l'on devait forcer à accepter leurs responsabilités sociales. Par là, il

fallait comprendre : obliger les hommes à travailler, vaincre leur oisiveté, et libérer les femmes des travaux des champs, serviles, afin de
les replacer dans le cadre et la place traditionnels de leur foyer[36].
Ainsi qu'il arrive souvent dans les interventions moralisatrices, celle-
ci n'avait pas prévu les effets secondaires ; en 1954, l'évêque de Beira
se plaignit que l'exportation de la main-d'œuvre détruisait complètement la vie de famille, puisque, dans son diocèse, 80 % des hommes
étaient souvent loin de chez eux, soit en Rhodésie et en Afrique du Sud,
soit sur des chantiers éloignés à l'intérieur même du pays[37].

Les territoires sous influence britannique pratiquaient aussi
l'organisation sociale à grande échelle : la répartition des terres était
faite pour renforcer les divisions raciales. Ainsi, au Kenya, l'expulsion
des Kikuyus des « Hautes terres blanches », pendant l'entre-deux-
guerres (dont il a été question au chapitre IV) souleva, à peu de chose
près, les mêmes objections morales que la collectivisation stalinienne
des fermes ; la sanglante révolte des Mau-Mau, durant les années 50,
découle en droite ligne de ces faits. Le plan de répartition des terres
en Rhodésie du Sud, conçu sur le même modèle, fut une des causes profondes de la guerre de guérilla qui domina l'histoire de la Rhodésie dans
les années 70 et ne se termina qu'avec la prise de pouvoir par les Noirs
en 1979. Néanmoins, l'exemple le plus frappant reste l'Afrique du Sud
où le principe d'organisation et de planification sociales devint un principe essentiel de gouvernement (voire sa philosophie) et se traduisit par
le système de l'apartheid.

Dans ce pays, les lois sur les livrets de travail et les laissez-passer
servant à contrôler la population remontaient au XIXᵉ siècle. En principe abolis en 1828, ils avaient fait leur réapparition peu à peu, et, dans
les années 70, on compta plus de 600 000 arrestations par an, pour
infraction aux règlements sur les restrictions de circulation[38]. Inspi-
rés de l'époque élisabéthaine, ces règlements étaient destinés à contrôler
les « truands », dont l'apparition provenait de l'accroissement brutal
de la population. Par une sorte d'ironie dont l'histoire est familière,
les premières mesures d'organisation de la société sud-africaine furent
l'œuvre de Jan Christian Smuts, principal artisan de la Ligue des
nations, des Nations unies, et rédacteur de la déclaration des droits
de l'homme de l'ONU, en 1945, à San Francisco[39].

Smuts était l'un des Boers modérés qui travailla avec les Anglais
à la reconstruction du pays, dans le cadre de l'accord de paix libérale
conclu après la guerre. Ces hommes jetèrent les bases législatives d'un
État semi-totalitaire, fondé sur le principe de la séparation des races.
En 1911, les grèves des ouvriers sous contrat (c'est-à-dire des Noirs)
furent déclarées illégales, tandis que le Mines and Works Act réservait
certaines catégories d'emplois aux Blancs. en 1913, le Natives Land Act
introduisit le principe de la ségrégation raciale appliquée aux terres.
Ce décret fut à l'origine de tout ce qui s'ensuivit, déterminant la nature
de la réaction africaine, qui fut de multiplier leurs propres variétés de

sectes religieuses sionistes[40]. En 1920, le Native Affairs Act introduisit le principe de ségrégation dans les institutions politiques en créant le Conseil des leaders africains, nommés par le gouvernement et placés sous la tutelle de la Commission d'« experts » en affaires indigènes, dont les membres étaient tous des Blancs. En 1922, on promulgua un décret réservant l'apprentissage des métiers spécialisés à ceux qui pouvaient justifier d'un minimum d'instruction (c'est-à-dire les non-Africains). En 1923, le Native (Urban Areas) Act créa des zones résidentielles séparées pour les Africains, à l'intérieur et autour des villes. En 1925, l'Industrial Conciliation Act interdit aux Africains le droit à la négociation collective pour les salaires. Le Wages Act de 1925 et le Colour Bar Act de 1926 étaient spécialement destinés à creuser un fossé entre les pauvres de race blanche et les masses africaines[41].

Ce fut Smuts, encore une fois, qui entraîna l'Afrique du Sud dans une direction totalement opposée à celle suivie par le gouvernement indien après Amritsar. En 1921, il fit massacrer une secte « israélite » africaine qui avait entrepris de « squatter » une terre interdite à Bulhoek ; et, l'année suivante, il réprima une révolte de travailleurs noirs dans le Rand, ordonnant le massacre de 700 personnes. Cette politique impitoyable fut renforcée par une nouvelle législation. Le Native Administration Act de 1927 donna au gouverneur-général (c'est-à-dire le gouvernement) le titre de chef suprême de tous les Africains, l'habilitant ainsi à nommer les chefs de tribu, définir les frontières tribales, déplacer populations et individus, contrôler les tribunaux africains et la propriété terrienne. L'article 29 de ce décret punissait « toute personne qui prononce des mots ou commet des actes ou quoi que ce soit dans l'intention de faire naître un sentiment d'hostilité entre indigènes et Européens ». Le pouvoir policier du gouvernement fut encore renforcé par le Mines and Works Act et le Riotous Assemblies Act de 1930[42]. L'édification de ce bloc de pouvoir totalitaire eut lieu au moment même où Staline érigeait sa tyrannie sur le socle léniniste, donnait de semblables pouvoirs à son gouvernement et se préparait ainsi à obtenir des résultats identiques.

Durant la Seconde Guerre mondiale, Smuts étendit la planification sociale aux races de couleur et aux métis, dont il avait détruit, auparavant, tous les espoirs d'obtenir l'égalité politique avec les électeurs blancs. En 1943, il créa un ministère des Métis chargé de leurs problèmes administratifs au Cap, et la même année il fit passer le Pegging Act pour empêcher les Indiens d'entrer dans les territoires des Blancs. Loin de provoquer la coalition des Blancs, des Asiatiques et des métis contre la majorité écrasante des Noirs, le Parti uni de Smuts poussa au contraire les Asiatiques et les métis dans les bras des nationalistes noirs (qui les détestaient plus qu'ils ne détestaient les Blancs), et le problème de la minorité indienne contribua de façon décisive à faire basculer l'opinion asiatique et les Nations unies contre l'Afrique du Sud[43]. Ainsi, les structures essentielles de la suprématie blanche et la ségrégation physique existaient bien avant que le Parti uni ne perdît le pouvoir au profit des nationalistes boers, en mai 1948.

Le rôle de ces derniers fut de transformer la ségrégation en une doctrine philosophique quasi religieuse, l'apartheid. A bien des égards, leur évolution ressemblait à celle du nationalisme africain lui-même. Leur premier slogan, « *Afrika voor de Afrikaners* », était le même que celui des Noirs dans les années 60-70 : « L'Afrique aux Africains. » Leur sectarisme religieux se développa en même temps que le sionisme africain, et dans le même dessein : rassembler les victimes de l'oppression, du mépris et de la discrimination pour constituer un front de résistance commun. Le mouvement rappelait aussi, de façon étonnante, le sionisme juif, autant par ses origines que par ses conséquences. Les Boers créèrent leur propre Sion, qui servit ensuite à focaliser la haine et les forces des Africains, exactement comme Israël joua ce rôle pour les Arabes. Les premières institutions nationalistes boers furent créées en 1915-1918, pour aider les pauvres de race blanche, grâce à des agences pour l'emploi, des banques de crédit et des syndicats. Elles étaient farouchement antisémites, anti-Noirs et anti-Anglais. Le mouvement commença par la défense des plus démunis, puis s'élargit pour défendre les intérêts politiques, économiques et culturels de l'ensemble des afrikaners et, en 1948, se transforma brusquement en un mouvement de nantis, assoiffés de vengeance[44].

L'apartheid apparut pour la première fois, en 1948, comme un programme politique, lorsque les réserves furent présentées comme la patrie idéale pour les Africains, la terre où se trouvaient les racines de leurs droits et de leur citoyenneté. Mais ses origines remontaient à la fondation du *Suid-Afrikaanse Bond vir Rasse-studie*, en 1935. Il était donc directement influencé par les idées de Hitler sur les races, et par ses projets de communautés raciales séparées en Europe orientale, bien qu'il ajoutât une coloration biblique totalement absente du monde athée de Hitler. En profondeur, l'apartheid était un véritable embrouillamini, puisqu'il alliait des éléments incompatibles. En tant que théorie raciste pseudoscientifique, il procédait, comme l'hitlérisme et le léninisme, du darwinisme social ; en tant que théorie raciste religieuse, il procédait des croyances fondamentalistes qui rejetaient le darwinisme sous toutes ses formes. En surface, cependant, il avait une certaine apparence de clarté et de simplicité. Le système politique créé par Smuts — et renforcé par le Separate Representation of Voters Act (1951) qui écarta les métis de la liste électorale commune — a donné aux nationalistes boers une stabilité de pouvoir qui dure depuis bientôt quarante ans. Ils ont ainsi eu la possibilité de se lancer dans un vaste programme de planification sociale qui, pour ce qui est de l'uniformité et de la durée n'a d'égal que celui de la Russie soviétique.

Le but de l'apartheid était de renverser le courant intégrationniste et de créer des communautés tout à fait séparées. Le Prohibition of Mixed Marriages Act (1949) étendit la prohibition des mariages mixtes, déjà en vigueur chez les Blancs, à toutes les autres communautés. Le *Immorality Act* rendait illégales toutes relations sexuelles extra-maritales, mais prévoyait des sanctions plus sévères en cas de métissage. A la manière des lois de Nuremberg, le *Population Registration Act* (1950) imposait une classification des personnes par origine raciale. La même année, le Group Areas Act donna au gouvernement le pouvoir d'attribuer à chaque groupe racial une zone résidentielle et commerçante particulière. C'est ainsi que l'on commença de déplacer les êtres humains comme des sacs de terre ou de ciment, puis on rasa leurs maisons et leurs boutiques avec des bulldozers. Après cette première phase, le système fut encore renforcé par les dispositions de sécurité du Suppression of Communism (1950); d'après ce décret, le terme de « communisme » pouvait s'appliquer non seulement au marxisme-léninisme, mais à « tout mouvement lié à cette doctrine » et à toute activité, quelle qu'elle soit, visant à « promouvoir un changement politique, industriel, social ou économique à l'intérieur de l'Union, en fomentant des troubles ou des désordres ». Ces mesures dressèrent, pour la première fois, les partisans de la manière forte contre une fraction importante de la population blanche.

La seconde phase débuta après la nomination de l'idéologue H.F. Verwoerd, au ministère des Affaires indigènes, en 1950. Professeur de psychologie sociale à l'université de Stelenbosch, c'était l'intellectuel pur. Détail significatif : ce n'était pas un boer traditionnel et d'esprit borné aux frontières de son pays, mais il était né en Hollande et avait poursuivi des études en Allemagne. Après sa nomination au poste de Premier ministre, en 1958, il renforça le système [45]. Son Bantu Education Act de 1954 plaça toutes les écoles africaines sous le contrôle du gouvernement, mit toutes les missions au pas, imposa des programmes scolaires distincts et un système d'éducation spécifique destiné à préparer les élèves de langue bantoue à la place qu'ils devraient occuper dans la société. Au même moment commença la création systématique des zones d'habitations séparées, les « bantoustans » ; et la ségrégation se glissa peu à peu jusque dans les moindres aspects de la vie, y compris le sport, la culture et même les offices religieux. Elle fut introduite par le gouvernement dans l'enseignement supérieur en 1959.

Au cours des années 1959-1960, qui virent la création politique du continent africain, nombre d'observateurs pensaient que l'apartheid ne durerait pas longtemps. Telle était l'opinion de Harold Macmillan lorsqu'il prononça son discours « Les vents du changement », à Pretoria, le 3 février 1960. La fusillade de Sharpeville, qui fit 69 morts africains, éclata aussitôt après [46]. On pensait que le syndrome d'Amritsar allait se manifester, que la marée du progrès africain était irréversible, que la volonté des Boers faiblirait et qu'ils perdraient leur belle assurance : les capitaux s'enfuirent et la République sud-africaine quitta le Commonwealth. On croyait que l'apartheid était impraticable, de par sa nature même, qu'il était incompatible avec la plupart des exigences de l'économie de marché dont dépendait la survie du pays, et qu'il était en contradiction également avec la logique inéluctable de la démographie. Constituant le document de base de cette ségrégation progressiste, le rapport Tomlinson de 1946 fut sans doute la description et la justification la plus approfondie jamais données de la planification sociale à grande échelle. Ce texte faisait valoir « que la conjoncture sud-africaine était dominée par le fait » qu'il n'y avait pas « la moindre raison de croire que la population européenne accepterait un jour — maintenant ou dans l'avenir — de renoncer à son entité nationale et à son appartenance européenne ». A partir de ce moment, l'apartheid se mit en devoir de remodeler le pays dans cette optique [47]. Le rapport fut critiqué à l'époque pour son appréciation ridiculement optimiste, aussi bien en ce qui concerne les facilités d'industrialisation autour des zones bantoues qu'en celui de la croissance de la population noire. L'évolution de la situation au cours des années 60 sembla confirmer ces craintes et ces critiques. En 1911, lorsque démarra la politique de ségrégation raciale, la population européenne représentait presque un tiers de la population noire (1 million 276 242 Blancs pour 4 millions de Noirs, 500 000 métis et 150 000 Asiatiques). En 1951, l'apartheid battait son plein ; les Blancs étaient 2 millions 641 689, les Noirs 8 millions 560 083, les métis 1 million 103 016 et les Asiatiques 366 664. Et, en 1970, on ne comptait plus que 3 millions 752 528 Blancs pour 15 millions 057 952 Noirs, 2 millions 018 453 métis et 620 436 Asiatiques. On calcula que, en l'an 2000, la proportion serait de 10 Africains et métis pour 1 Blanc [48]. A la lumière de ces chiffres, la répartition des territoires entre Blancs et Noirs semblait tout à fait irréaliste, d'autant que la création d'emplois industriels à proximité des zones bantoues se faisait au rythme de 8 000 par an seulement, alors que le rapport Tomlinson en avait prévu 50 000. Les injustices du système étaient flagrantes : ainsi, en 1973, seules 1 513 familles blanches avaient été contraintes de déménager parce qu'elles se trouvaient dans la « mauvaise » zone raciale, alors que 44 885 familles métis et 27 694 familles indiennes avaient été chassées de leur foyer où certaines d'entre elles vivaient depuis l'époque de la Compagnie des Indes néerlandaises [49]. Sans cesse, les Africains squattaient dans les zones interdites, et sans cesse les bulldozers venaient les déloger, sous la surveillance de policiers et de soldats armés jusqu'aux dents — triste réminiscence de la Russie des années 1929 à 1932. Diplômés en sciences sociales et mus par un utopisme perverti, c'étaient le plus souvent des intellectuels boers qui présidaient à ce scénario. Les contradictions et les invraisemblances internes du système, l'opinion africaine et même l'opinion mondiale montées contre lui : le système semblait voué à l'échec.

Pourtant, l'exemple de la collectivisation soviétique a prouvé que ce genre de projet, si indéfendable soit-il sur le plan économique et moral, peut aboutir lorsqu'il s'appuie sur la violence et la force. En outre, certains facteurs étaient propices au régime ; comme la Russie, l'Union sud-africaine est extrêmement riche en minerais : or, charbon, diamants, manganèse et cuivre, dans l'ordre d'importance ; viennent ensuite antimoine, amiante, chrome, spath fluor, minerai de fer, manganèse, mica, platine, phosphates, étain, titanium, uranium, vanadium, zinc et bien d'autres encore [50]. Loin de dépérir comme on l'avait prédit en 1960, l'économie sud-africaine devint de plus en plus florissante à partir de 1962 et pendant toute la vague de prospérité des années 60. Lorsque celle-ci retomba, en 1973-1974, l'inflation mondiale provoqua une révolution des prix sur le marché de l'or, et l'Afrique du Sud — en tant que plus grand producteur du monde de ce métal, qui représente la moitié de sa richesse minière — en fut la principale bénéficiaire. Tandis qu'elle voyait baisser les revenus de presque tous les autres pays d'Afrique (y compris ses ennemis les plus virulents et les plus acharnés), les siens augmentaient ; de 1972 à 1980 par exemple, le prix de détail du lingot d'or de 30 kilos décupla et passa de 250 000 dollars à 2,5 millions de dollars [51]. Cette flambée des prix rapporta au gouvernement plus d'un milliard de dollars par an, et fournit également les disponibilités qui permirent d'augmenter de manière considérable les placements de capitaux.

« Les vents du changement » avaient atteint le continent, mais, pendant les vingt ans qui suivirent, cette croissance régulière de son revenu permit à l'Afrique du Sud de se construire des abris solides : une industrie d'armements parfaitement autonome (grâce à laquelle elle ne dépendait pas du bon vouloir de fournisseurs étrangers plus ou moins réticents) et un programme nucléaire militaire. Au début des années 80, l'Afrique du Sud dépensait 2,5 milliards par an pour le budget de la défense, charge tout à fait supportable puisqu'elle ne représentait pas plus de 6 % du PNB (à cette époque, un grand nombre de pays africains — arabes et noirs — consacraient entre 25 à 50 % de leur PNB à leurs forces armées [52]). Les forces sud-africaines étaient souvent chargées d'assurer la sécurité du Sud-Ouest africain, cette ancienne colonie allemande que Smuts n'avait pas réussi à se faire complètement attribuer à Versailles en 1919 : l'Afrique du Sud n'en était que le *trustee*, formule dont il était, par une nouvelle ironie du sort, l'inventeur. Dans l'ensemble, ni les forces armées ni le moral de sa classe dirigeante blanche ne furent autrement affectés par la décolonisation forcée de l'Angola, du Mozambique et de la Rhodésie du Sud (Zimbabwe), dans le courant des années 70.

Les nationalistes boers, adversaires de Smuts, avaient toujours critiqué son projet (non réalisé) de créer un « grand dominion blanc », comprenant la Rhodésie et le Mozambique, et allant du Cap jusqu'au Kenya. Au cours des années 20, ils prétendaient que cette entreprise reviendrait à « noyer » les Blancs dans une future Afrique noire ; cette prudence se révéla justifiée dans les années 30, lorsque la population blanche tomba de 1 à 5 par rapport à la noire, jusques et y compris en Afrique du Sud. C'est ainsi que le régime de ce pays refusa de compromettre son propre avenir pour sauver les bastions du colonialisme qui croulaient au nord de l'Afrique ; lorsqu'ils s'effondrèrent, le *laeger* blanc se trouva bien retréci, complètement encerclé par le nationalisme noir, triomphant, militant et armé, soutenu par une écrasante majorité aux Nations unies, par l'Organisation de l'unité africaine et par une aide matérielle de plus en plus importante en provenance du bloc soviétique, notamment dans le domaine militaire, par le truchement des armes et des conseillers cubains. Mais la « lutte » entre l'apartheid sud-africain et le nationalisme noir fut verbale et politique plutôt que militaire, et moins encore économique. Plus les États africains étaient proches, géographiquement, de l'Union, plus s'exerçait sur eux l'attraction de son économie si prospère, et moins ils étaient pressés de détruire la politique ségrégationniste autrement que par des discours : l'Africain moyen votait avec son ventre, non en faveur de l'apartheid, mais pour les emplois que cette économie lui procurait. En 1972, quand l'OUA organisa le boycott, la chambre des mineurs sud-africaine employait 381 000 Noirs, dont un bon tiers venaient de territoires situés au nord du 22ᵉ parallèle, et un tiers du Mozambique. Le nombre de travailleurs noirs en République sud-africaine augmenta régulièrement tout au long des années 70, parce que les salaires proposés grimpaient eux aussi en flèche dans le Rand et baissaient tout aussi rapidement partout ailleurs en Afrique noire. Les régimes voisins s'étaient intitulés « États du front » et maintenaient leurs discours antiapartheid, tout en poursuivant allégrement leurs échanges avec le gouvernement de Pretoria : il en était ainsi de la Zambie, du Malawi, du Zimbabwe, et surtout du Mozambique. Tous collaborèrent systématiquement avec un système qu'ils haïssaient, en augmentant délibérément leurs exportations de main-d'œuvre vers le Rand ; tant et si bien que le Malawi, le Botswana et la Zambie se désolidarisèrent du boycott de l'OUA ; d'autres le violèrent purement et simplement comme ils l'avaient déjà fait avec la Rhodésie du Sud. La nouvelle capitale du Malawi, Lilongwe, et le barrage de Cabora Bassa au Mozambique, furent construits par des ingénieurs sud-africains. De même, lorsque le président Seretse Khama, de l'un des États du front, tomba malade, on le transporta immédiatement par avion dans un hôpital « pour Blancs seulement », à Johannesburg[53].

Il est un fait significatif : l'ennemi le plus actif de Pretoria, dans le début des années 80, était le lointain Nigeria, seul pays noir producteur de pétrole. Ses royalties, dépassant 23 milliards de dollars en 1980, le mettaient à l'abri (comme l'or pour l'Afrique du Sud) de la récession des années 70, et lui donnaient le privilège de conserver une politique économique extrêmement indépendante ; mais il est évident que les États situés au sud du Congo et des grands lacs ne pouvaient résister à l'attraction quasi magnétique du Rand et, dans la pratique, furent obligés d'adapter leur politique idéologique en conséquence.

En tout état de cause, les différences entre la politique menée par Pretoria et celles de la plupart des États d'Afrique se révélaient plus théoriques que réelles. Le racisme existait partout : ainsi dans les années 50 et 60, l'Égypte, la Libye, l'Algérie, le Maroc et la Tunisie expulsèrent plus de 250 000 juifs et repoussèrent dans des ghettos les quelques milliers qui restaient. La République unie de Tanzanie expulsa ses ressortissants arabes ou les priva de leurs droits civiques au cours des années 60. Plus tard, au cours de la décennie suivante, les Asiatiques furent chassés de la plupart des États de la corne de l'Afrique et des pays orientaux de ce continent ; à tout le moins, ils firent l'objet partout d'une rigoureuse discrimination raciale. Encore en 1982, ils furent même menacés au Kenya. D'une façon générale, la discrimination raciale était bien davantage orchestrée par les gouvernements qu'elle ne reflétait une tendance populaire. Lorsque l'Ouganda mit ses ressortissants asiatiques à la porte en 1972, l'opération avait pour but de fournir des maisons et des boutiques à ses membres et à ses supporters, non de plaire à l'Ougandais moyen qui n'avait jamais entretenu avec les Asiatiques que des rapports très amicaux[54]. Le racisme antiasiatique était généralement propagé par la presse contrôlée officiellement ou semi-officiellement par le pouvoir ; on y publiait régulièrement des articles racistes, au cours des années 70, prétendant que les femmes asiatiques se targuaient d'un sentiment de supériorité et refusaient, pour cette raison, de faire l'amour avec des Noirs, que les Asiatiques sortaient en fraude de l'argent dans des valises, que les hommes d'affaires asiatiques étaient partisans du monopole et des exploiteurs ; un journal titrait même : « Des médecins asiatiques tuent leurs malades[55]. »

Quant au racisme anti-Blanc, la plupart des pays d'Afrique en firent une politique, et une ligne de conduite gouvernementale systématique dans les années qui suivirent l'indépendance. Le Kenya et la Côte-d'Ivoire semblaient être les seules exceptions vers le milieu des années 70. A une séance de l'OUA, le président ivoirien Houphouët-Boigny attira l'attention de ses collègues sur ce point :

> « Il est vrai, chers collègues, qu'il y a 40 000 Français dans mon pays, plus qu'il n'y en avait avant l'indépendance. Mais j'espère que la situation sera différente dans dix ans. J'espère qu'il y aura alors 100 000 Français ici. Et j'aimerais qu'à ce moment-là nous nous rencontrions à nouveau pour comparer la puissance économique de nos pays respectifs. Mais je crains, chers collègues, que peu d'entre vous puissent alors être au rendez-vous[56]. »

Cependant, la forme la plus courante, en fait la plus universelle de racisme en Afrique noire, était le racisme intertribal. Appelée par euphémisme « contrôle social », cette forme de racisme poussa un nombre croissant d'États africains dans les années 60, et surtout 70, à mettre en place des systèmes de planification très voisins de l'apartheid. L'administration coloniale avait eu le mérite de s'adapter aux mouvements cycliques ou permanents des tribus nomades (excepté, évidemment, là où la volonté de suprématie du colonisateur s'y opposait), permettant ainsi une grande liberté de mouvement. La croissance de la population et les problèmes de ressources alimentaires qui en découlaient rendirent plus difficile la conservation de cette politique de *laisser faire*. Hélas ! lors de l'accession à l'indépendance, les nouveaux chefs d'État ne choisirent que rarement d'imiter le libéralisme de style colonial, mais préférèrent le plus souvent la soif de suprématie de certains Blancs. De plus, la doctrine léniniste de Bandung en faveur d'un État fort et omniprésent se mit aisément en ménage avec le ségrégationnisme. Cependant, l'État soviétique avait toujours contrôlé les mouvements de population à l'intérieur du pays et, particulièrement, ceux de ses propres minorités asiatiques ; dans le fond, les méthodes soviétiques et sud-africaines se mariaient fort bien. La paperasserie du contrôle social se développa bon train dans toute l'Afrique noire : permis de travail, passeports pour l'intérieur du pays, demandes de visas, permis de résidence, ordres d'expulsions... Ainsi qu'en témoigne l'expérience sud-africaine, quand les papiers administratifs apparaissent, les bulldozers ne sont jamais loin ; au début de la décennie 70, ceux-ci entrèrent souvent en action sur la côte occidentale du continent afin de repousser vers l'intérieur des terres les populations qui squattaient dans les villes côtières[57].

A cette même époque, une grande sécheresse frappa une douzaine de pays de l'Afrique centrale, dans la région faisant la jonction entre le désert et la brousse. Elle poussa les nomades à se déplacer plus que de coutume, ce qui eut pour conséquences de déclencher une pluie de contrôles sociaux sévères. Depuis longtemps sévissait une guerre endémique à la lisière du désert, où les tribus nomades (essentiellement des Touaregs) avaient capturé des populations du Sud pour les réduire en esclavage ; aussi, l'un des premiers actes du Mali indépendant, région à cheval sur la frontière du désert, fut-il de massacrer ses tribus touaregs du Nord. Quand arrivèrent les fonds de secours pour l'aide aux populations sinistrées par la sécheresse, le Mali et d'autres s'en servirent pour financer leur dispositif de contrôle de la population ; le secrétariat malien du Comité international d'aide aux sinistrés de la sécheresse déclara lui-même : « Nous devons discipliner ces gens, contrôler leurs pâturages et leurs déplacements. Leur liberté nous coûte trop cher. Ce désastre est une occasion que nous devons saisir[58]. » Au Mali et ailleurs, la réglementation des déplacements fut assortie d'autres mesures de planification sociale. A la fin des décennies 60 et 70, apparurent des plans de développement spécialement conçus pour obliger tout le monde, y compris les nomades, à entrer dans le système économique par le biais de l'impôt. En somme, tout cela ne différait guère de l'ancien système de travail obligatoire appliqué par les colonisateurs français, espagnols, portugais et belges[59].

L'exemple le plus frappant de l'évolution d'un jeune État africain vers le totalitarisme fut celui de la Tanzanie. Julius Nyerere, son président, était un politicien professionnel de la génération de Nkrumah. Lorsque les militaires prirent la place de tout ce beau monde au cours des années 60, lui, réussit à se maintenir en place en militarisant son discours et son régime. A la suite de la crise congolaise, en 1960, il déclara : « Il n'y a pas le moindre risque que les forces de l'ordre se révoltent au Tanganyika [60]. » Elles le firent pourtant en 1964, et Nyerere survécut de justesse parce que les Britanniques désarmèrent ses troupes. Après cela, il congédia tous ses soldats et reforma rapidement une armée de partisans : « Je demande à tous les membres de la Ligue de la jeunesse Tanu de se présenter, où qu'ils se trouvent, au bureau Tanu local et de s'enrôler : à partir de ce groupe, nous essaierons de construire une armée nouvelle [61]. » Quatre jours plus tard, il annonça la nomination d'un commissaire politique des Forces de défense du peuple tanzanien.

Reproduisant ainsi consciemment les structures léninistes, Nyerere entreprit également d'instaurer un régime à parti unique, bien que, en 1961, il ait déclaré qu'une opposition serait la bienvenue : « Je serai le premier à défendre ses droits [62]. » Mais, en janvier 1964, lorsque la jeunesse du parti fut réorganisée en armée, il nomma une commission chargée de jeter les bases de ce qu'il appelait « un régime démocratique à parti unique », précisant qu'elle n'avait pas à « se demander si la Tanzanie devait ou non choisir un régime à parti unique. Cette décision a déjà été prise. Sa tâche est de déterminer quel genre de parti unique devait être le nôtre [63] ». Aux élections suivantes, il y eut plusieurs candidats, appartenant tous à la même formation politique (ce qui signifiait que leur candidature devait avoir l'aval de Nyerere) et non libres de soumettre la moindre critique [64].

L'ancien pacifiste Nyerere fut extrêmement ingénieux dans la façon dont il utilisa la terminologie militariste pour servir la cause de son régime autoritaire — ce qui explique l'attrait extraordinaire qu'il exerça sur l'intelligentsia occidentale et qui amena un sociologue noir à inventer le terme « tanzaphilie [65] ». Afin de justifier la suppression de certaines libertés fondamentales garanties par les droits de l'homme, telles que la liberté de parole, la liberté de la presse et la liberté de réunion, Nyerere déclara : « Tant que durera la guerre que nous menons contre la pauvreté, l'ignorance et la maladie, et que nous n'aurons pas obtenu la victoire, nous ne devrions pas laisser des règlements étrangers détruire notre unité. » Il est clair, bien sûr, que ce genre de guerre ne pouvait jamais être « gagnée ». En outre, cette guerre contre des adversaires intérieurs pouvait facilement se transformer en conflit contre des éléments extérieurs; fidèle à l'enseignement de Sukarno, Nyerere se chercha donc un ennemi. Dès le début de la période qui suivit la révolte, il fut au premier rang des dirigeants africains qui réclamaient une campagne politico-militaire concertée contre la Rhodésie, les territoires portugais et l'Afrique du Sud. En février 1967, la philosophie de son nouveau régime apparut dans la déclaration d'Arusha, où il affirmait d'emblée : « Nous sommes en guerre », en utilisant des quantités impressionnantes d'images et de slogans militaristes [66].

Bien évidemment, la Tanzanie n'était en guerre contre personne, mais on se servait de cette image pour justifier les restrictions d'un temps de conflit et la suppression des libertés. La déclaration d'Arusha était une version moderne et africanisée des textes de Bandung, avec la même ardeur de mystification. Tout ce qui était « incompatible avec une société sans classes » était banni. « Personne ne saurait être autorisé à vivre du travail des autres » : cette devise permit de multiplier les arrestations de « capitalistes », notamment des Asiatiques. Le gouvernement « doit être élu et dirigé par les paysans et les ouvriers » : voilà la formule qui permit à Nyerere d'exclure de la scène politique ceux qui le dérangeaient. « Paresse, intempérance et oisiveté » étaient condamnées : prétexte rêvé pour l'institution du travail obligatoire. « Nous devons nous méfier des traîtres, à l'intérieur du pays, dont pourraient se servir des ennemis étrangers qui cherchent à nous détruire » : merveilleux argument pour faciliter le déclenchement d'une chasse aux sorcières politique permanente. Il était formellement interdit de « flâner » : idéal pour pratiquer des opérations de ratissage, chères à tous les gouvernements africains et imitations serviles des méthodes sud-africaines. La structure du parti était en elle-même un appareil de contrôle, comprenant à la base « la cellule de 10 maisons », puis celle de quartier, de district, de régions et, enfin, la Nation. Vestige d'un passé mythique, l'« esprit de famille », que Nyerere appelait *ujamaa*, servait de philosophie de base à ce discours d'Arusha : « Dans notre société africaine traditionnelle, nous étions des individus au sein d'une communauté. Nous prenions soin de nous. Nous n'avions nul besoin d'exploiter notre semblable, ni ne le souhaitions [67]. » *Ujamaa* devait faire renaître de ses cendres, concrètement, cet esprit ; comme toutes les doctrines totalitaires, elle était « anti-famille », les coupables étaient traduits devant le tribunal de la « cellule des 10 maisons » ; pendant ce temps, « les responsables de l'éducation politique » distribuaient des tracts de ce genre :

> « Le chef de cellule doit se tenir aux aguets pour repérer le moindre visage nouveau dans les dix maisons dont il est responsable. Quand il voit un étranger, il doit se renseigner pour savoir qui il est, d'où il vient, où il va, combien de temps il restera dans la région, etc. En général, l'hôte déclare ses invités au chef de cellule et lui donne tous les renseignements nécessaires à leur sujet. Si le chef a des doutes sur les étrangers, il doit faire un rapport aux fonctionnaires du quartier ou à la police [68]. »

Les chefs de cellule avaient le droit de mettre en arrestation tout individu considéré comme « déserteur » (du travail obligatoire, en général) et d'ordonner des « rafles » de « vauriens ». L'un des slogans du régime était : « *e serikali yeze kuyesula* », « Le gouvernement sait débusquer ». En fait, il semble bien qu'après les révoltes de 1964, Nyerere, non content d'abandonner ses allures de démocrate anglais, soit allé jusqu'à puiser dans le passé prussien de la colonie : la milice de son parti apprit à marcher au pas de l'oie. Il introduisit des lois somptuaires ainsi que l'uniformité vestimentaire. En 1968, il décida que les Masaïs n'auraient plus le droit de pénétrer dans Ashura vêtus d'« un simple voile ou d'une couverture ample », ni d'aucune sorte de vêtements qualifiés d'« incommodes et disgracieux », ni avec « leurs cheveux sales coiffés en petites nattes [69] ». Après avoir banni le costume africain traditionnel, il se retourna, huit mois plus tard, contre « les vestiges de la culture étrangère », autorisant la Ligue de la jeunesse Tanu à malmener et déshabiller les jeunes filles qui portaient des minijupes, des perruques et des pantalons moulants [70]. Il était interdit aux filles de porter des pantalons, tandis que les hommes étaient tenus d'en mettre : à peu de chose près, les mêmes vieux critères que ceux des missionnaires blancs. Aux Masaïs qui se plaignaient à l'époque, on répondit que Dieu avait obligé Adam et Eve à s'habiller avant de les chasser du jardin d'Eden [71]. Différence notable : les missionnaires n'avaient pas installé des espions politiques dans chaque maison.

Sans nul doute, *l'ujamaa* de Nyerere était la plus élaborée et la plus hypocrite des philosophies mises au point par les tyranneaux charismatiques d'Afrique noire. Au niveau des villages, il s'agissait purement et simplement d'un euphémisme pour la collectivisation forcée. Un processus identique, qui se déroulait en Gambie, était baptisé « regroupement des villages ». Kenneth Kauda, dictateur de ce régime à parti unique, appela la philosophie nationale du nom d'« humanisme », tout simplement parce qu'il y a « un être humain sous la peau de chacun » disait-il. Certains se révélèrent plus humains que d'autres. « L'humanisme gambien cherche à débarrasser l'homme de toutes ses tendances mauvaises... afin de réaliser la perfection humaine », déclarait-il ; pour ce faire, il était nécessaire de purifier la société des « penchants humains négatifs, tels que l'égoïsme, l'avidité, l'hypocrisie, l'individualisme, la paresse, le racisme, le tribalisme, le provincialisme, le nationalisme, le colonialisme, le néocolonialisme, le fascisme, la pauvreté, les maladies, l'ignorance et l'exploitation de l'homme par l'homme [72] ». Cette liste non exhaustive donnait toute latitude à l'État pour l'exercice de son autorité. Ailleurs, d'autres « ismes » firent leur apparition : le Ghana inventa le « conscientisme ». Le Sénégal créa la « négritude ». Au Congo, le président Mobutu se trouva en reste, jusqu'à l'invention de l'idéologie idéale : le « mobutuisme ».

Dès leur apparition au début des années 60, les tyrannies évoluèrent rapidement du despotisme relativement sophistiqué (et pacifique) de Nyerere en Tanzanie, aux horreurs ressuscitées du passé le plus sombre de l'Afrique. La sinistre comédie inventée par Evelyn Waugh, dans son livre *Le Mal noir,* devint réalité. Au « jour anniversaire de Kenyatta » en octobre 1965, le président du Kenya (jadis baptisé par le gouverneur britannique « le chef des ténèbres et de la mort », et que les colons blancs rassurés, appelaient maintenant le « Vieil Homme ») donna un « dernier souper », pour commémorer le repas qu'il prit avant son arrestation en tant que terroriste mau-mau[73]. Au Malawi, le docteur Hastings Banda, qui se faisait appeler le « Conquérant » et le « Sauveur », utilisait la sorcellerie pour sacraliser son régime. Au Zaïre, Joseph Mobutu proscrivit les noms chrétiens et se rebaptisa Monutu Sese Seko Kuku Ngbendu Wa Za Banga, que l'on peut traduire par cette superbe périphrase : le coq qui ne laisse aucune poule en paix[74]. Au Gabon, le président Bongo interdit l'usage du mot « pygmée » (il mesurait moins d'un mètre cinquante), mais s'entoura d'une garde de géants allemands, anciens mercenaires, dont le plus grand plaisir était de chanter le *Horst Wessel Lied* dans les salons du *Grand Hôtel*[75]. Au cours des années 60, la violence frappa les nouvelles élites africaines à un rythme sans cesse croissant : deux Premiers ministres du Burundi furent assassinés l'un après l'autre ; le coup d'État nigérien de 1966 coûta la vie au Premier ministre fédéral et à deux des trois Premiers ministres régionaux. Les aspirants *caudillos* moururent aussi : dans la République populaire du Congo, un officier d'état-major fut exécuté, son corps exhibé à la télévision, la bouche remplie de dollars ; en fait, les dirigeants avaient une forte propension à exercer eux-mêmes leur vengeance : le président du Bénin (ex-Dahomey) assassina son ministre des Affaires étrangères lorsqu'il le trouva au lit avec la présidente ; un autre ministre des Affaires étrangères, en Guinée équatoriale cette fois, fut tué à coups de gourdin par son chef d'état-major.

Ce dernier incident allongea la liste des innombrables crimes commis par le président Francisco Macias Nguema. La grande majorité des États les plus pauvres du continent africain, dont le nombre avoisine 30, étaient dotés de régimes à parti unique, installés par les dirigeants, mais sur lesquels, loin de jouir théoriquement d'une autorité absolue, ils n'avaient en réalité que peu de pouvoirs. Du moins sur des événements inéluctables ; ils étaient souvent même bien incapables d'arbitrer les querelles tribales. Seule la violence personnelle les trouvait dans leur élément. Macias était un modèle du genre. Né en 1924, sous le régime colonial espagnol, il avait servi dans l'administration, était devenu président lors de l'accession à l'indépendance, et se nomma lui-même président à vie en 1972. Les sept ans qui suivirent transformèrent sous sa houlette le pays en un véritable camp de concentration ; bien des habitants émigrèrent pour sauver leur vie. Un coup d'État organisé par les Espagnols le fit chuter le 3 août 1979 ; après quoi, il passa en jugement pour « génocide, trahison, détournements de fonds et violation systématique des droits de l'homme ». On fit venir un peloton d'exécution marocain par avion pour le fusiller, parce que les soldats guinéens prétendaient que son esprit était trop puissant pour de simples balles et qu'il reviendrait « sous la forme d'un tigre[76]. »

Un cas similaire se retrouva en la personne du président (puis empereur) Bokassa de la République centrafricaine. A l'indépendance, les Français installèrent à la présidence de cette ancienne colonie un politicien professionnel soigneusement sélectionné : David Dacko. Celui-ci tenta vainement d'opposer le chef de la police Izamo à celui de l'armée de Bokassa ; ce dernier se révéla être le plus malin des trois comparses[77]. En 1965, il se nomma président à vie, et, à partir de 1977, il ceignit la couronne impériale. La cérémonie du couronnement, organisée au mois de décembre, fut particulièrement fastueuse : 3 500 invités étrangers, un trône en forme d'aigle, une couronne ornée de 2 000 diamants et un cérémonial inspiré du sacre de Napoléon ; le tout pour la modique somme de 30 millions de dollars, soit le cinquième des maigres revenus du pays. De tous les facteurs qui étayèrent son pouvoir, l'amitié qu'il entretint avec le président français Giscard d'Estaing, auquel il offrit des diamants, ne fut pas le moindre. Lors du premier anniversaire de son couronnement, il profita des circonstances en congédiant et exilant son fils aîné, le prince Georges, coupable d'avoir tenu des propos contre son père. Deux mois plus tard, en janvier 1979, il massacra 40 écoliers révoltés de devoir acheter des uniformes fabriqués dans une usine appartenant à l'« empereur ». Au mois d'avril de la même année, 30 à 40 enfants furent assassinés dans la prison de Ngaragba, apparemment en sa présence et en partie par lui-même — fait établi par une commission d'avocats francophones, dirigée par le Sénégalais Youssoupha Ndiaya. Alarmé par la publicité faite autour de cette affaire, Giscard dépêcha son expert en affaires africaines, René Journiac, pour demander à l'empereur de bien vouloir abdiquer. Celui-ci répondit en frappant le messager français à coups de sceptre impérial sur la tête ; le 21 septembre 1979, Giscard fit débarquer des troupes à Bangui, à titre de représailles, portant dans leurs bardas un président de rechange nommé Dacko. A la demande du président français, Bokassa trouva asile en Côte-d'Ivoire et, par la suite, fut condamné à mort par contumace pour meurtre, cannibalisme, « intelligences avec la Libye », trafic d'or et de diamants.

En République guinéenne, le régime de Sékou Touré ne valait guère mieux, et celui du colonel Kadhafi, en Libye, était bien pis encore. Tous deux furent, en outre, à l'origine de l'exportation de leurs crimes dans les pays voisins. L'exemple le plus probant s'incarna en la personne du « général » Amin, en Ouganda : il constituait une belle illustration des faiblesses du système mondial dans les années 70 ; tragique exemple, car l'Ouganda, jadis un des pays les plus merveilleux de l'Afrique, en sortit épuisé. Visitant la région en 1908, alors qu'il était sous-secrétaire aux Affaires coloniales, Churchill l'appelait « ce paradis sur terre », « ce jardin tropical ». « L'Ouganda est un conte de fées, écrivait-il. Vous grimpez le long d'une voie ferrée, au lieu d'une tige de haricot, et au sommet, vous découvrez un monde nouveau, merveilleux[78]. » On accorda l'indépendance à l'Ouganda, en toute hâte, en octobre 1963, conformément à la politique des « vents du changement » de MacMillan. Particulièrement instruits, les membres de la tribu des Bagandas dominaient la région et avaient toujours tenu les Européens sous leur charme ; néanmoins, le pays avait des structures primitives, déchirées par des rivalités tribales compliquées, une haine raciale séculaire entre les musulmans du Nord et les chrétiens du Sud, et un sectarisme de longue date au sein même des communautés chrétiennes. Les pratiques de magie violente n'étaient pas rares. Les Kakwas et les Nubis du Nord musulman buvaient le sang de leurs victimes et mangeaient leur foie ; ils croyaient en « l'eau de Dieu » des Mahdistes, dont l'une des propriétés est de rendre les soldats invulnérables. Les rois bagandas, très raffinés, mutilaient également les corps, afin de faire régner la terreur politique et religieuse [79]. Pour comble de malheur, le politicien professionnel Milton Obote, nommé Premier ministre à l'indépendance, était un homme à l'esprit étroit et sectaire, antibaganda, et d'une incompétence administrative exceptionnelle. En 1966, il foula aux pieds la constitution, en se servant d'Amin pour prendre d'assaut le palais de Kabaka et le chasser. Renversé à son tour par Amin en janvier 1971, l'annonce d'un gouvernement militaire pour remplacer Obote fut accueillie avec joie, comme le moindre des deux maux.

Déjà à cette époque, Idi Amin était connu pour être un homme exceptionnellement rusé et méchant. Fils d'une sorcière Lugbara, il s'était converti à l'islam dès l'âge de seize ans, et, plus tard, il devait recruter des troupes parmi les tribus du Nord, Kakwas et Nubis. Jeune homme, il s'engagea dans le *régiment des fusiliers africains du roi* ; sa promotion au grade d'officier, alors qu'il n'avait qu'une instruction on ne peut plus rudimentaire, montre assez que les Anglais souhaitaient à tout prix éviter une révolte semblable à celle du Congo, à la veille de l'indépendance. Très rapidement, il se fit une réputation au Kenya, où il faisait la chasse aux voleurs de bétail ; on découvrit qu'il avait assassiné des hommes de la tribu Pokot et donné leurs corps à manger aux hyènes, qu'il avait arraché des renseignements à des membres de la tribu Karamjog en les menaçant de leur couper le pénis avec une *panga*, et qu'il avait bel et bien arraché les organes génitaux de 8 d'entre eux pour obtenir des aveux. L'assassinat de 12 villageois Turkana le rendit également célèbre. A la veille de l'indépendance, les autorités britanniques hésitaient à poursuivre l'un des rares officiers noirs et préférèrent laisser à Obote, déjà Premier ministre désigné, le soin de juger le cas. Celui-ci se prononça pour une « réprimande sévère », curieuse punition pour un homme coupable de tant d'horreurs [80]. En fait, il nomma Amin au grade de colonel, se servit de lui pour soumettre le Baganda et le laissa construire, dans le nord du pays, une base militaire tribale, grâce à laquelle il put se lancer dans la contrebande à grande échelle de l'or et de l'ivoire, recruter des musulmans sans en référer au gouvernement, assassiner le seul autre officier supérieur noir, le brigadier Okoya (et sa femme) en janvier 1970 et, finalement, se comporter comme si l'armée lui appartenait. Quand le « vérificateur général des comptes » annonça à Obote qu'il manquait 2,5 millions de livres sterling dans les caisses de l'armée, le Premier ministre partit pour une conférence à Singapour, faisant savoir à Amin qu'il exigeait une « explication claire » à son retour. Il s'agissait, en fait, d'une véritable invite au coup d'État, dont l'idée avait déjà été soufflée à Amin par le colonel Kadhafi et le dirigeant palestinien Arafat, désireux tous deux d'évincer les conseillers israéliens d'Obote.

Le régime d'Amin était un régime raciste, dirigé entièrement et dès le début vers l'intérêt des Arabes musulmans, ainsi qu'en témoignent les massacres des tribus Langi et Acholi qui eurent lieu quelques semaines à peine après son arrivée au pouvoir. En juillet 1971, il demanda aux Israéliens de l'aider à envahir la Tanzanie, en prenant le port de Tanga ; ils répondirent en se retirant. Au même moment, les Anglais cessèrent de le soutenir ; dès lors, Amin devint le client de Kadhafi. Les musulmans ne représentant que 5 % de la population totale, c'est évidemment grâce au seul soutien de la Libye que la dictature put durer si longtemps ; il faut ajouter à cela l'aide et la collaboration des terroristes palestiniens qui fournirent à Amin sa garde personnelle et les plus experts de ses tortionnaires. Kadhafi persuada Amin d'expulser les Asiatiques et, dès ce moment, en août 1972, commença le sac du pays ; il ne faut toutefois pas oublier que Londres envoya des chars au régime ougandais jusqu'en décembre 1972[81] ; et que l'exportation de produits de luxe vers l'Ouganda, à partir de l'aéroport de Stansted, fut un trafic important qui permit à Amin de soutenir le moral de ses soldats, et qui se poursuivit avec l'approbation du gouvernement britannique pratiquement jusqu'à la fin de la terreur.

Les procès-verbaux des Conseils des ministres retrouvés par les chercheurs donnent un aperçu unique de la naissance d'une dictature tribale primitive sous les dehors d'un système constitutionnel bureaucratique anglais. Ainsi, le procès-verbal n° 131, en date du 14 mars 1972, indique : « Si un ministre se sent menacé dans sa vie par une foule rebelle ou par des personnes mécontentes, il est libre de tirer et de tuer[82]. » En fait, ce n'étaient pas les personnes mécontentes, mais le Président que craignaient les ministres. Edward Rugumayo, son ministre de l'Éducation nationale qui prit la fuite en 1973, envoya un mémorandum à tous les chefs d'État africains dans lequel il affirmait qu'Amin n'avait « aucun principe, aucune morale, ni aucun scrupule », et qu'il « tuerait ou ferait tuer n'importe qui sans hésiter[83] ». Son procureur général, Godfrey Lule, écrivit : « Il tue rationnellement et froidement. » Selon Henry Kyemba, ministre de la Santé, ce fut le meurtre de Michaël Kagwar, président du tribunal de Commerce, en septembre 1971, qui « révéla au pays tout entier que les massacres ne se limiteraient pas à l'armée, aux Acholi et aux Langi[84] ». On compta parmi les victimes tous les personnages officiels qui, d'une manière ou d'une autre, avaient critiqué Amin ou s'étaient opposés à lui : le directeur de la banque de l'Ouganda, le vice-président de l'université de Makerere, le ministre des Affaires étrangères, le président de la Cour suprême, enlevé en plein jour dans son tribunal, l'archevêque Janan Luwum — ce dernier fut battu à mort par Amin lui-même, ainsi que 2 ministres. Souvent, et parfois dans l'intimité, le « général » prenait part à des atrocités ; Teresa, la femme de Kyemba, infirmière chef de l'hôpital Mulago, était présente lorsque furent apportés les morceaux du corps de Kay, l'épouse d'Amin ; il semble que ce dernier l'ait non seulement tuée, mais dépecée, car il possédait une collection de planches anatomiques. On raconte qu'il tua également son fils et lui mangea le cœur, sur les conseils d'une sorcière qu'il avait fait venir de Stanleyville[85]. Son cannibalisme rituel ne fait guère de doute, il conservait certains organes choisis dans son frigidaire.

L'image de cette viande froide symbolisa bien le régime, grotesque caricature de la terreur soviétique. La police traditionnelle disparut peu à peu, à mesure que ses officiers supérieurs étaient assassinés pour avoir voulu enquêter sur les crimes présidentiels. Comme Staline, Amin disposait de services de sécurité hors pair. Ceux-ci comprenait notamment l'Unité de sécurité publique (création personnelle du Président), la police militaire et l'équivalent du KGB, une organisation appelée le Centre de recherches de l'État (SRC), issue de l'ancienne Section de recherches du gouvernement, dont il avait conservé la collection des volumes reliés de *L'Économiste*. Le SRC fonctionnait d'après les directives des Palestiniens et des Libyens, eux-mêmes formés, dans certains cas, par les Soviétiques. En règle générale, ils tuaient à coups de masse, mais leurs méthodes n'étaient pas toutes primitives ; le siège du SRC était relié à la villa d'Amin par un tunnel, de sorte que les victimes désignées pouvaient fort bien disparaître à jamais : le cas de personnes qu'il invitait à prendre un cocktail, selon sa méthode favorite, était fréquent. Chaque jour, à heure fixe, le SRC procédait à des passages à tabac et cet élément de routine dans le système totalitaire de terreur généralisée contrastait étrangement avec le caractère impulsif d'Amin. A l'instar des méthodes du bloc de l'Est, 2 agents au moins du SRC étaient chargés de surveiller les missions diplomatiques ougandaises installées à l'étranger. Le SRC, calquant le KGB dans ce domaine également, s'autofinançait grâce à des activités commerciales (trafic de drogue notamment) et tuait souvent pour de l'argent[86]. Amin ne représentait pas seulement un cas typique de régression au primitivisme africain ; à certains égards, son régime était un reflet caractéristique des années 70 : sa terreur, phénomène arabo-musulman, était en partie importée de l'étranger, par l'intermédiaire des Nubiens, des Palestiniens et des Libyens, qui tenaient tous les rouages policiers en main.

Il serait possible de démontrer que ce sont et la politique de puissance menée par l'ONU pendant les années 70 et l'influence néfaste de la morale relativiste imposée à cet organisme par Hammarskjöld et son école, qui prolongèrent de six années terribles le régime ougandais. Selon une source autorisée, le refus d'entreprendre une action inter-

nationale dès 1972, alors que la nature même du régime apparaissait
déjà de manière flagrante, coûta la vie à 200 000 Ougandais. L'Angleterre porte également une lourde responsabilité : en effet, les archives
du SRC ont révélé l'importance du rôle joué par « le ruisseau de whisky
de Stansted » dans la survie du régime, et la veulerie de Londres atteignit son paroxysme en 1975 (juin), quand Amin menaça d'exécuter un
conférencier britannique nommé Denis Hills, qui l'avait traité de « tyran
de village ». Même selon les normes des années 70, James Callaghan
était un chef de gouvernement faible : il dépêcha le général sir Chan-
dos Blair, porteur d'une lettre de la reine sollicitant la clémence d'Amin
et se rendit par la suite personnellement à Kampala, tout en laissant
couler le ruisseau de Stansted jusqu'au 4 avril 1979, veille même de la
chute d'Amin. Israël fut le seul pays qui se comporta avec honneur dans
cette affaire, lorsqu'il déploya tous ses efforts pour sauver des vies
humaines au moment du détournement de l'avion sur l'aéroport
d'Entebbe, en juin 1976, par les Palestiniens complices d'Amin.

Néanmoins, la plupart des régimes africains apportèrent leur soutien au régime d'Amin, en vertu du proverbe latino-américain selon
lequel « les *caudillos* se tiennent les coudes ». Malgré les révélations faites par ses anciens ministres sur des atrocités relevant du génocide pur
et simple, l'OUA l'élut président, et tous les membres de l'Organisation,
moins trois, assistèrent à la conférence au sommet qu'il organisa à Kampala. Nyerere protesta, moins pour des raisons morales que pour des
motifs politiques : allié d'Obote, il redoutait à juste titre l'invasion de
son pays par Amin. « En se réunissant à Kampala, les chefs d'État de
l'OUA cautionnent l'un des régimes les plus criminels d'Afrique », dit-
il. Furieux, les membres présents de cette organisation envisagèrent
même de rédiger une motion condamnant la Tanzanie. Pendant la conférence, les chefs d'État couvrirent Amin de compliments lorsque, après
avoir dégusté sa première femme, l'avoir coupée en morceaux, il en
épousa une autre, entraîneuse travaillant dans sa Brigade mécanisée
de la mort. Ils applaudirent à tout rompre quand Amin se fit porter
en litière par 4 hommes d'affaires blancs, un Suédois tenant le parasol
ouvert sur sa tête ; et, surtout, quand les forces aériennes ougandaises
firent une démonstration du bombardement d'une ville nommée « Cape-
Town », installée comme cible sur le lac Victoria (les bombes ratèrent
leur objectif, et le commandant des forces aériennes fut exécuté immédiatement après le départ des délégués). En 1977, les mêmes dirigeants
des États africains refirent bon accueil à Amin et ne formulèrent contre lui aucune critique jusqu'en 1978. Même alors, celle-ci fut bien
timide [87].

Un cynisme identique régnait chez la plupart des membres de
l'ONU, où les blocs afro-asiatico-arabe et soviétique détenaient une écrasante majorité. Au cours du discours outrancier qu'il prononça en tant
que Président en exercice de l'OUA à l'assemblée générale du
1er octobre 1975, Amin dénonça « la conspiration américano-sioniste »

et demanda non seulement l'expulsion d'Israël, mais son « extermina-tion » (c'est-à-dire un génocide) : l'assemblée se leva pour applaudir son arrivée, l'applaudit pendant son discours et se leva de nouveau quand il sortit. Le lendemain, un dîner officiel en son honneur fut offert par le secrétaire général des Nations unies et le président de l'assemblée générale[88]. De plus, en 1976 et en 1977, les Africains opposèrent leur veto à toutes les tentatives faites pour porter le problème des violations des droits de l'homme en Ouganda devant la tribune de la maison de verre de New York. Ils protégèrent Amin de la même façon à la confé-rence du Commonwealth en 1977. Même l'invasion de la Tanzanie, le 30 octobre 1978 — soit cinq mois avant la chute — ne décida pas l'OUA à condamner le régime ougandais ; bien au contraire, elle poussa Nye-rere à accepter une médiation, ce qui fit sortir le dictateur socialiste tanzanien de sa réserve :

> « Depuis qu'Amin a usurpé le pouvoir, il a assassiné plus de gens que Smith en Rhodésie et que Vorster en Afrique du Sud. Mais on a tendance à penser, en Afrique, qu'il n'est pas grave qu'un Africain en tue d'autres... Il suffit maintenant d'être noir pour avoir le droit de tuer des compa-triotes[89]. »

Cet état de choses dérivait en fait de la position morale d'Ham-marskjöld, selon laquelle les tueries entre Africains n'étaient pas du ressort des Nations unies, et l'on pouvait presque excuser Amin de pen-ser que l'ONU lui avait donné un blanc-seing pour ses massacres — un permis de génocide, en quelque sorte, car son régime était le fruit de la philosophie née à Bandung, aussi bien que celui de la résurgence de la barbarie africaine. Cependant, dans l'année qui suivit la chute de ce triste personnage, l'histoire fut réadaptée et réécrite : on prétendit que les applaudissements de l'ONU n'étaient qu'« ironiques ». La terreur était liée à l'« impérialisme[90] ». Les malheurs de l'Ouganda ne s'arrê-tèrent pourtant pas avec le retour d'Obote, dans les fourgons de l'Armée de libération tanzanienne : le premier acte de ces troupes fut de piller la ville, quand ils eurent investi Kampala. Amin ayant trouvé refuge dans le monde arabe (en Libye puis en Arabie Saoudite), son armée n'en continua pas moins de terroriser et d'occuper une partie du pays. Obote, quant à lui, remporta les élections grâce au soutien armé de Nyerere ; son parti, l'UPC, et la Commission militaire supervisée par le dirigeant tanzanien tripatouillèrent les circonscriptions électorales, attribuèrent illégalement 17 sièges à l'UPC, tuèrent un candidat de l'opposition (Parti démocrate), en rossèrent d'autres, révoquèrent sans motif 14 directeurs de scrutins qui n'étaient pas complices de l'UPC, et licencièrent le pré-sident du tribunal de la Cour suprême, ainsi que d'autres fonctionnai-res, afin d'intimider l'appareil judiciaire. Finalement, quand il apparut clairement, au soir des élections, que le parti démocrate allait tout de même l'emporter, la radio officielle annonça que tous les résultats allaient être « examinés » par les militaires, ce qui provoqua la fuite salvatrice du secrétaire de la Commission électorale. Ensuite, l'armée détruisit toutes les preuves de la victoire du parti démocrate, et Obote fut déclaré vainqueur [91]. Il en découla une guerre civile, régionale et tribale, dans laquelle 3 « armées » de soldats indisciplinés et pour la plupart non rétribués firent régner la terreur sur tout le pays, prolongeant ainsi indéfiniment l'agonie de cette terre que Churchill appelait « le pays de conte de fées [92] ».

L'exemple de l'Ouganda illustre bien la tendance qui poussa l'Afrique postcoloniale (à partir de la seconde moitié des années 60) à se lancer dans des guerres intérieures et extérieures, tandis que les Nations unies et l'OUA avaient choisi d'attiser le feu au lieu d'arbitrer les conflits. Ce ne fut pas un hasard. L'OUA commença de se militariser en 1963, à Addis-Abeba, lorsque le principe de la résistance passive fut abandonné et le recours à la force armée, recommandé, pour liquider les derniers régimes coloniaux, en même temps que se créait un Comité de libération sous la présidence de la Tanzanie. L'année suivante, au Caire, l'ancien pacifiste Nyerere, prôna l'expulsion du Portugal par la force. En 1965, son adjoint, Rashidi Kowawa, déclara à la Commission des Nations unies sur les problèmes du colonialisme, siégeant à Dar es-Salaam, que son rôle était finalement le même que celui de l'OUA, parce que tous deux « étaient des Comités de libération investis de l'historique mission de lutter contre le colonialisme ». Dans un premier temps, le Malien Coulibaly, présidant la Commission des Nations unies, protesta au sujet de la confusion entre les Nations unies et une armée régionale ; il finit par capituler, et la commission déclara légitime pour un État d'employer la force pour chasser les Portugais : pour la première fois, l'ONU cautionna une solution militaire pour résoudre des problèmes politiques. Quatre mois plus tard, en novembre 1965, Nyerere persuada l'OUA d'étendre le principe à la Rhodésie [93].

Les encouragements et l'approbation conférés à la violence par les Nations unies et l'OUA décidèrent tous les États africains à employer de plus en plus celle-ci pour résoudre leurs guerres civiles intertribales et leurs querelles de frontières, autrefois bien mises en veilleuse par le colonialisme. De tous les continents, l'Afrique est celui où l'on trouve la plus grande variété linguistique et ethnique : parmi les 41 États indépendants, seuls l'Égypte, la Tunisie, le Maroc, le Lesotho et la Somalie sont vraiment homogènes, quoique certaines de leurs frontières soient aussi discutables [94]. La plupart des guerres civiles africaines provenant de querelles intertribales que ne limitent pas les frontières ont toujours tendance à se transformer en conflit extérieur ; ainsi, au Ruanda, en 1958, la révolte des Hutus contre leurs suzerains Tutsis entraîna le Burundi dans la guerre, et le processus se répéta trois fois au cours des quinze ans qui suivirent. La révolte du Polisario contre le Maroc et la Mauritanie, la lutte entre les musulmans du Nord et chrétiens du Sud au Tchad, les guerres civiles en Angola, au Soudan et au Nigeria — cinq des plus longs et des plus graves conflits — entraînèrent toutes des interventions étrangères. Comme on pouvait s'y attendre, ni l'OUA ni les Nations unies ne furent capables d'arbitrer ces conflits. Le partage de l'ancien Sahara espagnol entre le Maroc et la Mauritanie constitue un autre exemple caractéristique, rappelant le partage de la Pologne au XVIIIe siècle ou en 1939. Tenue à l'écart, l'Algérie appuya en conséquence les rebelles du Polisario. Les Nations unies adoptèrent deux résolutions contradictoires : l'une soutenant le Maroc, l'autre l'Algérie. Une chose est certaine : l'OUA n'a jamais tenté sérieusement d'imposer son principe fondamental selon lequel un État ne devrait jamais s'ingérer dans les affaires intérieures d'un autre État, excepté (il est fort intéressant de le noter) dans le cas de l'Ouganda à l'époque d'Amin. L'Organisation de l'unité africaine n'a pas condamné la tentative de Kadhafi pour renverser le régime de Sadate en Égypte, celui de Nimayri au Soudan, celui de Bourguiba en Tunisie, ceux de Francis Tombalbaye et Felix Malloum au Tchad, ni ses criantes interventions dans une demi-douzaine d'autres pays. Elle ne fut pas plus capable d'empêcher les incursions des puissances non africaines : pas un État ne voulait risquer de se mettre dans la situation du Congo avec les Nations unies ; chaque État séparément demanda lui-même l'aide des troupes étrangères : le Kenya, l'Ouganda et la Tanzanie, celles des troupes britanniques, le Gabon, la Côte-d'Ivoire et le Sénégal, celle des troupes françaises[94].

La situation se compliqua sérieusement après les années 1973-1974, quand la Russie soviétique et son satellite, Cuba, envoyèrent pour la première fois de nombreuses troupes en Afrique. Le cas de l'Ethiopie est frappant : le vieil empereur Hailé Sélassié avait réussi à maintenir un régime semi-féodal et semi-libéral grâce à des aides étrangères soigneusement équilibrées. Les Indiens entraînaient son armée de terre, les Anglais et les Norvégiens, sa marine, les Suédois, son armée de l'air, les Français géraient les chemins de fer, les Australiens, les hôtels, les Yougoslaves, les ports, les Russes, les raffineries de pétrole, les Bulgares, la flotille de pêche, les Italiens, les brasseries, les Tchèques, les fabriques de chaussures et les Japonais, les usines de textile[95]. En 1974, les Russes saisirent l'occasion de se débarrasser du vieil homme — il mourut étouffé sous un oreiller — et de gagner un monopole d'influence, abandonnant au passage leur protégé somalien. La pire censure que l'on puisse reprocher à l'empereur d'avoir exercée fut la suppression de la scène de la mort du roi dans *Macbeth*, mais, après sa chute, on ne joua plus Shakespeare du tout. Le régime devint totalitaire, massacra ses adversaires par dizaines de milliers et se lança dans un vaste programme de conflits frontaliers, qui se poursuivirent jusque dans les années 80. Lorsque la Russie étendit la guerre froide à l'Afrique, celle-ci devint le théâtre classique de la real-politik, des conclusions et des renversements d'alliance précipités, et du règne sans partage de la vieille formule : « L'ennemi de mon ennemi est mon ami. » On en trouve un exemple dans l'invasion du Zaïre par les Katangais, par la frontière angolaise en 1977-1978 : remplaçant les « sécessionnistes impérialistes » de 1960, les communistes aidèrent les Katangais par l'envoi de troupes russes et cubaines, tandis que le Maroc et la France soutinrent le Zaïre.

Les quelque 30 guerres civiles ou étrangères que livrèrent les nouveaux États africains dans les vingt ans qui suivirent l'indépendance produisirent une foule énorme de réfugiés. En 1970, d'après les statistiques des Nations unies, on en comptait 1 million. En 1978, ils étaient passés à 4,5 millions, auxquels il faut ajouter 2 millions de personnes « sans domicile fixe » après le retour dans leur pays. En 1980, les Nations unies recensaient 2 millions 740 300 réfugiés dans 17 pays africains, et 2 millions de « personnes déplaçées », principalement à cause des activités militaires de la Russie soviétique, de Cuba, et de la Libye[96], tout en ignorant le moment où la plupart de ces pauvres gens pourraient retrouver un foyer. Mis à part la Côte-d'Ivoire, le Kenya et les 3 États riches en pétrole : l'Algérie, la Libye et le Nigeria, on peut dire qu'au début des années 80, tous les nouveaux États indépendants étaient plus pauvres que sous le régime colonial. Certains même étaient carrément sortis de l'économie de marché.

Ainsi, le progrès matériel assez rapide auquel on avait assisté dans la phase finale du colonialisme, de 1945 à 1960, se trouva renversé. L'indépendance fut fertile en pactes régionaux : le groupe des Six de Casablanca, le groupe des Quinze de Monrovia et les Douze de Brazzaville ; ils ne furent, le plus souvent, que des accords verbaux sur arrière-pensées politiques et se révélèrent éphémères. Pendant ce temps, les accords spécifiques et pratiques conclus entre les États sur des problèmes de monnaie, de transport ou de communication étaient rompus ou devenus caducs : par suite des guerres, des « états d'urgence », de la fermeture des frontières, les liaisons routières ou ferroviaires étaient bloquées, le matériel roulant n'était pas renouvelé, les routes se détérioraient, et, en ce qui concerne les moyens de transport, la situation ressemblait étrangement à celle des années 1890 : seules les villes côtières (davantage par voie aérienne que maritime cependant) étaient reliées entre elles, et les lignes de communication vers l'intérieur des terres étaient pratiquement inexistantes ; de plus, le réseau était parcellaire et fonctionnait mal. Vers la fin des années 70, ce ne fut pas une nation ou une cité occidentales qui virent se produire les plus monstrueux embouteillages jamais connus, mais la ville de Lagos ; on raconte que le chef d'État nigérian, le général Mohammed, est mort victime de la circulation urbaine parce que sa voiture restait bloquée tous les matins à la même heure — 8 heures —, ce qui permit l'organisation de son assassinat. A la suite d'une commande de 18 millions de tonnes de ciment passée par le gouvernement nigérian en 1976, les abords du port de Lagos furent encombrés par quelque 500 navires, et lorsque la plupart d'entre eux réussirent enfin à décharger leur cargaison, elle était inutilisable[97].

Mais, à l'intérieur des terres, même au Nigeria, la circulation avait beaucoup diminué. Au dire d'un observateur : « On remarque qu'en Afrique la vie se concentre de plus en plus dans un rayon de 30 kilomètres autour de ses 36 aéroports internationaux [98]. » En raison de la fermeture fréquente des espaces aériens intérieurs et de l'insuffisance des contrôles techniques des voies de navigation, il est souvent devenu plus aisé de se rendre d'une capitale africaine à une autre en passant par l'Europe plutôt que directement. Il en est de même pour les liaisons téléphoniques : à la fin des années 70, il était impossible d'appeler Monrovia d'Abidjan distant de 650 kilomètres seulement, sinon en passant par l'Europe ou les États-Unis. On a laissé entendre que cette détérioration des moyens de communication servait en réalité les intérêts des gouvernements autoritaires, par le fait qu'elle paralysait toute critique, et que la plupart des gouvernements africains entretenaient en fait des réseaux de communication et de transports militaires à leur usage exclusif, sur le modèle des pays du rideau de fer. L'État en souffrait également. En 1982, l'ambassadeur du Tchad à Bruxelles se plaignit de n'avoir pas reçu de nouvelles de son gouvernement depuis plus de un an [99].

La qualité des services médicaux avait également considérablement baissé : alors que dans les années 40 et 50, les progrès de la lutte contre la malaria avaient été spectaculaires, la maladie regagnait maintenant du terrain, et le programme de vingt ans lancé par l'OMS en 1958 se solda par un échec : à la fin des année 70, on dénombrait 200 millions de cas de malaria dans le monde et 1 milliard d'hommes vivaient dans des zones infestées. Ce renversement de situation n'était en aucun cas limité à l'Afrique ; à bien des égards, les résultats étaient même plus décevants encore en Amérique centrale et en Asie [100] ; mais la recrudescence de la malaria dans les capitales africaines où cette maladie avait été complètement éradiquée dans les années 50 ne laissait pas d'être inquiétante [101] ; La réapparition des fléaux traditionnels reflétait les problèmes croissants de malnutrition et de famine, la détérioration de la santé publique et des services hospitaliers ainsi que le manque de médecins qualifiés. En 1976, l'OMS changea de politique et annonça que les « guérisseurs de villages » seraient désormais employés dans les services de santé ruraux, encore qu'une distinction fût établie entre les sages-femmes de type africain, les rebouteux et les utilisateurs d'herbes médicinales d'une part, et les « sorciers-guérisseurs » de l'autre ; en 1977, cette distinction même fut supprimée et on accorda le même statut aux « sorciers-guérisseurs », dont la clientèle représentait 90 % de la population rurale, qu'aux praticiens nantis d'une formation scientifique [102]. Pour les candidats médecins-guérisseurs, un centre hospitalo-universitaire mixte s'ouvrit à Lagos, au cœur des plus grands embouteillages du monde.

La physionomie variée mais plutôt sombre du continent africain vingt-cinq ans après l'indépendance apparaît clairement dans ce résumé des événements de la fin des années 70 : 1979, au *Soudan*, tentative de coup d'État ; au *Maroc*, guerre au Sahara occidental contre les rebelles du Polisario ; coût : 750 000 livres sterling par jour ; en *Éthiopie*, 20 000 Cubains, et les troupes éthiopiennes livrent des combats sur 3 fronts contre l'Érythrée et la Somalie, et le nombre de réfugiés dépasse 1 million ; à *Djibouti*, soulèvement de la région d'Adar ; au *Kenya*, succès des élections multipartites ; en *Tanzanie*, 40 000 soldats envahissent l'Ouganda lors de la chute d'Amin qui, lui, bénéficie de l'appui de 2500 libyens ; au *Ghana*, coup d'État organisé par le capitaine de l'armée de l'air Jerry Rawlings : 3 anciens chefs d'État et de nombreux hommes politiques sont fusillés, des citoyens accusés de corruption sont fouettés en place publique, la police se met en grève, le pays est déclaré officiellement en faillite ; au *Nigeria*, retour à la loi civile ; au *Liberia*, émeutes de la faim, 70 morts ; au *Sénégal*, création d'un quatrième parti officiel ; en *Mauritanie*, coup d'État. Ould Salack, qui avait renversé Ould Daddah en 1978, est renversé à son tour par Ould Haidalla. Signature de la paix avec les rebelles du Polisario ; au *Mali*, élections à parti unique ; en *Guinée*, libération des prisonniers politiques, notamment de l'archevêque de Conakry ; au *Bénin*, élections à parti unique ; au *Togo*, élections à parti unique, simulacres de procès politiques de prétendus « élitistes brésiliens » ; au *Cameroun*, tentative de coup d'État, suivie d'un massacre ; au *Tchad*, guerre civile ; en *République populaire du Congo*, coup d'État ; en *Guinée équatoriale*, renversement du dictateur Macias ; en *République Centrafricaine*, renversement de Bokassa ; au *Zaïre*, la plupart des routes principales sont inutilisables ; deux tiers des véhicules sont hors d'usage par manque de pièces détachées ; les chemins de fer Benguela sont fermés ; 38 % des devises étrangères sont affectées au paiement des dettes ; 42 % des enfants au-dessous de cinq ans souffrent de malnutrition ; au *Burundi*, 52 missionnaires expulsés pour « activités subversives » ; en *Guinée Bissau*, les recettes couvrent seulement 65 % des dépenses ; au *Cap-Vert*, il est nécessaire d'importer plus de 90 % de la nourriture ; au *Mozambique*, sont désormais passibles de la peine de mort les prisonniers accusés de sabotage, de terrorisme et d'activités mercenaires, nombreuses exécutions politiques, le président Machel s'en prend aux hommes qui portent des cheveux longs et aux femmes vêtues d'habits moulants, fermeture des églises catholiques et anglicanes ; en *Angola*, guerre civile ; en *Zambie*, nombreuses arrestations politiques ; au *Malawi*, contrôle des importations ; au *Zimbabwe*, fin de la domination des Blancs, après dix ans de guerre civile, 20 000 morts ; en *Namibie*, guerre de guérillas ; au *Swaziland*, difficultés économiques causées par les réfugiés ; au *Botswana*, même situation ; en *Afrique du Sud*, guerre de guérillas[103].

En 1980, au *Soudan*, élections à parti unique ; en *Tunisie*, tentative de coup d'État ; au *Maroc*, guerre contre le Polisario ; en *Algérie*, échec et abandon de la politique accordant la priorité au développement de l'industrie d'équipement selon le modèle soviétique ; en *Éthio-pie*, utilisation d'hélicoptères de combat soviétiques contre les Somalis, les Oromos, les Gallas et autres tribus et ethnies non amhariques ; en *Somalie*, le nombre des réfugiés dépasse 1,5 million ; en *Tanzanie*, Nye-rere, candidat unique, est élu président, famine ; au *Ghana*, l'inflation atteint 114 %, fermeture des universités ; au *Nigeria*, tentative de coup d'État, 1000 morts ; en *Gambie*, les partis d'opposition sont interdits, nombreuses arrestations ; au *Liberia*, coup d'État, nombreuses exé-cutions ; au *Sénégal*, après avoir gouverné pendant vingt ans, Sen-ghor décide de se retirer ; en *Mauritanie*, coup d'État, Ould Haidalla est renversé par Ould Louly ; au *Mali*, grèves des écoles ; crise éco-nomique « catastrophique » ; en *Guinée-Bissau*, coup d'État financé par la Guinée, à la suite d'une querelle sur les redevances du pé-trole ; en *Côte-d'Ivoire*, élections à parti unique ; en *Haute-Volta*, coup d'État ; au *Niger*, invasion par les nomades financés par la Libye ; au *Bénin*, le président Kerekou se convertit à l'islam, au cours d'une vi-site chez Kadhafi ; au *Cameroun*, crise économique due aux réfugiés du Tchad ; au *Tchad*, guerre civile et invasion par la Libye ; au *Zaïre*, Mobutu déclare le 4 février : « Aussi longtemps que je vivrai, je ne tolérerai jamais la création d'un autre parti » ; l'*île de Sao Tomé*, menacée d'invasion par les réfugiés, 1 000 Angolais et 100 Cubains ont débarqué ; en *Angola*, guerre civile ; en *Zambie*, tentative de coup d'État ; au *Zimbabwe*, élections libres supervisées par les Britan-niques ; en *Namibie*, guerre de guérillas ; au *Lesotho*, invasion par « l'armée de libération du Lesotho » ; en *Afrique du Sud*, guerre de guérillas [103].

Le résumé ne rend pas compte des nuances, mais il confirme que les périodes où le monde extérieur s'intéressait à l'Afrique se renouve-laient de moins en moins ; la première de celles-ci, que l'on pourrait appeler la période de Rhodes, s'étala de 1880 à la Grande Guerre : bien des gens pensaient alors que les ressources de l'Afrique seraient le pilier central de la prospérité européenne dans l'avenir. Cet espoir régna quel-que temps, au début des années 20, puis s'évanouit. A la fin des années 40, on assista à un renouveau d'intérêt, début d'une phase nouvelle qui atteignit son point culminant dans les toutes premières années 60, lors du passage du régime colonial à l'indépendance ; mais l'intérêt com-mença de faiblir sérieusement lors de la militarisation généralisée de la fin de cette même décennie ; au début des années 80, il était mort : le monde extérieur ne s'intéressait plus en Afrique qu'à certains grands pays producteurs, tels le Nigeria et l'Afrique du Sud. A ce moment, il apparaissait clairement que la plupart des pays de ce continent étaient devenus et resteraient des pays pauvres, en proie à l'instabilité politi-que, incapables d'assumer seuls leur propre développement économi-que, ni même de se glisser dans le système économique international. L'afrique était devenue un théâtre d'opérations pour les guerres par procuration, à l'image de la guerre d'Espagne dans les années 30 ; l'expérience des politiciens professionnels et de l'omniprésence étatique s'étaient révélée un coûteux et sanglant fiasco.

Il nous faut voir jusqu'à quel point l'Asie a reproduit le même schéma, et surtout ces deux géants blessés dont la population couvrait la moitié de celle de l'humanité entière : l'Inde et la Chine.

IV

Expérience
sur une moitié de l'humanité

Au cours de l'été 1966, la presse officielle de Pékin rapporta que, le 16 juillet, Mao Tsö-tong, président du parti communiste chinois, alors âgé de soixante-dix ans, avait organisé et conduit une traversée du Yang-tseu-kiang à la nage. On publia des photographies quelque peu floues de ce qui semblait être sa grosse tête ronde s'agitant sur l'eau. Les comptes rendus indiquaient qu'il avait nagé presque 16 kilomètres, en un peu plus d'une heure, et le décrivaient comme « rayonnant de vigueur et plein d'allant [1] ». Il ne s'agissait, en fait, que de l'un des nombreux prodiges qui semblaient avoir lieu en Chine durant le quart de siècle s'étendant entre l'accession de Mao au pouvoir et sa mort en 1976. Il était généralement admis que la république populaire surmontait progressivement les problèmes économiques rencontrés par les grands pays arriérés et surpeuplés, et qu'elle le faisait dans l'enthousiasme général et le consensus national.

Les visiteurs du pays en revenaient transformés en fervents admirateurs du communisme maoïste. « La Chine est une sorte de monarchie douce et bénéfique, dirigée par un empereur-prêtre qui avait gagné la dévotion totale de ses sujets », écrivait l'un d'eux. Le peuple chinois, prédisait un autre, serait « l'incarnation de la nouvelle civilisation du monde ». Simone de Beauvoir témoignait : « Aujourd'hui, la vie en Chine est exceptionnellement agréable. » Un autre témoin affirmait que le pays était devenu « aussi soucieux des vies humaines que la Nouvelle-Zélande ». David Rockfeller faisait l'éloge du « sens de l'harmonie nationale des Chinois » et avançait l'argument que la révolution de Mao avait réussi « non seulement en favorisant une administration plus efficace et plus dévouée, mais encore en encourageant une grande moralité et un but commun pour tous ». Un autre visiteur américain trouvait les changements « miraculeux... La révolution maoïste est en fin de compte la meilleure chose qui soit arrivée au peuple chinois depuis des siècles ». La tonalité « morale » était ce qui remportait le plus d'admiration. « Toutes les nombreuses communes que j'ai visitées, sauf une, refusaient de reconnaître tout enfant né en dehors du mariage », rapportait Felix Greene. Un autre visiteur américain trouvait que « la loi et l'ordre sont bien davantage maintenus par un code moral fort que par la menace d'actions policières ». Un autre encore insistait sur le fait que les percepteurs de taxes gouvernementales étaient devenus « incorruptibles », et que les intellectuels tenaient beaucoup à prouver leur absence de « mépris pour les paysans [en] transportant des seaux de fumier pendant leur temps libre[2] ».

Ces témoignages rappelaient les louanges aveugles et sans nuances prodiguées par les visiteurs de l'URSS stalinienne durant les horreurs de la collectivisation et des grandes purges. Apostrophés sur ce point, les visiteurs admirateurs répliquaient que les leçons des erreurs soviétiques avaient été apprises et retenues par l'extraordinaire génie de Mao. Il était, écrivait Jan Myrdal, « le troisième de la lignée Marx-Lénine » et avait résolu le problème de « la dégénérescence de la révolution ». Un politologue américain déclarait même qu'il « combinait des qualités qui coexistent rarement en un seul homme avec une telle intensité ». Han Suyin, elle, avançait que, à l'inverse de Staline, Mao « est extrêmement patient et croit dans les vertus du débat et de la rééducation » et « qu'il est toujours concerné par l'application pratique de la démocratie ». Un sinologue américain rapportait que, lorsque survenait un problème, Mao y répondait « invariablement dans un sens créatif et profondément moral ». Felix Greene était aussi également persuadé que toute soif de pouvoir était morte en Chine et qu'à l'évidence « aucune de ces manœuvres et intrigues personnelles, si souvent vues au Kremlin, n'avaient plus droit de cité ». Mao n'était pas seulement un soldat, un chef charismatique, un poète, un philosophe, un professeur, un penseur : il était aussi une sorte de saint ; et Hewlett Johnson était frappé par « quelque chose qu'aucune image ne pouvait traduire, une indescriptible impression de bonté et de compassion, une préoccupation évidente des besoins des autres... qui formaient les bases de ses pensées[3] ».

Nul besoin de dire que les récits de ces voyageurs, tout comme ceux qui se rapportaient à la Russie de Staline, étaient loin de la vérité, laquelle était bien plus intéressante et infiniment plus déprimante. De même, l'image publique de Mao était aussi éloignée de la réalité que l'avait pu être celle de Staline. Il n'était pas un saint et n'avait rien d'un érudit ou d'un grand mandarin ; grossier, brutal, terre à terre, impitoyable, il n'était qu'un gros paysan, un vrai *koulak*, une version améliorée et plus éduquée que son père. Khrouchtchev le comparait, sans injustice, à un « ours se balançant d'un côté et de l'autre, calmement et doucement[4] ». Lors d'un discours au Politburo, en 1956, Mao avertissait : « Nous ne devons pas suivre aveuglément l'Union soviétique... Chaque pet a une odeur particulière, et nous ne pouvons pas dire que tous les pets soviétiques sentent bons[5]. » Trois ans plus tard, reconnaissant l'échec du « Grand bond en avant », il disait au même groupe de personnalités officielles : « Camarades ! Vous devez analyser votre propre responsabilité. Si vous devez chier, chiez ! Si vous devez péter, pétez ! Vous vous sentirez mieux pour le faire [6] ! » En 1974, à nouveau, passant en revue les défauts de la révolution culturelle, il philosophait : « Le besoin de chier après manger n'implique pas que manger soit inutile ou représente une perte de temps [7]. » Un hôte appartenant au parti communiste belge, et assistant au grand rassemblement des gardes rouges sur la place de la Paix-Céleste, le 18 août 1966, racontait que Mao se retirait de temps à autre pour enlever sa veste, essuyer ses aisselles et sa poitrine, en faisant remarquer qu'il « était mauvais pour la santé de laisser la sueur sécher sur son corps [8] ».

Cependant, sous cet aspect grossier, battait un cœur romantique et sauvage. Ainsi que le soulignait Staline en 1949, il est sans doute vrai que Mao n'était pas un vrai marxiste : « Il ne comprend pas les vérités élémentaires du marxisme [9]. » Alors qu'il utilisait toute la phraséologie propre à cette idéologie, et qu'il se considérait comme l'un de ses grands penseurs, infiniment supérieur aux piètres successeurs de Staline, il ne mit jamais totalement en pratique l'analyse objective du marxisme-léninisme. Il ne croyait pas du tout « aux situations objectives ». Pour lui, tout se passait au niveau de la pensée ; on pourrait presque le qualifier d'Emile Coué de la géopolitique, croyant à la supériorité de « l'esprit sur la matière ». Il répétait sans cesse qu'en « s'appuyant sur la fantastique énergie des masses, on peut faire et accomplir n'importe quelle tâche [10] ». « Il n'y a pas de régions stériles, mais seulement une pensée stérile, comme il n'y a pas de mauvaises terres, mais seulement de mauvaises méthodes de culture [11] », avait-il coutume de dire. Ce mépris de la réalité objective explique la facilité avec laquelle il admettait l'éventualité d'une guerre nucléaire et sa conviction d'une victoire chinoise. « Le vent d'Est l'emporte sur le vent d'Ouest », affirmait-il en 1957. « Si l'impérialisme insiste pour se battre, nous n'aurons pas d'autre alternative que celle de nous préparer intellectuellement, et de nous battre jusqu'à la fin avant de progresser dans notre propre construction [12]. » La même année, à Moscou, il choqua ses collègues du PCUS par un argument identique : « Nous pouvons perdre 300 millions de nos compatriotes. Et alors ? La guerre, c'est la guerre. Les années passeront et nous devrons travailler à produire plus d'enfants qu'auparavant [13] » (selon Khrouchtchev, il employa une expression indécente). Il eut plus tard une vision similaire de la guerre avec la Russie : « Même si cela dure éternellement, le ciel ne s'effondrera pas, les arbres grandiront, les femmes accoucheront, et les poissons nageront [14]. » Il semble que, toute sa vie, Mao ait pensé que la véritable dynamique de l'Histoire ne résidait pas tant dans le développement des classes (qui n'en serait que l'expression extérieure), mais dans la détermination héroïque, et se soit considéré comme l'incarnation du surhomme nietzschéen.

Par ses désirs et ses ambitions artistiques, son romantisme et sa

foi en la volonté, comme clef non seulement du pouvoir, mais de la réussite, Mao fut, en un certain sens, un Hitler oriental. Bien que présen-
tant une ressemblance superficielle avec la mise en scène stalinienne,
le culte de la personnalité dans le régime maoïste joua un rôle plus créatif et plus central qu'en Union soviétique. A l'image de Hitler, Mao eut
une prédilection pour la politique-théâtre, et le décor général de son
régime était plus frappant et plus original que les pâles imitations sta-
liniennes de la pompe nazie. Il prolongeait et transformait la majesté
de l'ère impériale. Les foules étaient entraînées à l'accueillir par le chant
rituel : « Longue vie au président Mao. » Reprenant à son compte les
vieilles coutumes des empereurs, il labourait chaque année le sillon d'un
champ, utilisait la cité impériale comme lieu de résidence, et donnait
des instructions au sujet de la calligraphie pour certains monu-
ments [15]. A cela il ajoutait une culture solaire de son propre cru, reflé-
tée par son hymne *L'Est est rouge*, qu'il imposa à la Chine comme second
chant national :

> « A l'Est rouge se lève le soleil :
> Et un Mao Tsö-tong apparaît en Chine. »

Rond comme un soleil, son visage s'étalait sur d'immenses pos-
ters, et, comme un soleil encore, il apparaissait à l'aube, durant l'été
1966, pour inspecter 1 million de gardes rouges. Se succédant parfois
au rythme de 8 par semaine, ces inspections permettaient au soleil de
briller sur plus de 11 millions de personnes et ressemblaient fortement
aux célébrations de Nuremberg. Les gardes rouges scandaient en
rythme les chants et slogans à la gloire de Mao, pendant que Lin Piao
(un peu à la manière de Goebbels) vociférait ses litanies : « Écrasons
les suppôts du capitalisme au pouvoir ! Écrasons les autorités bourgeoises et réactionnaires ! Balayons les démons malicieux et les esprits
mauvais ! Abolissons les quatres vieux liens : la vieille pensée, la vieille
culture, les vieilles coutumes, les vieilles habitudes. La pensée de Mao
Tsö-tong doit diriger et transformer l'esprit, en attendant que le pouvoir de l'esprit transforme la matière [16] ! » (18 août 1966). La pensée de
Mao, c'était « le soleil de notre cœur, la racine de notre vie, la source
de notre force » ; « sa pensée est une boussole et une nourriture spirituelle » ; c'était « comme un énorme gourdin balancé par un singe en
or », « un étincelant rayon de lumière » révélant « les monstres et les
lutins », une série « de miroirs magiques pour détecter les démons » ;
et Mao lui-même était « la source de toute sagesse ». La révolution et
ses exploits étaient ainsi (d'une certaine manière) une gigantesque application de la pensée de Mao, car « toutes nos victoires sont les victoires
de la pensée de Mao Tsö-tong [17] ».

Le *Petit Livre rouge* jouait exactement le même rôle que *Mein
Kampf*, et, comme Hitler, Mao utilisait les défilés de troupes, les musi-
ques militaires et les orchestres, ainsi que les spectacles *son et lumière*,
afin de produire des phénomènes d'illusions et d'hystérie collectives.

Lors des gigantesques rassemblements de 1966, des orchestres de 1 000 exécutants jouèrent *L'Est est rouge*, et un documentaire filmé au IXe Congrès du parti communiste chinois, en 1969, montrait les délégués brandissant le *Petit Livre rouge*, se trémoussant frénétiquement, les yeux baignés de larmes et glapissant comme des animaux dans la Grande Salle du peuple [18]. Le langage virulent et abusif utilisé par Mao et ses partisans pour susciter un militantisme violent et fanatique rappelait beaucoup l'antisémitisme hitlérien. L'aspect le plus éminent qui rapprochait Mao de Hitler était sa logomachie éminemment eschatologique. Fondamentalement impatient, il manquait de ce stoïcisme tranquille par lequel Staline poursuivait sans remords ses objectifs et ses haines. Comme Hitler, Mao voulait accélérer l'Histoire et pensait que ses successeurs se montreraient poltrons, sans courage : si les choses ne se faisaient pas de son vivant, elles ne se feraient jamais. Toujours obsédé par la marche impitoyable du temps, le « Grand Timonier » donnait libre cours à son impétuosité, par un amour insatiable et complémentaire pour le mélodrame. En un sens, Mao n'a jamais réussi à faire la transition entre la situation révolutionnaire et l'administration de l'État. A l'inverse de Staline, il détestait la bureaucratie ; et l'Histoire n'était, pour lui, qu'une sorte de pièce de théâtre cosmique, une suite d'épisodes spectaculaires où il était tout à la fois acteur, impresario et spectateur. Le rideau n'était pas plus tôt tombé avec fracas sur une scène — la « Longue Marche », par exemple, ou la « chute du kouo-min-tang » — qu'il réclamait à grands cris un nouvel épisode, plus rapide et plus furieux.

C'est pourquoi le règne de Mao fut un sinistre mélodrame, dégénérant parfois en farce, mais toujours une perpétuelle tragédie, au sens le plus profond de ce mot : tragédie qui ne se joua pas sur un théâtre, mais expérimentée sur des centaines de millions d'hommes bien en chair et en os, vivant et souffrant. Après la défaite du kouo-min-tang, le premier drame semble avoir eu lieu vers la fin de l'année 1950. Au début, la réforme agraire introduite dans le Sud, par la loi de 1949, n'avait pas un caractère définitif ; or, le 14 juin 1950, un discours de Lin Piao mit un frein à cette réforme. Le terme bienveillant de « paysannerie moyenne » remplaça celui de « paysannerie riche » ; de nouvelles catégories sociales furent inventées : « petite noblesse éclairée », « petits propriétaires », afin de conserver au pouvoir l'appui très efficace des petits fermiers indépendants [19]. La guerre de Corée fournit à Mao son prétexte pour le premier cataclysme d'après-guerre. En 1951, et plus encore en 1952-1953, la réforme agraire fut sans cesse accélérée et menée avec une grande brutalité. De la campagne des « Trois contre », on passa vite à la campagne des « Cinq contre ». Le 21 février, de nouveaux réglements concernant le châtiment des contre-révolutionnaires » stipulèrent que bon nombre de « crimes » seraient punis de mort ou de prison à perpétuité. Dans toutes les grandes villes, on organisa des rassemblements de masse pendant lesquels les

« ennemis du peuple » étaient publiquement dénoncés et condamnés. En quelques mois, Pékin vit la réunion de près de 30 000 de ces meetings « auxquels participèrent plus de 3 millions de personnes. Chaque jour, les journaux publièrent des longues listes de noms de contre-révolutionnaires » exécutés. Il fut établi que près de 800 000 cas avaient été « traités » dans les six premiers mois de l'année (Chou En-lai devait plus tard déclarer que la sentence de mort avait été prononcée dans 16,8 % des jugements, ce qui équivalait à 135 000 exécutions au total, soit 22 500 par mois : taux élevé même en comparaison des pires « records » staliniens). Le total des victimes de cette pièce de théâtre d'après-guerre, mise en scène par Mao, peut se chiffrer à 15 millions, bien que le nombre de 1 à 3 millions paraisse plus vraisemblable [20].

Ce gigantesque travail de réorganisation sociale fut accompagné par la première attaque de Mao contre les structures mentales de son peuple : un « lavage de cerveau » qu'il intitula « réforme de la pensée ». Cette réforme devait remplacer la piété familiale traditionnelle par une piété filiale envers l'État considéré comme valeur morale centrale de la nation et présenter Mao comme un père de substitution [21]. Le 23 octobre 1951, ce dernier jugeait sa « réforme de la pensée » comme une condition préalable vitale à « la transformation démocratique consciencieuse de notre pays et à son industrialisation progressive ». Dans tout le pays s'instaura un « mouvement pour l'étude de la pensée de Mao Tsö-tong » ; les « allergiques » étaient taxés d'« occidentalisme » et souvent rééduqués en prison, les fers aux pieds [22]. Cependant, les victimes de ce drame n'étaient pas seulement des personnes que touchaient la réforme agraire ou la façon dont elle était appliquée ; bien des actions menées au nom de la campagne des « Huit contre » furent dirigées contre des commerçants, des industriels et des fonctionnaires ; en fait, la nation entière était concernée.

Comme tous les drames successifs de Mao, celui-ci avorta lorsque le Grand Timonier cessa de s'y intéresser et se mit à douter des résultats ; ou bien lorsque apparurent les conséquences désastreuses de la famine et de la baisse de la productivité agricole. Cependant, en 1955, l'impatience de Mao se faisait à nouveau sentir. Le 31 août 1955 il annonça soudainement dans un discours une accélération de la collectivisation des fermes et la nationalisation précipitée de tout le commerce et l'industrie. Cette année 1955 fut d'ailleurs baptisée « l'année décisive pour le combat du socialisme contre le capitalisme [23] ». Cette campagne devait également avoir pour but de changer les mentalités : les « paysans pauvres » devaient « prendre le contrôle », puis « consolider l'unité » avec la « paysannerie moyenne » et même avec la « paysannerie aisée » : cela afin de se prémunir contre l'« infiltration » des « contre-révolutionnaires », des « fripons » et des « démons ». Déçu par l'accueil populaire fait à ces injonctions, Mao sortit avec la même rapidité sa politique des « Cent fleurs » (« Que cent fleurs jaillissent ! »), en ¹956, afin de persuader le peuple de s'exprimer. « Si les idées justes sont dorlotées dans des maisons bien chaudes, sans être exposées aux éléments ou sans s'immuniser contre la maladie, elles ne pourront jamais vaincre les idées fausses », exposait-il. D'après Khrouchtchev, l'épisode des « Cent fleurs » n'était qu'une simple provocation. Mao « prétendait simplement ouvrir grand les vannes de la démocratie », pour « inciter le peuple à exprimer ses pensées les plus intimes », et ainsi « détruire ceux dont le jugement lui paraissait nuisible [24] ». Contre toute attente, la campagne fut brutalement interrompue, sans avertissement : Les « éléments droitiers » furent envoyés dans des camps de travail ; les professeurs qui avaient brièvement « fleuri » se retrouvèrent condamnés à nettoyer les toilettes ; et, en 1957, les tentatives de protection de la « légalité socialiste » furent supprimées [25].

Il faut considérer ces événements confus, ces minidrames avortés à la lumière du mécontentement croissant de Mao par rapport à la politique soviétique, menée par les successeurs de Staline. Il n'avait jamais beaucoup apprécié ce dernier, et les points de désaccord avaient toujours été nombreux ; à la mort du maître du Kremlin, Mao provoqua le suicide ou le meurtre de Kao Kang, agent stalinien et chef du comité de Planification de l'État en février 1954 ; mais il s'opposa fermement à toute tentative de « déstalinisation », permettant d'attribuer des erreurs collectives à un seul personnage. « Le discours à la session secrète », prononcé par Khrouchtchev en 1956, et rejetant le stalinisme, était à ses yeux une hypocrisie. Tout le monde, Khrouchtchev inclu, avait collaboré à la politique criminelle de Staline. Alors, Mao se demandait comment le nouveau secrétaire général du parti communiste de l'Union soviétique analysait son propre rôle lorsqu'il « se frappe la poitrine, tape du poing sur la table, et hurle des insultes » ? Etait-il lui-même un « meurtrier », un « bandit » ? Ou plutôt un « fou » et un « imbécile [26] » ? Visiblement, Mao craignait que la campagne déclenchée à Moscou contre le culte de la personnalité puisse être retournée contre lui. Cependant, en fin de compte, maintenant Staline mort, Mao sentait que la faiblesse intellectuelle de la nouvelle direction en place à Moscou renforçait sa position de chef suprême du bloc. Aussi se décida-t-il à stupéfier les camarades, de l'Est comme de l'Ouest, par l'audace de sa nouvelle action et, en septembre-octobre 1957, il annonça le nouveau drame du « grand bond en avant », qui fut lancé le printemps suivant, avec d'énormes moyens de propagande.

Le « grand bond » fut sans doute l'expression la plus évidente de l'impatience chronique de Mao, de sa croyance en la supériorité de l'esprit sur la matière, et de sa certitude que, la volonté aidant, l'âge des miracles n'était pas mort. D'un seul coup, d'emblée, il voulait parvenir au véritable communisme, et même au stade de la désagrégation de la notion d'État. Projetant son besoin de télescoper l'Histoire sur le monde paysan, il affirmait que « ceux-ci étaient pauvres et vierges comme une feuille blanche », et qu'il « était bon que les pauvres gens désirent changer, désirent agir, désirent la révolution. Une feuille de papier vierge est vierge : on peut donc y inscrire les mots les plus nouveaux et les plus beaux[27] ». Même d'après les critères maoïstes, la politique du bond fut impulsive et imprudente ; néanmoins, il la justifiait en expliquant que Staline avait marché « sur une jambe » seulement, en créant un secteur industriel et un secteur agricole radicalement séparés. La Chine, elle, « marcherait sur ses deux jambes », en se couvrant de communes autarciques et autosuffisantes (inspirées du modèle historique de la Commune de Paris en 1870), possédant chacune son propre secteur agricole, industriel et ses services, ainsi que sa propre milice de défense : en somme, « une unité de travail et de défense[28] ».

L'étendue du champ d'application de ce théâtre expérimental et la vitesse à laquelle l'action se déroula dépassèrent toutes les espérances. Après une brève pause mise à profit pour dénouer une situation pour le moins confuse, entre le mois d'août et le mois de décembre, environ 700 millions de personnes (soit 90 % de la population) virent leur mode de vie radicalement transformé sur le plan politique, économique et administratif, entre janvier et février 1958. Rien que dans la province du Hainan, par exemple, 5 376 exploitations agricoles collectives furent refondues en 208 grandes « communes populaires », comportant une moyenne de 8 000 foyers chacune. Ces communes étaient censées s'autosuffire et produire leur propre acier : exemple frappant, ainsi que le soulignait Khrouchtchev, de « l'action folle et bouleversante pour son pays » que Mao Tsö-tong menait du haut de son trône. Chou En-lai, ajoutait-il, s'était rendu à Moscou et avait admis que l'industrie chinoise de l'acier se trouvait dans un piteux état suite à cette transformation. Vice-président de la Commission de Planification de l'État, A.F. Zasyadki fut dépêché sur place pour ouvrir une enquête. Celui-ci rapporta à Khrouchtchev que les ingénieurs des aciéries, formés par les Soviétiques, étaient maintenant contraints de travailler en milieu agricole, et que l'industrie de l'acier était un « carnage ». L'usine qu'il avait visitée était « dirigée par un vieillard », et tout l'équipement, l'argent, les efforts de la Russie, entièrement gaspillés[29]. Khrouchtchev semble en avoir conclu que Mao était une réplique de Staline, pis encore peut-être : un déséquilibré qui ferait sombrer son pays et sauter le monde s'il en avait les moyens. La politique du grand bond eut donc pour conséquence directe de mettre un terme à toute assistance technique de la Russie à la Chine (y compris dans le domaine des armements nucléaires) dès 1959, et d'ouvrir la brèche entre les deux puissances communistes l'année suivante au Congrès du parti communiste roumain, où Khrouchtchev dénonça la direction chinoise et la qualifia de « folle », de « nationaliste pure », et dont le but était de déclencher une guerre nucléaire.

En Chine même, le mouvement du grand bond s'arrêta le 23 juillet 1959, lorsque Mao déclara, en guise de baisser de rideau : « Le chaos s'étend sur une grande échelle, et j'en suis responsable[30]. » Toutefois, les conséquences du drame portaient leur énergie cinétique irrésistible et incontrôlable : l'année 1959 fut marquée par des catastrophes naturelles, conjuguées au désastre non naturel du grand bond, qui produisirent une famine créée de main d'homme à l'échelle de la faillite stalinienne enclenchée dans les années 30, dont les effets se firent sentir jusqu'en 1962[31]. A ce jour encore, personne ne sait ce qui advint de l'agriculture chinoise pendant ces années terribles ; l'industrie de l'acier avait sombré et devait être entièrement reconstruite ; une fois encore réorganisée, l'agriculture connut un retour aux coopératives, et la taille des communes ne dépassa pas 2 000 foyers. Mais les récoltes et le cheptel étaient perdus ; le peuple mourait de faim. Les chiffres du nombre de victimes du grand bond ne sont pas disponibles à ce jour.

Le désastre de sa politique semble avoir tari une bonne partie du capital de prestige amassé par Mao et ses collègues lors du succès de la guerre révolutionnaire. Il ne bénéficia jamais du pouvoir suprême et solitaire à la manière d'un Hitler ou d'un Staline pour deux raisons : la première tient à l'insoluble problème chinois aggravé par le manque de centralisation et de moyens modernes de communication ; la seconde, de l'absence d'un appareil de terreur policier tel que le KGB ou la gestapo-SS. Les empreintes régionales sur le Parti étaient davantage marquées qu'en URSS ; en particulier, la profonde bipolarité existant entre le conservatisme de Pékin et le radicalisme de Shanghai. Une fois le rideau tombé sur le drame de 1959, Mao renonça pour un moment à ses démonstrations théâtrales ; il sembla se « reposer ». « Le combat entre les deux lignes » date de ce moment, et pendant un temps l'avantage demeura dans le camp des « révisionnistes » : ceux-ci ne laissèrent plus jamais Mao s'occuper directement du processus de production, tant dans le domaine agricole qu'industriel. En échange, il s'occupa de la culture et de l'éducation. Mao, qui en un sens détestait autant la « civilisation » que Hitler, n'avait jamais beaucoup aimé le mandarinat et la culture officielle. Il n'était pas question, en Chine, d'une conspiration juive internationale, mais la civilisation s'incarnait dans l'intolérable, insupportable poids mort âgé de quatre mille ans. A cet égard, sa révolution semblait n'avoir rien changé, et il pensait que l'échec du grand bond était dû à un esprit révolutionnaire insuffisant dans le domaine culturel.

Le 13 février 1964, Mao lâchait ces paroles de mauvais augure : « L'actuelle méthode d'enseignement ruine le talent et la jeunesse. Je n'approuve pas la lecture de tant de livres. La méthode qui consiste à passer des examens est une sorte de tractation avec l'ennemi : elle est pernicieuse et doit être arrêtée[32]. » Neuf mois plus tard, il trahissait des signes évidents d'impatience et une grande envie de mettre en scène un nouveau drame : « Nous ne pouvons pas suivre les vieux chemins du développement technique de chaque pays du monde, et ramper, marche après marche, derrière les autres. Nous devons briser les conventions... Quand nous parlons de grand bond en avant, nous parlons précisément de cela[33]. » De physique, le bond devint mental ;

l'intérêt de Mao pour le lavage de cerveau s'était rallumé au début de l'année 1965 et allait devenir la caractéristique dominante de son nouveau drame, le plus grand sans doute.

A cette époque, un triumvirat efficace tenait en main les destinées de la Chine : Mao, à la tête de l'État ; Lieou Chao-k'i à la tête du Parti et particulièrement à celle de l'appareil pékinois ; Lin Piao, à la tête des armées. Poussant sa femme, l'actrice Chiang-Ching sur le devant de la scène, Mao choisit de jouer le premier acte de sa pièce de manière indirecte. Chiang-Ching était parfaite dans son rôle de « star » pour ce qui allait devenir la « révolution culturelle ». Mao avait toujours eu un penchant pour les actrices : c'était là un signe de son caractère romantique. Ayant eu une aventure avec la célèbre Lili Wu, sa femme légitime de l'époque, Ho Tzu-chen, s'en aperçut, intenta un procès et obtint le divorce devant une cour spéciale du Comité central, qui proscrivit ensuite les deux femmes [34]. En 1939, Mao épousa Chiang-Ching : dans les années 30, celle-ci jouait à Shanghai, sous le nom de scène de Lan Ping. Selon sa version, elle avait débuté dans la profession à treize ans, était entrée au Parti à dix-neuf et avait vingt ans lorsque Mao la découvrit à Yenan ; il lui offrit un billet gratuit pour une conférence qu'il donnait à l'institut marxiste-léniniste [35]. D'autres versions lui donnent un âge sensiblement plus élevé, indiquent qu'elle s'était mariée déjà trois ou quatre fois à Shanghai, dans les années 30, avait eu beaucoup d'aventures dans le monde du cinéma, et qu'elle s'y était attiré beaucoup de haines et d'inimitiés.

Chiang-Ching resta, ou fut maintenue, dans l'ombre pendant les vingt premières années de son mariage, car il existe en Chine une suspicion bien ancrée concernant les intrigues politiques de l'épouse, que l'on pourrait dénommer « le syndrome de l'impératrice douairière ». Au début des années 60, il était considéré comme remarquable que Wang Kwang-mei, épouse de Liu, chef de l'État, s'habille selon la mode, porte des perles et danse même (elle était née aux États-Unis) lors des voyages officiels de son mari à l'étranger — qu'elle accompagnait ; cela avait pu provoquer la jalousie de Chiang. Celle-ci devint la vedette d'un petit groupe de pseudo-intellectuels maussades, d'écrivains ratés, de metteurs en scène et de comédiens de seconde zone, la plupart natifs de Shanghai et dont l'ambition était de mettre la main sur le monde artistique pour le radicaliser sur le plan politique. Ce groupe bénéficiait d'un certain crédit dans les sphères dirigeantes du Parti. Après les purges culturelles de Jdanov en Union soviétique, il se créa en Chine, au cours de l'année 1950, un « bureau de réforme de l'Opéra », puisant son inspiration dans un groupe théâtral fondé à l'Académie de l'Armée rouge en 1931, et nommé régiment chinois des Vareuses bleues, qui utilisait des scènes mobiles pour dispenser et diffuser l'idéologie. En 1952, le Théâtre d'art populaire de Pékin fut chargé de mettre en scène des pièces didactiques « modernes [36] » : il n'en résulta que peu de chose. Bref, dans le courant des années 60, le théâtre classique chinois restait encore prédominant, et de nombreuses scènes indépendantes florissaient, qui jouaient Ibsen, O'Neil, Shaw, Tchekhov et utilisaient la méthode de Stanislavsky[37]. Le groupe de Chiang, appelé « Ligue des auteurs dramatiques de gauche », avait bien du mal à faire jouer ses pièces et était soupçonné de trotskisme[38]. D'autre part, il semble que Chiang ait apporté au théâtre chinois, déjà envenimé par l'esprit sectaire et aigri inhérent au marxisme-léninisme, une mentalité de vendetta.

Elle connut son heure de gloire en juin-juillet 1964, lorsque Mao, frustré, l'autorisa à organiser le festival de l'opéra de Pékin, dans la Grande Salle du peuple, sur des thèmes contemporains. Constitué de 37 nouveaux opéras (33 concernant la révolution et 4, des faits la précédant), ce festival était interprété par 8 compagnies et troupes prolétaires, venues de 19 provinces. Plus surprenant encore de la part de Mao, il autorisa Chiang à prononcer un discours, le premier prononcé par une femme depuis sa prise de pouvoir. Elle déclara qu'il existait 3 000 troupes de théâtre en Chine, dont 90 travaillaient dans un sens résolument « moderne ». Et, pourtant, la scène chinoise était encore dominée par des thèmes éculés, des héros et des héroïnes, « par des empereurs, des princes, des généraux, des ministres, des savants, et des beautés, coiffés par des fantômes et des monstres ». Il y avait « plus de 600 millions de travailleurs, paysans et soldats dans notre pays », opposés à « une poignée de propriétaires, de paysans riches, de contre-révolutionnaires, de mauvais éléments, droitiers et bourgeois ». Pourquoi le théâtre ne devrait-il satisfaire que ceux-là et non les 600 millions d'autres ? Recommandant comme chefs-d'œuvre universels certains « opéras modèles », tels « Raid sur le régiment du Tigre Blanc », ou « Stratégie de la prise de la montagne du Tigre », elle fit chou blanc et n'obtint aucun succès à Pékin, temple et gardien de la culture chinoise[39]. Le mandarin Peng-Chen, maire de la ville, et aussi un des dirigeants du Parti, en parlait « comme étant encore demeurée au stade de l'âge où l'on porte des petites culottes fendues et où l'on suce son pouce ». Personne n'appréciait sa manière d'interpeller ses opposants et ses critiques, « dans le dessein de leur chercher querelle ». Alors qu'elle demandait à Peng de lui confier une troupe d'opéra « pour la réformer à sa manière », et lui montrait une nouvelle pièce révolutionnaire qu'elle se proposait de lui faire jouer, il refusa catégoriquement, lui arracha la partition des mains et la défia de « s'en tenir à une attitude hostile, si bon lui semblait[40] ».

Cette hostilité se manifesta par le travail de persuasion qu'elle entreprit auprès de Mao, afin de l'inciter à quitter Pékin et à passer la plus grande partie de l'année 1965 à Shanghai. De nombreuses idées lui passaient alors dans l'esprit qu'il put cultiver à loisir : la haine de la Russie soviétique et de sa direction, de la nouvelle classe de bourgeois bureaucrates qui avaient fait échouer sa politique du grand bond, l'attente d'un héros sage et vieillissant qui galvaniserait encore les jeunes, le mépris de l'éducation formelle et traditionnelle, son dégoût des gens qui ne réussissaient que grâce au mandarinat et, enfin, la jalousie qu'il éprouvait vis-à-vis de Liu. D'autant que le livre de ce dernier, _Comment être un bon communiste_, avait été vendu à 15 millions d'exemplaires entre 1962 et 1966, autant que tous les ouvrages de Mao pendant la même période, et que des éditoriaux officiels exhortaient les camarades à lire et à étudier Liu autant que Mao. Une grande querelle avait éclaté entre les deux hommes, à propos de l'échec du bond[41]. Ainsi, les ambitions étouffées d'une actrice ratée s'ajoutaient aux griefs d'un auteur offensé. Renonçant à lire le _Quotidien du Peuple_ de Pékin, Mao lui préféra le journal de l'armée, le _Quotidien de l'armée de libération_. Une autre explosion dramatique couvait. « Je suis seul avec les masses ; j'attends », faisait-il remarquer, menaçant, à André Malraux, et devant l'ambassadeur de France, flagorneur, qui lui faisait remarquer son formidable charisme sur la jeunesse, il rétorquait : « Les choses que vous avez vues ne représentent qu'une seule face, vous n'avez pas aperçu l'autre. » A un groupe d'Albanais, il confiait que la nouvelle élite privilégiée en URSS avait d'abord germé dans les milieux littéraire et artistique, et que la même chose était en train de se passer en Chine : « Pourquoi donc y a-t-il tant d'associations littéraires et artistiques à Pékin ?... Les représentations données par l'armée sont les meilleures, les troupes locales sont de second ordre, et celles de Pékin les pires.'» Les groupes culturels officiels, disait-il à une délégation de fonctionnaires du Plan, sont « tout juste des répliques transplantées de Russie... tous dirigés par des étrangers ou des hommes morts ». Quant à l'Académie des sciences de Pékin, elle n'était qu'« une cour des miracles », remplie de « fossiles » qui « lisaient des revues illisibles[42] ». Il ne pourrait donc compter que sur l'armée paysanne, bien au fait des réalités et pragmatique ; Luo-Rui-qing, son chef d'état-major, fut cassé pour activités prétendument prosoviétiques ; Mao en remania sa direction en jouant Lin Piao contre Lui et la « clique de Pékin ». La configuration des événements à venir commença de se dessiner lorsqu'il autorisa Chiang-Ching à convoquer un « forum sur le travail littéraire et artistique au sein des forces armées » à Shanghai. Avant la tenue de cette réunion, Lin, un peu nerveux, réunit les officiers supérieurs :

> « Elle est politiquement très habile et avisée en matière d'art et de littérature... Beaucoup de ses idées sont justes. Vous devrez y prendre garde et veiller à ce qu'elles soient appliquées tant sur le plan idéologique que sur celui du fonctionnement et de l'organisation. Dès ce moment, tous les documents militaires relatifs à l'art et à la culture devront lui être envoyés[43]. »

Ses troupes rassemblées, Mao passa à l'attaque. Le détonateur de la future « révolution culturelle » s'amorça par le ressentiment éprouvé à l'égard d'une pièce, intitulée : _Hai Jui démis de ses fonctions_, écrite en 1961 par Wu Han, député-maire de Pékin et un autre mandarin officiel[44]. Elle mettait en scène un fonctionnaire de la dynastie des Ming, fidèle et intègre, renvoyé pour avoir osé exprimer son désaccord avec la politique agraire menée par l'empereur : sa franchise était donc injustement punie. C'était, bien évidemment, plus que Mao ne put en supporter : il ne put feindre d'ignorer cette attaque personnelle, clairement inspirée par Liu ; de plus, la blessure et l'affront, dans toute leur cruauté, résidaient dans la réalité des désastres agricoles pour lesquels il était ouvertement critiqué. Le signal de sa contre-attaque fut donné par un article incendiaire paru au sujet de cette pièce, dans un quotidien de Shanghai, *Les Activités littéraires*, en date du 10 novembre 1965. De retour à Pékin vers la fin de l'année, il rencontra le Premier ministre soviétique Alekseï Kossyguine et lui demanda, ironiquement, si l'URSS viendrait en aide à la Chine au cas où les États-Unis attaqueraient par le biais de la guerre du Viêt-nam. Kossyguine ne donna aucune réponse. Cependant, Mao ne dissimula pas à son interlocuteur l'âpreté du conflit avec ses collègues ; en fait, il ne fit aucun effort pour cacher l'explosion qui allait survenir bientôt. Rentré à Shanghai au début de l'année suivante, Mao s'adressa rageusement à Teng Siao-p'ing et à d'autres dignitaires venus spécialement de Pékin, devant une délégation de communistes japonais stupéfaits : « Vous, les gens de Pékin sans caractère, qui êtes à la remorque de la Russie. » Les spectateurs japonais « se firent tout petits[45] ».

Dès ce moment, la révolution culturelle prit son élan. Ainsi qu'il le souligna plus tard, Mao « donna le signe ». En février 1966, Lin, devenu l'allié résolu bien que craintif de Chiang-Ching, la nomma « conseillère culturelle » de toutes les forces armées. L'odieux mandarin, maire de Pékin, fut destitué et tomba en disgrâce avec Liu ; les deux hommes, ainsi que Teng et d'autres, ne furent pourtant pas arrêtés avant l'année suivante. Le 20 mars, Mao, comme un vieux sorcier, décida de supprimer, de détruire une fois pour toutes, la violence brutale d'une jeunesse inculte. « Il nous faut des jeunes, déterminés et un peu instruits, à la volonté ferme et résolue, politiquement formés, pour accomplir la tâche », déclara-t-il. « Au moment de mettre notre révolution en marche, nous avions à peine vingt-trois ans, alors que les dirigeants de l'époque étaient vieux et expérimentés[46]. » Chiang-Ching, alors maître à penser d'un groupe d'activistes pour la plupart originaires de Shanghai, publia sa première circulaire le 16 mai ; Mao lui avait confié la responsabilité de la révolution culturelle. Elle attaquait les « tyrans érudits » qui avaient « obscurci » la langue pour réduire au silence la lutte des classes, et maintenir la politique hors de l'académie, sous le fallacieux prétexte que « tous sont égaux devant la vérité ». Le sixième point de sa circulaire constituait un appel non déguisé au vandalisme : « Le président Mao répète souvent qu'il n'y a pas de construction sans destruction. Par destruction, il entend critique et désaveu, il parle de révolution. » Le *Quotidien du peuple* et d'autres publications pékinoises refusèrent de publier ce texte. Deux jours plus tard, Lin Piao faisait devant les membres du politburo un remarquable discours sur la notion du pouvoir au cours duquel il analysa l'histoire des coups d'État. En écho à Goebbels, il défendit la thèse selon laquelle la force conjuguée à la propagande était irrésistible : « La prise de pouvoir politique se fait avec des canons et des encriers. » A quoi donc sert le pouvoir ? « Le pouvoir politique est un instrument grâce auquel une classe opprime l'autre. Que ce pouvoir soit révolutionnaire ou contre-révolutionnaire le résultat est identique. A mon sens, _le pouvoir politique est le pouvoir d'opprimer les autres_[47]. » On ne pouvait être plus clair ; venant de la part d'un dirigeant supposé responsable de la stabilité de la nation, il y avait de quoi faire trembler ses auditeurs. A cela venait s'ajouter la pire des nouvelles : Kang Sheng, responsable de la police secrète, prêtait son concours aux « révolutionnaires culturels » ; ce qui signifiait qu'on ne causerait aucun ennui aux nouveaux « canons et encriers », qui, dans la seconde moitié du mois de mai, se matérialiseraient sous la forme des gardes rouges et des affiches murales.

En Chine, la virulence théorique et les bouleversements politiques sont toujours allés de pair. La révolte des étudiants de Pékin servit de détonateur au mouvement du 4 mai en 1919 et à celui du 9 décembre en 1935. Une poussée similaire, vite réprimée ensuite (notamment par Teng et Liu qui réagirent vivement au « signe » de Mao), se fit jour pendant les « Cent fleurs », qui vit, en 1957-1958, le retour de 100 000 professeurs à leurs chères études[48]. Mais l'échelle de grandeur était cette fois bien différente : peuplée maintenant de 800 millions d'habitants, la Chine comptait 90 millions d'enfants dans les écoles primaires, 10 millions dans le secondaire, et 600 000 dans les universités[49]. Les premiers gardes rouges apparurent le 29 mai : c'étaient des collégiens, âgés de douze à quatorze ans, portant des brassards rouges frappés des lettres jaunes signifiant _Hung Wei Ping_ (« garde rouge »). Leur première action offensive se tourna vers l'université Tsinghua[50]. Bientôt rejoints par des enfants jeunes et moins jeunes, des étudiants et, fait qui a son importance, par des membres des Jeunesses du PCC encouragés par Mao, ils se révoltèrent contre la direction officielle et envahirent les rues en bandes organisées. Au début de l'été, l'ensemble du système éducatif chinois fut paralysé, et les professeurs des lycées et universités, terrorisés, se sauvèrent (quand ils avaient la chance de ne pas être pris et « rééduqués ») : la loi du lynchage, édictée par les jeunes, s'étendait.

Par la suite la révolution culturelle engendra quelques méprises en Occident, où on se la représentait comme une révolution d'intellectuels : ce fut tout le contraire : les illettrés et les semi-illettrés (« binoclards », comme on les appelait) se dressèrent contre les intellectuels, et la xénophobie s'appliquait à tous ceux que l'on accusait de « chercher midi à quatorze heures ». Les gardes rouges avaient bien des points communs avec les chemises brunes de Röhm, et tout le mouvement ressemblait assez à la campagne de Hitler contre la « civilisation cosmopolite ». La Chine de ces années-là vécut une des plus grandes chasses aux sorcières de l'Histoire, à côté de laquelle les purges de Jdanov en Russie soviétique semblaient presque insignifiantes. Néanmoins, il est significatif que cette grande poussée de vandalisme ait attiré un certain type de radicalisme universitaire, qui devait, par la suite, devenir tristement familier en Europe et aux États-Unis. A Pékin, c'est une femme, professeur de philosophie à l'Université, qui posa la première affiche « écrite en caractères gras » ; Nieh Yuan-tzu s'adressait ainsi aux autorités universitaires et devait bientôt incarner la Mme Defarge des horreurs commises sur le campus : « Pourquoi avez-vous donc si peur de ces affiches ? Il s'agit d'un combat à mort contre la Bande noire ! » En une semaine, 10 000 étudiants posèrent environ 100 000 affiches « aussi grandes que des portes », comportant souvent des idéogrammes de 1,2 m[51]. Les phrases et les slogans se répétaient indéfiniment : « Vous devez absolument accepter cela... Notre patience a des limites. » Les premières violences physiques se situèrent au même moment lorsque les bandes qui tenaient les rues attaquèrent des jeunes filles aux longs cheveux nattés et les leur coupèrent ; les garçons, vêtus de pantalons en forme de « tuyaux de poêle » à la mode étrangère, furent déshabillés, les coiffeurs, priés de ne plus offrir des coupes en « queue de canard », les restaurants durent simplifier leurs menus, les boutiques cessèrent de vendre des cosmétiques et des produits de beauté, des jupes et des robes fendues, des lunettes de soleil, des manteaux de fourrure et autres fanfreluches. Les enseignes lumineuses au néon furent brisées ; on fit d'immenses feux de joie dans les rues avec des objets interdits (qui furent d'ailleurs exhibés dans les vitrines, lors d'une exposition d'« objets confisqués ») : il s'agissait de pièces de soie et de brocart, de lingots d'or et d'argent, de jeux d'échecs, de malles et de coffres anciens, de cartes à jouer, de jeux de mah-jong, de robes, de redingotes, de chapeaux haut de forme, de disques de jazz et de bon nombre d'œuvres d'art. Les gardes rouges fermèrent les salons de thé, les cafés, les théâtres privés indépendants ainsi que les restaurants ; ils réduisirent au chômage les musiciens de rues, les acrobates, les comédiens ambulants et interdirent les mariages et les enterrements, les rondes et les jeux de cerfs-volants. Les anciennes fortifications de Pékin furent détruites, le parc Bei Hai et la galerie nationale des Beaux-Arts, fermés, les bibliothèques, saccagées, les livres, brûlés ; même lorsque les bibliothèques restèrent ouvertes, peu de gens osèrent s'y aventurer. Dix ans plus tard, Teng racontait que sur les 800 techniciens de l'Institut de recherches sur les métaux non ferreux par exemple, seuls quatre eurent le courage d'utiliser la bibliothèque pendant toute la durée de la révolution ; il ajoutait que quiconque parmi les 150 000 cadres techniques de l'Académie des sciences se rendait dans les laboratoires, durant ces temps obscurs, était immédiatement dénoncé comme « spécialiste en blouse blanche[52] ».

Aucune autorité ne pouvait faire obstacle à ces exactions. Lorsque les commerçants et d'autres victimes lésées recherchaient la protection de la police, on leur rappelait « la grande décision du comité central du parti communiste chinois concernant la grande révolution culturelle prolétarienne » (1er août 1966) stipulant que « la seule voie pour les masses est celle de la libération... Faites confiance aux masses comptez sur elles, respectez leurs initiatives... N'ayez pas peur des troubles... Laissez aux masses le soin de s'éduquer elles-mêmes... Aucune mesure ne devra être prise contre les étudiants dans les universités, dans les collèges et dans les écoles primaires [53]... ». En fait, les dirigeants du Parti qui tentèrent de contenir la marée des gardes rouges furent traînés dans les rues, avec des bonnets d'ânes et des écriteaux, et il semble que le moindre directeur d'école ait été contraint de démissionner.

Au fur et à mesure que s'installait le mouvement, la violence devenait banale puis se généralisait. Apparemment issus des classes sociales les plus basses, de nombreux gardes rouges étaient quasiment des voleurs de rue, des voyous arborant de grosses ceintures de cuir aux boucles en cuivre [54]. Leurs affiches proclamaient « Bouillez-le dans l'huile » ou « Écrasez sa tête de chien » et ainsi de suite. On rasa des hommes et des femmes qualifiés de « fantômes et de monstres » en tant qu'« éléments associaux et contre-révolutionnaires ». Plus tard, on cita quelques extraits de « débats politiques » : « Bien sûr, c'est un capitaliste, il possède un canapé et deux fauteuils assortis [55]. » On visita et saccagea des centaines de milliers de maisons pour ces mêmes motifs. Mais les gardes rouges ne se privèrent pas pour faire des incursions dans les bureaux et organismes gouvernementaux, y faire des razzias et obliger les fonctionnaires à leur remettre des archives sous peine d'être dénoncés comme « suppôts du révisionnisme ». Le ministère des Affaires étrangères fut investi par un ancien petit employé nommé Yao Teng-shan, qui rappela tous les ambassadeurs sauf un, les destitua et les assigna à des tâches mineures. Rédigées dans le style des affiches des gardes rouges, les notes qu'il adressait aux gouvernements étrangers lui étaient retournées avec prière de retour signé par le Premier ministre Chou. Habituellement considéré comme le centre de la vie politique et diplomatique de son pays, passé sans dommage à travers toutes les péripéties maoïstes, Chou lui-même sembla en danger pendant un temps. S'il est vrai que les gardes rouges n'étaient autorisés à exécuter aucun membre appartenant aux sphères dirigeantes, beaucoup toutefois moururent en prison : on laissa même mourir Liu (1973), dans ses propres excréments, nu sur le sol glacé de sa cellule en béton [56]. Mais, à un niveau inférieur, les pertes en vies humaines furent catastrophiques. Le 3 février 1979, l'agence France-Presse estimait que les révolutionnaires avaient fait 400 000 victimes, chiffre largement reconnu. Pendant toute cette période, Chiang-Ching avait régné sans partage sur le monde de la culture, participé à des rassemblements de masse où étaient globalement dénoncés le capitalisme (qui, dans son esprit, détruisait l'art), le jazz, le rock and roll, le strip-tease, l'impressionnisme, le symbolisme, l'art abstrait, le fauvisme, le modernisme, « en un mot, la décadence et l'obscénité qui empoisonnent et corrompent l'esprit du peuple ». Sa logomachie s'inspirait de celle de Kang Sheng, patron de la police secrète, en compagnie duquel on la voyait souvent. « Voulez-vous étudier le communiqué et la directive en seize points ? — Oui. — Voulez-vous les apprendre encore et encore ? — Oui. — Voulez-vous les apprendre parfaitement ? — Oui. — Voulez-vous les comprendre ? — Oui. — Voulez-vous les utiliser pour réaliser la révolution culturelle dans votre école ? — Oui, oui, oui [57]. » Pratiquement, toutes les organisations culturelles chinoises furent militarisées sous sa férule pendant la seconde moitié de l'année 1966. Par la même occasion, elle régla certains vieux comptes (dont certains dataient des années 30) avec le monde du théâtre et du cinéma. Des metteurs en scène, des auteurs dramatiques, des poètes, des acteurs et des compositeurs furent accusés de « ramper devant les étrangers », d'aduler « des démons étrangers sans importance », de « ridiculiser les Boxers » (considérés maintenant comme des héros de la culture), de dépeindre les Chinois ordinaires comme « des prostituées, des fumeurs d'opium, des jongleurs, et des femmes aux pieds bandés », engendrant ainsi « un complexe national d'infériorité ». Elle ordonna aux gardes rouges d'extirper « les racines de la ligne noire », de « faire tomber les masques », de détruire les films, chansons, pièces de théâtre de la « ligne de défense nationale » et de « poursuivre » les membres de la « Bande noire ».

Le 12 décembre 1966, un grand nombre d'« ennemis publics », l'ancien maire de Pékin, des grands mandarins de la culture — ainsi qu'apparemment tous les metteurs en scène de théâtre et de cinéma qui s'étaient peu ou prou dressés un jour contre Chiang-Ching — furent conduits au stade des Travailleurs et exhibés, portant de lourds écriteaux de bois au cou, devant 10 000 personnes [58]. Le traitement réservé aux femmes fut l'un des pires aspects de la révolution culturelle ; elles subirent bien souvent un sort plus humiliant que leurs maris : ainsi, le 10 avril 1967, l'épouse de Liu fut traînée sur le campus de l'université de Tsinghua, devant 300 000 personnes, vêtue d'une robe de soirée très légère, d'un canotier anglais, de chaussures à talons aiguilles et d'un collier de balles de ping-pong ornées de têtes de mort, tandis que la populace hurlait : « A bas les démons-bœufs et les dieux-serpents [59]. »

Les brigades de Chiang-Ching s'emparèrent des stations de radio et de télévision, des journaux et des magazines, ils saisirent les caméras et les films, saccagèrent les studios, confisquèrent les bobines existantes et ne les remirent en circulation qu'une fois critiquées et expurgées ou transformées. Ils mirent également la main sur les scénarios, les exemplaires des souffleurs et les partitions de musique. Les peintres n'osèrent plus signer leurs œuvres et remplacèrent leur signature par le slogan : « Dix mille ans de vie au président Mao [60]. » « Le marteau à la main, je vais attaquer toutes les vieilles conventions »,

disait Chiang-Ching. Elle assistait aux répétitions de l'Orchestre philharmonique central et les interrompait, apostrophant le chef d'orchestre Li Te-lun, d'un cri furieux : « Vous m'attaquez avec un gros
marteau ! » Elle commandait des œuvres à des compositeurs, puis les
soumettait à l'épreuve des « masses », afin de les faire remanier ensuite,
prétendant qu'elle devait « les frapper avec un gros marteau » pour les
rendre dociles et éliminer « les influences étrangères [61] ». Certains de
ses disciples particulièrement zélés écrasèrent même les doigts d'un
pianiste formé en Occident. Marteaux, poings, taper du poing et écraser devinrent ainsi les nouveaux emblèmes de l'art révolutionnaire. La
danse classique n'échappa point à la sagacité ravageuse de Chiang-
Ching : elle proscrivit les mouvements souples et aériens, représentés
par les « doigts d'orchidée » et les paumes tournées vers le ciel, préférant le symbole du poing fermé, les mouvements violents dans lesquels
transpiraient « la haine des classes bourgeoises » et « la volonté de prendre une revanche [62] ».

Toute forme d'expression artistique ayant été supprimée en 1966,
Chiang-Ching s'efforçait désespérément de combler le vide. Mais le
choix était pauvre et très restreint : 2 compositions musicales, le
concerto pour piano *Rivière jaune* et la *Symphonie Shachiaping*, 4 opéras et deux ballets ; ces 8 œuvres étaient considérées comme *yang-pan
hsi* ou « répertoire modèle », au même titre que les fermes du même
nom. A cela s'ajoutaient une série de sculptures intitulées *Les Percepteurs de la cour* et quelques tableaux dont le plus connu représentait
Mao, en blouse bleue, s'informant des conditions de travail des mineurs
au début des années 20 ; ce portrait avait été « conçu » par un collectif
d'étudiants pékinois et réalisé par le fils d'un « paysan pauvre ». On
tourna peu de films, car (selon ses dires) il y existait une mentalité de
« sabotage » ; ses acteurs, actrices et metteurs en scène ne disposaient
que de « mauvais dortoirs », de repas à peine chauds, et les coupures
de courant sur les plateaux de tournage étaient fréquentes [63].

La Chine entra dans la guerre civile après ces temps houleux, lorsque Mao accomplit sa traversée à la nage et que le culte de la personnalité atteignit son apogée. Ses « protégés » organisèrent, le 5 février,
une « commune » à Shanghai, illustrant ainsi leur nostalgie de la politique du grand bond. Cette commune sur les dockers, et particulièrement les 2 500 militants du cinquième district de chargement et
déchargement, lequel avait en un seul jour (juin 1966) fabriqué et posé
10 000 affiches portant d'immenses inscriptions. Il se trouva tout de
même 532 travailleurs dans cette commune qui résistèrent : on les voua
aux gémonies populaires, en leur faisant porter de grands bonnets d'âne
et des écriteaux injurieux, couverts de mystérieux slogans, tels « Le village des quatre familles » et « La clique anti-Parti » ; leurs maisons furent
saccagées, et ils s'entendirent condamner symboliquement à mort,
symbolisme qui pouvait fort bien devenir réel [64]. Cette commune de
Shanghai engendra d'autres expériences du même genre à travers tout

le pays, mais les travailleurs ne suivirent pas le mouvement. En fait, ils résistèrent souvent aux invasions de leurs usines par les gardes rouges. A Shanghai même, les autorités municipales se trouvèrent obligées de combattre leurs propres gardes écarlates. Chaque camp possédait d'énormes batteries de haut-parleurs et se battait, de l'aube au crépuscule, à coups de slogans retentissants et assourdissants, « La prise de pouvoir de février est illégale », « La prise de pouvoir de février est admirable ». Sillonnant la ville, les « troupes », organisées en bandes, se faisaient la guerre à coups de chaîne de vélo et de poing américain, et se livraient à des tortures et à des rapts d'enfants.

Les universités se couvraient de petites armées privées ; ainsi, le régiment Chingkanshang de la faculté de Tsinghua, réputé comme « groupe d'élite » d'extrême gauche, organisait des batailles rangées contre « les fantômes et les monstres », et utilisait des flèches de bambou, des voitures blindées de fabrication artisanale, sommairement rafistolées, et des canons. D'autres unités existaient également, comme le Cinq-Un-Six, la commune Nouvelle Peita, la commune L'Est est rouge de l'Institut de géologie, et la faction Ciel de l'Institut d'aéronautique. Elles furent imitées dans les usines et dans les villes non universitaires : une sorte d'anarchie féodale commençait à se développer et la Chine semblait retomber dans l'époque des bandes armées et des seigneurs de la guerre. En juillet 1967, « une mutinerie éclata », dans le Wou-han : en fait, ce fut une grande bataille importante qui opposa des travailleurs gardes rouges à un groupe conservateur, connu sous le nom de « Héros Million ». Le commandant militaire local vint prêter main-forte aux « héros », et Chou En-lai fut dépêché d'urgence pour ramener la paix ; celui-ci eut la chance de s'en tirer vivant et indemne, alors que deux de ses compagnons furent arrêtés et torturés. A la suite de ces événements, Chiang-Ching créa le slogan « Se fâcher avec raison et se défendre avec force ». Quantité d'armes furent distribuées aux groupes des gardes rouges [65].

Il semble que la violence ait atteint son apogée à la fin de l'été 1967. A ce moment, comme à l'accoutumée, Mao était alarmé par le processus qu'il avait lui-même enclenché, et troublé par ces querelles incessantes. Apparemment, il donna l'ordre à Chiang-Ching de faire cesser ce tohu-bohu. Dès le mois de septembre, elle annonça que la violence ne devait pas dépasser le stade des mots, et que l'utilisation des « mitrailleuses » ne se justifiait que dans les cas « absolument nécessaires ». Ceux qui refusèrent de se plier à ces injonctions furent accusés de « rebelles ». Les attaques subies par l'ambassade de Grande-Bretagne furent l'œuvre d'extrémistes de gauche poussés à la surenchère par la « clique du 16 mai [66] ». Mao s'en mêla aussi. « La situation s'est développée si rapidement qu'elle me surprend, confia-t-il au Comité central. Je ne puis vous condamner si vous avez des griefs contre moi. » Fort affecté par la grande perte de poids de son ministre des Affaires étrangères (13 kilos) lors de ses interrogatoires par les gardes rouges, il confiait : « Je ne peux le montrer aux visiteurs étrangers dans cet état. » Bien vite, il ordonna aux jeune fauteurs de troubles et aux « petits monstres » de retourner sur les bancs de l'école, brisa la commune de Shanghai et se plaignit que la Chine ressemblât « maintenant à un pays divisé èn 800 États princiers[67] ».

A l'automne 1967, Mao retira officiellement son soutien à la révolution culturelle; en tout cas à ses éléments les plus turbulents qu'étaient les gardes rouges, et utilisa l'armée populaire de libération pour restaurer l'ordre et prendre la succession des groupes activistes qu'il dénonçait maintenant comme « étant incompétents » et « politiquement immatures ». Justifiant ces recours à la force armée, il faisait remarquer que « les soldats étaient des paysans et des travailleurs en uniformes ». En 1968, les combats devinrent sporadiques, mais leur ampleur diminua nettement. Durant l'été, il eut un étrange entretien matinal avec les dirigeants des gardes rouges, à son domicile de la région des lacs du Sud et du Centre : « Je n'ai jamais rien enregistré auparavant, mais je vais le faire pour la première fois aujourd'hui. Sinon, vous seriez tentés d'interpréter, à votre façon, mes paroles de ce jour... Trop de gens ont été arrêtés, sur un simple hochement de tête de ma part. » Le ministre de la Police intervint : « Je suis le seul à blâmer pour ces arrestations excessives. » Mao répliqua : « N'essayez pas d'effacer mes erreurs ou de me couvrir. » Théoricien de l'aile gauche, Chen Boda insista : « Suivons scrupuleusement les enseignements du Président. » A quoi Mao, hargneux, répliqua : « Ne me parlez pas d'enseignements. » Il menaça même plus tard d'anéantir les gardes rouges s'ils osaient s'attaquer à l'armée, se rendaient coupables de meurtres, « détruisaient les moyens de transport », ou s'ils mettaient le feu. Toutefois, il semblait peu disposé à mettre un terme immédiat à l'anarchie qui gagnait le pays tout entier. « Que les étudiants se battent encore pendant dix ans, la terre tournera toujours; le ciel n'est pas prêt de tomber. » Pourtant, les cinq principaux dirigeants gardes rouges retournèrent bientôt au travail dans des porcheries de campagnes reculées[68]. Le drame était terminé.

Lugubres furent les années qui suivirent la débâcle de la révolution culturelle : l'économie du pays et donc les Chinois moyens devaient en payer la note; quelqu'un allait « porter le chapeau » : le 12 décembre 1971, un avion Trident s'écrasa à plus de 300 kilomètres au-delà de la frontière chinoise, en République populaire de Mongolie. A l'intérieur des débris fumants de l'appareil, on retrouva les corps du commandant en chef des armées chinoises (APL), Lin Piao, et de sa seconde femme, Yeh Chun. Il n'y avait aucun survivant et certains corps étaient criblés de balles. Selon la version officielle fournie à Pékin, Lin s'était enfui après la découverte du complot qu'il avait fomenté pour tuer Mao. Les « documents saisis » dans l'avion présentaient le Président sous le nom de code « B 52 », prouvant ainsi que Lin avait bien tenté de le supprimer lors d'un accident de la route, en empoisonnant sa nourriture, en utilisant les services de l'armée de l'air pour bombarder sa demeure, et en faisant exploser son train. Les « documents » retrouvés faisaient état de : « B 52 comme un paranoïaque et un sadique... Le plus grand dictateur et tyran que la Chine ait jamais connu... Ceux qui sont ses meilleurs amis aujourd'hui seront ses prisonniers demain... Il a même réussi à rendre fou son propre fils. » Le complot fut révélé à Chou En-lai par « Petit Haricot », la fille que Lin Piao avait eue d'un précédent mariage et qui haïssait sa belle-mère [69]. Cependant, la version la plus plausible reste que Lin Piao ait été tué par ses collègues, quelque temps auparavant, lors d'un rassemblement dans la Grande Salle du peuple. Drame révolutionnaire bien réel cette fois. L'année suivante, un important complot éclata au grand jour dans les milieux militaires, et une vingtaine d'officiers supérieurs tentèrent de s'enfuir à Hong Kong. Bien des livres, auxquels Lin avait participé, furent retirés de la circulation ainsi que ses « épitaphes » et ses portraits. On décrocha également onze célèbres portraits de Mao représenté en compagnie de Lin. La vérité n'a jamais été faite sur cet épisode qui se solda par un entrefilet dans la presse chinoise indiquant que « Petit Haricot » avait été tuée par balles près de Canton, et qu'un morceau de tissu rouge était épinglé sur son cadavre : « Trahison et crime haineux [70] », pouvait-on lire.

L'ère de Mao tirait alors à sa fin. Chou souffrait d'un cancer, et Mao, de la maladie de Parkinson. Sa dernière phase se caractérisa par une certaine acrimonie, une confusion et une conscience de l'échec. Il se brouilla avec Chiang-Ching, et, dès 1973, ils avaient cessé de vivre ensemble ; elle dut pour l'approcher ou le voir se résigner à lui adresser des sollicitations écrites, motivées et circonstanciées. Dans une note datée du 21 mars 1974, Mao lui répondait ceci : « Il vaut mieux que l'on ne se voit plus. Pendant des années, tu n'as pas suivi ce que je t'ai recommandé. Tu possèdes des livres de Marx, de Lénine et les miens. Tu refuses obstinément de les étudier. Quel est l'intérêt de continuer à nous voir encore ? » Il ajoutait que toutes ses revendications avaient gravement nui à sa santé : « J'ai presque quatre-vingts ans. Cependant, tu m'importunes encore en me disant différentes choses. Pourquoi n'as-tu donc aucune compassion ? J'envie Chou En-lai et sa femme. » Mais le principal motif de l'effroi et du malaise ressentis par Chiang-Ching était la réapparition de son ennemi Teng, revenu d'entre les morts, et connu maintenant sous le nom de « Lazarus » ; à des journalistes qui l'interrogeaient, celui-ci déclarait qu'il avait été rééduqué dans une école de la province de Kiang-si. En 1975, Mao lança son dernier slogan : « Trois plus et un moins ; Chou devrait se reposer plus, Teng devrait travailler plus, Wang devrait étudier plus, et Chiang-Ching devrait parler moins. » Il ajouta une maxime : « Les oreilles sont faites pour rester ouvertes, mais la bouche peut se fermer [71]. »

Au cours de sa dernière phase, Mao prit l'habitude d'adopter un ton guilleret : « Les gens disent que les Chinois aiment la paix. Vantar-

dise! En fait, les Chinois aiment la lutte; j'en fais mon affaire. » Son
âge ne l'empêchait pas de conserver sa haine pour l'éducation formelle :
« Plus on lit de livres, plus on devient stupide. » Pourtant juste avant
sa mort, il reçut le directeur de l'université Qingghua autrefois victime
des purges de Chiang-Ching, puis réhabilité; celui-ci lui fit un rapport
sur le système éducatif. Mao ne lui ayant autorisé que trois minutes
de temps de parole, son interlocuteur lui répliqua, sinistre : « Trente
secondes suffiront. Les étudiants des universités travaillent avec des
manuels du secondaire; et leur niveau est celui de l'école primaire. »
Tristement, Mao répondit : « Si cette situation se poursuit, non seulement le Parti échouera, mais la nation tout entière périra [72]. » Dans ses
derniers instants, le « Grand Timonier » était intérieurement déchiré
entre la religion et la pensée laïque : « Mon corps est rongé par la maladie. J'ai rendez-vous avec Dieu. » A un autre moment, il demandait à
ses collègues : « Y en a-t-il parmi vous qui pensent que je vais bientôt
voir Marx ? — Aucun — Je ne le crois pas [73]. » Il quitta ce monde sur
des paroles énigmatiques : « Le peuple ne supporte pas que l'on change
de jugement. »

Année décisive, 1976 ouvrait une période de confusion totale. Chou
mourut en avril. Discret, très respecté à l'étranger, ce mandarin s'était
singulièrement et remarquablement tenu à l'écart des fiascos du régime,
de ses aspects sordides et meurtriers. Il semble avoir été le seul membre des sphères dirigeantes du pays à avoir suscité d'authentiques sentiments populaires en Chine continentale. Lorsque les autorités
enlevèrent les couronnes de fleurs déposées à sa mémoire le 5 avril sur
la place Tien-An-Men de Pékin, une foule de 100 000 personnes provoqua des émeutes. Rendu responsable de cette agitation, Teng tomba en
disgrâce pour la seconde fois. Mao rentra dans son éternité le 9 septembre. Les derniers mois de sa vie furent marqués par d'intenses luttes de faction à son chevet. A peine sa mort connue, Chiang-Ching
proclama qu'une réconciliation était intervenue entre eux : elle présenta
même un morceau de papier que Mao lui aurait écrit *in extremis* sous
forme de poème : « On t'a fait du tort, disait-il, j'ai essayé d'atteindre
le sommet de la révolution, mais je n'y suis pas parvenu. Toi, tu pour-
ras le faire [74]. »

Cependant, Houa Kouo-fong, qui avait succédé à Chou comme Premier ministre, exhibait lui aussi un autre papier, de teneur bien différente. Âgé de cinquante-cinq ans, il était relativement « nouveau »,
n'appartenant au Comité central que depuis 1969, et ministre chargé
de la Sécurité publique depuis l'année précédente. C'était presque un
« hélicoptère », terme plus souvent employé pour désigner Wang Hung-
wen le protégé de Chiang-Ching, monté avec une fulgurante rapidité
et responsable du Parti à Shanghai. Mao avait toujours eu de la sympathie pour Houa parce qu'il était originaire de sa province préférée du
Yun-nan, et parce qu'il était un vrai paysan, habile et flagorneur. Le
30 avril, à bout de forces, le vieux tyran avait griffonné six caractères

à l'intention de Houa : « Vous au pouvoir, je ne me fais aucun souci. » Le morceau de papier détenu par Houa était indubitablement authentique ; en tout cas, ses états de service étaient plus impressionnants : chef de la première unité de sécurité de Pékin, celle qui portait le numéro 8 341, chargée de la protection rapprochée de Mao, il avait hérité de ce poste à la mort du vieux chef de la Sécurité, Kang Sheng, mort en décembre 1975.

Le grand « déballage » eut lieu le 6 octobre, un mois après la mort de Mao, lors d'une réunion du Politburo qui se tenait dans la résidence d'un vieux camarade du chef disparu, Yeh Chien-ying, ministre de la Défense et véritable numéro deux du régime. Chiang-Ching était présente avec Wang et deux autres compères dirigeants de Shanghai. Brandissant son papier, elle réclamait, entourée de ses « cerveaux » : Chang Chun-chia, le journaliste de Shanghai, comme Premier ministre, et Wang, à la tête du Congrès national du peuple. Mais, la Bande des quatre, comme on les appelait désormais, avait perdu la partie et fut immédiatement arrêtée et conduite en prison. Leurs partisans de Shanghai, nombreux dans cette ville, projetèrent d'armer 30 000 membres de la milice de gauche, mais la direction locale du Parti et le commandement de la garnison furent relevés avant que la moindre action ne soit tentée ou entreprise. Houa tenait bien en main les services de sécurité, et Chiang-Ching était haïe par l'armée[75]. Sans doute populaire à Shanghai, la populace de Pékin la détestait et la surnommait « l'Impératrice », terme ou qualificatif injurieux depuis les jours des Boxers ; le 5 avril, avait éclaté contre elle et ses partisans une révolte dont elle ne se releva pas, d'autant qu'elle ne fut pas servie par la chance : l'année 1976 connut une série de catastrophes naturelles effroyables, que la mentalité profonde des Chinois assimila à un changement de dynastie. Au mois d'avril, la plus grande météorite jamais enregistrée s'écrasa sur la province de Kilin ; en juillet et août, 3 tremblements de terre secouèrent le nord de la Chine, détruisant des quartiers de Pékin et le centre industriel de Tangshan tout proche, causant environ 665 000 morts et 775 000 blessés ; on le considéra comme le second tremblement de terre le plus meurtrier connu en Chine.

Il était aisé d'assimiler de telles catastrophes à celles provoquées par l'homme — l'échec économique, la faillite du système éducatif, la destruction des trésors artistiques et de la vie culturelle chinoise — et d'attribuer tous ces phénomènes à l'influence nuisible de « l'Impératrice » et de sa bande. Très vite, apparurent des affiches : « Découpez Chiang-Ching en mille morceaux », « Faites frire dans l'huile la Bande des quatre ». Lors de son procès, qui se déroula en 1980-1981, le réquisitoire définitif tenait en 48 pages. Tous les quatre étaient accusés de crimes aussi divers que variés, et chacun séparément chargé d'actes pervers, orgueilleux et extravagants — cela afin de bien souligner que leur règne de terreur puritaine n'avait en fait été qu'une longue suite d'hypocrisies. Chiang fut même accusée d'avoir été « un espion au service de Tchang Kaï-chek ». Wang fut accusé de flirt, d'importation de matériel stéréophonique coûteux et de s'être fait faire un minimum de 114 photos, quatre jours seulement avant son arrestation. Quatrième membre de la bande, Yao Wen yuan, avait dépensé 500 dollars pour un somptueux banquet, façon très personnelle de célébrer la mort de Chou. Chiang-Ching, pour sa part, avait bu de l'eau de safran, mangé des carpes dorées, conservé un camion entier de films pornographiques (y compris le fameux *Son de la musique*), qu'elle regardait chaque soir ; de plus, elle montait à cheval, puis conduisait une limousine, empruntait dans les bibliothèques des livres concernant les impératrices, allant jusqu'à déclarer que « même sous un régime communiste, il peut y avoir une impératrice » ; elle avait fermé un chantier naval parce que le bruit la dérangeait, interdit aux avions d'atterrir afin de préserver son sommeil, considérait l'impératrice douairière comme une « légaliste », avait détourné la circulation, ordonné que l'on balaie les rues de Canton avant son arrivée et déclaré : « Il vaut mieux des trains socialistes qui arrivent en retard que des trains révisionnistes qui arrivent à l'heure. » Elle avait accéléré la mort de Mao en le changeant de lit, joué au poker pendant qu'il agonisait et déclaré : « L'homme doit abdiquer et laisser la femme prendre sa succession. » A l'égal de ses complices, elle était « un mauvais œuf » qui « adorait ce qui provenait de l'étranger, rampait devant les étrangers et entretenait des relations illicites avec eux ». « Elle s'était engagée dans une voie parfaitement capitulationniste et de trahison nationale. » Tous les quatre étaient des « seigneurs malfaisants de la littérature et du théâtre [76] ». Chiang-Ching ne cessa de se montrer hautaine et arrogante pendant les sept semaines que dura son procès qui se termina au début de l'année 1981, et réagit même à l'un des actes d'accusation en se déshabillant entièrement [77]. Reconnue coupable de tous les chefs d'accusation portés contre elle, Chiang-Ching fut condamnée à mort, mais la sentence provisoirement suspendue pendant deux ans.

A cette époque, Houa lui-même était entré dans l'ombre, écarté par Teng des sphères dirigeantes, depuis qu'il était lui-même réapparu dans la vie publique en 1977, et qu'il détenait le pouvoir presque absolu depuis la fin de l'année 1978. Teng était un personnage rude, dur, originaire de la province du Sseu-tch'ouan, possédant en commun avec Mao un peu de sa brutalité grossière, mais dénué de tout romantisme ou d'intérêt pour la politique conçue comme un art. Opposant le plus ferme et le plus conséquent à la politique de Mao, bien que parfois contraint de participer à ses drames, il avait souvent eu des paroles grinçantes à propos des excès de la révolution culturelle. Celle-ci une fois reniée et condamnée, l'ascension de Teng était logique et peut-être inévitable. Méprisant les hommes pour lesquels ne comptait que la politique, en particulier la gauche dure, il avait pour coutume de dire souvent : « Ils s'assoient sur le trône et ne peuvent même pas réussir à chier », « On ne devrait pas, tous les jours parler de lutte des classes ;

dans la vie, tout ne se résume pas à cela d'ailleurs ». Il n'éprouvait que
du mépris pour l'art prolétarien : « Vous ne voyez sur la scène qu'un
groupe de gens aller et venir en courant. Pas une trace d'art... les étrangers n'applaudissent que par courtoisie. » Après une audition de
l'Orchestre philharmonique de Vienne, il dit : « C'est ce que j'appelle
vraiment de la nourriture pour l'esprit. » Il ajouta : « De nos jours, les
opéras chinois ne sont rien d'autre que des spectacles de gong et de
tambour. » «Vous allez au théâtre pour vous retrouver en plein champ
de bataille. » Teng n'était cependant animé par aucune rancune particulière : « Oublions le passé. Ceux qui ont été congédiés devraient réin-
tégrer leurs postes. » D'autre part, il affirmait vouloir la fin « des cris
et des hurlements ». Le pays devait se remettre au travail. « La plupart
des étudiants de nos universités n'apportent plus rien, si ce n'est une
brosse pour coller des affiches. Ils ne savent rien faire d'autre. » « De
nos jours, les scientifiques n'ont pas le temps pour la recherche. Comment peuvent-ils être créateurs ou inventifs ? » Chose non moins importante, l'armée, toujours aussi démoralisée qu'au temps de Tchang
Kaï-chek, était prête à retomber dans les tourbillons infernaux de l'époque des seigneurs de la guerre. Le corps militaire était devenu « arro-
gant, désuni, paresseux et mou [78] ».

À soixante-dix ans passés, Teng paraissait donc démodé, fervent
d'une discipline quelque peu réactionnaire, et adepte des vertus de
l'ordre, de la loi et du travail sérieux. Une des premières mesures qu'il
adopta fut d'envoyer l'armée au Viêt-nam, pour « punir » la direction
prosoviétique de ce pays d'avoir persécuté la minorité chinoise, et pour
enseigner aux militaires que l'existence n'était pas une plaisanterie :
les unités indisciplinées de l'APL (Armée populaire de libération) furent
embarquées dans des camions et souffrirent de très rudes épreuves.
Cette tâche accomplie, il se mit en devoir de remettre de l'ordre dans
l'immense fouillis économique créé sous le règne de Mao, car il était
maintenant clairement établi que le régime maoïste n'avait pas brillé
par son austérité puritaine dont il se vantait tellement, mais par une
effroyable corruption aux niveaux les plus élevés [79]. Le *Quotidien du
peuple* s'excusa, auprès de ses lecteurs, pour « tous les mensonges et
contre-vérités » qu'il avait véhiculés, et, plus remarquable, il les mit en
garde contre « les informations fausses, mensongères et abusives » qu'il
« imprimait encore souvent [80] ».

Le passage d'une structure économique mao-stalinienne concentrée sur l'industrie lourde à un ensemble plus adapté à un pays en voie
de développement fut adopté en 1978-1979. Le pourcentage du PNB
chuta de 38 % en 1978, chiffre insoutenable, à 25 % dans les années
80 ; primes et bénéfices refirent leur apparition ; la législation s'assou-
plit et l'accent fut mis sur les droits civils ; la notion de démocratie
commença bien timidement à reprendre ses droits sur les abus de la
bureaucratie ; enfin, toutes les bonnes volontés et les énergies furent
mises à contribution et encouragées [81]. Le Parti cessa de monopoliser

la vie nationale. En 1982, il comptait 39 millions de membres et avait apparemment doublé le nombre de ses adhérents pendant la révolution culturelle. Teng tira la sonnette d'alarme en affirmant que bon nombre de personnes n'avaient pas été correctement « éduquées » et « se situaient au-dessous du niveau moyen ». Dans un rapport paru au printemps 1981, il déclara que bien des membres du Parti « adoraient les flatteries », étaient « contents d'eux-mêmes et confus dans leur esprit » ; ils avaient cessé de « s'intéresser aux épreuves vécues par les masses », étaient « englués dans la bureaucratie, arrogants, conservateurs paresseux, intéressés par la seule notion de plaisir et imprégnés d'une idéologie à base de privilèges [82] ». Le « nouveau réalisme » coïncida avec une période de désastres naturels accrus, dont une grande sécheresse qui frappa l'agriculture en 1980 et 1981, obligeant ce régime fier à mendier l'aide de l'Occident. En conséquence, le début des années 80 vit s'écrouler le mythe de la Chine, comme nouvelle et miraculeuse superpuissance ; le rideau tomba enfin sur le romantisme frelaté du maoïsme, écroulé dans un horrible mélodrame. Le pays entrait maintenant dans la réalité du progrès lent, douloureux et pragmatique.

Si le régime de Mao se révéla être une véritable tragédie, le fait ne parut pas toujours évident au monde extérieur. Au cours des années 50 et 60, il était de bon ton d'opposer le centralisme autoritaire qui avait donné à la Chine une stabilité et un niveau de vie croissant (du moins on le prétendait) avec l'inefficacité de la démocratie parlementaire indienne. Nous avons déjà remarqué ailleurs dans cet ouvrage que le règne de Nehru, apparaissant comme le principal chef d'État mondial, le plus sensibilisé aux problèmes de son temps, s'appuya sur une série d'illusions ; la plus flagrante consista à penser que l'Inde et la Chine, les deux nations les plus peuplées du monde, pouvaient, comme le pensait Nehru, agir de concert ; il résumait sa croyance par la formule : « *Hindi-Chini-Bhai-Bhai* » (« Inde et Chine frères »). Cette politique ne résista pas au premier conflit sino-indien de 1959 et s'écroula totalement lors de l'invasion chinoise, bien plus grave, en 1962. Alors âgé de soixante-treize ans, Nehru subit un terrible échec personnel, dont il ne se remit jamais. Quand il mourut dans son sommeil en mai 1964, c'était un vieillard triste et totalement égaré et désorienté.

Le principal problème qui se pose à des pays immenses, surpeuplés, pauvres et industriellement en retard comme la Chine et l'Inde est élémentaire : comment préserver l'intégrité nationale ? Comment maintenir un quelconque système de gouvernement reconnu et respecté de la plupart des habitants ? De même, la principale tentation d'un gouvernement qui veut asseoir sa popularité est de profiter des malheurs des pays voisins. Mao succomba à deux reprises, en 1959 et 1962, mettant à profit la faiblesse et la division de l'Inde, qui connut des difficultés croissantes ; les problèmes chinois n'en furent pas soulagés pour autant.

Lors de la partition de 1947-1948, les hostilités entre New Delhi et le nouvel État pakistanais ne tardèrent pas à éclater; aussi, pendant un bon quart de siècle, les économistes poursuivirent le débat afin de déterminer l'apport ou l'entrave britannique dans le progrès économique du sous-continent[83]. Dans l'esprit de Nehru, il ne fit jamais l'ombre d'un doute que « la plupart de nos problèmes actuels sont dus à... l'arrêt de la croissance et au frein mis par les autorités britanniques à des arrangements normaux[84] ». Par conséquent, il ignora toujours, et délibérément, l'immense contribution anglaise au maintien de l'unité indienne et à la prévention des « risques normaux » de désintégration, latents dans le pays. Bien au contraire, la tutelle britannique avait constitué et renforcé un processus gradué d'intégration économique. La partition marqua la première étape de l'inversion. Les conflits internes du Pakistan, particulièrement aigus entre les régions orientales et occidentales du pays, ainsi que les tensions analogues existant en Inde entre le gouvernement central et les provinces, montraient bien le risque immédiat d'une situation analogue à celle de la Chine des années 1920. Le penchant pour les guerres seigneuriales se manifestait au Pakistan sous la forme d'éphémères dictatures militaires. A l'inverse, l'Inde témoignait d'une nette préférence pour une autorité parlementaire faible.

Après la mort de Nehru, une fraction du Congrès et certains gouverneurs de province, appelés le « Syndicat », s'allièrent pour empêcher Morardji Desai, son plus grand partisan, de lui succéder, préférant le pâle et insignifiant Lal Bahadur Shastri. Surnommé « Petit Moineau », ce dernier était si petit qu'il arrivait à peine à la taille du général de Gaulle. L'Inde et le Pakistan finirent par se déclarer la guerre à l'automne 1965, dans la région du Cachemire. Militairement peu concluant, le conflit engendra d'immenses et désastreuses répercussions au niveau économique pour les deux parties. Une rencontre entre le dictateur pakistanais, le maréchal Ayub Khan, et Shastri, eut lieu à Taschkent en janvier 1966 et mit un terme aux opérations militaires : l'effort fut tel pour « Petit Moineau » qu'il mourut la nuit suivante. Désorientés, les chefs du Congrès se tournèrent alors vers la fille de Nehru, Mme Gandhi, qui avait été ministre de l'Information dans le gouvernement Shastri. Bien des Indiens crurent voir en elle la réincarnation de son père et crièrent « *Jawarharlal ki jai*[85] » (« Longue vie à Nehru ! »). Parvenue au faîte du pouvoir, elle n'en conserva pas moins ses cinq lévriers irlandais, dont chacun était plus gros que son prédécesseur; cependant, il n'y avait rien de petit ou de faible dans cette femme. Au regard de l'hostilité manifestée par son immense voisin du Nord chinois, elle vit l'avenir de son pays se dessiner dans une alliance avec les Soviétiques et se lança dans une politique de gauche. En 1969, elle se fâcha avec son ministre des Finances Desai, le congédia, nationalisa les banques, écrasa le vieux parti du Congrès et en fonda un nouveau, dans sa mouvance et celle de ses proches. Elle brisa le pouvoir financier de la classe princière; lorsque la Cour suprême jugea ses actions anticonstitutionnelles, elle n'hésita pas à dissoudre le Parlement en mars 1971 ; et gagna les élections avec une écrasante majorité, remportant 350 sièges sur 525.

Cependant Mme Gandhi, calculatrice et sans scrupule malgré son air d'aimable innocence; n'avait pas plus de disposition et de compréhension pour les réalités économiques que son père. Comme lui, elle préférait les affaires étrangères et fut servie, dans ce domaine, par les malheurs du Pakistan. Mises à part la religion musulmane et la crainte de l'Inde hindoue, les deux parties du pays n'avaient jamais rien possédé de commun. Le véritable pouvoir se situait dans la partie occidentale, dont le revenu par tête croissait régulièrement par rapport à l'Est, passant de 366 à 463 roupies entre 1959 et 1967, contre 278 à 313 au Pakistan oriental. Bien qu'infiniment plus peuplé (70 millions d'habitants sur les 125 au total) et produisant la plupart des articles réservés à l'exportation, la partie orientale était défavorisée par rapport à la partie occidentale qui recevait toutes les importations. Le Pakistan de l'Ouest possédait une puissance de production de 5 à 6 fois supérieure à celle de l'Est, ainsi que 26 000 lits d'hôpital contre 6 900[86]. L'un des nombreux griefs formulés par l'Est à l'encontre de l'Ouest reposait sur le fait que le gouvernement pakistanais n'avait jamais pris aucune mesure de contrôle et de prévention contre les crues dans le golfe du Bengale. Dans la nuit du 12 novembre 1970, la région fut dévastée par un cyclone, qui causa l'un des plus grands ravages naturels de ce siècle. Une vague de 80 kilomètres de large balaya l'intérieur des terres, submergeant des centaines de villages, se transformant en un océan de boue, se retirant à nouveau en emportant avec elle des centaines d'autres villages, et causant finalement plus de 300 000 morts.

Cette immense catastrophe eut pour conséquence de susciter le désir de former un gouvernement fédéral, émanant du dirigeant du Pakistan oriental, cheikh Mujibur Rahman, qui gagna les élections avec ce programme. En réponse, le gouvernement de la partie occidentale envoya le général Tikka khan, surnommé le « Boucher du Baloutchistan » en raison de ses activités tristement célèbres dans cette partie du pays ; il avait pour mission de faire appliquer la loi martiale et de trier les « mauvais éléments ». Le 25 mars 1971, il lança ses troupes contre l'université de Dacca ; le lendemain, Mujibur Rahman proclamait l'indépendance du Bangladesh. Il est probable que New Delhi n'aurait pu rester indifférente à la guerre civile car, au milieu de l'année 1970, 10 millions de réfugiés campaient sur son territoire ; aussi le Pakistan résolut-il le dilemme de Mme Gandhi en lançant une attaque préventive sur les bases aériennes indiennes. Le 4 décembre, l'Inde déclarait la guerre, reconnaissait le Bangladesh et envahissait la partie orientale. L'armée indienne remporta une bataille facile, qui se solda par la reddition pakistanaise. Les commandants en chef indien et est-pakistanais avaient tous deux été collègues à l'Académie militaire de Sandhurst : aussi le premier envoya-t-il son aide de camp au second, porteur du message suivant : « Mon cher Abdullah, je suis ici. La partie est finie. Je te suggère de te rendre et je prendrai soin de toi. »

Cette victoire sur le Pakistan fut le grand moment de la carrière de Mme Gandhi. Cependant, par la suite, les événements se retournèrent contre elle car la toute nouvelle amitié avec le Bangladesh ne dura pas longtemps. En effet, devenu une puissance indépendante, le pays se trouva être l'allié naturel du Pakistan. Ainsi les problèmes régionaux de Mme Gandhi se multiplièrent-ils, exacerbés par les catastrophes naturelles qui avaient détruit les récoltes pakistanaises. En 1972, la faiblesse de la mousson entraîna la sécheresse et la famine ; en 1973, les forces de sécurité de la province de l'Uttar Pradesh se mutinèrent, imposant l'intervention de l'armée et la prise en main des rênes de l'État ; l'année suivante, il fallut réprimer une révolte dans le Gujerat, et prendre là aussi le contrôle de la situation. La même année, elle dut avoir recours aux forces de sécurité frontalières et à la police de la Réserve centrale dans l'État du Bihar, où des dissidents, menés par le vieux collègue de son père, Jayaprakash Narayan, s'étaient soulevés contre elle. Narayan employait les tactiques de Gandhi : le *gherao* ou blocus pacifique du Parlement et de l'État ; et le *bundh* ou fermeture effective des magasins et des bureaux. Une alliance de toutes les forces de désintégration et d'opposition régionale du pays commença à se dessiner au sein du nouveau front Janata ; en 1975, Narayan organisa des manifestations sur l'ensemble du territoire, menaçant même d'instaurer des *Janata Sarkars* (« gouvernements populaires ») dans tout le nord du pays. Au même moment, Mme Gandhi connut de graves problèmes avec la Haute Cour, à propos de fraudes électorales, et qui déclara nulle son élection de 1971. Ce fut précisément le même état de fait qui mina l'Inde britannique : agitation concertée qui rendait impossible un fonctionnement normal de l'administration, et difficulté de contrôler cette administration dans le cadre de la loi.

Aussi impitoyable que n'importe quel vice-roi, Mme Gandhi envoya 60 000 policiers et membres d'équipes paramilitaires dans la seule province du Bihar, afin de briser le *gherao* de Narayan. Elle fit face à une grève des chemins de fer en procédant à des arrestations massives sans mandats. Bénéficiant de l'état d'urgence dans le domaine de la politique extérieure depuis la guerre avec le Pakistan, elle n'était pourtant pas autorisée à ignorer ou révoquer les décisions de la justice. Le 25 juin 1975, elle interdit la parution de la presse, arrêta Narayan, Desai et la plupart des autres opposants ; l'état d'urgence sur l'ensemble du territoire fut proclamé le lendemain : il s'agit en fait d'un putsch du gouvernement contre son opposition. Invitant chez elle les dirigeants apeurés de son propre parti, afin de leur rendre courage, elle leur déclara : « Connaissez-vous le célèbre proverbe : "Quand le grand aigle vole sous les étoiles, les petits oiseaux se cachent ?" » Puis, se tournant vers un membre du Parlement (MP), elle lui demanda férocement de répéter ce proverbe. Paralysé de terreur, le malheureux répondit :

« Madame, quand le grand mal rôtit sous les étoiles, les petits oiseaux se cachent [87]*. »

Comparée au Pakistan très militarisé, l'Inde s'était fermement accrochée à la démocratie depuis l'Indépendance. Mme Gandhi se lança dans un style de gouvernement autoritaire, en pensant qu'elle se devait de rivaliser avec la démagogie populiste de Zulfikar Ali Bhutto. Politicien professionnel, celui-ci avait choisi le pouvoir comme une alternative à son incompétence militaire après la débâcle du Bangladesh. Dirigeant le Pakistan avec un *éclat* considérable, principalement par le fait que toutes les lois et réglementations lui étaient favorables, il révoquait les juges, interdisait la presse et manigançait toujours une sombre « combine » avec les plus hautes autorités militaires [88]. Mais c'est précisément aussi parce que Bhutto était un homme politique civil et non issu du monde militaire que Mme Gandhi se sentait obligée de conserver les formes extérieures du parlementarisme ; raison pour laquelle la période de l'état d'urgence ne fut qu'une suite de dispositions *ad hoc*, sans ordres réels ni responsabilités légales et claires, définis par la justice : formule parfaite pour la cruauté et la corruption. Plusieurs milliers d'opposants politiques furent emprisonnés dans des conditions souvent horribles. On y comptait nombre de personnalités connues comme les reines douairières de Gwalior et Jaipur, Snehalata Reddy, militante socialiste et fille du célèbre producteur de cinéma, qui mourut en prison. L'organisateur de la grève des chemins de fer, Georges Fernandez, prit le maquis, mais son frère fut arrêté et torturé.

Déjà avant l'état d'urgence, Mme Gandhi avait dû faire face à plusieurs accusations de corruption, particulièrement dirigées contre son fils Sanjay ; la décadence de la vie politique indienne s'étendit rapidement et sombra dans la confusion anarchique. Sur recommandation de sa mère, Sanjay prit la tête des jeunesses du Congrès et fut chargé de mettre en place les aspects les plus radicaux du programme de contrôle des naissances, considéré, depuis 1970, comme le plus important de la vie politique intérieure de l'Union indienne. Avec ses amis, Sanjay profita de l'occasion pour transformer l'organisation sociale en s'inspirant du modèle maoïste. Il transplanta brutalement les habitants des bidonvilles qui encombraient les terrains vagues de Delhi vers les banlieues extérieures ; plus grave encore, il installa de gigantesques camps de stérilisation dans lesquels des centaines des milliers d'Indiens subirent la vasectomie, dans des conditions d'hygiène très précaires, moyennant des compensations financières et dans la crainte de représailles brutales. La presse et la radio bâillonnées, les Indiens devaient se tourner vers la BBC pour découvrir la situation intérieure de leur pays. Avouant elle-même ne pas écouter la BBC (« La BBC m'avait toujours été hostile »), Mme Gandhi était souvent mal informée [89]. Lorsque

---

* N.d.T : jeu de mots intraduisible à propos de la similitude acoustique entre *great eagle* et *great evil*, qui engendra le quiproquo.

le Pakistanais Bhutto annonça des élections en 1977, elle crut bon de l'imiter, pensant les gagner (ainsi que le lui prédisaient des rapports officiels régionaux mais flagorneurs) et légaliser l'état d'urgence par ce moyen. Hélas, les résultats escomptés ne furent au rendez-vous ni pour l'un ni pour l'autre. Bhutto gagna largement, mais le tapage que provoqua la manière dont il avait mené la campagne entraîna la loi martiale et un autre coup d'État militaire. Accusé de meurtre prémédité, il fut condamné à mort après deux procès longs et controversables, puis pendu en avril 1979 [90]. Quant à Mme Gandhi, elle perdit les élections, entraînée dans sa chute par l'organisation sociale mise en place par Sanjay et bien d'autres responsabilités.

Victorieux aux élections, le parti Janata ne pouvait cependant pas constituer une alternative au gandhisme, mais représentait plutôt une vaste coalition de mécontents. Desai, l'homme le plus en vue de ce parti, reproduisait beaucoup des vices de Gandhi, sans pour autant en avoir les vertus. Ni fumeur ni buveur, il clamait partout que les Anglais avaient introduit le tabac et l'alcool pour corrompre les indigènes. Il jouait beaucoup avec son rouet, refusait d'utiliser les moyens médicaux modernes et buvait chaque matin, pour se maintenir en forme, un verre de son urine. Raj Narair, ministre de la Santé, croyait, lui aussi, fermement aux vertus de l'urine et la recommandait officiellement. Interrogé sur la question brûlante du contrôle des naissances, il répondait que les femmes devaient manger certaines herbes pour éviter d'être enceintes. Ce genre de loufoqueries n'était pas contrebalancé par l'honnêteté et un solide bon sens administratif. En vérité, le régime Janata était même davantage corrompu que celui du parti du Congrès de Mme Ghandhi. Toutes les tentatives faites pour traduire celle-ci devant un tribunal ou ordonner une commission d'enquête sur ses malversations (elle passa une semaine en prison) eurent pour seul effet de remuer un peu l'immense bourbier de l'administration indienne. Revenue au Parlement à la faveur d'une élection partielle, puis chassée de nouveau, Indira Gandhi réussit à renverser les rôles et à se présenter comme victime d'une persécution, s'inspirant en cela d'une chanson qui connut son heure de gloire en 1939 et interprétée par Gracie Fields, originaire du Lancashire : « Souhaitez-moi bonne chance comme vous m'avez dit adieu ! » Étrange exemple de la survivance des « valeurs » coloniales [91] Placé devant un choix qui ne lui permettait pas de rompre avec ses démons familiers, le peuple indien vota d'instinct pour ce qui lui semblait être le plus proche d'une dynastie royale. Le parti de Mme Gandhi emporta les élections du 3 janvier 1980 dans un véritable raz de marée, enlevant 351 sièges sur 524. Le résultat de 1977 était un verdict contre la tyrannie, même au risque du chaos ; celui de 1980, un vote contre le chaos, même au risque d'une nouvelle tyrannie.

Après son accession à l'indépendance, l'Inde tenta de résoudre l'ingrat problème auquel l'Angleterre s'était trouvée confrontée : comment maintenir la paix dans un pays aux ethnies si vastes et diverses, tout en préservant les garanties constitutionnelles et légales ? L'affirmation de Nehru, selon laquelle la question se résoudrait après l'indépendance se révélait totalement fausse et contredite par les faits. En réalité, elle se posait même de façon plus aiguë du fait du doublement de la population au cours de la génération suivante. L'Inde comptait 683 millions 810 051 habitants en janvier 1981, d'après les statistiques du gouvernement central [92]. Sous la poussée des masses, les vieilles libertés civiles mises en place par l'autorité britannique commençaient de s'affaisser mais ne s'effondrèrent jamais complètement; l'état d'urgence proclamé par Mme Gandhi leur porta néanmoins un coup sévère et marqua une étape importante de leur déclin. Le contrôle réel et effectif, tant des services de police que de la sécurité, par un pouvoir civil, ne fut jamais rétabli. Le semblant d'ordre publique maintenu reposait davantage sur la terreur que sur la justice. Ainsi. en novembre 1980, la presse révéla que la police de l'État du Bihar utilisait systématiquement l'acide et les rayons de bicyclette pour aveugler les suspects : l'authenticité de ces faits fut établie dans une trentaine de cas. Au mois de janvier suivant, on signala qu'à Bénarès, la ville sacrée, la police avait brisé les jambes de détenus en prévention [93]. Accusée de meurtre dans sa lutte pour extirper le brigandage, elle eut souvent maille à partir avec la justice qui blâmait l'utilisation de la torture. De manière tout à fait significative, un juge de la haute cour d'Allahabad déclarait : « Il n'existe pas en Inde de forces mieux organisées pour commettre des crimes que la police indienne [94]. »

Cette sauvagerie était rendue encore plus détestable du fait qu'elle semblait refléter le système des castes. C'est la gloire de l'administration britannique d'avoir réussi à éliminer les pires conséquences du systèmes des castes, sans avoir pu abolir celles-ci, par le principe d'égalité devant la loi. La grande crainte de Churchill, le motif principal de son désir de ralentir au maximum l'accession à l'indépendance, résidait dans le fait qu'il n'était pas sans savoir que les castes les plus basses constitueraient les victimes désignées, et les plus hautes, les bénéficiaires quasi automatiques (particulièrement les brahmanes comme la famille Nehru). Policiers et politiciens qui les protégeaient faisant généralement partie des hautes castes, et leurs victimes des plus basses, les atrocités commises n'en semblaient que plus odieuses. L'indépendance n'avait strictement rien apporté aux « intouchables », dont le nombre s'élevait à 100 millions environ au début des années 80. Même leur représentation symbolique au Parlement et au gouvernement semblait rendre plus lourde encore l'exploitation dont ils étaient victimes. Leur manière de vivre, leur capacité de survivre aux pires misères restait un mystère, un coin sombre et inexploré de la société indienne [95]. La terreur policière, qui semblait de moins en moins gêner les autorités politiques, devenait une forme de contrôle social enracinée dans l'échelle infinie des privilèges.

Plus de la moitié de la race humaine vit sur le grand continent asiatique. Autour des années 80, la population de la Chine a dépassé, à elle seule, le milliard d'habitants. Depuis leur indépendance ou la fin de la tutelle étrangère, toutes les nations d'Asie se sont engagées dans des expériences « sociales ». La Chine a opté pour le communisme, son agriculture collectivisée et son industrie nationalisée ; la Birmanie a choisi le socialisme à parti unique, renforcé depuis 1962 par un supplément de contrôle militaire sous la présidence du général Ne Win ; avec Bhutto, le Pakistan s'est engagé à grands pas dans la voie des nationalisations. Malgré tout, l'Inde et le Pakistan réussirent à déjouer les forces du marché et de la concurrence, en instituant des barrières douanières élevées. Quasi socialiste, l'économie de l'Inde était planifiée et l'effort mis sur l'industrie lourde, selon les bonnes méthodes stalinistes et conventionnelles ; même le secteur privé, pourtant substantiel et vigoureux, était soumis à une intense réglementation, que seule la corruption rencontrée à tous les niveaux permettait de supporter. Après vingt-cinq ans, les bilans étaient désespérément identiques et maigres. Ces puissances se surveillaient, mutuellement hostiles l'une à l'autre, malgré l'alliance officielle conclue entre la Chine et le Pakistan, dictée par leur haine commune de l'Inde. La Chine fabriqua ses premières armes nucléaires en 1964 ; L'Inde, en 1974, et le Pakistan, en 1978 : tous, y compris le plus pauvre d'entre eux, le Bangladesh, dépensaient une part bien plus importante de leur PNB pour leur défense qu'à l'époque coloniale. Les dépenses militaires birmanes en 1980, par exemple, principalement dues à l'aide chinoise apportée aux rebelles communistes, absorbèrent un tiers du budget et presque l'intégralité des bénéfices des échanges extérieurs [96]. Dans tous les cas, les grandes espérances d'obtention d'un niveau de vie de style occidental sur fond de paix et de non-alignement nées à Bandung avaient été abandonnées vers la fin des années 70.

On avait dit aux Asiatiques, formant la moitié de la race humaine, qu'il existait un remède politique immédiat à tous les maux, vers la fin des années 40. L'expérience a clairement montré qu'il s'agissait d'une vue fausse et infirmée par l'Histoire ; il était donc possible de conclure, à l'évidence, que la politique, surtout entachée d'idéologie, fût la principale contribution apportée à la misère humaine. Le meilleur exemple en est fourni par ces simples mots : « district métropolitain de Calcutta » ; ils cachent une entité menaçante ; plus de 150 millions d'hommes, parmi les plus pauvres de la terre, y vivent entassés, qui, déjà à l'époque coloniale, provoquaient une sorte d'horreur administrative. Habité par sa prescience naturelle, Kipling la surnommait « la ville de l'épouvantable nuit ». « Elle avait un attribut particulier : la BCS ou Grande Puanteur de Calcutta [97] », écrivait-il. En dehors de toute politique, il devenait impossible aux autorités municipales d'assurer un système de canalisation d'égouts digne de ce nom vers la fin des années 40 ; or, la partition assena à la ville un coup dont elle ne se remit jamais. Elle détruisit des pans entiers de l'économie bengalie, et généra

4 millions de réfugiés sans possibilité d'emploi dans le secteur occidental, dont 1 million se fixèrent à Calcutta. La population avait triplé entre le recensement de 1921 et celui de 1961 ; et l'effort entrepris pour fournir des services modernes abandonné.

Vers la fin des années 60, un observateur écrivait qu'une grande partie du district « n'avait pas le tout-à-l'égout, qu'il n'y avait ni canalisations d'eau, ni caniveaux, ni égouts, ni même de moyens individuels ou privés d'écoulement des eaux usées, par exemple des fosses sceptiques ». Il n'existait que 200 000 toilettes communales très précaires, « des hangars bas, aux murs de briques entassées, abritant des petites plates-formes dominant des cuvettes en argile ou des sols boueux [98] ». Nous avons dit que la crise du Bangladesh chassa 10 millions de sans-abri vers le Bengale indien ; une bonne partie d'entre eux termina le voyage dans les rues de Calcutta, ce qui portait à 1 million le nombre de personnes couchant dehors à la fin des années 70, et ce pour le seul centre-ville. La politique dogmatique et férocement partisane du Bengale occidental au cours des années 60 et 70, tenu par les marxistes, engendra une imprévoyance et une corruption sans limite, du moins lorsque le gouvernement de la région n'était pas sous le coup d'une suspension constitutionnelle et directement placé sous « autorité présidentielle ».

Le malheur de Calcutta attira de nombreux travailleurs volontaires, qui s'associèrent aux efforts de Mère Teresa et de ses missionnaires de la Charité, qui y établirent leur poste en 1948. Souvent, pourtant, le gouvernement marxiste sembla plus soucieux de chasser les volontaires médicaux dont la seule présence mettait ses carences au grand jour, que d'attaquer le problème à la racine [99]. Calcutta devint ainsi la concrétisation de l'anti-utopie des Temps modernes, la ville des illusions perdues, les ténèbres et non la lumière de l'Asie. Calcutta lançait un avertissement sérieux : les tentatives d'expérience sur la moitié du genre humain étaient plus à même de produire des monstres de type Frankenstein que des miracles sociaux.

V

L'Europe, tel Lazare...

L'horreur et la sauvagerie qui furent souvent hélas le résultat du cheminement politique des jeunes nations d'Afrique et d'Asie dans l'immédiat après-guerre, tranchèrent nettement sur la situation européenne, qui offrit, heureusement, un spectacle plus réconfortant. Chose tout à fait inattendue car, en 1945, l'atmosphère dominante était plutôt faite de désespoir et d'impuissance. La prépondérance historique de l'Europe était déterminée. D'une certaine manière, on pouvait dire que Hitler avait été le dernier des dirigeants européens en mesure d'être l'initiateur d'événements mondiaux dans lesquels l'Europe était un des protagonistes majeurs. Il perdit cet atout à la fin de 1941, et le vide laissé par son colossal échec ne put être comblé par ses rivaux européens. La fin du conflit vit surgir les deux superpuissances quasi intactes, dressées sur les bords d'un volcan désormais éteint, contemplant, avec un brin de mépris, ses profondeurs encore fumantes, mais toutes deux parfaitement satisfaites de son extinction définitive.

Lors de l'ouverture du nouveau ballet au Théâtre des Champs-Elysées le 26 octobre 1945, la salle archicomble, composée par la haute société parisienne siffla Picasso lors de l'entracte[1]. Le vieux Paris avait vécu. Trois jours plus tard, Jean-Paul Sartre donna au Club Maintenant sa fameuse conférence : « L'existentialisme est un humanisme. » Une nouvelle mode parisienne venait de naître. Là encore, la salle était bondée. Au milieu des évanouissements, les auditeurs des deux sexes se battirent pour leurs chaises, en vociférant jusqu'à en venir aux mains : 30 sièges furent brisés. Sartre venait de lancer sa nouvelle revue, *Les Temps modernes*, dans laquelle il soutenait que la France n'avait plus comme seule richesse, que la culture littéraire et les boutiques de *haute couture* ! hautement symbolique de la situation européenne, comme on peut s'en rendre compte ! Afin de rendre quelque once de dignité à ses compatriotes et de préserver leurs individualités victimes de la dégradation et de l'absurdité, il venait leur offrir l'existentialisme. L'enthousiasme qu'il déchaîna dépassa toutes ses espérances. Selon les aveux mêmes de sa consœur Simone de Beauvoir : « Nous fûmes les premiers étonnés et surpris d'avoir provoqué un tel tumulte[2]. » Rien n'était plus contraire au génie classique français, gaulois, que cet existentialisme ; de là, peut-être, vint son succès et sa force d'attraction. Cousin d'Albert Schweitzer et à moitié alsacien, Sartre fut élevé, dans la maison de son grand-père, Charles Schweitzer. Imprégné des deux cultures, française et allemande, profondément marqué par le courant philosophique berlinois, la plupart de ses idées prenaient leur source dans la pensée de Heidegger. Les années de la guerre n'avaient pas été pour Sartre une période trop difficile. En dépit des inimitiés de surface, on pouvait, en effet, constater un certain rapprochement entre les mentalités et les courants de pensées de part et d'autre du Rhin. Dans la mesure où il était possible de se prémunir contre les rafles anti-juives par exemple, comme la plupart réussissaient à faire, la vie parisienne n'était nullement défavorable pour un intellectuel[3]. Ainsi que le démontra plus tard hardiment Bernard-Henri Lévy, c'est en France que naquirent les tout premiers embryons du racisme protofasciste : les intellectuels ne furent pas les moins responsables. Lévy baptisa même ce courant de pensée sous le nom d'« idéologie française[4] ».

La vie théâtrale parisienne alla bon train sous la botte nazie. Rageusement, André Malraux put écrire plus tard : « Au moment où je me trouvais face à face avec la Gestapo à Paris, Sartre, lui, laissait produire ses pièces avec l'autorisation de la censure allemande[5]. » Dans le journal des forces d'occupation en France, _Pariser Zeitung_, le critique de théâtre Albert Büssche, considéra _Huis clos_ comme « un événement de première importance dans le monde du théâtre ». Sartre ne fut pas le seul à recevoir le satisfecit des autorités allemandes. Lorsque la dernière-née des productions d'Albert Camus, _Le Malentendu_, fut présentée le 24 juin 1944, au Théâtre des Maturins, l'élite intellectuelle française, alors largement fasciste, lui fit un accueil glacial en raison de l'étiquette résistantialiste de son auteur. Büssche lui, y reconnut « beaucoup de pensées profondes... et un travail d'avant-garde[6] ». Contrairement à Sartre, Camus ne resta pas sur une prudente réserve pendant le conflit ; il fut même parmi les 4 345 Français et Françaises à recevoir le ruban de la médaille de la Résistance. Cependant, sa pensée n'allait pas sans refléter, elle aussi, le rapprochement de plus en plus sensible des philosophies allemande et française ; rapprochement que l'Occupation ne fit qu'accentuer et sur lequel se dessina une partie de la trame des événements d'après-guerre. L'influence capitale de Nietzsche se fit sentir dans ses romans, tels que _L'Etranger_ et _La Peste_ : ceux-ci contribuèrent à « franciser » la pensée profonde du solitaire de Sils-Maria pour une génération entière de jeunes Français.

Dès 1943-1944, Sartre et Camus devinrent les protagonistes — et bientôt les antagonistes — d'un nouveau lieu de culte installé à Saint-Germain-des-Prés, qui prétendait établir des voies de communication entre la philosophie, la littérature et l'action publique ou politique. Ils établirent leur caravansérail au *Café de Flore*, qui symbolisait, à lui tout seul, toutes les ambiguïtés de la vie intellectuelle française. Saint-Germain avait été le lieu de rendez-vous de Diderot, Voltaire et Rousseau, auxquels le vieux café *Procope* servait de point de ralliement. Mis à la mode par Gautier, Musset, Sand, Balzac, Zola et Huysmans, le *Flore* datait du Second Empire. Apollinaire en fit plus tard son fief, et les militants de l'Action française, menés par Maurras en personne, lui succédèrent : enfin, Sartre vint s'asseoir dans son fauteuil encore chaud[7]. Dans sa présentation d'après-guerre, l'existentialisme dérivait de la fameuse maxime kantienne selon laquelle « il fallait toujours agir comme si les motifs de cette action étaient, par un acte volontaire, destinés à devenir une loi générale naturelle ». Sartre enseignait que les résultats de nos actes positifs ne généraient pas seulement « les hommes que nous aimerions être », mais aussi « une image de l'homme tel que nous pensons qu'il devrait être ». L'homme pouvait désormais modeler son essence par des actes politiques positifs. Ainsi, l'existentialisme proposait à notre désespoir un geste de défi humain et rationalisé — surnommé, par Karl Popper, « une nouvelle théologie sans Dieu ». Par une sorte d'emphase démesurée relative à la solitude fondamentale de l'homme dans un univers privé de divin et à la tension qui en résulte entre le monde et soi, la philosophie sartrienne contenait bien une parcelle de l'hystérie allemande si typique dans l'œuvre de Heidegger et de Nietzsche[8]. Elle avait un caractère magique aux yeux de la jeunesse : forme d'utopisme romantique qui n'allait pas sans rappeler le mouvement similaire né dans la première moitié du XIXe siècle. Avec l'avantage de proposer en supplément un militantisme politique. Au fond, se plaignait amèrement Popper, il ne s'agissait que d'une forme respectable de fascisme, laquelle, bien sûr, pouvait aisément s'accommoder de certaines formes de marxisme. Se plaisant à répéter qu'il n'avait jamais été existentialiste, Camus se brouille définitivement avec Sartre en 1951 au sujet des dernières formes de défense empruntées par la violence totalitaire. Cependant, c'est au génie de Camus que le héros solitaire et byronien des Temps modernes, résistant au destin et aux défis d'un monde hostile, dut de renaître avec tant d'éclat et d'offrir un tel sens réactualisé à la jeunesse de part et d'autre du Rhin.

Ainsi importé en France, l'existentialisme retourna en Allemagne, sa patrie d'origine, dans une forme plus sophistiquée et sur un mode plus attrayant dont il fut redevable à son passage dans la capitale française. Le fait mérite d'être noté, car depuis Goethe, Byron et de Staël, les jeunesses de France et d'Allemagne se trouvèrent, pour la première fois, des affinités culturelles réciproques, une vision du monde *weltanschauung* commune et partagée, qui posa des jalons pour une harmonisation économique et politique plus profonde. Là aussi, les circonstances étaient propices. Toutefois, il est vraisemblable que la semence de la réconciliation n'aurait pu lever si deux autres événements n'étaient venus apporter leur concours. Le premier d'entre eux fut l'ultime imprégnation d'un christianisme, enfin arrivé à maturité, dans la vie politique européenne et l'empreinte qu'il laissa sur toute une génération. Le second se manifesta par l'émergence de quelques titans sur la scène de l'Europe : ni byroniens, ni jeunes, ni romantiques, ni même véritablement héroïques au sens existentialiste du terme, mais ils allaient rendre vie à un continent qui s'était lui-même gravement mutilé. Cependant, aussi bien le christianisme qu'Adenauer, De Gasperi et de Gaulle étaient, par nature, hostiles aux fondateurs de l'existentialisme. L'histoire use parfois de ces sortes d'ironie.

Adenauer, De Gasperi, de Gaulle étaient des grands rescapés ; ils faisaient partie de cette race d'hommes auxquels la chance tarda à sourire, et qui même n'auraient pu jamais la connaître si des événements catastrophiques ne leur avaient permis d'être largement payés de retour. Alcide De Gasperi était âgé de soixante-cinq ans en 1945, à la fin de la guerre, Adenauer était son aîné de quatre ans. Tous deux natifs des régions frontalières de leur pays, catholiques pratiquants, antinationalistes, ils avaient le plus grand respect pour la famille, cellule sociale de la nation, considéraient l'Etat comme un mal nécessaire mais regrettable, et croyaient fermement que la marque essentielle d'une société organisée repose sur le respect du droit et de la loi, reflet de la loi naturelle et matrice des valeurs absolues. En fait, et dans bien des domaines, ils se dressaient contre les traits les plus caractéristiques du XXᵉ siècle. Ils lui opposaient leurs visages obstinés, parfois étranges. Adenauer avait été, en 1917, victime d'un très grave accident qui lui donnait un visage marmoréen[9]. Très grand et très mince dans sa jeunesse, De Gasperi, comme Adenauer, traversait l'existence avec une mine renfrognée de chien de garde. Tous deux étaient des chauds partisans d'une confédération. Adenauer semblait réincarner la vocation traditionnellement multiforme de l'Allemagne du Saint Empire, et De Gasperi, l'Italie du Nord à l'époque des Habsbourg.

De fait, né pendant l'occupation autrichienne, De Gasperi était le fils d'un brigadier de la gendarmerie locale et, par toutes les fibres de son être, se sentait bien davantage le serviteur loyal d'une famille impériale que celui d'un Etat national. Cependant, son allégeance première était d'ordre spirituel. Tout au long de sa vie, il s'imposait d'assister à la messe dans la mesure de ses possibilités. Dans la très belle lettre de demande en mariage qu'il écrivait à Francesca Romani en 1921, il avouait : « La figure du Christ vivant m'attire, me subjugue et me réconforte comme si j'étais un enfant. Je te désire à mes côtés, afin que tu te laisses attirer et prendre à ton tour dans cet abîme de lumière[10]. » Ancien étudiant à l'université de Vienne, il se prit d'une profonde admiration pour Karl Lueger, célèbre maire de la ville. Ses raisons étaient, toutefois, très différentes de celles de Hitler. Il voyait en Lueger l'homme qui avait indiqué et fourni les voies et les moyens de mettre en pratique les « encycliques sociales » des papes plus progressistes. Il était donc de formation catholique populiste germanique, et écrivit son premier article dans le journal catholique autrichien le *Reichpost*. Par sa culture, De Gasperi était immunisé contre les deux grands maux des Temps modernes : le nationalisme ethnique et la croyance en la possibilité des Etats fondés sur cette idéologie de se transformer en utopies. Au cours de son premier discours public, prononcé à Trente en 1902, il supplia instamment ses auditeurs : « Soyez d'abord des catholiques, ensuite des Italiens ! » Il poursuivit en « déplorant » l'« idolâtrie » de la nation et la *religione della patria*. Son leitmotiv était : « Catholique, italien puis démocrate [11] » ; sans inverser l'ordre des priorités.

De Gasperi était donc désormais à l'antipode de l'idéologie fasciste. Discutant du « socialisme dans l'Histoire » au fond d'une taverne de Merano en 1909, Mussolini prônait la nécessité de la violence, tandis que De Gasperi insistait sur celle d'un principe absolu comme fondement de toute action politique. Devant partir assez tôt pour prendre un train, il fut raccompagné à la porte par un Mussolini railleur et ironique, qui brossa ainsi le portrait de son interlocuteur : « Personnage au style débraillé, accumulant les fautes de grammaire, superficiel et qui utilise le prétexte d'un indicateur ferroviaire autrichien pour esquiver un débat gênant [12]. » Réciproquement, De Gasperi ne vit jamais Mussolini sous un autre jour que celui d'un fanatique destructeur : « Le bolchevisme en noir », avait-il l'habitude de dire. Le *Partito Popolare Trentino*, dont il était le fondateur, fut accueilli avec joie par Don Luigi Sturzo, au sein du Parti catholique populaire, qui aurait pu prendre les rênes de l'Italie pendant l'entre-deux-guerres s'il n'y avait eu le putsch de Mussolini. De Gasperi ne tenait pas non plus en très haute estime le parlementarisme politique italien (« un manège équestre », avait-il coutume de dire) avec ses intrigues et ses mesquineries abhorrées ; mais il haïssait plus encore le monstrueux Etat totalitaire. Au dernier congrès national du *Partito Popolare* du 28 juin 1925, il déclarait encore : « Les principes théoriques et pratiques du fascisme sont l'antithèse exacte de la conception chrétienne de l'Etat, qui pose les droits de la personne, de la famille et de la société avant celui de l'Etat. » Le fascisme n'était qu'« un vieil Etat policier déguisé, tenant une épée de Damoclès au-dessus des institutions chrétiennes ». Traduit devant le tribunal fasciste en novembre 1926, il récidiva avec force : « C'est le concept même de l'Etat fasciste que je ne peux accepter. Il existe pour moi des droits naturels que l'Etat ne peut se permettre de piétiner [13]. » Enfermé à la prison Regina Coeli en 1927 par le régime mussolinien, De Gasperi eut de la chance. Comme Gramsci, il aurait pu ne pas survivre si la signature du traité de Latran en 1929 n'avait permis à Pie XI d'obtenir sa libération et de lui trouver un refuge à la bibliothèque du Vatican où il resta pendant quatorze ans.

A la chute du fascisme, De Gasperi était donc la seule grande figure pure à même d'offrir au peuple italien une alternative gouvernementale différente d'une nouvelle forme d'étatisme. En décembre 1945, il forma la nouvelle coalition gouvernementale de l'après-guerre, et le

Parti démocrate chrétien, dont il était le chef, obtint 35,2 % des sièges aux élections législatives (contre 20,7 aux socialistes et 18,9 aux communistes). Cependant, il ne fit véritablement sa percée qu'en janvier 1947, lorsque les sociaux-démocrates de Guiseppe Saragat rompirent avec les socialistes marxistes de Pietro Nenni. Cette scission permit à De Gasperi de former un gouvernement démocrate-chrétien homogène, qui gagna les premières élections, cruciales, sous la nouvelle constitution en avril 1948, avec 48,5 % des suffrages exprimés et une majorité absolue de sièges (304 sur 574). Ces élections furent, en effet, les plus importantes de l'après-guerre : elles fondèrent une relative stabilité politique en Italie pour les vingt-cinq années suivantes. De 1945 à 1953, sous le « règne De Gasperi », l'Italie se refit une virginité politique en tant que partenaire centriste de la société européenne, accepta le plan Marshall, intégra l'Otan, adhéra au Conseil de l'Europe et à la Communauté européenne du charbon et de l'acier, amorça son propre _miracolo_ économique : Vespa, les peintures Emilio Pucci, les carrosseries Pininfarina, les machines à coudre Necchi et les machines à écrire Olivetti ainsi que les salutations matinales dans la centrale électrique milanaise reconstruite, « Bon travail », en furent les symboles les plus marquants.

Il ne fait aucun doute que la réussite du gouvernement De Gasperi aida Konrad Adenauer à frayer sa voie en Allemagne. Les deux hommes auraient pu fournir une alternative aux régimes totalitaires dans leurs pays respectifs, pendant l'entre-deux-guerres. Nous avons vu qu'Adenauer aurait pu devenir chancelier en 1926. Mais il estimait que son action aurait alors échoué. La république de Weimar et le poste de chancelier étaient tenus en mauvaise estime, et les problèmes d'alors, considérés à ses yeux comme insolubles. De plus, il n'avait guère de sympathie pour l'état d'esprit régnant à cette époque en Allemagne. Bien plus fédéraliste que séparatiste rhénan, il ne croyait nullement à un quelconque « génie particulier de l'Allemagne ». « Les Allemands sont des Belges doublés de mégalomanes », avait-il coutume de dire. Les Prussiens étaient les pires : « Un Prussien est un Slave qui a oublié d'où venait son grand-père. » Il ajoutait souvent à cette définition le mot suivant : « Une fois l'Elbe franchie par le train de nuit Cologne-Berlin, je ne pouvais dormir [14]. » Au temps de Weimar, le maire de Cologne était le chef officieux de la communauté catholique allemande, et la tâche était bien suffisante pour Adenauer. Dénué de tout sentiment d'appartenance raciale à l'Allemagne, il ne vouait aucune admiration particulière pour l'étatisme bismarckien. En effet, qu'en avaient tiré les catholiques allemands ? Les misères du _Kulturkampf_. Hitler le força à démissionner de son poste le 13 mars 1933, mais il eut la chance de ne pas être exécuté avec Schleicher, sous le couvert des purges de Röhm. Jugeant absurde l'aventure guerrière de Hitler, il pressentit sa défaite inéluctable. Selon Lisbeth Werhahn, sa fille cadette, la famille forma des vœux pour la défaite [15]. Il ne crut pas non plus à la possibilité d'une résistance allemande et ne trouva rien à redire à la politique de capitulation sans conditions imposées par les Alliés : il la jugeait même nécessaire.

La carrière d'Adenauer dans la période d'après-guerre illustre bien l'importance de la chance en matière politique. Lorsque les Américains entrèrent dans Cologne, la ville n'existait pratiquement plus. La population était tombée de 750 000 à 32 000 habitants, et André Gide, qui en visita les ruines, fut tellement horrifié par le spectacle qu'il demanda de quitter immédiatement les lieux. La politique des Alliés consista à restaurer dans leurs fonctions, dans toute la mesure du possible, les anciennes victimes du nazisme. Aussi, les Américains réinstallèrent-ils Adenauer comme maire de la ville. A peine quelques mois après le passage de Cologne sous le contrôle britannique, il fut congédié et chassé (octobre 1945) pour des raisons qui n'ont jamais été éclaircies de façon satisfaisante [16]. Il ne fait pas de doute que le gouvernement travailliste alors au pouvoir à Londres, fit son possible pour favoriser les sociaux-démocrates. Les administrateurs anglais voulaient une Allemagne unifiée et désarmée, modérément socialiste, dont l'industrie, retirée des mains de dynasties familiales comme Krupp, était nationalisée. Or, les services du gouvernement militaire britannique chargés de l'éducation et de la politique étaient composés d'officiers socialisants, qui prirent toutes les mesures nécessaires pour que la radio, la nouvelle agence de presse et la majeure partie des journaux comme *Die Welt*, soient aux mains des sociaux-démocrates.

Le renforcement du parti social-démocrate constitua la première d'une suite d'erreurs politiques graves commises par la diplomatie anglaise en Europe. Ce faisant, elle intronisait littéralement Kurt Schumacher, chef du SPD. Victime de la tragédie passée, il avait perdu un bras et devait incessamment se faire amputer d'une jambe ; l'incessante douleur le rendait amer, irritable, impatient et souvent déraisonnable. A bien des égards, il était l'antithèse d'Adenauer : Prussien, protestant, partisan d'un étatisme puissant, d'une « grande » Allemagne [17]. Il refusait obstinément de se rendre compte que ses prétentions politiques dépendaient essentiellement de l'accord soviétique pour la réunification de l'ancien Reich, et qu'elles étaient inapplicables dans les zones morcelées tenues par les Occidentaux. De même, il refusait également d'admettre (comme les Britanniques d'ailleurs) que la véritable alternative de l'hitlérisme en Allemagne, le véritable moyen d'extirper le poison du système, ne résidait pas dans la reconstruction du bismarckisme sur des bases sociales-démocrates nanties d'un pouvoir tout-puissant et paternaliste, d'une industrie nationalisée et fortement centralisée, d'une énorme bureaucratie de type prussienne, et d'une société égalitaire, uniforme et collectiviste. Mise en pratique par les Russes en Allemagne de l'Est, cette formule ne produisit qu'une version radicalisée de l'Etat nazi, dont Goebbels (et Hitler dans les derniers temps) aurait vanté les mérites. Le véritable antidote salvateur du national-socialisme ne pouvait se fonder que sur l'individualisme, sur un type de société dans laquelle l'initiative privée l'emportait sur le secteur public, dans laquelle la famille formait la cellule sociale de base, et pour laquelle le volontarisme représentait la première des vertus.

Adenauer avait précisément orienté toute son existence vers ces principes. Membre d'une grande et nombreuse famille aux rameaux multiples mais unis, puis chef de celle-ci, il en était venu, ainsi que des millions d'autres de ses compatriotes bouclés derrière le rideau de fer, à la considérer comme le seul véritable refuge sûr contre l'invasion totalitaire. Bien sûr, le noyau familial pouvait être complètement détruit — l'exemple hitlérien le montre à l'envi en ce qui concerne les familles juives —, mais il ne pouvait être ni corrompu ni perverti. Même tragiquement décimée, une famille reformait ses rangs avec une remarquable vigueur, comme le prouve l'exemple juif. Ainsi, une société fondant les bases de sa reconstruction sur les valeurs familiales et non sur celles des partis politiques et des programmes idéologiques se donnait les moyens d'exorciser le démon totalitaire. Schumacher prétendait que les idées d'Adenauer mèneraient à la « restauration » des pires courants qui avaient secoué l'histoire de l'Allemagne : il commettait, ce faisant, une des plus lourdes erreurs de l'Histoire, tant il était difficile de trouver un homme plus éloigné que le futur chancelier, des formes conventionnelles de la société germanique des années 1860 et suivantes.

Adenauer aurait pu ne jamais se lancer dans la nouvelle politique nationale si les Britanniques l'avaient maintenu dans ses fonctions à Cologne. En fait, ce sont eux qui le propulsèrent dans les sphères dirigeantes de la nation. En éliminant Andréas Hermes, son plus dangereux rival, les autorités soviétiques lui apportèrent également leur concours. Un peu partout en Allemagne, des groupes et mouvements chrétiens-démocrates firent leur apparition pendant l'été et l'automne 1945. Il est possible que l'éviction d'Adenauer de la mairie de Cologne ait été programmée à point nommé afin de lui permettre de prendre le contrôle de la nouvelle union chrétienne démocrate, et de la transformer en un parti de gouvernement pour l'Allemagne fédérale, dont le fief serait la région de Cologne. Il mit donc sur pied les structures d'un parti parfaitement adapté au visage du nouvel Etat allemand qui se dessinait [18], puis détailla ses buts et son programme lors de son premier discours public, en mars 1946. Il déclara en substance que l'Etat ne devait plus jamais étouffer l'initiative privée, que chacun devait être à même de prendre ses responsabilités pleines et entières, que l'éthique chrétienne devait constituer le socle de la communauté allemande, et que l'Etat devait posséder un caractère fédéral. Les bases d'une édification à terme de l'unité européenne étaient ainsi posées [19].

Ce discours fut prononcé à l'université de Cologne; considéré à juste titre comme l'un des plus importants de l'après-guerre, il marqua le véritable commencement de la politique ouest-allemande et même de celle de l'Europe occidentale. Vingt-sept ans auparavant, en ce même lieu, en juin 1918, Adenauer avait déjà fait une allocution remarquable et quasi prophétique. « Quelle que soit la forme définitive prise par le traité de paix, la civilisation allemande et celle des démocraties de l'Ouest sont inéluctablement amenées à se rejoindre, ici, sur le Rhin, à cet ancien carrefour international, dans les décennies à venir. A moins d'une réconciliation sans arrière-pensées... il en sera fait à jamais de la prépondérance européenne [20]. » Le rendez-vous fut manqué et l'Europe, reléguée, sans doute pour toujours, en tant que puissance dominante. Mais la prospérité et la stabilité de celle-ci constituaient encore des objectifs réalisables. En 1919, Adenauer avait déjà conçu l'idée d'un Etat regroupant les régions de la Ruhr et du Rhin, autonomes au sein d'une fédération germanique. En juin 1946, les Britanniques créèrent le *land* Rhin du Nord-Westphalie, dont les frontières recoupaient, à peu de chose près, son projet de 1919, lui offrant l'instrument parfait de la réalisation de son dessein en même temps qu'une nouvelle chance.

Avec une finesse consommée, Adenauer joua, pendant les trois années qui suivirent, la carte que Londres et ses administrateurs lui avaient involontairement fournie. Vieux renard qui avait appris la vertu de patience, il savait rester digne et d'humeur égale en toute circonstance. Souple, calme, il ne tapait jamais sur la table et n'adulait personne, mais savait parfois utiliser discrètement le charme et la flatterie. Churchill avait pour coutume de dire : « Les Allemands vous sautent à la gorge ou sont à vos pieds. » Piqué au vif par ce jugement, il avait retenu la leçon et ne faisait ni l'un ni l'autre. « Il avait le pouvoir de se tenir en dehors du peuple allemand », dit un jour de lui un ministre britannique ; il savait « quelles faiblesses les avaient trahis [21] ». Les événements jouèrent en sa faveur. En effet, plus les Russes durcirent le rideau de fer, plus les Alliés le soutinrent et s'engagèrent à lui fournir l'aide nécessaire à la création d'un Etat ouest-allemand conforme à sa volonté. Eliminant Berlin comme éventuelle capitale du nouvel Etat, il pensait que « quiconque voulait restaurer Berlin en tant que capitale créerait les bases d'une nouvelle Prusse spirituelle ». Il fallait que la capitale soit « là où les fenêtres de l'Allemagne sont largement ouvertes sur l'Ouest [22] ». La première crise berlinoise lui donna raison. Adenauer fit échec au plan de nationalisation générale de l'industrie, voulu par les sociaux-démocrates et initialement soutenu par les Britanniques. De leur côté, en rejetant le plan Marshall pour l'Allemagne de l'Est, les Russes firent à Adenauer une double faveur : ils minèrent les pas de Jacob Kaiser, son rival à la tête du parti chrétien-démocrate, et rendirent possible le développement économique séparé de l'Allemagne de l'Ouest, qu'Adenauer appelait de ses vœux pour servir ses desseins à long terme. En fait, dès ces premiers moments, il se rendit très vite compte que la France ne souscrirait jamais à la création des Etats-Unis d'Europe dominés par une industrie intacte et 80 millions d'habitants à l'est du Rhin. Ainsi, en maintenant à tout prix la division de l'ancien

reich, les Russes furent les véritables fondateurs de l'Allemagne adénauerienne ; l'intensification de la guerre froide en 1947-1948 accéléra
la formation de l'Etat ouest-allemand. Bien évidemment, Adenauer souhaita toujours en paroles la réunification de l'Allemagne, comme chacun de ses compatriotes. Mais, dans les faits, il tint à la maintenir
divisée, et les Russes firent le travail en son lieu et place.

Président du Conseil parlementaire, Adenauer fut à même de rédiger sa propre constitution : cela constitua pour lui la plus belle des grâces. Fruit d'un labeur acharné et d'une longue réflexion, elle fut, au
bout du compte, une des meilleures que puisse posséder un Etat
moderne, équilibrant subtilement l'autorité du chancelier et celle des
pouvoirs cimentant la fédération. Par rapport à la constitution de Weimar, elle représenta un chef-d'œuvre. Lors des premières élections du
14 août 1949, Adenauer s'allia au professeur Ludwig Erhard qui dirigeait le Conseil économique bizonal. La pensée économique d'Erhard
en faveur d'un marché libre, fondé sur les bas tarifs, le libre-échange,
les importations à bon marché et l'exportation maximale, coïncidait
parfaitement avec sa propre philosophie politique, et, de fait, elle portait déjà ses fruits pendant l'été 1949. Se fourvoyant jusqu'au bout, les
Anglais misèrent sur une victoire facile des sociaux-démocrates. La CDU
remporta 7 millions 360 000 voix, contre moins de 7 millions pour les
socialistes. Rejetant l'idée d'une absence de coalition gouvernementale,
Adenauer eut beau jeu de faire valoir que 13 millions de ses compatriotes avaient voté pour la libre entreprise, c'est-à-dire, pour les idées
d'Erhard, et 8 millions seulement pour les nationalisations. Aussitôt
après les élections, Adenauer assuma l'entière responsabilité de son
parti (et d'Erhard). Il se fit nommer chancelier, forma son gouvernement d'une façon autoritaire, pour ne pas dire plus, et déclara que, sur
le conseil de son médecin, il ne pourrait rester que deux ans aux affaires[23]. Il y demeura pourtant quatorze ans. Les élections du mois
d'août furent donc l'un des événements un peu difficiles de l'aprèsguerre. En tout état de cause, le SPD n'aurait jamais pu mener à bien
le _Wirtshaftwunder_ allemand par la philosophie économique et le programme qu'il défendait alors. Le « miracle » d'outre-Rhin avait besoin
du couple Adenauer-Erhard. Lorsque le SPD arriva enfin au pouvoir
en 1969, il avait déjà abandonné le collectivisme marxiste et adopté dans
les faits l'économie de marché défendue par Ehrard.

Une fois encore grâce aux Britanniques, Adenauer prit un autre
avantage décisif. Hitler avait réduit à néant le mouvement syndical. Pensant fermement que celui-ci était nécessaire à la renaissance d'une
démocratie en Allemagne, les administrateurs anglais autorisèrent son
existence dès 1945, soit bien longtemps avant celle des partis. Pour ce
faire, ils firent appel à un responsable syndical de la métallurgie ; natif
de Rhénanie, Hans Boeckler raisonnait en termes de large mouvement
donnant à sa conception du syndicalisme une connotation vaguement
inquiétante rappelant l'époque d'avant 1914. Le gouvernement de Lon-

dres dépêcha Will Lawther, président du syndicat des Mineurs, et Jack
Tanner, président de celui des Travailleurs de la construction mécanique, auprès de Boeckler afin de l'inciter à créer des syndicats industriels. En fait, un *diktat*, que tout processus normal de développement
historique aurait dû rendre impossible, obligea l'Allemagne à se doter
d'une version améliorée des syndicats britanniques expurgés de toutes leurs faiblesses, leurs anomalies, contradictions et inefficacités.
Ainsi, par un pacte quasi suicidaire unique dans l'Histoire, la Grande-
Bretagne offrit *gratuitement* à son principal concurrent commercial la
structure syndicale parfaitement adaptée à une industrie moderne,
qu'elle avait, pour elle-même, vainement tenté d'élaborer par des
consultations démocratiques.

Au sein d'une fédération unique qui prit le nom de DGB (*Deuts-
chergewerkschaftsbund*), 16 syndicats virent le jour dans l'industrie. Sur
la demande pressante des Anglais, la DGB ne disposa pas seulement
des pouvoirs constitutionnels d'expulsion, mais aussi d'une autorisation de prélèvement financier à pourcentage fixe sur les souscriptions
de toutes les unions. La centrale possédait ainsi de vastes réserves financières sur lesquelles les diverses branches syndicales pouvaient puiser ; en cas de grève, cette facilité devenait une obligation. La grève
générale n'était possible que si un vote à bulletin secret réunissait 75 %
des suffrages et la DGB possédait, en ultime ressort, un droit de
veto [24]. On réglementa les grèves à caractère politique sur le même
principe que n'importe quel autre lien organique normal entre les syndicats et les partis politique. Ainsi, l'Allemagne de l'Ouest possédait-elle
l'appareil syndical le plus efficace de toutes les nations industrialisées :
sans rivalité de fédérations (comme aux USA), sans clivages religieux
ou marxistes (comme en Italie ou en France), sans politisation (comme
en Grande-Bretagne) et, par-dessus tout, sans professionnalisation de
type corporatiste ; cette dernière caractéristique constituant en effet
une « relique » d'un premier âge de l'industrialisation auquel nous
devons le principal obstacle institutionnel à la croissance de la productivité.

Adenauer profita habilement du don fait par la Grande-Bretagne.
Elu premier président de la DGB en octobre 1949, Boeckler, qui en
devint par la suite le maître quasi absolu, avait siégé, sous Adenauer,
au conseil municipal de Cologne. Le nouveau chancelier en fit donc tout
naturellement, avec Erhard, le coartisan de sa politique sociale et économique. Il le persuada d'abandonner toute idée de suprématie du secteur public en faveur de la *Mitbestimmung* (« alliance du capital et du
travail ») et d'une politique de hauts salaires reposant sur des contrats
de productivité [25]. Adenauer obtint un vote favorable à cette alliance
en 1951, avec le soutien des voix du SPD qui mirent sa coalition en péril ;
cette loi le gratifia néanmoins de dividendes politiques et économiques
appréciables. L'année suivante, l'Allemagne était déjà suffisamment
riche pour permettre au chancelier de réorganiser un système de sécu-

rité sociale qui répondit à bien des objectifs politiques du SPD[26]. Vers le milieu des années 50, le travail avait repris en Allemagne, sans aucune interférence politique, mais sur la base d'une économie axée sur les hauts profits, les hauts salaires, les bonus et la haute productivité, ainsi qu'un excellent système de protection sociale et des sièges dans les conseils de prise de décision. Peu à peu la génération qui avait fait la guerre disparut. Avec elle s'évanouit également, en 1959, l'attachement originel du SPD à la philosophie marxiste.

Adenauer fut assurément l'un des hommes d'Etat les plus doués des Temps modernes ; certainement l'un de ceux qui connut le plus franc succès aussi, dans l'histoire récente de l'Allemagne. Sous son chancelariat, les revenus réels triplèrent dans le pays. Il gagna la majorité des sièges au Bundestag en 1953, et la majorité absolue en nombre de votes dès 1957, époque à laquelle la devise allemande était la plus forte d'Europe. Il assit la démocratie allemande sur un socle pratiquement indestructible et, non content de la ramener dans le concert des nations civilisées, il en fit la vitrine et le modèle d'une institution légitime. Sans une bonne dose d'authentique idéalisme et d'amples réserves de ruse cynique, il n'aurait jamais pu mener cette tâche à bien. Erhard pensait qu'il était victime de ce que les Allemands appellent *Menschenverachtung*, c'est-à-dire le mépris souverain du genre humain ; il s'agissait plutôt d'une conscience très vive de la faiblesse des hommes et, particulièrement, des vices ataviques du peuple allemand. Dans le nouveau bâtiment du Bundestag, dont il supervisa le décor qu'il voulut spectaculaire (comme l'aurait fait Max Reinhardt pour une représentation de *Jules César*), les encriers et les rabats des pupitres étaient vissés afin de parer à tout hooliganisme *. Cela n'empêcha pas les scènes et les séances très houleuses, que mettaient encore davantage en valeur la dignité et la maturité imperturbables d'Adenauer. Toutefois, il partageait avec Calvin Coolidge un goût bizarre pour les farces, allant jusqu'à subtiliser pour le cacher le bloc de bois dont se servait le docteur Eugen Gerstenmaier, président du Bundestag, pour rappeler l'assemblée à l'ordre. Adenauer ne jugeait pas les Allemands dignes de confiance, ni collectivement ni individuellement. Il se méfiait de ses ministres ; il en débusqua un dans une maison de passe à Paris et l'expulsa du ministère des Affaires étrangères[27]. En dehors de son cercle familial, il ne jouissait pas de beaucoup d'affection, et son plus proche collaborateur, Hans Globke, coauteur des lois de Nuremberg, était le secrétaire général de la Chancellerie et le chef de ses services de renseignements personnels. « Et qui sait ce que peuvent cacher les coffres-forts de Herr Globke ? » disait Adenauer avec un sourire affecté[28]. Il pensait que les chefs d'Etat des nations démocratiques se devaient d'être plus habiles et mieux informés que leurs rivaux totalitaires. Collectivement, il jugeait que son peuple n'était digne de confiance qu'enfermé dans le

---

* N.d.T. : hooliganisme, forme de délinquance juvénile des pays de l'Est.

cadre de fer du respect absolu de la loi, surpassant même l'Etat dans ce domaine ; avec le temps, la contribution décisive qu'il apporta à l'établissement de ce cadre, fera la preuve, peut-être, de sa pleine participation à l'histoire de la culture politique allemande.

Comme Hitler, les dirigeants soviétiques haïssaient et ridiculisaient la loi ; raison pour laquelle ils trouvèrent toujours des hommes comme Adenaeur sur leur chemin, afin de barrer implacablement la route de toute transaction qui ne pouvait être vérifiée dans le moindre détail. Le chancelier avait pour habitude de dire que les Soviets s'étaient appropriés, pendant et depuis la guerre, 500 000 kilomètres carrés de territoire européen et constituaient ainsi le seul pouvoir à caractère expansionniste existant encore dans le monde. Pendant quarante ans, ce pouvoir avait rompu ou renié 45 des 58 traités qu'il avait signés[29]. Mettant à jour les intentions soviétiques, il démontra que leurs propositions de « réunification » de 1952, 1955 et 1959 étaient frauduleuses. Il ne pouvait un instant perdre de vue que 1 million 150 000 prisonniers de guerre allemands étaient portés disparus en Russie soviétique, et que seuls 9 628 d'entre eux étaient recensés comme tels par les autorités soviétiques, qui les considéraient comme des « criminels de guerre[30] ». Aussi usait-il de tous ses moyens pour convaincre les Allemands de prendre refuge à l'Ouest, où il pouvait leur offrir une loi respectée, du travail et la liberté. Après la révolte des ouvriers est-allemands de juin 1953, férocement réprimée par l'Armée rouge, les dirigeants soviétiques satellisèrent entièrement le pays de Walter Ulbricht et l'appauvrirent. La politique du chancelier Adenauer, encourageant les passages à l'Ouest, au rythme de 1 000 transfuges par jour en juillet 1961 acheva de le saigner à mort. Le 13 août, avec la permission de Moscou, Ulbricht entreprit la construction du mur de Berlin. Parfaitement illégal selon le droit international, Truman et Eisenhower l'auraient très certainement jeté à bas. Mais le président Kennedy était un faible, et il accepta le *fait accompli*. Adenauer ne put rien faire, n'ayant aucun pouvoir sur Berlin, qui demeurait sous l'autorité militaire quadripartite des Alliés. A la fin de sa vie, voyant se tarir le flot des réfugiés et le mur sauver l'économie est-allemande, transformant ainsi un terrible handicap en solide position pour les Soviétiques, il contemplait avec tristesse le seul et unique pays industriel sûr du bloc de l'Est.

Cependant, la tâche d'Adenauer était achevée : il avait arrimé les Allemands de l'Ouest, tant sur le plan militaire qu'économique et politique à la culture et à la légitimité des institutions occidentales aussi étroitement et durablement qu'il était humainement possible de le faire. Là résida le profond équilibre existant entre son grand idéalisme et les exigences de sa *Real-Politik*. Il fut le premier chef d'Etat allemand à placer les intérêts de l'Europe avant ceux de son propre pays. Comme l'a sans doute bien formulé un de ses critiques, il fut peut-être « un bon Européen, mais un mauvais Allemand[31] ». Dans cette acception du

terme, la critique ne fut pas pour lui déplaire ; en revanche, il sentit
mal le portrait que fit de lui le professeur Kallmann au travers duquel
la ressemblance avec un Hun était trop frappante et peu flatteuse. A
ses yeux, ni l'Allemagne ni l'Europe ne pouvaient payer le prix qu'exi
gerait la réunification. Dans les vingt années qui suivirent, les échecs
de ses successeurs sur ce plan démontrèrent amplement la justesse de
ses vues. Si la réunification était une chimère, l'intégration au monde
occidental était, elle, un objectif possible et raisonnable : ce fut son
œuvre. Là encore, il bénéficia d'une certaine chance. Comprenant, plus
intellectuellement que sentimentalement d'ailleurs, la nécessité future
du destin conjoint de l'Allemagne et de la France, Adenauer n'avait pas
la « fibre » française, n'avait aucun goût particulier pour la France, la
connaissait à peine, puisque à l'âge de soixante-dix ans, il ne s'y était
rendu qu'une seule fois pour une conférence de deux jours. Malgré cela,
il examina clairement les réalités politiques : « Aucune construction
européenne ne peut se faire sans la France ou contre elle ; tout comme
il ne peut y en avoir sans ou contre l'Allemagne [32]. »

Il trouva en France un partenaire de choix en la personne de
Robert Schuman, qui partageait bien des vues identiques avec De Gasperi et lui-même. Lorrain, Schuman avait appris l'allemand dans son
enfance, mais jusqu'en 1919, alors qu'il était déjà adulte, il ne possédait pas la nationalité française. Adenauer le considérait comme un
sujet du royaume de Lothaire, petit-fils de Charlemagne, car la Lorraine
comme Cologne avait fait partie de ce qu'on appelait le « royaume du
Milieu ». Le 9 mai 1950, il suggéra à Schuman l'idée d'une Communauté
européenne du charbon et de l'acier, matrice de la future Communauté
économique européenne, tandis qu'en octobre 1955, l'épineuse, mais
néanmoins secondaire, question de la Sarre fut, dans une large mesure,
définitivement résolue grâce aux bons offices de Robert Schuman. Ser-
gent dans l'armée allemande pendant la guerre de 1914-1918, ce dernier n'était pas suffisamment représentatif du citoyen français type
pour amener la France à accepter le grandiose projet qu'Adenauer
rêvait de voir se concrétiser. La France considérait comme un fait excu-
sable, dû à un accident historique, qu'un Lorrain ait pu servir comme
simple soldat ou même comme officier dans l'armée allemande ; le passage au grade de sous-officier supérieur lui impliquait une certaine
ardeur qu'elle pouvait plus difficilement admettre. De toute façon, la
trop faible IVe République ne pouvait amener la France à quoi que ce
soit. Pour sceller la réconciliation entre les deux pays, il fallait tout
d'abord que celle-ci reprenne confiance en sa propre force, qu'un
homme et un régime incarnent cette confiance. Adenauer eut la grande
chance de vivre assez vieux pour voir le triomphant retour aux affaires du général de Gaulle et la naissance de la Ve République.

Le redressement français des années 60 et 70 constitue l'un des
phénomènes les plus frappants de l'histoire moderne. Inimaginable
dans les années 30, la route empruntée fut complexe et paradoxale. Dans

les dernières années de son existence historique, la IIIe République illustrait parfaitement cette notion suivant laquelle « tout ce qui est petit
est mignon ». Tout déclinait : la démographie, la production, la productivité, les investissements, les salaires et la consommation ; on semblait
cultiver — voire vénérer — le « petit homme », la petite usine, la petite
ferme, la petite ville. La république était déjà agonisante avant la défaite
que lui infligèrent les troupes allemandes ; elle s'effondra dans un nuage
de poussière pendant l'été 1940. Il est important de comprendre que
le redressement du pays débuta sous le régime de Vichy, qui ne fut pas
seulement l'œuvre des fascistes français et des collaborateurs, mais
aussi de tous ceux qu'écœurèrent l'inefficacité et la dégradation du précédent régime. Même si le maréchal Pétain lui-même avait pu user
d'images archaïques en déclarant : « La France ne retrouvera jamais
sa grandeur tant que les loups hurleront autour des maisons de ses villages [33]. » Il n'en fut pas moins vrai cependant, que nombre de ceux qui
tinrent des postes clés dans son régime furent des hommes authenti-
quement modernes. Une nouvelle génération de technocrates apparut
à Vichy, mise en place par Jean Coutrot, fondateur du Centre d'études
économiques à l'Ecole polytechnique en 1930. Parmi eux : Bichelonne,
ministre de la Production industrielle, Henri Culman, principal théoricien économique du régime, Jacques Rueff, conseiller de Laval en 1934
avant d'être celui de De Gaulle, Roland Boris, qui connut lui aussi son
heure de gloire avec De Gaulle (ainsi que Pierre Mendès France), et
Pierre Massé, futur commissaire au Plan sous la Ve République [34].

En effet, malgré ses extraordinaires confusions, contradictions
et trahisons, l'époque de Vichy fut celle de l'expérimentation et du risque par le simple fait qu'elle bouleversa l'ordre établi préexistant. La
jeune génération de paysans dynamiques, préfigurant celle qui fit merveille plus tard au sein de la CEE, fut la première à bénéficier des nova-
tions vichyssoises. Pour la première fois, sans doute, le monde rural
s'intéressa à la modernisation, à la mécanisation et à la productivité [35].
Un système de planification quasi volontaire (« plan indicateur »),
embryon du futur *Commissariat général du Plan*, vit le jour à cette époque. Vichy mit également en place le financement des allocations familiales, conçu dès 1932 par le démographe Adolphe Landry dans le
dessein de faire remonter la courbe des naissances ; pour la première
fois depuis plus d'un siècle sans doute, la natalité française reprit enfin
sa progression. L'effet psychologique fut profond. Comme l'Allemagne,
Vichy avait le culte de la jeunesse et s'intéressait bien davantage aux
questions touchant le domaine éducatif que la IIIe République. Ce fut
encore Vichy qui développa la pratique du sport populaire, notamment
le football : la France ne comptait que 30 footballeurs professionnels
en 1939 ; leur nombre avait décuplé en 1943 [36]. Mais l'organisation des
« chantiers de jeunesse » fut le trait saillant du régime du maréchal
Pétain ; ils portèrent tous leurs efforts sur la formation technique de
la jeunesse qui, jusqu'alors, en manquait gravement. L'objectif de Vichy

était une régénération du pays par ses jeunes, ainsi que le déclarait Paul Marion, ministre de l'Information du Maréchal : « Grâce à nous, la France des camps de plein air, des sports, des danses, des voyages, des auto-stoppeurs balayera celle des buveurs d'apéritifs, des fumeurs, des congressistes et des digestions difficiles[37]. » Dans une large mesure, ces paroles se réalisèrent.

Cependant, bien des projets entrepris par Vichy furent balayés lors de la débâcle du régime et de la division qui s'ensuivit dans le pays. Environ 170 000 Français entrèrent dans la Résistance ; plus de 190 000 furent accusés de collaboration et environ 100 000, condamnés à des peines de prison. On ignore encore aujourd'hui le nombre exact des victimes qui furent assassinées en 1944 ; seuls 4 500 cas ont été authentifiés avec certitude[38]. Hostiles à la guerre en 1939-1940, les communistes furent les grands bénéficiaires de 1944, et purent à loisir éliminer nombre de leurs adversaires. Ils se firent appeler le *Parti des fusillés*, en clamant que 75 000 « communistes patriotes » avaient été exécutés par les nazis et par Vichy. Toutefois, les statistiques françaises relatives aux victimes de l'Occupation, produites au procès de Nuremberg, ne faisaient apparaître que 29 660 morts, et les communistes ne purent jamais fournir plus de 176 noms de « héros[39] ». En fait, leurs dirigeants furent les premiers à accuser les socialistes au procès de Riom, et le journal *L'Humanité* éleva une protestation lorsque le gouvernement de Vichy libéra des militants antinazis[40]. A l'encontre des autres partis politiques, le PC n'épura jamais ses propres rangs dans lesquels Maurice Thorez aurait pu être compté parmi les collaborateurs ; en 1944-1945, il n'élimina que les réfractaires à la politique stalinienne et ceux qui combattirent les nazis. Cependant, fort de son enthousiasme tardif pour la Résistance, le parti communiste apparut à la fin de la guerre comme de loin le plus riche, le mieux organisé et le plus puissant dans la vie politique française. Passant de 1,5 million de voix en 1936, à plus de 5 en 1945, il grimpa jusqu'à 5,5 en 1946 ; son électorat augmenta encore jusqu'en 1949, et dans les toutes dernières années de la décennie, les communistes purent se prévaloir de 900 000 membres cotisant régulièrement. Entièrement stalinien, le PC français demeura tel, même après la mort de Staline. Archétype du politicien professionnel du XXᵉ siècle, devenu permanent à l'âge de vingt-trois ans et n'ayant jamais eu d'autre activité que celle d'être un serviteur docile de la politique moscoutaire, Thorez corrompit systématiquement l'appareil du Parti, tant sur le plan intellectuel que sur le plan moral[41]. Il le fit entrer dans une sorte de ghetto, dressant des mini-rideaux de fer autour de ses enclaves, et en fit un monde totalement à part au sein de la société française, un monde autonome, qui possédait ses propres journaux, pièces de théâtre, romans, poèmes, revues féminines et enfantines, livres de cuisine et almanachs[42].

L'existence même de ce parti, immense, intransigeant et, qui plus est, feudataire d'une puissance étrangère, posa au gouvernement français des problèmes insurmontables. De Gaulle qui avait (selon son expression) « sorti la république du ruisseau » ne put accepter que les communistes, membres de sa coalition, mettent la main sur les trois ministères clés. Il fit savoir, au cours d'un discours radiodiffusé, qu'il lui était impossible de « concéder les portefeuilles ayant un rapport direct avec la politique étrangère : la diplomatie qui l'exprime, l'armée qui la soutient, et la police qui la protège [43] ». Ne pouvant trouver aucun moyen pour assurer une défense véritablement nationale du pays, et non idéologique, il se résigna à donner sa démission en janvier 1946 et ne prit donc aucune part dans l'élaboration de la nouvelle constitution qui fut, en grande partie, l'œuvre des communistes et des socialistes. Les conséquences furent tragiques. Depuis la chute de sa monarchie de droit divin, la France ne sut jamais équilibrer l'autorité du gouvernement et les droits des assemblées locales ; elle avait toujours oscillé entre la dictature et le chaos, selon que les constitutions penchaient d'un côté ou de l'autre. Les 12 premières avaient totalement échoué ; celle de la IIIe République, en 1875, n'eut qu'une voix de majorité dans un Parlement à dominante monarchiste qui ne put se mettre d'accord sur le nom d'un prétendant. Elle dura, cahin-caha, soixante-cinq ans, mais s'effondra dans une déroute totale, tandis que la moitié du pays n'y avait jamais vraiment moralement souscrit : telle est une des principales raisons de l'enthousiasme suscité par l'Etat français de Vichy. Le maréchal Pétain, comme Hitler, avait été appelé pour établir une nouvelle constitution ; il n'en avait jamais rien fait. De Gaulle, lui, avait ses propres idées, fondées sur un pouvoir présidentiel fort, qu'il énonça dans son discours de Bayeux en juin 1946. Elles ne firent jamais l'objet d'un vote.

Concoctée par les communistes et les socialistes, la première constitution proposée pour la nouvelle IVe République fut repoussée par voie référendaire. Une seconde mouture, à laquelle le Parti centriste catholique (MRP) ne donna son appui qu'à contrecœur, obtint enfin le suffrage du peuple français par 9 millions de voix seulement, soit moins que pour la version originelle. Plus de 8 millions votèrent contre ; et 8,5, dégoûtés, s'abstinrent purement et simplement [44]. Rédigée à la hâte, bâclée dans un climat de haine, cette constitution fut la pire de toutes celles imposées à un grand pays, raisonnable et intelligent. Même sur le plan de la syntaxe, le texte en était atroce. Certains articles se contredisaient ; d'autres, tellement compliqués, étaient incompréhensibles. Certains détails étaient négligés. Des chapitres entiers (notamment sur l'Union française et les « collectivités locales ») n'étaient jamais mis en application. Un certain nombre de procédures de vote, concernant la formation d'un gouvernement par exemple, se révélaient inapplicables. Elle sous-entendait tellement de compromissions que même ses défenseurs n'en étaient pas satisfaits [45]. En fait, elle n'était qu'un mauvais succédané de celle de la IIIe République.

L'élaboration d'une constitution est toujours une tâche ingrate, et l'analyse d'un texte constitutionnel, un aspect fastidieux du métier d'historien. Néanmoins, les constitutions sont nécessaires. Weimar fut un échec parce que la sienne était maladroite. La République fédérale fut une réussite parce qu'Adenauer lui fournit des bases minutieusement équilibrées. Quant à la IVᵉ République, elle devint un simple théâtre pour ce que de Gaulle appelait, dédaigneusement, le « ballet des partis ». Le système de représentation à la proportionnelle ne permettait pourtant à aucun d'entre eux de former un gouvernement homogène. Le Président était le plus souvent insignifiant, et le Premier ministre, un nonagénaire généralement impuissant. Ce système de coalition instable excluait toute idée de continuité gouvernementale ; chose plus grave, il rendait extrêmement difficiles les grandes décisions, notamment les mesures impopulaires se heurtant à des groupes de pressions internes, comme tous les problèmes coloniaux. Dans ces conditions, il ne fut pas étonnant de voir le régime s'engager dans une guerre perdue d'avance en Indochine, dont la capitulation de Diên Biên Phu (1954) constitua l'apothéose sanglante, et tourner mal quatre ans plus tard, lors des événements de l'Algérie française.

Pourtant, les douze années de vie de cette IVᵉ République ne furent pas tout à fait désastreuses. Commencée sous le régime du maréchal Pétain, la révolution technocratique se poursuivit. Elle s'accéléra même, grâce aux efforts enthousiastes de Jean Monnet. Typiquement française, sa famille avait dirigé une petite distillerie artisanale produisant du cognac qu'elle exportait dans le monde entier, elle était donc rompue aux horizons internationaux. Elevé dans le monde des affaires depuis l'âge de seize ans, particulièrement dans le secteur des banques de commerce et des emprunts d'Etat, il passa une grande partie de la guerre de 1914 auprès du ministre du Commerce, Etienne Clémentel, premier homme de gouvernement français à estimer que l'Etat se devait d'aider les entreprises capitalistes à établir les plans, et que les « nations démocratiques » (Europe et Amérique) devraient former une « union économique [46] ». Pendant le second conflit mondial, Jean Monnet se signala par les services qu'il rendit en coordonnant la production des armements pour les pays alliés belligérants ; tout naturellement, de Gaulle le chargea de remettre sur pied l'économie française détruite. Initiateur du Commissariat général du plan, Monnet édifia sur cette base les premiers rouages de la future Communauté économique européenne. Possédant cette qualité rare d'être un homme d'idées et de convictions passionné mais réfractaire à toute idéologie, il estimait que le moyen de faire fonctionner une planification industrielle correctement était de prendre en compte la persuasion et le consentement ; les mécanismes du Plan n'étaient, à ses yeux, qu'un simple cadre de travail. Les régulations ne devaient produire que des effets parfaitement compétitifs et non des utopies. Les responsables du Plan n'étaient pas là pour donner des ordres, mais pour tenter de faire coopérer les esprits. La planification n'équivalait à rien d'autre qu'à de la diplomatie économique. La vertu essentielle de Monnet résidait dans sa capacité de concilier les exigences du Plan et l'économie de marché, et de réduire les pesanteurs administratives de la bureaucratie à leur expression la plus simple : son état-major au Plan ne comprenait que 30 chefs de service [47]. De petite taille, effacé, calme et haïssant la rhétorique, Monnet était dans son comportement l'exacte antithèse de De Gaulle. Partageant une immense et persévérante volonté, l'ascendant sur la jeunesse était un autre trait important qui les rapprochait. De Gaulle engendra les gaullistes ; Monnet, les eurocrates.

Son « plan indicatif » fut une des réalisations menées à bien sous la IVe République. Mais une stabilité politique, une monnaie forte et des orientations nettes et fermes qui devaient toucher toutes les catégories sociales se révélaient nécessaires pour qu'elle produise tous ses fruits. Toutes choses, bien sûr, que la IVe République n'était pas en mesure d'offrir. Sans toutefois en être l'inventeur, Monnet posa les premières pierres de la Communauté économique européenne, dont le trait principal était de renouer avec l'ancienne idée d'union douanière. En effet, l'unité allemande, opérée en 1871, tira son origine de l'unification des taxes douanières en Prusse en 1818, devenue union douanière, sous le nom de *Zollverein* cn 1834. L'expérience semblait donc démontrer que la voie la plus sûre de l'unité politique passait par l'unité des taxes. A l'origine membre du *Zollverein*, le Luxembourg avait signé une convention avec la Belgique en 1921, incluant des tarifs douaniers et une balance des paiements communs. Le système s'élargit aux Pays-Bas, après la Seconde Guerre mondiale ; le 1er janvier 1948, les 3 Etats adoptèrent les mêmes taxes douanières et, le 15 octobre 1949, un « processus d'harmonisation » des tarifs intérieurs vit le jour. Le but de Monnet était d'élargir le Benelux aux 3 autres grandes puissances de l'Europe occidentale (Grande-Bretagne comprise) en commençant par le charbon et l'acier. Ses amis allemands soumirent l'idée au chancelier Adenauer, qui ne sembla pas en comprendre les détails économiques, mais admit l'importance politique du principe. Le traité de Paris, signé en avril 1951, par le Benelux, la France, l'Allemagne et l'Italie, donna naissance au marché commun du charbon et de l'acier. Six ans plus tard, le 25 mars 1957, les six paraphèrent le traité de Rome, instituant le Marché commun, l'unicité des tarifs intérieurs et extérieurs ; la liberté de mouvement pour les personnes, les services et les capitaux, l'« harmonisation » de toutes les procédures visant à rendre la procédure compétitive et, enfin, difficulté suprême, les montants compensatoires dans le domaine agricole.

Si la IVe République réussit à introduire la France dans la CEE, elle n'eut pas la détermination nécessaire pour la faire fonctionner car, tant pour la France que pour l'Allemagne, le système reposait avant tout sur des sacrifices mutuels. Pour survivre dans un Marché commun, la France ne devait pas seulement se réindustrialiser rapidement, mais encore rompre définitivement avec son système agricole, traditionnel et inefficace, de culture en jachères. Au début des années 50, la France ne comptait que 1 ouvrier pour 1 agriculteur (la Grande-Bretagne, elle, en comptait 9 pour 1). Sur une population active de 20,5 millions au total, 9,1 millions vivaient dans des petites communes rurales et, sur ce dernier chiffre, 6,5 millions travaillaient dans le secteur agricole ; 1,25 autre million d'habitants résidait dans des communes semi-rurales[48]. Il était donc urgent d'inciter toute cette population à se reconvertir dans le million industriel, ce qui impliquait une élévation du niveau social que la IVe République était incapable de promouvoir. Un bouleversement volontaire du monde rural n'était envisageable, plaisant et, en fin de compte, profitable que moyennant d'énormes investissements dans le secteur agricole. La France comptait donc sur les bénéfices procurés par l'Allemagne de l'Ouest, par l'intermédiaire de transferts de paiements ou de taxes intérieures connus sous le nom de « politique agricole commune ». En échange, l'Allemagne hautement industrialisée aurait accès aux marchés français. Le traité de Rome n'était donc qu'une série de négociations sur les sacrifices mutuels, néanmoins bien équilibrés. D'une part, la révolution agricole française devait s'effectuer suffisamment rapidement pour justifier le PAC. D'autre part, la France devait moderniser son industrie et lui donner assez de force et d'expansion pour empêcher sa concurrente allemande de prendre les meilleurs marchés et transformer sa partenaire en colonie économique. Le double processus réclamait une autorité gouvernementale, forte et sûre d'elle-même, que ne possédait pas la IVe République.

Bien davantage encore, cette réorganisation exigeait l'affirmation d'un sentiment national en France. Dans les années 50, seule une élite minoritaire adhérait aux « vues européennes ». Communistes en tête, le ton de la classe politique était souvent xénophobe, voire raciste. On parlait de « Schuman le boche ». Un chef syndicaliste du PC apostropha un jour Léon Blum en ces termes : « Blum, en yiddish, cela veut dire "fleur" », tandis qu'un journal communiste de province titrait même : « Blum, Schuman, Moch, Mayer ne dégagent pas la bonne odeur du terroir français ». L'Humanité alla jusqu'à publier une caricature représentant Schuman, Moch et Mayer — les « hommes de l'Amérique » — avec des nez crochus, et fort embarrassés devant des militants communistes chantant La Marseillaise ; caricature ainsi légendée : « Connaissez-vous cette mélodie ? Non, cela doit encore être une de leurs chansons françaises[49] ! » Le centre et la droite attaquèrent le plan charbon-acier par le slogan : « L'Europe sous hégémonie allemande », et la gauche, par celui-ci : « L'Europe du Vatican ». Le vieux radical centriste Daladier déclarait : « Quand ils parlent de l'Europe, ils sous-entendent l'Allemagne, et quand ils parlent de l'Allemagne, ils sous-entendent la Grande Allemagne. » A droite, le vieux Munichois Pierre-Etienne Flandin allait sans cesse répétant que la « fédération européenne » signait le « suicide de la France ». Portant bien son nom, Léon

Gingembre, président de l'Association des petites et moyennes entreprises — archétype des institutions de la vieille France —, stigmatisait
ainsi le projet de la CEE : « L'Europe des trusts, des multinationales
et de la haute finance. » Selon un historien, il s'agissait d'une tentative
réactionnaire pour ressusciter « l'idée du Saint Empire romain ». « Le
passé n'est pas mort; il survit dans les sphères culturelles qui entou-
rent Adenauer, Schuman et De Gasperi[50]. »

Cette convergence d'ennemis aurait pu paralyser la CEE, surtout
depuis qu'elle comptait des adversaires puissants et xénophobes en Allemagne même. Parce qu'il était l'œuvre d'Adenauer, le « chancelier des
Alliés », Schumacher qualifiait le traité de Paris de « misérablement
européen, j'entends par là une idée panfrançaise... l'homme qui signe
ce traité cesse d'être un véritable Allemand[51] ». Si la IVe République
avait survécu, la détermination indispensable à démontrer la possibilité d'un bénéfice franco-allemand réciproque aurait fait défaut.

Dès lors, le retour au pouvoir du général de Gaulle, en mai 1958,
fut non seulement décisif pour la France, mais encore pour l'histoire
de l'après-guerre européenne. A première vue, il ne semblait pas être
homme à favoriser l'unité économique européenne, non plus qu'à abandonner l'Algérie française. Mais de Gaulle ne fut jamais ce qu'il parut
être. D'une intelligence supérieure, une des plus brillantes des Temps
modernes, infiniment subtile, riche en paradoxe, insondable dans ses
ironies sardoniques : tel fut de Gaulle; homme de l'avant-guerre, pourvu
d'une mentalité remarquablement adaptée à l'après-guerre, il incarna
vraiment l'esprit des temps futurs. Monarchiste convaincu de l'innocence de Dreyfus, il avait appris dans sa jeunesse à aimer l'empire français et la province, *la France des villages* : pourtant, son « règne » vit
disparaître les deux.

Il est essentiel de comprendre que de Gaulle ne fut pas profondément un militaire, ni même un homme d'Etat, mais un intellectuel; un
intellectuel d'un genre particulier dont la vie entière fut une médita-
tion sur les rapports de la pensée, du pouvoir et de l'action. Plus que
d'autres, il possédait ce don de contempler les événements *sub specie
aeternitatis*. Il avait retenu la leçon de son père : « Souviens-toi de ce
que disait Napoléon : "Si Pierre Corneille ressuscitait, j'en ferais un
prince[52]". » Toute sa vie, il chercha à courtiser les milieux intellectuels; pour le simple plaisir et non particulièrement parce que plus de
1 million 100 000 Français et Françaises étaient répertoriés comme tels
en 1954[53]. Déjà à Alger, en 1943, il conquit une délégation d'intellectuels conduite par André Gide, en déclarant : « L'art a son honneur,
comme la France, le sien »; à ces mots, les délégués présents comprirent qu'il était comme eux, un intellectuel[54]. Lors de son retour aux
affaires en 1958, il confia un rôle de premier plan à André Malraux et
en fit son bras droit au sein du gouvernement. Jamais aucun Premier
ministre n'eut autant d'influence sur les sentiments intérieurs du
Général. Comme le disait Gaston Palewski à propos de Malraux : « Il

entra dans la légende de De Gaulle comme on entre en religion[55]. »

L'optique philosophique et politique avec laquelle le général abordait la théorie militaire caractérisait bien son intellectualisme. Dans son ouvrage *Vers l'armée de métier*, il écrivit : « La véritable école du commandement repose sur la culture générale », et plus loin : « Derrière les victoires d'Alexandre, on trouve toujours Aristote. » La même vision détermina sa stature d'homme d'Etat. Sa référence favorite, celle par laquelle il ouvrit ses *Mémoires de guerre*, il la puisa toujours dans la très célèbre « Hymne au pouvoir » tirée du *Faust* de Goethe et dans laquelle la phrase « Au commencement était le Verbe » se trouve remplacée par « Au commencement était l'action[56] ». Il savait que les Français raisonnaient clairement mais manquaient de volonté pour agir. En premier lieu, il leur fallait un Etat fort : « Rien de tangible et de solide ne peut prendre corps sans un renouveau de l'Etat, donc, c'est par là qu'il faut commencer[57]. » « Le devoir et la *raison d'être* » de l'Etat sont « d'être au service de l'intérêt général ». Sorte de Léviathan plus fort que l'assemblage de ses composants, seul l'Etat pouvait réellement représenter la communauté tout entière et constituer la force centripète qui équilibrerait les forces centrifuges, génératrices d'explosions dans ce pays. De Gaulle n'avait pas une conception totalitaire de l'Etat. Au contraire, celui-ci se devait d'être le symbole des valeurs morales et culturelles ; particulièrement en France, où « l'idéalisme constituait le principal trait de caractère, et l'élément essentiel de son influence ». Dans l'esprit du général de Gaulle, l'Etat s'identifiait à la liberté, la civilisation française étant la civilisation démocratique par excellence, conjuguant admirablement une longue tradition de vieille culture et de liberté. La meilleure démocratie se devait de réunir le peuple tout entier par la prise de conscience de son appartenance à une communauté morale : il baptisait cela « rassemblement ». Les rituels de la démocratie étaient des symboles concrets de l'unité, mais le consensus devait précéder les formes démocratiques. « La grandeur de la France et la liberté du monde sont liées par un pacte vieux de vingt siècles. » Ainsi, « la démocratie est intimement liée aux intérêts français les mieux compris[58] ».

La conception gaulliste de l'Etat était, en son essence, prétotalitaire. Identifiant l'Etat et la légitimité, de Gaulle estimait qu'il devait s'incarner en un chef, dont la personne était presque sacrée. Le monarque était le seul personnage dont les intérêts personnels coïncidaient inextricablement, et même organiquement, avec ceux de la communauté tout entière, et non pas seulement une fraction d'elle (comme le chef de parti). De là, la réponse à la reine Elisabeth II d'Angleterre lorsqu'elle lui demanda quel devait être son rôle dans la société moderne : « Dans la situation où la divine providence vous a placée, soyez seulement vous-même, Madame ! C'est-à-dire, en vertu du principe de légitimité, la personne en laquelle s'incarne l'ordre dans votre royaume, en laquelle votre peuple perçoit son appartenance à la communauté nationale, et par la

présence et la dignité de laquelle l'unité nationale est maintenue[59]. »
A la limite, et faute de trouver un homme plus compétent que lui, il
se chargea lui-même de ce rôle en 1940 : « Seul et presque inconnu, de
Gaulle dut porter le fardeau de la France », dit-il un jour. Une nouvelle
fois, en 1958, lors de l'horrible affaire algérienne qui faillit amener la
France au bord d'une guerre civile de type espagnol, il prit les rênes
en main : « Maintenant connu, mais armé de sa seule légitimité, de
Gaulle doit prendre en main les destinées du pays[60]. » En 1946, il
entama « une traversée du désert » pour sauvegarder précisément cette
« image de pureté » (selon son expression), car « si Jeanne d'Arc s'était
mariée, elle ne serait plus Jeanne d'Arc[61] ». En vérité, il avait développé en lui la capacité de dissocier son destin personnel de son destin
d'homme d'Etat (« seul le personnage historique de de Gaulle m'inté-
resse »), de telle sorte qu'il pouvait avouer : « Il y a bien des choses que
j'aurais aimé faire et ne pus les faire, car elles n'auraient pas convenu
au général de Gaulle[62]. »

  La conséquence logique de sa conception de l'Etat eût dû amener
de Gaulle à fonder sa propre dynastie, ainsi qu'il l'aurait certainement
fait un siècle auparavant. Cependant, en 1958, il élimina la solution
monarchique au profit d'une démocratie plébiscitaire fondée sur le référendum, et, depuis 1962, sur l'élection au suffrage direct d'un Président doté de larges pouvoirs autant que d'un rôle éminemment
charismatique. Adoptée par 17,5 millions de voix contre 4,5 (dont 15 %
d'abstentions) et fondée sur les propositions de Bayeux, sa constitution
de 1958 fut, de loin, la plus claire, la plus solide et la plus équilibrée
jamais offerte à la France[63]. Provoquant volontairement une bipolari-
sation des partis de droite et de gauche (bien que préservant une structure quadripartite), elle obligea les électeurs à faire un choix sans
ambiguïté au second tour de scrutin. Elle renforça le pouvoir exécutif,
lui permit de prendre autoritairement des décisions et de mener à bien
une politique cohérente. Mais, par-dessus tout, en outrepassant la division traditionnelle des partis, le système de l'élection présidentielle de
1962, approuvé par 13,15 millions de voix contre 7,97, fournit au chef
de l'Etat un mandat direct émanant de l'ensemble de l'électorat. De ce
fait, la France bénéficia d'une des plus longues périodes de stabilité
politique de toute son histoire moderne. Vingt-trois ans s'écoulèrent
depuis 1958, avant de voir un autre type de philosophie politique s'installer en France. Toutefois, même après la victoire des socialistes aux
élections présidentielles de mai 1981, la Constitution continua de fonctionner sans accrocs, démontrant par là sa parfaite adaptabilité. Comme
l'Allemagne, la France possédait enfin un cadre institutionnel de premier choix.

  Cette nouvelle stabilité rendit possible le « renouveau de la
France » que Vichy et la IVe République n'avaient fait qu'ébaucher. Non
seulement le long phénomène de décadence, plus que séculaire,
s'inversa, mais encore on le considéra comme devant être spectaculai-

rement inversé. En matière économique, de Gaulle agit selon son habituel et paradoxal mélange de traditionalisme et de modernité. Il nomma le technocrate Jacques Rueff à la présidence de la Commission économique. Plaçant sa confiance dans l'étalon-or, celui-ci fut le véritable artisan des succès économiques de la Vᵉ République et le premier à mettre en pratique une politique néoconservatrice qui se fit mondialement connaître dans les années 70 sous le vocable impropre de « monétarisme ». Le plan énoncé par Rueff, le 8 décembre 1958, comprenait des mesures déflationnistes, des coupes sévères dans les dépenses de l'Etat, une dévaluation, la convertibilité de la monnaie et la création d'un « nouveau franc » qui multipliait par 100 sa valeur antérieure ; depuis le 1er janvier 1959, vinrent s'y greffer des allégements, voire des suppressions en matière de tarifs douaniers et de quotas dans le commerce en gros. Bref, la France entra pour de bon dans le système de la libre entreprise et l'économie de marché. « Je dois ma réussite à la cohérence et à la ferveur de ce plan autant qu'à son audace et à son ambition », confia plus tard le général de Gaulle. Ses objectifs, déclara-t-il à la nation dans un discours télévisé, étaient de « restaurer le pays sur des bases sévères et vraies [64] ».

Fondamentalement, la France est un pays riche, et son peuple, intelligent et travailleur. Pour mettre effectivement les Français à l'ouvrage, il n'est besoin que d'un cadre stable et d'un pouvoir énergique et fort. Les résultats ne se firent pas attendre. Au milieu de l'année 1959, le PNB s'accrut de 3 %, de 7,9 % en 1960, de 4,6 en 1961 et de 6,8 en 1962. Pour la première fois depuis la révolution industrielle, la France donna le ton sur le plan économique. L'impulsion décisive fournie au modeste progrès de la IVᵉ République en ce domaine, le maintien des résultats à un haut niveau dans le cadre d'une politique monétaire stable et d'une très faible inflation (selon les critères français), furent l'œuvre essentielle du gaullisme. Entre 1956 et 1962, les exportations doublèrent et la production industrielle tripla pendant les vingt ans qui suivirent l'année 1952. Le franc devint une monnaie forte, et, au début de l'année 1968, les réserves françaises atteignirent la somme colossale de 35000 millions de (nouveaux) francs [65]. D'autres tendances à longue portée accompagnèrent et renforcèrent ces résultats. De 41 millions d'habitants en 1946, la population passa à 52 millions en 1974. Ces millions de nouveaux venus furent infiniment mieux éduqués et logés que les générations précédentes. Stationnaire entre 1914 et 1939, le parc de logements se multiplia par 10 par rapport au chiffre de l'entre-deux-guerres au cours des années 60, pour atteindre 18,25 millions en 1968, soit le double du chiffre de 1939. Des années 60 datent aussi l'usage généralisé, en France, des médicaments modernes et la naissance d'un service sanitaire efficace [66]. Le nombre des professeurs du second cycle dans les lycées d'Etat passa de 17400 en 1945 à 67000 en 1965, et l'enseignement privé grandit également très vite (grâce à la fameuse loi Debré, ainsi nommée en hommage au premier chef de gouvernement du général de Gaulle). La démocratisation d'un enseignement de haute qualité remonte également à la fin des années 50. De 78691 en 1939, le nombre des étudiants des universités et collèges était passé à 563000 en 1968 [67].

Bref, sous de Gaulle, la France devint pour la première fois un pays moderne, industrialisé, à la pointe du progrès technique et des idées neuves : l'exacte antithèse de sa situation dans les années 30. Ce type de renversement de tendances profondément ancrées est rarissime dans l'histoire d'un vieux pays ; il permet à de Gaulle d'être, à juste titre, considéré comme un chef d'Etat modèle dans les Temps modernes. Ces transformations ne se firent bien évidemment pas sans douleurs, sans laideurs, sans chocs et sans protestations. Toutefois, l'intime prise de conscience du peuple français d'avoir retrouvé un dynamisme semblable à celui qu'il avait connu sous Napoléon Ier ou dans les premiers temps du règne de Louis XIV lui fit accepter la destruction de la France rurale et traditionnelle, puis, chose également importante, l'arma pour accepter d'être le partenaire de l'Allemagne adénauérienne dans la Communauté européenne.

De Gaulle ne partageait pas l'enthousiasme passionné de Monnet pour l'intégration et la supranationalité. Publiquement, il parlait toujours de l'Europe comme de l'« Europe des patries ». Cependant, comme toujours, l'attitude extérieure du Général masquait souvent des ambitions très différentes et plus subtiles. Sans perdre son pragmatisme, il n'était pas hostile à la création d'entités plus larges pour des fins spécifiques, dans la mesure où les intérêts français pouvaient y être mieux défendus. Ainsi, au printemps 1950, avait-il médité sur la bataille des Champs catalauniques, « où les Francs, les Gallo-Romains, et les Teutons avaient conjugué leurs forces pour affronter les hordes d'Attila... Il est temps que le Rhin devienne un point de rencontre et non une barrière... Si l'on ne se forçait pas à voir la situation calmement, on pourrait facilement se laisser éblouir à la perspective de ce que pourraient produire ensemble les qualités allemandes et les valeurs françaises, étendues au continent africain. Cela pourrait devenir à terme un ferment de transformation de l'Europe, même au-delà du rideau de fer [68] ».

En un certain sens, de Gaulle était plus qu'un nationaliste français ; c'était un Carolingien. Partageant les vues des historiens français de la nouvelle école des *Annales* comme Fernand Braudel, il était convaincu que l'Histoire est essentiellement déterminée par la géographie. En fait, l'idée n'était pas neuve, déjà en 1885, dans son maître livre *L'Europe et la Révolution française*, Albert Sorel écrivait que : « La politique de l'Etat français était déterminée par la géographie. Elle prend sa source dans un état de fait qui remonte à l'empire de Charlemagne. La grande et éternelle querelle qui parcourt l'histoire de France tient son origine dans l'insoluble querelle de qui doit hériter de l'empereur [69] ». Depuis le règne du Valois Philippe le Bel jusqu'à Danton et

Napoléon, en passant par Henri IV et Sully, Richelieu, Mazarin, et Louis XIV, la France avait toujours cherché à recréer cet empire par la force et sous sa seule égide. N'était-il donc pas temps maintenant, avec une Allemagne amputée, dépourvue de ses accrétions non carolingiennes, de le rebâtir pacifiquement, fraternellement et sans esprit de possessivité ? C'était là une idée tout à fait pragmatique, bien faite pour séduire de Gaulle. A l'encontre de la plupart des intellectuels français modernes, il détestait Nietzsche et percevait la Germanie à travers l'ouvrage de Madame de Staël, *De l'Allemagne* (1810), qui répandit en France le culte des « bons » Allemands, partisans de la civilisation de l'Ouest. Partageant avec elle une profonde admiration pour Goethe, il percevait en la personne d'Adenauer un type humain germanique très proche de ce modèle, un autre *homme providentiel*, dont le pouvoir, si heureux, offrait à la France une opportunité qui, peut-être, ne reviendrait jamais. Adenauer, écrivait-il, était un Rhénan.

> « [...] pénétré du sens de la nature complémentaire des Gaulois et des Teutons, qui a, un jour, fertilisé la présence de l'Empire Romain sur la frontière du Rhin, a été source des succès pour les Francs et de gloire pour Charlemagne, a permis l'affermissement de la puissance autrichienne, a justifié les relations entre le Royaume de France et les Electeurs, a enflammé l'Allemagne du feu de la Révolution, a inspiré Goethe, Heine, Madame de Staël et Victor Hugo, et a continué, en tâtonnant, de se frayer un chemin dans la nuit, en dépit des conflits meurtriers dans lesquels les deux peuples étaient enfermés. »

C'est dans cet esprit que, le 14 septembre 1958, de Gaulle invita Adenauer à Colombey-les-deux-Eglises, pour ce qu'il appela par la suite, « la rencontre historique de ce vieux Français et de ce très vieil Allemand[70] ».

L'entrevue fut d'une immense et fructueuse portée. De Gaulle se sentit attiré par *der Alte* (le Vieux), quand on lui apprit que le chancelier allemand retrouverait sa jeunesse en étant au pouvoir, « comme ce fut le cas pour moi-même[71] ». De son côté, Adenauer approuva son homologue français « tellement droit, correct et moral ». Ce n'était pourtant que la première des 40 rencontres de plus en plus amicales entre les deux hommes jusqu'à la retraite d'Adenauer en 1962. Elles posèrent les fondements d'un axe franco-allemand qui ne cessa de se renforcer jusqu'au début des années 80. Reposant sur une sorte de réduction permanente des aspects supranationaux de la CEE, cet axe permit un accroissement constant du volume des échanges en imbriquant toujours davantage les économies des deux pays. Ainsi, la négociation équilibrée sur laquelle reposait le succès de la CEE se mua en réalité effective et « opérationnelle », grâce à l'action de ces deux vieux conservateurs catholiques démodés. Anticipant l'ère de la démocratie chrétienne, ils avaient forgé leur conception du monde avant 1914, mais étaient restés étonnamment alertes et attentifs aux changements et aux possibilités nouvelles offerts par les tragiques événements dont leurs vies avaient été témoins. Entre eux, l'amitié fut sincère et authentique; elle demeura un exemple de l'importance des grandes et fortes personnalités en matière de relations internationales; plus encore peut-être des relations personnelles.

A l'image de bien des amitiés, la leur se scellait sur une commune antipathie pour la Grande-Bretagne. De Gaulle ne considérait pas celle-ci comme une puissance continentale authentique. Atlantiste, « anglo-saxonne », comme il avait coutume de dire, l'Angleterre représentait la fille cadette de ce partenaire anglophone qui l'avait exclu, lui et la France, des centres de décisions alliés à l'époque de la guerre. Le projet de De Gaulle était d'utiliser ce qu'il pouvait y avoir de « carolingien » dans le système de la CEE pour créer en Europe un contrepoids équilibrant les 2 superpuissances soviétique et américaine; il ne souhaitait donc pas une intrusion britannique qui aurait immanquablement eu pour effet de défier la prétention française à s'asseoir sur le trône de Charlemagne. Confuse et irréaliste pendant la décennie d'après-guerre, la politique étrangère de Londres se fondait uniquement sur le maintien d'une France faible et sur la dépendance totale de la République fédérale envers les USA. Elle réclamait le privilège de patronner une fédération européenne. Mais, au fond, l'Angleterre ne voulait pas assumer un tel rôle, ne serait-ce qu'en raison de sa politique alimentaire fondée sur les importations du Commonwealth et donc traditionnellement bon marché, ainsi que de son rang de « partenaire privilégiée » des Etats-Unis. En 1946, ce fut Churchill lui-même qui, à Zurich appela de ses vœux « quelque chose qui vous étonnera... une sorte de fédération des Etats-Unis d'Europe » fondée sur « une collaboration entre la France et l'Allemagne ». Ces deux pays, ajouta-t-il, « doivent en prendre la tête ensemble. La Grande-Bretagne, l'Amérique et, je crois, l'Union soviétique doivent devenir les amis et les garants de la nouvelle Europe [72] ».

Cette vue hautaine reposait sur la prétention britannique à être encore une grande puissance indépendante, maintenant la position géopolitique majeure qu'un empire de dimension mondiale lui avait une fois donnée dans le passé : comme Churchill le disait en 1950, la Grande-Bretagne se trouvait à l'intersection de 3 zones d'influence qui se chevauchaient : le monde anglo-saxon, le Commonwealth et l'Europe. Malheureusement, ce jugement n'était plus de mise en 1950. Il ne signifiait plus rien après l'affaire de Suez, qui avait parfaitement démontré que ni le Commonwealth ni le statut de « partenaire privilégiée » ne pouvaient constituer une protection efficace des intérêts vitaux de l'Angleterre. Tout indiquait, alors, la nécessité de mener une politique résolument européenne. Succédant à Eden comme Premier ministre en janvier 1957, Harold MacMillan eut l'occasion de changer complètement son fusil d'épaule et de se joindre résolument aux négociations du traité de Rome, non encore achevées. Victime attardée des illusions de la grandeur, il laissa passer la chance. En février 1959, il se rendit à Moscou en tant que porte-parole « autonommé » de l'alliance avec le président Eisenhower ; selon le commentaire (bien informé de toute évidence) du journal *The Times*, cette alliance avec « une force déclinante, le vieux et malheureux chancelier allemand, et le président français préoccupé par de tout autres problèmes, rendaient impérative... la décision du Premier Britannique de prendre les rênes en main souplement — mais cependant fermement[73] ».

Pas plus que le sommet des grandes puissances tenu à Paris en 1960, la visite à Moscou n'aboutit. Elle fut même une lourde erreur, car elle persuada Adenauer que l'Angleterre en général, et MacMillan en particulier, n'étaient pas des partenaires fiables, mais, au contraire, capables de traiter avec l'Union soviétique, derrière le dos de l'Allemagne et à ses dépens[74]. Cela ne fit qu'aggraver son anglophobie. Désormais, Adenauer vit la Grande-Bretagne sous le jour d'un escroc international, dont les prétentions n'étaient justifiées ni par ses ressources ni par ses efforts. « L'Angleterre ressemble à un homme riche qui a perdu toutes ses propriétés, mais qui ne s'en rend pas compte[75] », écrivit-il. Il ajouta que « ses trois aversions majeures étaient les Russes, les Prussiens et les Britanniques », et que MacMillan essayait de « nous exploiter, nous pauvres Continentaux imbéciles ». La politique britannique n'était qu'un *ein einziges Feilchen*[76], « un long tripatouillage ». Au cours de leurs longs et fréquents entretiens, de Gaulle joua habilement des suspicions et de l'antipathie d'Adenauer. En 1961, MacMillan donna finalement son accord à l'entrée de son pays dans la CEE, devenue, avec le temps, une communauté bien rodée et fonctionnelle. L'adhésion britannique impliqua des modifications de structures qui n'allèrent pas sans menacer le fragile et délicat équilibre des relations franco-allemandes. Pour parer au danger qui se précisait, de Gaulle opposa son veto à l'entrée du Royaume-Uni dans la Communauté européenne, au cours d'une célèbre conférence de presse, le 14 janvier 1963. L'entrée de l'Angleterre, déclara-t-il, serait un cheval de Troie dont « l'intrusion signifierait, à terme, l'apparition d'une gigantesque Communauté Atlantique, entièrement dépendante des Etats-Unis et sous leur contrôle, qui absorberait très vite la CEE ». Cela compromettrait « l'amitié franco-allemande, l'unité européenne telle que la désirent les deux pays, et leur action commune dans la politique mondiale » qui « s'appuyait sur un incomparable soutien populaire[77] ». Au grand désespoir de l'Angleterre, Adenauer approuva en silence le *non* de Paris.

Néanmoins, la vision du monde de ces deux vieillards ne fut pas le seul motif du refus opposé à l'Angleterre. Par rapport aux membres de la CEE, celle-ci s'appauvrissait d'année en année, ce qui ne manquait de poser d'autres genres de préoccupations. En effet, si toute la structure de la Communauté reposait sur des négociations entre la France et l'Allemagne (notamment en ce qui concernait le PAC), celles-ci s'appliqueraient plus durement encore à l'Angleterre qui aurait à payer infiniment cher les produits agro-alimentaires de la CEE, en échange de l'accès à ses marchés dans le domaine des produits manufacturés. Ceux-ci étaient-ils suffisamment compétitifs ? Une fois encore, en novembre 1967, de Gaulle mit son veto à l'entrée de l'Angleterre, en justifiant sa décision par la faiblesse chronique de l'économie britannique et la difficulté d'y apporter un remède[78].

Apparue durant les années 1870-1914, la faiblesse structurelle de l'économie anglaise, vis-à-vis de ses grands concurrents industriels, se manifesta de nouveau dans le courant des années 20. Pourtant, une reprise s'était dessinée dans la seconde moitié des années 30, surtout en matière de haute technologie ; bien portante pendant la Seconde Guerre mondiale, il continua d'en être ainsi jusqu'en 1950, lorsque les exportations atteignirent le chiffre 144, par rapport à un index de 100 en 1938[79]. Le PNB du Royaume-Uni était, en 1950, de 47 milliards de dollars contre 75 seulement pour l'ensemble des 6 futurs Etats de la CEE. Avec 6,3 milliards d'exportation, les exportations de la Grande-Bretagne étaient supérieures de plus des deux tiers à celles des Six (9,4 milliards) et son PNB par tête représentait, lui, presque le double (940 contre 477 dollars). Vingt ans plus tard, en 1970, le PNB britannique par tête avait presque doublé (2170), tandis que celui des Six de la Communauté européenne s'était multiplié par plus de cinq (soit 2557). Les exportations du Royaume-Uni avaient triplé ; celles de la Communauté avaient presque décuplé. Les réserves des pays membres de la CEE, plus faibles en 1950 que celles de l'Angleterre, avaient également décuplé, tandis que celles de Londres avaient fondu (2,9 contre 3,4 milliards)[80]. Quels que pussent être les critères « continentaux » pris en compte, l'économie de la Grande-Bretagne se portait mal, et le fossé ne fit que se creuser au cours des années 70, malgré l'entrée tardive de celle-ci dans la Communauté le 1er janvier 1973.

A quoi tint cette faiblesse chronique ? La Grande-Bretagne fut la première à entamer un processus d'industrialisation à grande échelle dans les années 1760. Pendant les deux siècles qui suivirent, elle fut la seule grande puissance à ne pas avoir souffert des convulsions dues à des révolutions, des invasions, ou des guerres civiles ; phénomènes qui, en créant une rupture fondamentale avec le passé engendrent toujours, comme l'indique à souhait l'après-guerre français et allemand, un dynamisme économique et social accéléré. Elle ne disposait pas non plus d'une législation consignée par écrit pour promouvoir et protéger les exigences d'une société libérale. Seul un droit coutumier, garant des libertés et du droit de propriété, arbitré par la magistrature assise, constitua le cadre légal dans lequel la Grande-Bretagne créa la première société industrielle des Temps modernes. Le fonctionnement de ce système trouva, tout au long du XIXe siècle, les mêmes dispositions dans le cadre de la loi. Cependant dès 1900, les syndicats, dont l'existence reflétait déjà les anomalies et les anachronismes des premiers âges de

l'industrialisation, engendrèrent le Labour Party * afin de promouvoir
« une législation dans l'intérêt direct du monde du travail », et « de se
battre pied à pied avec des tendances contraires »[81]. Par rapport aux
autres mouvements socialistes européens, la distinction essentielle du
Labour Party britannique résidait dans le fait qu'il n'était avant tout
ni marxiste ni même socialiste, mais constituait une sorte de syndicalisme parlementaire. Les corps de métier s'en emparèrent et favorisèrent immédiatement la naissance d'un noyau dur à l'intérieur du Labour
MPs (128 en 1975 par exemple) ; chose plus importante encore, ils finan-
cèrent environ les trois quarts des recettes du parti et 95 % de ses
dépenses électorales[82]. Grâce à un système d'affiliation et d'appartenance exprimées par un vote global, le statut du parti donna aux syndicats une prépondérance irrésistible dans la formation de celui-ci.

Le pouvoir parlementaire se ressentit très vite de la réglementation visant à détruire l'équilibre du droit coutumier à l'intérieur même
de la constitution non écrite de l'Angleterre et la fit basculer de façon
décisive dans un mouvement travailliste organisé. L'année 1906 marqua la date de la première forte représentation de ce parti au Parlement : elle fit voter le *Trade Disputes Act*, par lequel une totale immunité
en matière de dommages (torts) civils fut conférée aux syndicats pour
les actes commis par eux ou en leur nom. Nulle part ailleurs en Occident n'existait pareille prérogative : en fait, elle rendait les centrales
syndicales parfaitement irresponsables et indifférentes aux ruptures
de contrat ; quant aux employeurs eux, ils pouvaient être poursuivis
devant les tribunaux. A.V. Dicey, avocat spécialiste du droit constitutionnel, contesta ainsi l'exhorbitant privilège : « Cette loi fait des syndicats un corps à part, jouissant d'une sorte d'exterritorialité juridique.
Jamais auparavant, un Parlement anglais n'a volontairement voté une
telle jurisprudence[83]. » Offrant un statut spécial aux syndicats, cette
loi devint le socle sur lequel reposa un ensemble de réglementations
complexes et lourdes. Le *Trade Union Act* de 1913 légalisa l'utilisation
des finances syndicales à des fins politiques — de là naquit précisément
le Parti travailliste — et décréta que les membres syndiqués, affiliés
à d'autres partis, devaient « renoncer par contrat » à leurs mandats politiques s'ils ne voulaient pas contribuer à soutenir matériellement le
Labour (procédure difficile et impopulaire). En 1927, le *Trade Disputes Act* conservateur changea la procédure en « engagement par contrat
préalable » et rendit la grève illégale. Mais, aussitôt que le parti travailliste prit la majorité absolue au Parlement en 1945, il remit
l'ancienne loi de 1927 en vigueur et poursuivit sa politique spéciale en
faveur des syndicats dans les entreprises qu'il avait nationalisées, ainsi
que dans tout le maquis de sa législation économique et sociale. De son
côté, la magistrature tenta bien, de temps à autre, de maintenir comme
elle put le droit coutumier protégeant les personnes privées. Mais dès

* N.d.T. : *Labour Party*, « Parti travailliste ».

qu'une brèche s'ouvrait dans le système privilégié, les syndicats pouvaient à loisir s'appuyer sur un Parlement entièrement dominé par leurs amis travaillistes et bloquer tout élargissement. Ainsi, la Chambre des lords décréta, dans *Rookes v. Barnard* (1964), qu'une grève sauvage pour rupture de contrat était susceptible de donner lieu à des poursuites ; l'année suivante, un nouveau gouvernement travailliste légalisa ce genre de grèves par le *Trade Disputes Act* (de 1965).

Au cours des années 60 et 70, la puissance du pouvoir syndical s'étendit à bien des domaines. En 1969, elle opposa son veto à la législation appelée « Au lieu de la contestation », élaborée par le Premier ministre travailliste pour réduire le nombre de grèves. En 1972, les syndicats mirent au point de nouvelles formes d'actions directes, telles que les « occupations sauvages », les « piquets volants » ct les « piquets secondaires », que la police ne voulait ou ne pouvait réprimer. Ils utilisèrent notamment cette méthode pour faire échec au gouvernement conservateur qui avait promulgué l'*Industrial Relations Act* de 1971, tentant vainement de codifier les actions syndicales. Revenus au pouvoir, les travaillistes ne se contentèrent pas d'abroger la loi de 1971, mais en votèrent un grand nombre d'autres renforçant encore les privilèges syndicaux, dont les *Trade Union and Labour Relations Acts* de 1974 et 1976, ainsi que les *Employment Protection Acts* de 1975 et 1979 qui furent les plus importants. L'extension de cette immunité aux situations dans lesquelles les syndicats avaient induit les autres parties à rompre des contrats obligea les employeurs à traiter d'égal à égal avec les centrales, à soutenir les entreprises qui n'admettaient que du personnel syndiqué (au point qu'un employé pouvait être licencié sans recours s'il refusait de s'affilier), et à offrir des facilités aux organismes syndicaux. Cette législation multiplia le nombre d'entreprises de ce genre et favorisa, pour la première fois, une syndicalisation de plus de 50 % de la main-d'œuvre, tandis que les taux américains, français et ouest-allemands n'étaient que de 25 % ou moins. Chose plus importante encore, le pouvoir syndical ne connut plus de limites dans les négociations. Lord Denning, vice-président de la Cour de cassation, remarqua à ce propos : « Toutes les restrictions ayant été levées, ils peuvent désormais faire ce qu'ils veulent [84]. » Dans les premiers mois de l'année 1979, les centrales syndicales, déchaînées et victimes d'une situation chaotique, firent tomber le gouvernement travailliste, leur premier bénéficiaire. Prenant la succession, les conservateurs apportèrent quelques abrégements mineurs à cette législation abusive par le vote des *Employment Acts* de 1980 à 1982.

L'exhorbitant privilège juridique et la puissance politique des syndicats contribuèrent à ralentir la croissance économique de la Grande-Bretagne, par trois façons différentes mais d'égale importance. En premier lieu, ils favorisèrent les habitudes restrictives, limitèrent la croissance de la productivité et, par là, découragèrent les investissements. Dans ces deux domaines, le bilan de la Grande-Bretagne au cours des vingt-cinq années s'étendant de 1950 à 1975 fut le pire jamais enregistré par rapport aux autres grandes puissances industrielles. En deuxième lieu, ils accrurent fortement la pression inflationniste due aux augmentations de salaires, particulièrement à la fin des années 60 et suivantes [85]. En troisième lieu, les revendications sociales et législatives des syndicats eurent pour effet d'augmenter la taille du secteur public et la part du gouvernement dans le PNB. Pays traditionnellement peu gourmand en fonctionnaires, le Royaume-Uni avait su, par ce moyen, rendre possible la révolution industrielle. Le recensement de 1851 faisait apparaître moins de 75000 fonctionnaires civils, dont la plupart absorbés par les douanes, les contributions indirectes et les postes ; seules 1 628 personnes géraient les administrations centrales du gouvernement. En 1846, soit sensiblement à la même époque, le secteur public français en employait 932000. Au siècle suivant, le pourcentage des travailleurs britanniques au service de l'Etat passa de 2,4 % à 24,3 % en 1950. En d'autres termes, pendant les cent vingt ans qui séparent 1790 et 1910, la proportion du PNB dévolu aux dépenses de l'Etat ne dépassa jamais 23 % et se stabilisa, en moyenne, à 13 %. Après 1946, elle ne tomba jamais au-dessous de 36 % [86].

Cependant, en 1964, après onze ans de pouvoir travailliste, la croissance de la fonction publique devint réellement alarmante et nuisible. Dans les années 50, et au début des années 60, il engloutissait un peu plus de 40 % du PNB, passant à 45 % en 1965 et à 50 % en 1967. Le seuil des 55 % fut atteint immédiatement après le retour des travaillistes en 1974, pour culminer à 59,06 % l'année suivante. En 1975-1976, la part des emprunts atteignit 11,5 % des dépenses totales, et le chiffre global pour les cinq années précédentes dépassait 31 milliards de livres sterling [87]. A ce moment, la surcharge des dépenses publiques et l'augmentation des salaires faillirent entraîner l'Angleterre dans une inflation de 40 %, si bien qu'à l'automne 1976, Londres dut se résoudre à faire appel aux techniciens du Fonds monétaire international et se soumettre à leur *diktat*. Peu à peu, la pression décrut ; une politique de réduction draconienne et systématique des emprunts d'Etat et des emplois de fonctionnaires fut mise en place par les conservateurs, victorieux en 1979 ; ceux-ci s'attachèrent, par la même occasion, à rendre l'économie à la discipline déflationniste des lois du marché. A ces actions énergiques et salutaires, s'ajouta le poids des gisements de pétrole *offshore* en mer du Nord, qui fournit à la Grande-Bretagne son autonomie énergétique et en fit un exportateur d'hydrocarbures en 1981. L'économie se stabilisa enfin, et la productivité redevint compétitive, bien qu'au niveau le plus bas depuis la fin des années 60. En 1983, l'Angleterre était en voie de lente guérison, mais incapable d'exercer une quelconque responsabilité de direction, tant à l'intérieur qu'à l'extérieur de la CEE, pour un certain temps encore.

L'échec de la Grande-Bretagne resta, toutefois, une exception. Les quatre décennies qui suivirent la guerre virent un développement social et économique sans précédent dans toute l'Europe occidentale, en grande partie dû à un état de paix civile et au respect de la légalité constitutionnelle. Même dans les zones les plus favorisées, le contraste avec la période d'avant-guerre était frappant. Dans les années 20 et 30, la Scandinavie détenait l'un des pires records de chômage. Au cours de l'hiver 1932-1933, le pourcentage de travailleurs manuels sans emploi s'élevait à 31,5 en Suède, à 42,4 en Norvège et à 42,8 au Danemark[88]. Au cours de cette période de luttes de classes très intenses, on avait créé des mouvements paramilitaires pour maintenir l'ordre, et Vidkun Quisling fonda son parti néonazi, dont l'uniforme rappelait celui des S.A., sur l'âpreté des revendications sociales[89].

La situation changea au milieu des années 1930. En Norvège (1935), en Suède et au Danemark (1936), et en Finlande (1937), apparurent des gouvernements sociaux-démocrates qui mirent en place des programmes de sécurité sociale, financés par une reprise économique rapide. En 1938, le PNB de la Norvège avait augmenté de plus de 75 % par rapport à 1914, et celui de la Suède avait crû de 50 % pendant les années 1932-1933, bien que la social-démocratie ne fût pas plus capable qu'un autre système d'avant-guerre (hormis l'hitlérisme) de résoudre le problème d'un chômage à grande échelle[90]. Déjà, vers la fin des années 30, des observateurs anglais et américains comme le marquis Childs et lord Simon de Wythenshawe attiraient l'attention sur ce que Simon appelait « le phénomène le plus encourageant du monde d'aujourd'hui[91] ». Conservant les rênes du pouvoir jusqu'à la fin des années 70, les sociaux-démocrates parvinrent à maintenir une prodigieuse continuité démocratique. Le Suédois Tage Erlander battit un record en conservant pendant vingt-deux ans ses fonctions de Premier ministre. Einar Gerhardsen, en Norvège, établit un record analogue jusqu'à sa retraite en 1965. En fait, la social-démocratie garda le pouvoir de 1936 à 1976 en Suède, et de 1935 à 1981 en Norvège (en dehors des années 1965-1971) ; tout au long de cette période, elle domina également la vie politique du Danemark et de la Finlande. Relativement au nombre de ses habitants, la Scandinavie, grâce à cette stabilité politique et sociale, apporta une très forte contribution à l'économie mondiale. Au milieu des années 70, les 22 millions de Scandinaves produisirent presque 20 millions de tonnes de blé, 5,6 millions de tonnes de poisson (soit le double du chiffre américain et cinq fois le chiffre britannique), 25,2 millions de tonnes de minerai de fer (plus que les productions française, anglaise et allemande réunies) et 49 millions de tonnes de bois et papier (soit le quart de la production des Etats-Unis). La Scandinavie produisit plus d'énergie électrique que la France, et ses constructions navales dépassèrent celles de la France, de l'Amérique, de la Grande-Bretagne et de l'Allemagne[92]. Mais le coût sans cesse croissant des services sociaux, les exigences des mouvements syndicaux comme dans le Royaume-Uni et la répercussion d'impôts très élevés se conjuguèrent avec la crise de l'énergie pour briser le dynamisme des économies du nord de l'Europe au cours des années 70, particulièrement en Suède, et sonner le glas du monopole social-démocrate. Les non-socialistes revinrent au gouvernement en Suède de 1976 à 1982; et, en 1981, au Danemark et en Norvège, même si ce dernier pays bénéficia du pétrole de la mer du Nord. L'expérience scandinave montrait bien clairement les sévères limites que ne pouvait dépasser — même en bénéficiant de circonstances exceptionnellement favorables — une démocratie fondée sur le bien-être social.

Pendant ces mêmes années 70, la Suisse dépassa sans conteste sa concurrente suédoise, en tant que pays de haut niveau de vie et d'équilibre social; on peut attribuer ce résultat à une sorte de conservatisme plébiscitaire. La Suisse commença de s'industrialiser dans les années 1800 et suivantes; en 1920, 40 % de la population active travaillaient dans l'industrie (en plus d'un large secteur hôtelier et bancaire), contre 25 % seulement dans l'agriculture. Le suffrage universel masculin fut introduit dès 1848, en même temps qu'un système de référendum constitutionnel (complété par les amendements de 1874 et 1891, système qui fit de la masse des électeurs comme le moteur de tout changement législatif. Ce système s'accompagnait d'un dispositif connu sous le nom de « concordance démocratique », groupant les représentants de tous les partis formant le pouvoir exécutif, du Conseil fédéral, et la reconnaissance publique et officielle de tous les groupes de pressions[93]. Ce mécanisme comporta deux conséquences politiques très importantes. En premier lieu, les référenda obligèrent les conservateurs à construire des partis de masse : ceux-ci ont toujours été plus populistes qu'élitistes. Le *Bürgerblock* antisocialiste, composé de radicaux, de catholiques conservateurs et de paysans, qui domina la politique de la Suisse à partir des années 1919 et suivantes, fut un mouvement parfaitement représentatif de toutes les catégories sociales, y compris les plus pauvres de la nation comme les catholiques italophones, victimes d'une discrimination de la part des protestants libéraux franco-germanophones. Le conservatisme devint ainsi une grande force « négative », bien à même d'empêcher les alternances[94]. En second lieu, il eut pour effet d'entraîner les socialistes vers le centre, en évitant la radicalisation des travailleurs. En 1935, le parti social-démocrate suisse fut le premier à abandonner le principe de la lutte des classes; deux ans plus tard, il négocia une « convention de la paix » avec les milieux industriels : prélude qui permit à un socialiste d'entrer au gouvernement fédéral en 1943 et ouvrit la voie à la création d'un Etat social-démocrate-bourgeois-intégré reposant sur le négativisme conservateur.

Paradoxalement, cette conception négative renforça le dynamisme de l'économie helvétique, notamment le secteur bancaire, sa plus florissante « industrie ». Au cours des années 60 et 70, la prospérité économique de la Confédération progressa constamment, et les banques survécurent à « l'affaire Chiasso », en 1977 (affaire dans laquelle se trouvèrent impliqués un département du Crédit suisse et des changeurs ita-

liens verreux), grâce au refus des éléments conservateurs d'accéder à
la demande des sociaux-démocrates d'« ouvrir » et de « démocratiser »
le système bancaire. L'interdiction faite aux banques hélvétiques de
divulguer des informations sur les comptes détenus dans le pays
remonte à une loi votée en 1934 pour empêcher le gouvernement hitlérien de mettre la main sur les économies capitalisées par les Juifs allemands. Seuls sont à même d'obtenir des renseignements les services
spécialisés d'Interpol, dans les cas d'enlèvements de personne ou de
vol, et, depuis 1980, le gouvernement US, pour traiter certains cas de
crimes organisés. Mais la Suisse refusa, sans discussion possible, de
fournir des renseignements financiers pour des motifs politiques, bien
qu'ayant subi de très fortes pressions dans ce sens, lors de la chute du
Chah d'Iran en 1979. Plusieurs milliers de comptes numérotés, « politiques », dorment en Suisse, dont beaucoup de titulaires vivent derrière
le rideau de fer. Mais ils ne représentent qu'une infime partie des circuits bancaires de la Confédération, estimés à 115,06 milliards de dollars à la fin de 1978, somme à laquelle il convient d'ajouter
123,7 milliards de dollars en titres [95]. Au début des années 80, le total
des avoirs bancaires hélvétiques gravitait autour de 3 milliards de dollars ; les conservateurs firent valoir que la « démocratisation » abouti-
rait à la destruction d'un système efficace dont le secret est lié à
l'anonymat, à la rapidité et à la phobie de toute bureaucratie. Le système
bancaire constituant la source de toute la croissance industrielle de
la Suisse (en 1980, les 3 banques principales détenaient 2 200 sièges sur
les 1 700 corporations de la Confédération), toute fuite de capitaux signifierait la récession de son économie. La défense du secret bancaire de
ce pays représente sans doute la cause la plus impopulaire à soutenir
dans ce XXe siècle finissant. Cependant, grâce à la démocratie plébiscitaire qui rendit facile l'élaboration de coalitions négatives, les objectifs furent maintenus tout au long des années 70, l'économie resta ferme,
le franc suisse devint une des plus fortes devises du monde, et le revenu
par tête de la Confédération talonna celui de la Scandinavie et de l'Amérique du Nord.

Le haut rendement et la stabilité démocratique des Etats helvétique et scandinave, habituellement étiquetés comme « protestants », semblèrent illustrer les théories avancées pour la première fois en France
dans les années 1830, résumées dans la thèse de Max Weber sur l'« éthique protestante » et selon lesquelles les croyances religieuses tendaient
à déterminer les modèles économiques. Réduites à néant sur des fondements historiques dans les années 40 et 50, ces théories se révélèrent plus intéressantes encore par leur réfutation pratique, survenue
dans la période d'après-guerre ; notamment par le développement de
toute la partie méridionale de l'Europe, dont l'économie n'avait rien
de « protestante ». La Suisse italienne rattrapa les cantons français et
allemands. L'Italie connut son « miracle » économique pendant les
années 50, et la France, dans la décennie suivante. Plus impressionnants

encore, compte tenu des résultats du passé, furent les progrès sociaux et politiques enregistrés en Grèce et dans la péninsule Ibérique.

De tous les dictateurs ayant survécu à la guerre, Antonio Salazar, au Portugal, et Franco, en Espagne, ne furent pas seulement ceux qui résistèrent le plus longtemps, mais également ceux dont les œuvres furent les plus couronnées de succès. Le recul de l'Histoire permet de porter un bien meilleur jugement sur ces deux hommes qu'il n'était encore possible de le faire au début des années 80. Ministre des Finances en 1928, Salazar devint Premier ministre en 1932 et survécut jusqu'en 1970. Il fut le seul tyran à jamais avoir été renversé par « transat » pliant, instrument dangereux s'il en est ! Il fut aussi le seul dictateur à s'entourer d'intellectuels (sauf Lénine qui s'en approcha). De 1932 à 1961, il n'y eut jamais moins de 21 % de professeurs d'université dans le cabinet portugais, et de 1936 à 1944, ceux-ci détenaient la moitié des portefeuilles ; environ 1 sur 4 des collègues de Salazar était issu de la faculté de droit de l'université de Coimbra. Ce gouvernement de « don » * ou *catedratiocracie*, réussit pleinement à promouvoir, lentement et sûrement, la croissance économique du pays, à maintenir une monnaie forte, à contenir l'inflation et, par-dessus tout, à donner au Portugal une stabilité politique qu'il n'avait jamais connue dans les Temps modernes. Celle-ci fut en partie acquise par l'aide d'une petite police secrète très efficace, la Pide (Police internationale de défense de l'Etat) née en 1926. Salazar défendit les intérêts des classes dirigeantes, mais alla souvent contre leurs désirs, notamment en défendant à grands frais les colonies africaines que, depuis longtemps déjà, les milieux d'affaires désiraient abandonner. Chaque jour, il s'entretenait avec le directeur de la Pide et supervisait toutes les activités de sa petite police. Ses adversaires étaient emprisonnés généralement pour longtemps : ainsi, vers le milieu des années 70, les 22 membres du Comité central du parti communiste firent savoir qu'ils totaliseraient trois cent huit ans de prison, soit une moyenne de 14 ans chacun[96]. Cependant, Salazar n'était pas un partisan de la peine de mort, bien qu'il ait autorisé l'exécution discrète du général Delgado, chef de l'opposition, en février 1965, par des membres de la police secrète[97]. Discrète dans ses agissements brutaux, la Pide était, de ce fait, très difficile à prendre en défaut ; elle faisait même parfois l'objet d'éloges. Son chef, Agostinho Lourenco, dirigeait les services parisiens d'Interpol vers la fin des années 40 ; lorsque le pape Paul VI se rendit en visite à Fatima en 1967, il décora plusieurs officiers supérieurs de cette organisation policière.

A la suite de la mésaventure de sa chaise longue qui fit perdre à Salazar tous ses moyens en 1969, les professeurs furent renvoyés dans leurs universités, et la Pide, « dissoute » ou, plus vraisemblablement, rebaptisée : comme toutes les réformes bureaucratiques, celle-ci ne fit

---

* N.d.T. : « *don* », titre hispano-lusitanien voulant dire professeur d'Université : *catedratiocracie*, *Cratos*, « pouvoir » ; *catedratio*, « chaire d'enseignement ».

qu'accroître le nombre de fonctionnaires de ses services et affaiblir considérablement son efficacité (sauf dans le domaine de la cruauté et de l'illégalité). Elle fut ainsi prise au dépourvu par la révolution qui mit fin au régime, le 25 avril 1974[98]. Le Portugal se démocratisa, l'empire s'évanouit, l'économie trébucha et l'inflation monta en flèche. Pourtant, trois ans plus tard, le pays abandonna ses idéaux révolutionnaires et retrouva les vieux modèles économiques de l'époque salazarienne. L'aspect le plus étonnant et le plus encourageant de l'histoire récente du Portugal fut qu'il assuma la transition entre une longue dictature policière et une démocratie effective, non seulement sans bain de sang, mais encore en conservant la plupart des réalisations du précédent régime.

Dans des conditions plus remarquables encore, l'Espagne connut, au cours des années 70, une expérience similaire. Lorsqu'il passa le pouvoir à Juan Carlos pendant l'été 1974, Franco totalisait trente-huit ans à la tête des affaires de l'Etat ; même Philippe II aurait rendu hommage à l'œuvre accomplie. Sans doute avec raison, le *caudillo* pensait qu'une victoire des républicains aurait provoqué une autre guerre civile, et que son régime était celui « qui nous divise le moins », tenant compte des deux factions monarchistes rivales, l'une de tendance fascisante, l'autre conservatrice et traditionnelle, ainsi que de l'inimitié inexpiable entre le PC et les autres républicains. En octobre 1944, après la libération de la France, 2000 de ceux-ci franchirent la frontière pyrénéenne, croyant à une insurrection générale : il ne se passa rien. Un gouvernement républicain se constitua le 26 août 1945 : un événement manqué. Les Alliés n'avaient, en effet, pas la moindre intention d'agir contre Franco, ne voulant à aucun prix revoir l'Espagne plongée dans une guerre fratricide. Le dictateur espagnol leur concéda l'abandon du salut fasciste (qu'il n'avait jamais apprécié), mais nullement la dissolution de la Phalange bien qu'il en déplorait souvent les attitudes : elle représentait une soupape de sécurité contrôlable, canalisant les activités de l'extrême droite.

Au fond de lui-même, Franco était un personnage « non politisé » qui se contentait de gouverner par l'entremise d'hommes agréés par l'Eglise, les propriétaires fonciers et le monde des affaires. Cela comblait parfaitement les vœux de l'armée qui, longtemps déjà avant Franco, possédait un droit de veto sur les affaires politiques. A l'image de celle-ci, Franco était une force négative. Il mettait le pouvoir à l'abri de tout changement et de tout aventurisme, et empêchait les politiciens professionnels de prendre des initiatives. Il se décrivait lui-même ainsi, d'une manière un peu austère, devant des officiers supérieurs : « Comme une sentinelle jamais relevée, comme l'homme qui reçoit tous les télégrammes annonçant des mauvaises nouvelles et dicte les réponses, comme l'homme qui veille pendant que les autres dorment[99]. » Plus jeune, il aurait peut-être penché pour l'instauration d'un système plébiscitaire. Mais, dans sa situation, il soumit au vote populaire une « loi de succession » reposant sur le principe monarchique, le 6 juillet 1947. Sur un total de près de 17,2 millions d'électeurs, il y eut 15,2 millions de suffrages exprimés et 14 millions 145 163 voix favorables sortirent des urnes dans des conditions de régularité certifiées par des observateurs [100].

Franco éleva et guida Juan Carlos dans l'intention manifeste de faire de lui son successeur. Pendant ce temps de « régence », somme toute, l'économie espagnole se modernisa avec l'aide des forces du marché, à l'intérieur d'un régime négatif assez peu différent de celui de Salazar et, dans ce cas de figure précis, de la Confédération helvétique. Durant les vingt ans d'intervalle entre 1950 et 1970, l'Espagne subit une transformation sans précédent. Les villes de plus de 20000 habitants augmentèrent leur population de 30 à 50 %. L'analphabétisme chuta de 19 à 9 % en trente ans ; en presque quinze ans la population estudiantine doubla ses effectifs. D'une certaine manière, l'Espagne réussit mieux à industrialiser ses provinces méridionales que l'Italie. Les paysages d'Andalousie se transformèrent physiquement et visuellement en l'espace d'un quart de siècle (1950-1975), et la population rurale, rapidement déclinante, en tira davantage de bénéfices, en termes de salaires, que les ouvriers des cités surpeuplées. Le plus grand changement résida toutefois dans les espérances prometteuses : tous les indices montraient que les travailleurs pouvaient espérer mener une vie professionnelle plus gratifiante que leurs pères, tant socialement que financièrement ; qu'un homme pouvait espérer davantage à quarante ans qu'à vingt. Le vieux désespoir propre à l'Espagne, source de tant de conflits amers et parfois d'explosions de violence aveugle, avait disparu [101]. En effet, pendant les années 50 et 60, le pays prit toute sa place dans le circuit économique de l'Europe moderne, partageant ses succès et ses échecs, et bénéficiant aussi de son immense prospérité générale : les Pyrénées cessèrent d'être une frontière culturelle et économique.

La prospérité relative rendue possible par la stabilité franconienne, et le négativisme politique fournissent une explication partielle du succès de la transition. Il fut bien révélateur du comportement de Franco que son dernier Premier ministre, Carlos Arias, qui fut également le premier de Juan Carlos, n'ait été ni un politicien, ni un technocrate, ni un membre de la Phalange, mais le « poulain » d'un officier général [102]. Il fut également bien révélateur de la reconnaissance à contrecœur par le peuple espagnol des mérites du général Franco, que le premier chef de gouvernement véritablement démocratique, Adolfo Suarez, bien que né en 1932, ait été le créateur d'un parti de centre droit : l'Union du peuple espagnol (UDPE), fondée sur le principe du *continuismo* (« continuité »). A double titre, tant par son succès intrinsèque que par sa capacité de survivre à son créateur, l'expérience gaulliste fut pour Suarez un modèle encourageant. Le Premier ministre espagnol conduisit sa réforme avec les derniers *Cortes* de Franco, sans

avoir besoin de les dissoudre, la fit approuver par 94,2 % de « oui », le
15 décembre 1976, abolit le système franquiste du parti unique onze
mois avant les élections, mit en place un régime multipartite (comprenant le PC), légalisa les syndicats, restaura la liberté de parole et celle
de la presse, sans compter le scrutin lui-même qui permit les premières élections libres depuis février 1936. Les zones rurales furent favorisées : les 15 plus petites provinces eurent 53 sièges aux *Cortes*,
représentant 3,4 millions d'habitants, tandis que Barcelone, fort de
4,5 millions d'habitants, n'en eut que 33. Aux élections de juin 1977, il
en découla une structure quadripartite à l'image de la France, et la réélection par 34 % de voix, de l'Union démocratique du centre de Suarez, suivie par les socialistes (29 %) et, renvoyés aux extrêmes, les
communistes et les conservateurs à égalité [103].

   Les nouveaux *Cortes*, ayant autorité pour rédiger la nouvelle
constitution, faisaient clairement ressortir la puissance du parti centriste. Finalement, le texte produit, et approuvé par voie référendaire
en décembre 1978, définissait l'Espagne comme « un Etat démocratique et social régi par la loi, et dont le type de gouvernement était une
monarchie parlementaire » ; il garantissait l'autonomie des « nationalités » et tranchait donc sur un centralisme qui ne tenait pas simplement à Franco, mais à la nature même du pays depuis la domination
de la Castille à la fin du XVe siècle. Le roi était aussi bien chef des
armées que chef de l'Etat : avantage déterminant pendant la tentative
de putsch de 1981 ; ne comprenant pourtant que des effectifs réduits
(220000 hommes, auxquels s'ajoutent les 46000 de la marine et les 35700
de l'aviation), l'armée joue toujours un rôle particulier en Espagne. La
nouvelle constitution abolit la peine de mort, reconnut l'Eglise catholique sans pour autant lui conférer un statut officiel, ouvrit la voie à
la légalisation du divorce et donna une existence légale aux syndicats
et aux partis politiques. La reconnaissance de l'autonomie des régions
posa une multitude de problèmes extrêmement compliqués qui ne man-
queront pas de dominer la vie politique espagnole des années 80. En
effet, les procédures législatives accordant cette autonomie découlè-
rent de textes parlementaires, et non de diktats, fort longs (169 articles)
complexes, détaillés jusqu'à l'absurde et horriblement mal rédigés. Ils
eurent cependant le mérite de résulter d'un consensus : pour la première fois, l'Espagne possédait une constitution qui n'était l'expression
ni d'une idéologie ni d'un parti unique ayant le monopole du pouvoir [104]. Dès le début des années 80, gouvernée par un roi parfaitement
maître de lui et plein de finesse, elle réussit à éviter l'engrenage du terrorisme radical ou celui d'une conspiration militaire. En conférant à
Suarez le titre de duc en 1981 et donnant ainsi ce titre pour la première
fois en Europe, depuis la fin de la guerre, à un personnage qui n'était
pas de sang royal, le roi fit la preuve de son habileté politique. Forte
de ses succès, l'Espagne put sans heurts voir, en 1982, accéder au pouvoir le premier gouvernement socialiste depuis 1936. Désormais, même

dans le domaine politique, elle poursuivit sa route vers l'intégration à la culture européenne.

Chose plus frappante encore, et qui aurait réjoui les mânes de Lloyd George, la pauvre Grèce délabrée rejoignit enfin, elle aussi, le peloton européen. Grande bénéficiaire du traité de Versailles, la Grèce démocratique d'Elefthérios Venizélos avait, en réalité, peu progressé, bien que pour elle la Grande Guerre eût duré une décennie entière, de 1912 à 1922. Chef d'état-major de ses armées pendant le conflit mondial, le général John Metaxas avait fomenté un putsch dès 1923 et réussi à installer une dictature en 1936. Il promit de « discipliner » le peuple grec, de remplacer par l'*ernst*, c'est-à-dire « l'esprit allemand communautaire et sérieux », l'individualisme traditionnel de son peuple ; il incarne « le premier paysan », « le premier travailleur », « le père de la nation ». De la même façon, il battit les troupes italiennes en 1940 et mourut assez vite, en 1941. Plus qu'aucune autre institution, l'armée sortit de la longue agonie de la guerre et de l'après-guerre avec les honneurs. Le fameux télégramme envoyé par Churchill au général Scobie put arrimer la Grèce à l'Occident, mais une résistance communiste tenace embrasait encore le nord du pays. Il fallut attendre l'été 1949 pour que le vieux général Papagos, chef d'état-major de Metaxas, parvienne à rétablir l'autorité gouvernementale sur toute l'étendue du territoire. Le deuxième conflit mondial dura également dix ans : en effet, la guerre civile qui fit suite causa 80 000 morts, 20 000 prisonniers (dont 5 000 condamnés à mort ou internés à vie), 700 000 réfugiés et obligea 10 % de la population à changer de domicile.

16 gouvernements provisoires s'étaient succédé à Athènes entre 1946 et 1952, mais Papagos, fondateur du parti « national » sur le modèle du RPF gaulliste, obtint une majorité écrasante aux élections de 1952, et imposa un régime de droite pendant onze ans. A sa mort, en 1955, Constantin Caramanlis reprit les rênes et gagna les élections de 1958 et 1961. L'armée n'acceptait que cette forme de légalité démocratique : en effet, lorsque la coalition de centre gauche dirigée par Georges Papandhréou, réformateur du vieux parti de Venizélos, expulsa Caramanlis en 1963 et le força à l'exil, un climat de confusion s'installa dans le pays qui aboutit à un *putsch* militaire, dirigé par des officiers supérieurs aux ordres du colonel Georges Papadhopoulos.

Selon la même tradition qu'en Espagne, l'armée se considérait comme la plus « nationale » de toutes les institutions ou partis politiques. Ceux-ci étaient généralement aux mains de castes héréditaires issues des classes moyennes ou dirigeantes qui se réservaient les postes clés. A l'opposé, l'armée se targuait de ne prendre en compte que le mérite personnel de ses membres et de recruter la plupart de ses officiers dans la paysannerie. Elle était également plus proche de l'Eglise ; sa répulsion pour les politiciens était largement partagée. Par ses slogans en faveur de la « discipline » et de la « civilisation hellénochrétienne », le régime de Papadhopoulos n'était pas sans rappeler celui de Metaxas ; il imposa une nouvelle constitution autoritaire en 1968, et, en 1973, mit un terme à une monarchie toujours défaillante. Les militaires ne suscitèrent ni une grande opposition ni un grand enthousiasme chez les ouvriers et les paysans. Ils jetèrent en prison et torturèrent parfois leurs ennemis de la classe bourgeoise, et auraient pu demeurer indéfiniment au pouvoir si Papadhopoulos n'avait perdu la confiance de ses collègues ; ceux-ci le déposèrent, et la junte s'engagea maladroitement dans les affaires chypriotes, provoquant l'invasion turque en 1974. Vaincue, elle sombra dans le chaos. Caramanlis fut rappelé de son exil parisien et gagna les élections par 219 sièges sur 300. En 1975, il put ainsi rédiger une constitution dotée d'un exécutif fort sur le modèle gaulliste : autre exemple de l'extraordinaire pouvoir d'attraction exercé par de Gaulle sur l'Europe des années 60 et 70. Ce cadre institutionnel élastique laissa penser que la prochaine victoire électorale du clan Papandhréou qui survint justement en juin 1981, avec la coalition socialiste, ne déboucherait pas sur un nouveau cycle d'instabilité gouvernementale. Plus que par les ballets des politiciens et la réalité de leurs pouvoirs, les Grecs se sentaient concernés par la longue période de progrès social et économique inaugurée par Papagos en 1952 et qui se poursuivit, bon an mal an, sous le premier régime de Caramanlis, sous le régime militaire, puis sous le second régime de Caramanlis. Ces années-là illustrèrent bien les leçons à tirer d'un examen des Temps modernes. Les activités politiques apportèrent rarement le bien-être économique quoiqu'elles l'eussent pu ; par leur durée et leur intensité, elles purent facilement le miner. La fonction habituelle et normale d'un gouvernement était de tenir la barre de l'Etat, à l'intérieur duquel chacun était libre de songer à ses propres intérêts en favorisant, par la même occasion, ceux de la communauté. Au cours des trente années qui séparent 1950 et 1980, l'augmentation de ressources des citoyens grecs moyens fut, de loin, la plus importante de toute l'histoire du pays [106]. Ces considérations statistiques se vérifièrent par le mode d'approbation populaire le plus digne de foi : le mouvement. Hommes et femmes sont toujours sincères quand ils votent avec leurs pieds plutôt qu'avec des bulletins. En Grèce, la tradition de l'émigration remonte au VIIIe siècle avant J.-C. Dans les années 70, sur 13 millions de Grecs, 4 vivaient à l'étranger, dont 3 de façon permanente. Culminant en 1965 à 117,167, le phénomène sembla néanmoins constituer un record : pendant les dernières années du régime militaire, le taux chuta rapidement, sauf en direction des Etats-Unis, et les Grecs furent de plus en plus nombreux à rentrer dans leur patrie. Pour la première fois depuis l'établissement des statistiques en 1850, le nombre des retours dépassa celui des départs en 1974. Lorsque, en 1979, on compta moins de 20 000 émigrants, les devises en provenance de l'étranger (1,2 milliard de dollars) furent inférieures à celles rapportées par le tourisme (1,7 milliard) et la navigation marchande (1,5 milliard), principales sources de revenus de la Grèce. Au cours des années 70, les taux de croissance de l'économie hellénique, avoisinant largement 5 à 6 %, et moins de 2 % de chômage, dépassèrent ceux de l'Europe de l'Ouest [107]. Tout au début de la décennie 80, le niveau de vie du pays jouxta très rapidement celui de l'Occident, ce qui permit de penser que sa nouvelle stabilité politique et sociale était durable.

Ainsi, le processus par lequel, pendant plus de trente-cinq ans, quelque 300 millions d'Européens vivant à l'ouest et au sud du rideau de fer acquirent une relative abondance dans un cadre démocratique constitua l'un des faits les plus marquants de toute l'Histoire. Faisant suite à deux expériences suicidaires qui faillirent aboutir, le succès européen fut également inattendu. Toutefois, cette stabilité et cette prospérité neuves contiennent un paradoxe. Trente-cinq ans après la fin de la guerre, au début des années 80 — et ce malgré sa croissante prospérité —, la sécurité de l'Europe occidentale dépend encore de la présence physique des troupes américaines sur son sol. L'histoire des Etats-Unis, pendant la période 1960-1970, démontre que le fait n'est pas seulement anormal mais dangereux.

VI

La tentative de suicide de l'Amérique

Les années de présidence d'Eisenhower furent le sommet de la souveraineté américaine. Autour du bloc communiste, un rempart assurait la sécurité collective. A l'abri de ces murailles, les Etats-Unis puis l'Europe purent jouir d'une prospérité sans précédent. Au niveau diplomatique, autant que sur le plan de l'économie, la leçon de l'entre-deux-guerres avait été bien apprise. On se croyait tiré d'affaire : le boom des années 20 était de retour, moins frénétique, plus assuré, étendu, sur les deux rives de l'Atlantique, à de plus larges catégories sociales. C'était le temps de l'Abondance. J.K. Galbraith, économiste de bonne presse, avait mis ce terme à la mode avec son best-seller, *La Société de l'abondance.* Un ouvrage qui s'attaquait à l'« ancienne sagesse » et entendait en créer une nouvelle. Galbraith et son école assuraient que l'ère de la pénurie était révolue : les ressources du monde étaient sans limites, les économies développées avaient maîtrisé la production. Il n'y avait plus de problème économique, la seule difficulté qui restait à résoudre était d'ordre politique : comment distribuer les biens de consommation d'une façon équitable. L'Etat aurait à jouer un rôle créatif en utilisant « l'abondance privée » pour mettre fin à « la misère publique », il lui reviendrait de supprimer le dangereux déséquilibre des fortunes, et cela non seulement à l'intérieur de chaque pays, mais entre les nations elles-mêmes. Eisenhower ne partageait pas cet optimisme. Il pensait que l'économie américaine pourrait encore sombrer si elle engageait des dépenses excessives dans l'armement ou le social, sans parler, bien sûr, des deux ensemble. Contrairement à ce qu'on avait pu voir à partir de 1920, ce n'était plus la droite, mais la gauche qui croyait que la prospérité serait éternelle, et ce fut elle qui fit des années 60 la décennie de l'illusion.

En 1960, Eisenhower était l'homme le plus âgé qui eût jamais occupé la Maison-Blanche. Il semblait incapable de bouger, alors que l'heure était à l'activisme, et que, partout, on entendait le même appel : « Remettons l'Amérique en marche ! » On parlait du retard du pays, il perdait du terrain, autant sur le plan des réalisations sociales que pour la puissance militaire. On disait que l'avance américaine dans la production des missiles accusait un « trou[1] » dangereux. Aux élections, le candidat républicain était le vice-président, Richard Nixon. Il était jeune — quarante-sept ans —, mais on l'associait à l'immobilisme de l'administration, et comme c'était un Californien de la tendance dure, il était détesté par les libéraux « branchés », et d'ailleurs majoritaires, de la côte Est. Le candidat démocrate, John Kennedy, était plus jeune encore — quarante-trois ans — riche et fort bel homme. Il tenait son avantage de son réseau de relations publiques, mais aussi de la machine politique implacable et efficace que dirigeait son frère Robert, et c'est ce qui lui valut son élection — si, toutefois, elle fut bien légale. Sur 69 millions de votants, la marge de Kennedy n'était que de 120000 voix, et cela même fut contesté par des interprétations rivales en Alabama. Kennedy avait eu une majorité de 84 au collège électoral, et c'était tout ce qui importait. Mais, là encore, des irrégularités au Texas, et surtout en Illinois, avec la célèbre machine Daley, laissent subsister des doutes quant à la validité de sa victoire. Nixon ne contesta pas les résultats, parce qu'il pensait que cela ternirait l'image de la présidence, et donc celle de l'Amérique[2]. Cette retenue ne lui valut aucun crédit. Le mépris que Kennedy éprouvait à l'égard de Nixon trouva son expression immédiate, après les élections, dans ce commentaire du nouveau Président : « Il sera sorti comme il était entré, avec le même manque de classe[3]. »

Kennedy, lui, « avait de la classe ». C'était le premier Président, depuis Roosevelt, qui n'ait jamais eu à gagner sa vie. Tout comme ce dernier, il fit de Washington une « cité de l'espoir », c'est-à-dire que les intellectuels des classes moyennes s'y assemblèrent, nombreux, à l'affût d'un emploi. Sa femme, Jackie, était une beauté mondaine, avec un certain goût pour la haute culture. Lorsque ce couple charmeur s'installa à la Maison-Blanche, certains purent dire que c'était « la nouvelle cour du roi Arthur ». D'autres étaient moins séduits. Selon un homme d'Etat en visite, assister à l'invasion des Kennedy, c'était « comme si l'on voyait les frères Borgia prendre possession d'une honnête ville d'Italie du Nord ». Le premier bénéficiaire du régime fut ce « complexe industriel et militaire » qui avait fait l'objet des inquiétudes d'Eisenhower. Les dépenses concernant l'armement, tant conventionnel que nucléaire, connurent une hausse rapide. De ce point de vue, on peut dire que Kennedy et son secrétaire d'Etat Dean Rusk, furent, sinon les plus habiles, au moins les plus enthousiastes des partisans de la guerre froide. Aux obligations de l'Amérique vis-à-vis des pays d'outre-mer, Kennedy apportait une teinte d'universalisme qui était tout à fait nouvelle. L'attitude américaine classique avait été définie par le secrétaire d'Etat John Quincy Adams, en 1821 : « Partout où l'étendard de la liberté et de l'indépendance est ou sera déployé, on peut être assuré, promettait-il, que le coeur de l'Amérique, sa bénédiction et ses prières s'y trouveront aussi. » Il ajoutait : « Mais elle ne se mettra pas en quête de monstres à détruire. Ses souhaits vont à la liberté comme à l'indépendance de tous ; elle n'est le champion que de sa propre intégrité, et c'est la seule qu'elle s'emploiera à défendre[4]. » Sous Truman et Eisenhower, cette doctrine avait été modifiée. « Sa propre intégrité » s'étendait à ses alliés, dont la survie était essentielle à ses intérêts.

Kennedy alla plus loin encore. Il se rendait compte que la guerre froide à l'ancienne manière, telle que Staline la pratiquait, en poussssant ses frontières en avant à partir d'une base centrale, n'était plus la seule. Les successeurs de Staline y avaient ajouté une guerre de mouvement qui leur permettait de passer par-dessus les barrières défensives de l'Amérique. Les Russes possédaient désormais des ressources suffisantes pour appliquer avec vigueur cette nouvelle politique — en fait aussi ancienne que le léninisme. Peu de temps avant que Kennedy ne prenne les commandes, Nikita Khrouchtchev l'avait définie dans un discours qu'il prononça le 6 janvier 1961. L'avènement du communisme ne viendrait ni par une guerre atomique, qui détruirait l'humanité, ni par une guerre conventionnelle, qui ne tarderait pas à devenir nucléaire. Il résulterait plutôt de « guerres de libération nationale » en Afrique, en Asie, en Amérique latine, centres du « conflit révolutionnaire contre l'impérialisme ». Puisque les communistes étaient eux-mêmes des révolutionnaires, il leur faudrait « tirer parti de ces occasions nouvelles ». Kennedy l'interpréta comme une sorte de déclaration de guerre, et il se servit de son discours inaugural pour relever le défi. On était, disait-il, « à l'heure où la liberté connaissait un danger maximal ». Sa génération avait pour tâche de la défendre. « Je ne crains pas d'endosser cette responsabilité, c'est, au contraire, avec fierté que je l'assume. »...« Pour assurer la survie et le triomphe de la liberté », ajoutait-il, l'Amérique serait prête à « payer tous les prix, à se charger de tous les fardeaux, à supporter toute épreuve, à combattre tout ennemi[5] ». C'était une offre extraordinaire, un chèque en blanc jeté au pied du monde.

Pourquoi ce geste extravagant ? Kennedy et ses conseillers pensaient que l'Amérique réussirait à concurrencer la Russie soviétique sur son propre terrain ; ils croyaient pouvoir s'assurer l'allégeance des pays pauvres en y favorisant la création de régimes libéraux et démocratiques. Un certain nombre de moyens furent mis en œuvre pour promouvoir cette nouvelle « diplomatie active » : des « brigades de la paix », composées de jeunes volontaires, serviraient à l'étranger ; pour des interventions plus énergiques, qualifiées d'« anti-insurrectionnelles », on utiliserait le corps des Bérets verts ; il y aurait des campagnes destinées à gagner les cœurs et les esprits, une nouvelle Alliance du Progrès en Amérique latine, et, presque partout, une aide économique et militaire[6]. Mais c'était faire fi d'une leçon importante, fort bien illustrée par l'histoire de l'Empire britannique : si imparfait qu'il soit, le maintien de la stabilité était tout ce qu'une puissance dominante pouvait espérer dans sa sphère d'influence. Promouvoir une évolution dynamique, c'était inviter le chaos. Un pouvoir dominant aurait toujours, en fin de compte, à défendre son système par la force, faute de quoi il ne pourrait qu'assister, impuissant, à sa désagrégation, comme ce fut le cas pour la Grande-Bretagne. L'Amérique avait créé un système postcolonial, le discours inaugural de Kennedy en prenait acte. Mais il ne s'agissait pas moins, sous une forme nouvelle, de possessions, dont le bien-être dépendrait de leur stabilité intérieure. Les Etats-Unis disposaient de ressources bien supérieures à celles de la Grande-Bretagne impériale, mais elles n'en étaient pas moins limitées. Tout l'art eût consisté à faire un choix, à savoir quelles étaient les positions qu'on ne pourrait défendre que par la force, à imaginer, pour les autres, des alternatives réalisables, et c'est sur ce point que l'universalisme de Kennedy se montrait faible.

Le problème prit tout de suite une forme aiguë en Amérique latine. En 1823, la doctrine de Monroe avait attribué aux Etats-Unis la tâche de maintenir l'ordre dans tout l'hémisphère américain ; théoriquement, c'était pour protéger les autres nations de la cupidité européenne, mais, en fait, il s'agissait surtout de défendre ses propres intérêts. Il y eut, plus d'une fois, des interventions militaires, surtout en Amérique centrale et dans les Antilles. A la base de la doctrine, il y avait l'idée que toute cette partie du monde représentait, en quelque sorte, la « mer intérieure » des Etats-Unis, et qu'elle faisait donc partie de leur structure économique. A Cuba, que l'Amérique avait libérée du joug espagnol, le droit d'intervention des Etats-Unis était même inscrit dans la constitution, conformément à ce qu'on appelait l'« amendement Platt ». Au cours de l'entre-deux-guerres, ce système fut ébranlé par l'impact des conceptions wilsoniennes, qui préconisaient l'autodétermination. En 1928, par le mémorandum de Clark, le département d'Etat lui-même assurait que la doctrine de Monroe ne justifiait plus l'intervention car la situation dont il s'agissait alors avait été celle « des Etats-Unis face à l'Europe, et non à l'Amérique du Sud[7] ». Roosevelt fit sienne cette logique, mit l'« amendement Platt » au rancart, et le remplaça par une politique de « bon voisinage » qui considérait, en principe, les Etats d'Amérique du Sud comme des égaux. Avec le temps, cette option aurait pu donner d'excellents résultats dans la mesure où, comme au Canada, les nations les plus importantes eussent formé une relation de clientèle avec leur gigantesque patron.

Le meilleur candidat pour une telle association était sans doute l'Argentine, dont l'économie, entre les deux guerres, montrait le même type de développement que celui du Canada ou de l'Australie. Comme le Canada, elle avait bénéficié d'un boom entre 1900 et 1914 ; elle avait connu un ralentissement de son avance dans les années 20, un très net recul entre 1929 et 1933, puis une longue période de croissance, au taux annuel de 2 à 3 %, illustrée par une progression régulière dans les secteurs de l'industrie, des mines, de l'extraction pétrolière, des services publics et de l'électrification ; bref, elle fut le premier Etat d'Amérique latine à effectuer un véritable démarrage économique[8]. Elle développait une économie de marché avec un minimum d'intervention gouvernementale, la presse était libre, les classes moyennes en expansion constante, et elle s'était dotée de lois équitables. Pendant la Seconde Guerre mondiale, elle avait connu une prospérité sans autre exemple, sauf en Australie, dans tout l'hémisphère Sud, et les salaires avaient atteint un niveau égal à ceux de l'Europe de l'Ouest. Elle avait accumulé ce qui représentait alors une réserve princière — l'équivalent de 1 500 dollars de devises, tant en livres sterling qu'en dollars américains. C'était davantage que n'en avait réalisé en l'espace de soixante-dix ans son principal partenaire économique, la Grande-Bretagne[9]. Si cet argent avait été utilisé à la création d'une industrie sidérurgique et pétrochimique ou à d'autres secteurs destinés à remplacer les importations, il est probable que l'Argentine, dans les années 50, aurait atteint un niveau d'autonomie et de croissance dynamique suffisant pour que toute l'histoire de l'Amérique latine s'en trouve changée.

Au lieu de cela, elle fut victime, à la fois, des deux maux qui ont toujours empoisonné cette partie du monde : le militarisme et la politique. Au XIXe siècle, le coup d'Etat militaire était devenu un moyen classique pour changer de gouvernement, et cette désastreuse pratique devait continuer après l'introduction du suffrage universel. De 1920 à 1966, il y eut 80 coups d'Etat militaires, tous réussis, dans 18 pays d'Amérique latine. L'Equateur et la Bolivie venaient en tête, avec 9 putschs chacun, puis, en deuxième position, le Paraguay et l'Argentine, avec 7[10]. Dans ce dernier pays, le plus important eut lieu en 1943. La junte militaire nomma au ministère du Travail un certain colonel Juan Peron, fils d'un modeste fermier qui avait réussi dans l'armée. C'était un bel homme, champion de ski et d'escrime, tapageur dans sa mise autant que dans ses attitudes mentales ; il avait fait des études de sociologie et représentait le type de ces pseudo-intellectuels qui allaient devenir si courants dans les années d'après-guerre. Jusque-là, les militaires s'étaient contentés de brider assez brutalement le syndicalisme. Peron comprit qu'en l'appuyant de façon paternaliste, il se gagnerait l'audience des masses. Ministre du Travail, il prit les syndicats en main. L'habitude avait été d'acheter les responsables ; Peron étendit ce système à l'ensemble du mouvement syndical[11].

Sa carrière fait ressortir à quel point la volonté de puissance peut être identique dans le marxisme ou le fascisme, car il empruntait indifféremment ses idées à Lénine, Mussolini, Hitler, Franco ou Staline. Il avait un grand charme personnel, une excellente voix d'orateur ; il était doué pour le verbiage idéologique. Il appelait ses partisans ouvriers les « sans-chemises » (alors qu'ils étaient, en fait, fort bien payés). Sa philosophie se donnait le nom de *judicialismo*, le tout premier de ces « ismes » truqués qui allaient bientôt fleurir dans tout le tiers monde. Peron pourrait se targuer d'avoir été non seulement le prototype d'une nouvelle espèce de dictateur sud-américain, mais encore celui de tous les dirigeants charismatiques de l'Afrique et de l'Asie postcoloniales. Il nous offre l'image d'un chaînon évolutif entre l'ancien despote classique, du type bateleur de foire, et le nouveau modèle de Bandung. Ce fut lui qui montra la voie quant à la manière de manipuler le scrutin démocratique. Mais il n'avait aucune trempe. Lorsqu'il se querella avec ses collègues militaires, en 1945, il ne sut que se jeter à leurs pieds pour implorer leur clémence. Ce fut sa maîtresse, Eva Duarte, une féministe militante, qui souleva les travailleurs et le fit libérer. Il l'épousa, mettant ainsi l'Eglise de son côté. Tous deux remportèrent, le 24 février 1945, une belle victoire, dans ce qui fut l'une des rares élections libres de l'histoire argentine [12].

Par son action présidentielle, Peron nous propose un exemple classique de la façon dont on parvient, au nom du nationalisme et du socialisme, à saborder l'économie d'un pays. Il nationalisa la Banque centrale, les chemins de fer, les télécommunications, le gaz, l'électricité, les pêcheries, les transports aériens, les aciéries et les assurances. Les exportations devaient passer par une agence gouvernementale. D'un même élan, il créait à la fois le supergouvernement et l'Etat providence ; en l'espace d'un an, les dépenses des services publics passèrent, par rapport au PNB, de 19,5 à 29,5 % [13]. Il n'y avait aucun système de priorités : le peuple aurait tout, et sans attendre. C'est ce qu'il eut, en théorie : un treizième mois pour tous, des congés payés, des avantages sociaux d'un niveau scandinave. Peron prenait pour critère de base une entreprise des plus performantes qui pouvait se permettre de dépenser largement au profit de son personnel, puis il contraignait toutes les autres, quelles que puissent être leurs ressources, à se modeler sur elle. Dans la même foulée, il lançait une attaque de front contre le secteur agricole, principale source du capital argentin. Dès 1951, il était parvenu à épuiser les réserves, à décapitaliser le pays, à détruire la balance des paiements, à incorporer l'inflation salariale dans le vif du système. L'année suivante, la sécheresse amenait la crise au grand jour. Voyant s'évanouir ses appuis, Peron passa de la démagogie économique à la tyrannie politique. Il fit dissoudre la Cour suprême, s'empara de la radio et de la _Prensa_, le plus grand journal d'Amérique latine, introduisit la corruption dans les universités, défia la légalité constitutionnelle. Mais, surtout, il prit soin de créer des « ennemis » publics : la Grande-Bretagne, les Etats-Unis et tous les étrangers, le _Jockey Club_, dont les locaux, la bibliothèque et les collections d'art furent incendiées par ses hommes de main en 1953. Puis il s'en prit au catholicisme et, en 1955, ses bandes détruisirent, parmi bien d'autres, les deux plus belles églises de l'Argentine, San Francisco et San Domingo.

C'en était trop. L'armée le destitua. Il s'enfuit à bord d'une canonnière paraguayenne. Mais ses successeurs ne purent jamais revenir au gouvernement minimal qui avait permis à l'Argentine de s'enrichir. Trop d'intérêts étaient en jeu : un énorme Etat parasite, des syndicats trop puissants, une innombrable armée de fonctionnaires. C'est une triste leçon du XXe siècle : si l'on permet à l'Etat d'étendre son emprise, il est presque impossible de revenir en arrière. L'héritage que Peron laissait à l'Argentine était plus résistant que son verbiage idéologique, mais il semble bien qu'il ait été lui-même relativement inusable. En 1968, le général Alejandro Lanusse, principal responsable de la conjuration militaire, s'écriait : « Si jamais cet homme revient en Argentine, l'un de nous deux, lui ou moi, en sortira les pieds en avant, parce que je ne tiens pas à ce que mes fils souffrent ce que j'ai souffert moi-même ! » Cinq ans plus tard, devenu Président, il organisait des élections qui ramenèrent au pouvoir un Peron de soixante-dix-neuf ans. Selon le mot connu du docteur Johnson, c'était « une victoire de l'espoir sur l'expérience [14] ». L'histoire de l'Argentine avait alors totalement changé de cours. Le pays avait perdu toute chance de voir son économie accéder à un niveau de développement avancé, il se trouvait ramené, de façon permanente, à celui d'une république sud-américaine de second ordre, condamnée au retard industriel, à l'instabilité politique, à la tyrannie militaire. A la fin des années 70 et jusqu'au début des années 80, le régime argentin prit un caractère de plus en plus féroce. En 1982, il s'embarquait dans une folle aventure contre les Malouines britanniques, qui se solda, comme on le sait, par une fort humiliante défaite.

La révolution péroniste fut un désastre majeur pour l'ensemble de l'Amérique latine, mais aussi pour les Etats-Unis, car ils voyaient s'évanouir toute éventualité d'une relation de type canadien. Mais ce n'était pas tout. Dans les autres pays, frustration et désespoir ne pouvaient que favoriser la démagogie, et les démagogues ne se faisaient pas faute de suivre la voie aisée que Peron leur avait tracée : tout était la faute des Américains. Peron lui-même demeurait un exemple. Il avait résisté aux Yankees, il avait établi, pour la première fois dans l'Histoire, l'indépendance de son pays. On oubliait tout de son échec économique, on ne retenait que ses succès politiques, en espérant qu'on saurait les imiter.

L'ombre de Peron tomba sur Cuba. Comme l'Argentine prépéroniste, c'était un pays prospère, l'un des plus riches de l'Amérique latine, mais sa situation était très différente. En fait, elle était incluse dans la structure économique des Etats-Unis. Il eût été logique, quand elle devint indépendante, en 1898, qu'elle soit, comme le Texas ou le Nouveau-Mexique, un nouvel Etat américain, ou encore, comme Porto Rico, une colonie destinée à acquérir le même statut. En 1924, les investissements américains y atteignaient déjà 1,2 milliard de dollars. 66 % de ses importations venaient des Etats-Unis et 83 % de ses exportations leur étaient destinés, en grande partie sous forme de sucre. En 1934, l'Accord commercial réciproque interdisait à Cuba de taxer ou d'imposer des quotas à un large éventail de ses importations américaines, mais, en revanche, le décret Jones-Castigan lui garantissait que les Etats-Unis achèteraient son sucre à des prix généreux. Selon Earl Babst, président de l'American Sugar Refining Company, ces accords représentaient « un pas dans le sens d'une saine politique coloniale [15] ». Après 1945, la dominance de l'Amérique dans l'économie cubaine diminua peu à peu, mais même dans les années 50 un témoin pouvait encore dire que « l'ambassadeur des Etats-Unis tenait la deuxième place, pour l'importance des hommes d'Etat ; et parfois il était plus important que le Président [16] ». Cuba, en somme, était une sorte de satellite américain, mais l'abandon de l'« amendement Platt » la rendait pleinement indépendante. En théorie du moins, et nous touchons ici à la source de nombreux mouvements de colère.

Comme la grande majorité des dictateurs d'Amérique latine, ceux de Cuba commençaient par être des libéraux pour se transformer ensuite en tyrans. Dans l'intervalle, ils s'étaient généralement réconciliés avec la souveraineté américaine. Le dernier de ces dictateurs à l'ancienne ne faisait pas exception à la règle. C'était Gerardo Machado, qui fut renversé, en 1933, par un putsch de sous-officiers dirigé par Fulgencio Batista. Ce sergent-sténographe était un authentique homme du peuple, à moitié indien, fils d'un coupeur de canne à sucre. Il avait lui-même travaillé dans les plantations. Il se situait sans équivoque à l'extrême gauche, au point que l'ambassadeur des Etats-Unis, Sumner Welles, trouvait son régime « franchement communiste » et demandait qu'on envoie des navires de guerre [17]. Le dirigeant communiste Blas Roca le qualifiait de père du Front populaire, « cette magnifique réserve de la démocration cubaine ». Il était aussi « l'idole du peuple, le grand homme de notre politique nationale [18] ». Batista fut lui-même président de 1940 à 1944, mais il gouvernait plus fréquemment par procuration. Il s'était ligué avec les étudiants de gauche, et son substitut préféré à la présidence était leur dirigeant, Ramon Grau San Martin, créateur de l'Authentique mouvement révolutionnaire — les *auténticos*, qui se distinguaient, sous ce nom, des *ortodoxos*, ou révolutionnaires de l'opposition. Mais Grau devint un escroc, un homme faible, mené par une maîtresse avide. Sa méthode de gouvernement se ramenait pratiquement à une seule phrase : « Parlez-en à Paulina. » Batista reprit le pouvoir direct en 1952, mais il était trop tard, et bientôt il s'enlisa à son tour dans le bourbier de la corruption ; il n'y avait guère de personnalité publique qui ne fît alors de même.

Dans les années 40 et 50, Cuba devint une société de gangsters gauchistes. En d'autres temps, les Etats-Unis seraient intervenus pour imposer quelqu'un d'honnête. Il n'en était plus question. Cependant, comme l'Amérique était impliquée dans toutes les transactions majeures du pays, elle ne pouvait, à l'ère du *peronismo*, qu'être responsable de tout le mal. Le Cuba de cette époque illustre bien cet écart entre la réalité et les mots qui allait devenir l'une des caractéristiques les plus frappantes du tiers monde. Chacun parlait de la révolution tout en détournant ou en recevant des fonds, et, bien entendu, cette corruption était liée à la violence. A l'université de La Havane, dont les effectifs étaient presque égaux à ceux de l'armée, la présidence du syndicat des étudiants se décidait par les armes. Aucun policier extérieur n'était admis sur le campus, et ceux qui étaient attachés à l'Université étaient assassinés ou terrorisés. Beaucoup d'étudiants portaient des quarante-cinq, et les cours étaient ponctués de coups de feu. Les communistes n'étaient pas moins corrompus que les autres. Lorsqu'ils le saluaient, le poing levé, Grau disait : « Ne vous en faites pas, demain ils les ouvriront [19] ! » Les seuls à s'opposer à ce trafic généralisé étaient quelques hommes riches, comme l'excentrique Eduardo Chibas, dirigeant des *ortodoxos*, — mais lui-même participait à la violence en pratiquant le duel. Les différentes forces de police se livraient, entre elles, à de véritables règlements de comptes, car les gangsters, en sus de leurs responsabilités politiques, occupaient généralement un poste supérieur dans les forces de l'ordre. Les *pistoleros* politiques, formés en « groupes d'action », criant des slogans marxistes, fascistes ou péronistes, faisaient penser à l'Allemagne des années 20. Les étudiants fournissaient les pires tueurs et les plus pathétiques victimes.

L'un de ces étudiants armés était Fidel Castro. Son père était originaire de Galice, issu d'une famille carliste, traditionnellement de droite, et, comme la plupart des immigrants espagnols, il haïssait les Américains. Il avait d'abord travaillé pour United Fruit, puis il était devenu propriétaire de sa propre ferme ; elle avait prospéré, et il se retrouvait à la tête de 4 000 hectares, avec un personnel de 500 employés. Fidel devint un politicien-étudiant professionnel — il semble qu'il n'ait jamais envisagé d'autre carrière que la politique — et, comme il était riche, il appuya les *ortodoxos* de Chibas. Il avoua lui-même, par la suite, qu'étant étudiant, il portait toujours une arme à feu [20]. En 1947, à l'âge de vingt ans, il prit part à l'invasion de la république Dominicaine par un « groupe d'action » armé de pistolets-mitrailleurs. L'année suivante, il fut impliqué dans l'épouvantable violence qui marqua, à Bogota, l'ouverture de la Conférence panaméricaine ; on dit qu'il participa à l'organisation des émeutes, au cours desquelles 3 000 personnes trouvèrent la mort [21]. On le retrouvait, la même année, dans une bataille armée contre la police ; dix jours après, il était accusé d'avoir assassiné le ministre des Sports. Batista, apprenant qu'il était un gangster politique exceptionnellement doué, tenta de l'enrôler, mais Castro refusa, pour ce qu'il appelait une « question de génération ». Selon le témoignage d'un Cubain qui étudia le droit en même temps que lui, « c'était un homme avide de pouvoir et absolument sans scrupule ; il était prêt à se joindre à n'importe quel groupement, s'il pensait que cela pouvait servir sa carrière politique [22] ». Son père disait que « sa vocation était d'être un révolutionnaire ». Il avait donc à la fois les impulsions d'un Lénine et d'un Hitler ; les deux courants se rejoignaient dans sa violente personnalité, mais, avant d'adopter les clichés du marxisme, c'était au protofasciste espagnol Primo de Rivera qu'il empruntait, tout comme Peron, le style de sa prose politique [23].

La chance de Castro se présenta en 1951-1952. Chibas devint fou et se suicida d'un coup de feu ; la place de « l'idéaliste » était donc à prendre. A la même époque, Batista fit une tentative pour mettre fin au gangstérisme en abolissant les partis et en se proclamant dictateur. Ce « coup d'Etat de la liberté » avait l'appui des ouvriers, et sans doute Batista aurait-il fini par rétablir la règle constitutionnelle, comme il l'avait fait en d'autres occasions, mais Castro ne lui en laissa pas le temps. La prise de pouvoir de Batista était bien venue, car elle lui permettait enfin de se battre pour de bon, « *la hora es de lucha* », devait-il dire, par la suite, dans son premier discours politique. Il prit le maquis dans la Sierra avec 150 hommes armés. Sa campagne de guérilla ne fut jamais très sérieuse, quoique le terrorisme urbain ait coûté la vie à de nombreuses personnes. L'économie cubaine continua à prospérer jusqu'en 1957. Dans ses aspects essentiels, la bataille de Cuba fut avant tout une campagne de relations publiques dont les combats se livraient à New York et à Washington. Le principal avocat de Castro était Herbert Matthews, du *New York Times*, qui le présentait comme le T.E. Lawrence des Antilles [24]. L'appui de la presse de Hearst avait eu son incidence, en 1898, sur la révolution cubaine, maintenant c'était le *Times* qui parrainait Castro. Ces circonstances provoquèrent un revirement au département d'Etat. Jusqu'alors, en effet, l'opinion de William Wieland, qui avait la charge du bureau antillais, était simple : « Je sais, disait-il, que beaucoup de gens considèrent Batista comme un fils de pute, mais les intérêts de l'Amérique doivent passer en premier... au moins, c'est notre fils de pute à nous [25]. » Maintenant, il changeait de bord. En 1957, Earl Smith était nommé ambassadeur à La Havane sur ces mots : « On vous envoie à Cuba pour présider à la chute de Batista. La décision est prise : il doit partir. » Pour son information, Wieland l'envoya à Matthews. « Dans le meilleur intérêt de Cuba... et du monde, dit ce dernier, il serait bon que Batista soit déposé. » Roy Rubottom, le secrétaire d'Etat adjoint, était également favorable à Castro, de même que la CIA de La Havane [26].

Cependant, une fois qu'il fut à Cuba, Smith se rendit compte qu'une victoire de Castro serait désastreuse pour l'Amérique, et il fit ce qu'il put pour l'empêcher. Il insista pour rentrer par avion à Washington — à ses propres frais, car Rubottom refusa de mettre ce voyage sur la note fédérale —, afin d'y tenir une conférence de presse où il mettrait le public en garde. « Le gouvernement, disait-il, ne pourra jamais traiter avec Fidel Castro, parce qu'il ne tiendra aucun compte des obligations internationales [27]. » A partir de ce jour, le département d'Etat agit à son insu. L'ambiance de confusion, de duplicité et de contradictions internes de cette affaire rappelle les pires moments de la diplomatie rooseveltienne, ou la tentative que certains responsables du département d'Etat allaient faire, en 1979, pour déstabiliser le chah d'Iran. Le 13 mars 1958, Smith rencontra Batista dans son bureau empli de bustes de Lincoln, et les deux hommes s'accordèrent pour qu'il y ait, le 24 février 1959, des élections libres, après quoi Batista se retirerait. Le lendemain, sans en avoir averti son ambassadeur, Washington décidait de suspendre toute vente d'armes officielle à Cuba. Une cargaison de fusils Garrand fut arrêtée sur les docks de New York. Comme les amis de Castro continuaient, par ailleurs, à souscrire des fournitures d'armes qui lui étaient destinées, on peut dire qu'à partir du début de 1958, l'Amérique n'armait plus qu'un seul côté : celui des rebelles. L'embargo fut un véritable tournant dans la carrière de Castro. Il n'avait jamais eu, jusque-là, plus de 300 hommes, mais les Cubains conclurent que l'Amérique avait changé de politique, et ils passèrent de son côté. Le nombre de ses partisans connut une augmentation brutale, et l'économie chuta en droite ligne. Même ainsi, les hommes de Castro ne furent jamais plus de 3 000 et ses « batailles » étaient, en fait, des exercices de relations publiques. Dans ce qu'on voulut bien appeler la « bataille de Santa Clara », il n'y eut que 3 morts du côté castriste, et seulement 40 lors de l'offensive de l'été 1958 qui amena la chute de Batista. Bien que ce fût l'engagement le plus important de cette « guerre », Batista lui-même ne perdit que 300 hommes. Les véritables combattants furent les éléments anti-Batista des villes, dont 1 500 à 2 000 furent tués. Quant à la guérilla, elle fut grandement une œuvre de propagande[28]. Che Guevara devait d'ailleurs l'admettre par la suite : « La présence d'un journaliste étranger, de préférence américain, était plus importante pour nous que la victoire militaire[29]. » Si l'on exclut les effets du revirement américain, le moral du régime Batista fut brisé principalement par des bandes d'activistes urbains qui n'étaient pas des partisans de Castro. A la dernière minute, en novembre 1958 — et toujours à l'insu de l'ambassadeur —, le gouvernement américain tenta d'organiser une succession non castriste[30]. Mais il était trop tard, Batista tomba en janvier 1959, et Cuba fut à la merci de Castro.

On ignore à quel moment celui-ci devint léniniste. Il est certain qu'il avait étudié avec un soin égal les méthodes employées par Lénine et Hitler pour emporter le pouvoir absolu. En janvier 1959, il s'était attribué le poste de commandant en chef et, prenant pour excuse la nécessité d'empêcher un retour du gangstérisme, il s'était également assuré le monopole de la force armée. La police dépendait directement de lui, et non du ministère de l'Intérieur; les postes clés de la police et de l'armée furent bientôt occupés par ses compagnons de guérilla. Il y eut un moment critique quand il fallut amener les factions rivales — et surtout le démocratique *directorio revolucionario* — à déposer les armes[31]. Lorsque ce fut fait, il put enfin agir à sa guise. Le juge Manuel Urrutia, Président à titre provisoire, dut accepter d'ajourner les élections à dix-huit mois, pendant lesquels le gouvernement se ferait par décret. C'était la technique de Lénine. L'un des premiers de ces décrets abolit tous les partis politiques, chose que le journal de Castro, *Revolucion* expliquait ainsi dans son numéro du 17 janvier 1959 : « Parmi les membres de partis politiques, ceux qui en étaient dignes ont déjà des postes au gouvernement provisoire... Les autres... feraient mieux de se taire. » C'était l'aspect Hitler, que l'on retrouve encore dans le décret du 7 février — cette « loi fondamentale de la République » — qui consistait à investir le cabinet de pouvoir législatif, équivalent exact de la loi d'habilitation hitlérienne. Tout de suite après ce décret, Castro devint Premier ministre, excluant le Président des réunions du cabinet ministériel[32]. Ainsi, en quelques semaines, les libéraux et les démocrates avaient été très efficacement éliminés du pouvoir. Le cabinet tenait lieu d'une sorte de Politburo où Castro, grâce à ses relations et à ses compagnons, devenait dictateur. Tout comme Batista, mais on peut mettre au crédit de ce dernier qu'il s'intéressait aussi à l'argent, tandis que Castro, lui, ne voulait que le pouvoir.

Castro s'était déjà servi de cours martiales pour éliminer ses ennemis. Le 3 mars 1959, il allait commettre son premier acte de tyrannie ouverte. 44 aviateurs des forces de Batista, accusés de « crimes de guerre », venaient d'être acquittés, pour manque de preuves, par un tribunal de Santiago. Castro annonça aussitôt à la télévision que ce procès était une erreur et qu'il y en aurait un autre. Le président de la Cour fut trouvé mort. On le remplaça par une créature de Castro. Les aviateurs furent jugés une seconde fois et condamnés à vingt ou trente ans de prison. « La justice révolutionnaire, disait Castro, ne s'appuie pas sur des préceptes légaux, mais sur la conviction morale. » Ce fut la fin de la légalité à Cuba[33]. A une question de Grau concernant la date des élections, Castro répondit qu'elles auraient lieu dès que la réforme agraire serait terminée, dès que tous les enfants pourraient bénéficier de l'école gratuite et qu'ils sauraient tous lire et écrire, dès que les consultations et les soins médicaux seraient gratuits pour tous. Autant dire jamais. Au cours de l'été 1959, il prit prétexte de la réforme agraire pour se débarrasser d'Urrutia. Ce dernier se réfugia d'abord à l'ambassade du Venezuela, puis s'enfuit hors du pays.

C'est alors que commença le rapprochement avec la Russie soviétique. Par sa nature même, l'économie cubaine ne pouvait être autonome, et elle ne l'est toujours pas à ce jour. S'étant défaite de sa dépendance à l'égard des Etats-Unis, il fallait qu'elle en établisse une autre. De plus, comme tous les dictateurs du tiers monde, Castro avait besoin d'un ennemi. Après le départ de Batista, il ne pouvait s'agir que de l'Amérique, et contre un tel adversaire, il lui fallait un allié, la Russie étant seule à pouvoir tenir ce rôle. Enfin, si l'URSS était son alliée — et même, à partir de 1959, son trésorier payeur — l'idéologie de Castro se devait d'être marxiste ; elle le devint sans mal, car cela s'accordait parfaitement avec le fascisme gauchisant qui constituait son propre type d'autocratie. En tant que dirigeant, Castro ne suivit jamais de façon stricte la ligne marxiste-léniniste ; il ne gouvernait pas seulement sur la base de comités secrets, mais aussi par des discours, dans la pure tradition de Mussolini, de Hitler et de Peron. Dans la seconde moitié de 1959, il n'en conclut pas moins avec le diable un pacte en vertu duquel il obtenait des livraisons d'armes, des conseillers et l'aide pratique du KGB pour l'organisation de ses services de sécurité. A partir de là, l'enchaînement était inéluctable. Il suffisait qu'un Cubain laisse paraître des opinions anticommunistes pour qu'il soit arrêté. On vit les premiers règlements de comptes occultes, les premiers assassinats, comme la mort mystérieuse du commandant en chef de l'armée, Camilo Cienfuegos. En décembre 1959, Hubert Matos, qui s'était opposé au régime totalitaire, fut la première victime d'une série de procès d'épuration destinés à éliminer d'anciens compagnons de Castro. Cuba était devenue une dictature communiste[34].

Qu'une île située à moins de 65 kilomètres des Etats-Unis passât ainsi brutalement d'un Etat d'alliance et de dépendance économique à celui de satellite soviétique constituait en soi un glissement d'importance dans l'équilibre des forces mondiales, sans compter que Castro lui-même, dans un manifeste de 4000 mots publié en 1957, annonçait ouvertement que, une fois au pouvoir, il entendait poursuivre, à l'encontre d'« autres dictateurs antillais », une politique extérieure active[35]. Eût-elle choisi de faire obstacle à cette évolution par tous les moyens, y compris la force, l'Amérique était encore dans son droit. Dans le cas de Cuba, le rapprochement s'imposait avec la situation de la Finlande, pays neutre, mais dont la politique extérieure et la défense étaient, à cause du voisinage immédiat de l'URSS, sujettes au veto soviétique. Malheureusement, à la fin de 1959, Dulles était mort, et Eisenhower n'était plus qu'un canard boiteux qui s'était retiré de la course à la présidence. Bien que de nombreux projets aient été débattus, on ne fit rien de net. Lorsqu'il entra en fonction, au début de 1961, Kennedy prit connaissance d'un plan d'intervention appuyé par la CIA et par le président des chefs d'état-major; il s'agissait de débarquer dans la baie des Cochons une troupe armée de 12000 exilés, connue sous le nom de Corps de libération de Cuba, afin de déclencher une insurrection populaire contre le régime castriste. On imagine mal que le vieil Eisenhower, avec toute l'expérience et la prudence dont il faisait preuve, eût cautionné un tel projet. Il avait l'inconvénient majeur d'impliquer les Etats-Unis sur le plan moral et politique — les premiers hommes qui mirent le pied sur le sol cubain furent des agents opérants de la CIA — sans bénéficier d'aucun appui de la part des forces navales et aériennes[36]. Le 17 avril, avec autant de naïveté que de faiblesse, Kennedy autorisa cette aventure. Ce fut un fiasco total. Il aurait fallu que l'invasion soit appuyée par les forces américaines, ou qu'elle soit abandonnée. L'instinct de Kennedy allait bien dans ce sens. « J'aime mieux passer pour un agresseur que pour un imbécile[37] », disait-il à son frère Robert. Mais, en cette occasion, il manqua de fermeté, et l'on ne peut s'empêcher, face à de telles erreurs militaires et politiques, de faire un rapprochement entre l'affaire de la baie des Cochons et les mésaventures d'Eden à Suez[38]. Pour Cuba, ce fut un désastre, car cette intervention fournit à Castro le prétexte d'une véritable campagne de terreur contre l'opposition. La plupart de ceux qui étaient déjà sous les verrous furent fusillés. Il y eut 10 000 arrestations. Celles-ci concernaient, certes, le mouvement de résistance, et la plus grande partie des 2 500 agents de la CIA, mais aussi quelque 20 000 personnes qui n'étaient que des sympathisants de la contre-révolution [39]. Le 1er mai, Castro annonça que Cuba était désormais un Etat socialiste. Il n'y aurait plus d'élections ; le pays, disait-il, connaissait chaque jour l'équivalent d'une consultation électorale, puisque le régime exprimait en lui-même la volonté du peuple [40].

L'opinion américaine fut outragée par l'échec de la baie des Cochons, et il ne fait pas de doute qu'elle aurait alors appuyé une intervention directe. Chester Bowles, l'un des plus anciens concepteurs de la politique américaine, pensait que si Kennedy avait décidé d'« envoyer des troupes, de lâcher des bombes, ou quoi que ce soit de ce genre... il eût emporté 90 % de votes positifs dans l'ensemble de la population ». L'opinion de Nixon, lorsqu'on lui demanda son avis, allait dans le même sens : « Je trouverais une couverture légale convenable, dit-il, et j'interviendrais sans hésiter [41]. » Mais l'administration s'agitait sans parvenir à une décision claire. Robert McNamara, secrétaire de la Défense, devait l'avouer par la suite : « Au moment de la baie des Cochons et au cours des mois suivants, Castro nous avait rendus franchement hystériques [42]. » Il y eut une grande diversité de projets : payer des gangsters pour qu'ils attaquent les dirigeants cubains ; faire courir le bruit que Castro n'était autre que l'Antéchrist, que la fin du monde était proche, en appuyant cette campagne avec des fusées éclairantes lancées par des sous-marins ; attaquer les travailleurs des champs de canne à sucre avec des produits chimiques sans effets dangereux ; utiliser des sels de thallium pour faire tomber la barbe de Castro ; introduire dans ses cigares des substances susceptibles de troubler son esprit, ou bien les imprégner du bacille mortel du botulisme ; faire prendre à sa maîtresse, Marie Lorenz, des pilules empoisonnées ; le faire assassiner sous contrat par des gangsters américains d'origine cubaine ; l'amener à se servir d'une combinaison de plongée sous-marine ensemencée à la fois du bacille de la tuberculose et d'une mycose cutanée ; déposer près de son habitation un coquillage rare dans lequel on aurait dissimulé un dispositif explosif. Richard Helms, que Kennedy avait nommé à la tête de la CIA, devait dire, par la suite :

> « La politique de l'époque voulait qu'on se débarrasse de Castro. On pouvait, en particulier, le tuer... cela nous paraissait conforme à la ligne d'action générale... Mais personne n'envisage d'embarrasser un Président... en discutant en sa présence de l'assassinat éventuel de dirigeants étrangers [43]. »

Aucune de ces idées folles ne fut adoptée, et ce fut Khrouchtchev, pour finir, qui offrit à Kennedy une nouvelle occasion de régler le problème cubain. Les Russes connaissaient, eux aussi, un « trou », réel ou imaginaire, dans la course aux missiles. S'ils parvenaient à établir, à Cuba, des missiles à moyenne portée, ils réaliseraient, en faveur de l'URSS, un changement fondamental de l'équation nucléaire mondiale, et cela pour un prix plus que modique. Une fois que ces armes seraient en place et convenablement défendues, elles ne pourraient plus être attaquées sans déclencher la guerre atomique, et l'inviolabilité du régime de Castro se trouvait ainsi assurée. Il semble bien, en effet, que Khrouchtchev ait craint de « perdre » Cuba au profit de l'Amérique, et de se trouver en butte aux reproches de ses collègues [44]. Selon le commentaire que Castro fit de cette affaire à deux journalistes français : « L'idée originelle venait des Russes, et d'eux seuls... Il ne s'agissait pas tant d'assurer notre propre défense que de renforcer le socialisme sur le plan international. » Castro ajoutait qu'il finit par donner son accord « parce qu'il était impossible de ne pas partager les risques que l'Union soviétique prenait pour nous sauver... En dernière analyse, c'était une question d'honneur [45] ».

Mais l'honneur n'était pour rien dans cette affaire. Le soutien de l'économie cubaine et le financement de l'ambitieux programme castriste coûtaient de plus en plus cher à la Russie, et Castro n'avait pas d'autre choix que d'offrir aux Soviétiques, en compensation de ces dépenses, une base de missiles. Il pensait aussi que la protection de son régime, sinon celle du peuple cubain, serait ainsi mieux assurée. Ce projet était aussi débile que celui de la baie des Cochons, mais infiniment plus dangereux. Selon Castro, Khrouchtchev se vantait d'avoir fait là quelque chose que Staline lui-même n'eût jamais osé entreprendre. Lors d'une réunion secrète du corps diplomatique russe à Washington, Anastase Mikoyan expliqua que ce coup était destiné « à provoquer un net renversement des rapports de forces entre le monde capitaliste et le monde soviétique [46] ». L'entreprise était d'autant plus imprudente que Khrouchtchev avait menti délibérément à Kennedy. Il avait reconnu que la Russie armait Castro, mais il avait donné secrètement, par ailleurs, des assurances selon lesquelles il ne s'agirait que de missiles terre-air à faible distance de feu. En aucun cas, il ne devait y avoir d'armes stratégiques à longue portée. En fait, il envoya à Cuba 42 missiles d'une portée moyenne de 1 700 kilomètres et 24 autres, d'une portée de 3 500 kilomètres, qui n'arrivèrent jamais à destination ; il y avait, enfin, 24 groupes de missiles antiaériens SAM et un contingent de 22 000 hommes de troupe et techniciens soviétiques.

A aucun moment, il ne fut possible de cacher ces activités aux observateurs aériens des Etats-Unis, et l'on n'ignorait rien de leur véritable nature depuis que, le 15 octobre, un appareil U-2 avait photographié les aires de lancement. En décembre, chacun devait apprendre que, à quelques dizaines de kilomètres du territoire américain, il s'était installé une base fortement protégée d'au moins 50 missiles à charge nucléaire. A partir du 15 octobre, l'administration avait commencé à discuter de ce qu'il fallait faire. Elle se divisait, comme on le dit aujourd'hui, en « faucons » et en « colombes ». Les premiers, sous la conduite de Dean Acheson, qui avait été invité à ce débat secret, pensaient qu'il fallait « effacer ces bases de la carte par une attaque aérienne », sans avertissement préalable. Les « colombes », regroupées autour de Robert Kennedy et de Robert McNamara, rejetaient vivement l'idée de ce « Pearl Harbor à l'envers », qui allait nécessairement entraîner la mort de « plusieurs milliers » de Russes et de civils cubains ; les chefs d'état-major avaient estimé, en effet, que la destruction des bases nécessiterait au moins 800 sorties d'appareils. Les Russes, selon McNamara, « se sentiraient obligés de pratiquer une riposte majeure. Les Etats-Unis perdraient alors le contrôle de la situation, avec risque d'escalade jusqu'au conflit généralisé ». Au lieu de cela, ils préconisaient un blocus, ou, pour utiliser le terme plus nuancé que Roosevelt avait appliqué, jadis, au Japon, une « quarantaine » qui laisserait aux Soviétiques une chance de se retirer sans trop perdre la face[47].

Le président Kennedy hésitait entre les deux attitudes. Il donna des ordres pour que l'on continue à préparer l'attaque aérienne, puis il opta finalement pour la quarantaine ; il la rendit publique le 22 octobre en indiquant que la date limite d'application de ces mesures se situait deux jours plus tard. La raison de ce délai était la suivante : 4 sur 6 des sites de missiles étaient déjà opérationnels, et il était essentiel d'empêcher les Russes d'y travailler sous le couvert des retards diplomatiques. Le 24 octobre, les cargos russes qui transportaient les missiles s'approchèrent de la ligne de quarantaine et furent arrêtés ; mais il restait à obtenir le retrait des armements qui se trouvaient déjà à Cuba. Le lendemain, le président Kennedy télégraphia à Khrouchtchev en exigeant « le retour à la situation antérieure ». Khrouchtchev fit deux réponses successives. La première mettait comme préalable à l'accord soviétique que les Américains s'engagent à ne pas envahir Cuba. Vingt-quatre heures plus tard, Washington recevait une seconde dépêche exigeant une concession supplémentaire : l'Amérique devrait renoncer également aux bases de missiles Jupiter à moyenne portée qu'elle possédait en Turquie. Kennedy ne tint pas compte de la seconde condition, et donna son accord sur la première condition. C'est sur cette base que Khrouchtchev, le 28 octobre, accepta finalement de retirer ses missiles[48].

La manière dont le président Kennedy avait négocié cette crise fut, à l'époque, l'objet d'un concert de louanges, et elles continuèrent encore pendant un certain nombre d'années. Khrouchtchev, en revanche, fut blâmé par ses collègues du Kremlin. Lorsque le Présidium soviétique le congédia, en octobre 1964, on accusa « la légèreté insensée de ses projets, ses conclusions hâtives, ses décisions inconsidérées, les entreprises hasardeuses, dans lesquelles il tendait à prendre ses désirs pour des réalités[49] ». Il est certain que le monde frôla de près la guerre nucléaire. Le 22 octobre, toutes les équipes de missiles américaines avaient reçu des consignes d'« alerte maximale ». Quelque 800 B-47, 550

B-52, 70 B-58 attendaient l'ordre de départ, soutes à bombes fermées, sur les aires de dispersion. 90 B-52 transportaient des bombes de plusieurs mégatonnes par-dessus l'Atlantique. Des têtes nucléaires avaient été activées sur 100 missiles Atlas, 50 Titan et 12 Minuteman, ainsi que sur des transporteurs et des sous-marins basés à l'étranger. Tous les commandements étaient sous « Defcon 2 », l'état d'alerte précédant immédiatement celui de guerre [50]. Robert Kennedy parla de « 60 millions de morts en Amérique et autant, sinon plus, en Russie ». Khrouchtchev lui-même assura qu'en discutant l'affaire avec ses propres militaires, il avait fait état de la destruction probable de « 500 millions de vies humaines [51] ». Il avait pris un risque gigantesque, mais, sommé d'abattre son jeu, il avait aussitôt reculé devant la proximité de l'abîme. Castro, qui n'avait pas été consulté lors de cette retraite, était furieux. Selon Che Guevara, qui était présent au moment où il en reçut la nouvelle, « il se mit à jurer, donna des coups de pied dans un mur et brisa un miroir [52] ». Après plus d'une décennie, il devait cependant dire à McGovern : « J'aurais suivi une ligne plus dure que celle de Khrouchtchev, j'étais furieux de son compromis. Mais il était plus âgé et plus sage que moi. Rétrospectivement, je me rends compte que son règlement de l'affaire avec Kennedy était correct. Si c'était mon point de vue qui l'avait emporté, nous aurions connu, peut-être, une terrible guerre [53]. »

Mais, en fait, Castro et la Russie ne se tiraient pas si mal de cette incursion jusqu'au seuil de l'apocalypse. Avant que l'URSS ne commence sérieusement à armer Cuba, en 1962, le régime castriste avait été une cible facile pour l'intervention américaine. Aucun Président n'avait, à ce sujet, à tenir compte d'une quelconque obligation contractuelle. Si l'on y regarde bien, l'installation de missiles stratégiques à Cuba était l'équivalent d'un acte d'agression majeure. La riposte de Kennedy mettait la Russie dans une position désavantageuse et, comme de Gaulle l'avait bien perçue, elle n'avait d'autre alternative que de faire machine arrière. Khrouchtchev dut l'admettre lui-même : « Cuba se trouvait à 11 000 kilomètres de l'Union soviétique. Nos communications aériennes et maritimes étaient si précaires qu'il était hors de question d'attaquer les Etats-Unis [54]. » La crise des missiles intervint à une époque où la balance stratégique penchait encore fortement du côté américain sur le plan nucléaire, et dans une région du monde où les Etats-Unis jouissaient d'un avantage écrasant pour l'usage des armes classiques. Kennedy était donc en bonne position pour imposer le retour du *statu quo*. Il aurait pu aller plus loin, exiger une punition, forcer l'Union soviétique à accepter le principe d'un Cuba neutre et désarmé, selon le modèle finnois. Comme le fit très justement remarquer Dean Acheson : « Nous n'avons pas su profiter de ce que Khrouchtchev avait les doigts dans la presse ; il aurait fallu que, chaque jour, nous serrions davantage la vis [55]. »

Au lieu de cela, Kennedy, après avoir remporté un réel succès sur le plan de la popularité, récompensa l'agression soviétique par deux concessions substantielles. La première — et la moindre — fut le retrait des missiles Jupiter, officiellement sous prétexte de leur obsolescence[56]. Mais la seconde était autrement grave. Kennedy donnait son assentiment tacite à la continuation du régime communiste de Cuba, à son alliance ouverte avec la Russie soviétique[57]. On peut donc dire que, sur le chapitre de Cuba et de la sécurité dans la mer des Antilles, l'Amérique connut, avec la crise des missiles, une véritable défaite, la pire qu'elle ait subie depuis le commencement de la guerre froide.

Dans une zone qui, à tout point de vue, était vitale pour les intérêts américains, Castro survécut et devint, pour un quart de siècle, non seulement l'ennemi le plus acharné des Etats-Unis, mais aussi le plus souvent victorieux. En effet, il devait exporter la révolution en Amérique du Sud dans le courant des années 60 et, avec bien plus de succès encore, en Amérique centrale, à la fin des années 70 et au début des années 80. Aux conférences du tiers monde, il put vilipender systématiquement l'« impérialisme » américain, tout en se prétendant le dirigeant d'une nation non alignée. Enfin, après 1970, il n'envoya pas moins de 3 contingents expéditionnaires en Afrique pour y exécuter les visées de la politique soviétique. Avec une audace sans égale, il alla jusqu'à poser au défenseur des opprimés aux Etats-Unis mêmes, et il en fut récompensé par toute une section de l'opinion progressiste. Pour Saul Landau, Castro « baignait dans la démocratie », pour Leo Huberman et Paul Sweezy, il était un « humaniste passionné », et d'autres visiteurs témoignèrent de son « savoir encyclopédique ». Il leur suggérait « un lien entre le socialisme et le christianisme », il avait « la parole douce », il était « timide et sensible », et, par la même occasion, vigoureux, de belle prestance, simple, sans aucun dogmatisme, ouvert, plein d'humanité, merveilleusement accessible et chaleureux. Pour Norman Mailer, c'était « le premier et le plus grand héros qui soit apparu depuis la Seconde Guerre mondiale ». « Lorsque Castro se dresse, écrivait encore Abbie Hoffman, il est comme un puissant pénis en train de s'éveiller, et lorsqu'il est droit, aussitôt, la foule entière est transformée[58]. » De nombreux fantasmes que Staline avait jadis suscités chez les libéraux ressuscitaient en présence de Castro, et lorsque l'image de Mao se fut ternie, il demeura longtemps en place, dernier modèle charismatique dans le monde totalitaire.

Par contraste, on peut dire que la masse des Cubains votait avec leurs jambes et leurs moteurs hors-bord. Dans les années 60, plus de 1 million d'entre eux allait choisir la fuite. En 1980, alors que 150 000 réfugiés politiques s'ajoutaient encore à ce total, près d'un cinquième de la population vivait en exil, pour la plus grande part aux Etats-Unis. En 1981, on put calculer que, depuis la prise de pouvoir de Castro, Cuba avait connu une progression annuelle de − 1,2 % par habitant, et qu'elle était passée de la position de nation la plus riche d'Amérique latine à celle de la plus pauvre, avec un revenu national de 810 dollars seulement par personne, ce qui représentait un chiffre inférieur à ceux de tous les pays voisins, la Jamaïque, la république Dominicaine, la Colombie et le Mexique. Enfin, avec une force armée de 200 000 hommes, dont un quart servait activement à l'étranger, elle était devenue la plus grande puissance militaire d'Amérique latine, à l'exception du Brésil, mais par rapport au chiffre total de sa population, elle avait sans doute plus d'hommes sous les drapeaux qu'aucun autre pays au monde [59]. Tel était le travail de Castro et le legs de Kennedy.

L'attitude **du** président Kennedy à l'égard de Cuba fait ressortir chez lui, une incompréhension des intérêts américains les plus vitaux, en même temps qu'une incapacité à faire la différence entre l'image des choses et leur réalité. Ces faiblesses, caractéristiques d'une approche politique largement fondée sur les relations publiques, se manifestèrent dans bien d'autres domaines, en particulier ceux du programme spatial et du Viêt-nam. Avec l'aide des scientifiques allemands qu'elle avait « capturés », la Russie soviétique, en dehors de son programme d'armements nucléaires, avait donné la plus haute priorité aux fusées lourdes à très grande portée. Les résultats s'en firent sentir dès la fin des années 50. Le 4 octobre 1957, les Américains recevaient de plein fouet la nouvelle de la mise en orbite de Spoutnik 1, satellite artificiel de 83 kilos. Le mois suivant, la Russie en lançait un autre, beaucoup plus gros, d'un poids de 508 kilos, qui emportait dans l'espace la chienne Laïka. Le premier satellite américain, Explorer 1, ne quitta la Terre que le 31 janvier 1958, et il ne pesait que 13,5 kilos. On cita le mot d'un général : « Nous nous sommes trompés de savants allemands. » Mais, en fait, les Américains construisaient eux aussi leurs fusées, dont l'énorme *Saturne* de l'armée, mise au point à Huntsville, dans l'Alabama, par Verner von Braun. Les progrès de la miniaturisation, qui expliquent que l'on se soit contenté de faibles charges propulsives, étaient au moins aussi importants [60]. C'était une question d'objectifs, de priorités et de financement. Eisenhower, obsédé à juste titre par l'équilibre de l'économie américaine, refusait d'investir dans le programme spatial au-delà de ce qui était pratiquement nécessaire pour la défense. Il s'opposait formellement à toute recherche entreprise dans un dessein de simple « prestige », un mot qu'il détestait. Il ne tint aucun compte de l'agitation qui suivit le lancement du premier Spoutnik.

Lorsque Kennedy entra en fonction, ces priorités changèrent de façon radicale. Son vice-président, Lyndon Johnson, qui avait la charge de l'espace, était un Texan, habitué à voir grand sur le chapitre des dépenses ; de plus, il avait de nombreuses relations dans le monde des affaires aérospatiales. Pour la direction de la National Aeronautics et celle de l'administration de l'Espace, il choisit James Webb, un homme d'affaires rompu à la publicité. Le 12 avril 1961, moins de trois mois après l'entrée en scène de Kennedy, les Russes mettaient en orbite le premier homme de l'espace, Iouri Gagarine, battant ainsi les Américains de presque quatre semaines. Deux jours plus tard, Kennedy tenait, à la Maison-Blanche, une conférence frénétique, dont il nous reste un rapport extrêmement vivant :

> « Est-ce que nous ne pouvons pas les coincer quelque part ? Qu'allons-nous faire ? Pouvons-nous passer derrière la Lune avant eux ? Pouvons-nous mettre un homme sur la Lune avant qu'ils n'y arrivent ?... Pouvons-nous sauter par-dessus leur avance ?... Quelqu'un peut-il me dire comment faire pour les rattraper ? Que quelqu'un me réponde, n'importe qui ! Même si c'est l'huissier, là-bas. S'il sait quoi faire, qu'il le dise [61]. »

Trois jours plus tard, survenait le désastre de la baie des Cochons. Le 19 avril, Kennedy, assombri, convoqua Johnson pour une session de quarante-cinq minutes, Le lendemain, 20 avril, le vice-président recevait cette note fébrile : « Avons-nous une chance quelconque de battre les Soviétiques, soit en envoyant un laboratoire dans l'espace, soit en faisant le tour de la Lune, soit en envoyant une fusée sur la Lune, soit en réalisant un voyage Terre-Lune et retour avec un homme à bord ? Existe-t-il autre chose, dans le programme spatial, qui soit susceptible de produire des résultats spectaculaires et qui nous permette de gagner la course [62] ? » Le vocabulaire était bien caractéristique : « battre », « résultats spectaculaires », « gagner »...

Sous certains rapports, on peut dire que Kennedy se comportait davantage comme un sportif professionnel, un propagandiste ou un camelot de la politique que comme un véritable homme d'Etat. En mai, il engagea officiellement l'Amérique dans le programme Apollo, dont le but était d'envoyer sur la Lune, « avant la fin de la décennie », un engin spatial habité. La mise en route du projet devint effective en 1963 ; au cours des dix années suivantes, les Etats-Unis allaient dépenser, pour l'Espace, près de 5 milliards de dollars. Il n'est donc pas surprenant qu'ils aient atteint leur but. Le 20 juillet 1969, Apollo 11 déposait Neil Armstrong et Edwin Aldrin sur la surface de la Lune. Il y eut 4 autres opérations du même genre, jusqu'en 1972. Le programme avait alors épuisé son élan, mais les Russes et les Américains ensemble avaient lancé plus de 1 200 satellites et sondes, dont le coût total pourrait être estimé à quelque 100 milliards de dollars. Puis, dans l'ambiance d'austérité qui s'imposa à partir du milieu des années 70, l'effort passa progressivement de la propagande au pragmatisme, se centrant davantage sur les laboratoires et les navettes. En 1981, la Nasa créait la Navette de l'espace, premier astronef digne de ce nom, tandis que les Russes mettaient au point un transporteur de plus de 90 mètres de long, capable d'emporter 100 tonnes de matériel en orbite rapprochée. Pour l'espace, l'ère du spectacle était révolue.

Le président Kennedy lançait donc l'Amérique dans la course à la Lune, afin de rétablir son prestige et sa souveraineté technique. En politique étrangère, ses motivations étaient de même nature : il fallait, surtout après l'humiliation de la baie des Cochons, qu'il trouve un secteur où il serait susceptible, à nouveau, de remporter d'éclatants succès. On rapporte qu'un membre du Conseil National de Sécurité lui avait dit : « Il est très important que le gouvernement mette à son crédit une victoire majeure contre le communisme... Ici (au Viêt-nam), les chances sont encore de notre côté. » Le 1er mai, deux semaines après la baie des Cochons, un rapport du département de la Défense esquissait un plan qui permettrait de « sauver » le Viêt-nam. Onze jours plus tard, Kennedy l'approuvait par le Mémorandum 52 ; ce document autorisait un certain nombre d'opérations dont le but était clairement défini : il s'agissait « d'empêcher l'emprise du communisme sur le sud du Viêt-nam ». Le mois suivant, à son retour du sommet de Vienne, où il avait rencontré Khrouchtchev, Kennedy disait à un journaliste : « Nous avons maintenant à rendre crédible notre puissance, et le Viêt-nam paraît être le meilleur endroit pour cela[63]. »

Pourtant, Kennedy ne mérite que partiellement le reproche généralisé qu'on lui a fait d'avoir engagé son pays dans la guerre. Il avait hérité d'une crise. Dès son entrée en fonction, on lui avait remis un document émanant d'Edward Lansdale — l'agent de la CIA décrit, en 1956, par Graham Green, dans son roman *Un Américain bien tranquille*. Ce texte décrivait une détérioration accélérée de la situation vietnamienne. « J'espère, dit le Président, qu'il n'y en a pas de pire que celui-là[64]. » La guerre d'Indochine avait commencé peu après la fin de l'occupation japonaise, et elle se poursuivit jusqu'aux années 80. Aucun événement de l'après-guerre n'a été entouré d'autant de mythologie. La situation était si complexe qu'elle avait de quoi déconcerter n'importe quel homme d'Etat occidental, et les Chinois eux-mêmes finirent par y perdre leur latin. Successivement, chacun des présidents américains y alla de sa part d'erreurs. Roosevelt, qui ne savait rien de ce pays, l'offrit à la Chine. Tout de suite après sa mort, les anticolonialistes fervents de l'Office des services stratégiques (précurseur de la CIA) se donnèrent beaucoup de mal pour installer, en Indochine, un régime nationaliste de gauche. Trois mois après la défaite japonaise, le dirigeant communiste Hô Chi Minh réalisa, avec l'appui de l'OSS, un putsch connu sous le nom de Révolution d'août, qui évinçait l'empereur démissionnaire du Viêt-nam. L'homme qui, en fait, avait donné la couronne à Hô était un agent de l'OSS, Archimèdes Patti[65].

Il est important de comprendre que l'Amérique n'eut jamais aucune ambition territoriale en Indochine ; elle n'entendait pas en faire une base stratégique, ni quoi que ce soit d'autre. Mais sa politique fut souvent confuse et toujours indécise. Dans sa première phase, elle était entièrement tournée vers l'Europe. Lorsque Truman devint président, on lui dit que la question indochinoise était en rapport avec la nécessité absolue de soutenir la France, qui représentait, en Europe, un facteur de stabilisation certain ; il fallait donc « l'aider moralement autant que physiquement à retrouver ses forces et son influence[66] ». Pour reprendre confiance en elle-même, la France avait besoin de rentrer en possession de son empire indochinois. Tel était l'argument de l'époque, et, en 1946, les Français forcèrent Hô Chi Minh à se réfugier dans

la jungle et ramenèrent l'empereur Bao Dai de Hong Kong. Avec réticence, les Américains finirent par entériner la décision française qui
créait 3 nations artificielles, le Laos, le Cambodge et le Viêt-nam. Le
7 février 1950, ils les reconnaissaient officiellement comme Etats indépendants, au sein de l'union française, pendant que la Chine et la Russie faisaient de même pour le régime de Hô Chi Minh. C'est à ce moment
que le conflit prit une dimension internationale. Les Russes et les Chinois se mirent à livrer des armes à Hô, puis, en mai, les Américains
en firent autant pour l'autre bord. Le mois suivant, la guerre de Corée
venait intensifier le programme d'aide américaine. En 1951, il s'élevait
à 21,8 millions de dollars sur le plan économique et à 425,7 millions
sur le plan militaire, mais, avant la fin de l'année suivante, l'aide militaire avait dépassé le chiffre de un demi-milliard ; elle entrait alors pour
40 % dans le total des dépenses françaises. Certains hauts fonctionnaires du département d'Etat mirent Dean Acheson en garde, car, disaient-
ils, « l'Amérique se rapproche, en Indochine, d'une position où ses responsabilités tendent à supplanter, plutôt qu'à seconder, celles de la
France ». Mais Acheson décida que « puisqu'on avait mis la main à la
pâte, on ne pouvait plus revenir en arrière ». La situation européenne
était trop dangereuse, disait-il, pour qu'on puisse envisager d'abandonner la France en Orient[67]. De 1953 à 1954, les Etats-Unis finançaient
80 % de l'effort de guerre français.

Puis, le 8 mai 1954, l'armée française perdit la forteresse de Diên
Biên Phu. L'aide russe et chinoise avait pris une ampleur qu'on n'avait
pas prévue, et c'est ce qui provoqua cette défaite. Les Français demandèrent la participation directe de l'aviation américaine ; elle leur fut
refusée. Ils formèrent alors, avec Pierre Mendès France, un gouvernement qui aurait à négocier le retrait de la France et les termes d'une
solution politique. L'accord fut signé à Genève, en juillet ; il prévoyait
que le pays serait, à la hauteur du 17e parallèle, divisé en deux moitiés,
les communistes occupant la partie Nord, et l'Occident le Sud ; l'unité
serait rétablie par le vote, dans un délai de deux ans, sous contrôle d'une
commission internationale.

C'est alors qu'Eisenhower manqua de son bon sens habituel ; on
pourrait même dire que c'est à lui, plus qu'à tout autre Américain, que
revient la responsabilité du gâchis vietnamien. Il aurait fallu contresi-
gner les accords et contraindre le dirigeant du Sud, Ngô Dinh Diêm,
à les observer. Si Hô l'avait emporté aux élections, si l'Indochine était
devenue, sous sa direction, un pays communiste, était-ce un tel désastre pour les Etats-Unis ? Dean Acheson lui-même, dans son célèbre discours du « périmètre », en janvier 1950, ne jugeait pas qu'un
gouvernement non communiste en Indochine fût essentiel au maintien
de la sécurité américaine[68]. George Kennan, dans un mémorandum du
21 août 1950, affirmait qu'il était « préférable de laisser les turbulents
courants politiques de ce pays se résoudre à leur propre niveau... même
au prix d'un accord entre le Viêt-nam et le Viêt-minh qui mettrait tout

le territoire sous l'autorité de ce dernier[69] ». C'était aussi l'avis d'Eisenhower. Il disait qu'il « ne pouvait concevoir de plus grande tragédie pour l'Amérique » que d'être impliquée dans un conflit majeur et répétait qu'il n'y aurait pas d'engagement. Si l'Amérique devait se commettre, ce ne serait qu'en vertu d'un accord constitutionnel explicite de la part du Congrès. Il joua de son influence auprès des chefs d'état-major, et finit, en mai 1954, par obtenir des assurances : « Aucun objectif militaire décisif n'existe, pour nous, en Indochine ; toute attribution à cette zone de contingents américains dépassant les besoins d'une simple représentation symbolique constituerait un sérieux détournement de disponibilités déjà limitées en d'autres lieux[70]. »

Mais Eisenhower était partagé. Ce fut également lui qui rendit populaire l'idée que, si l'on « perdait » le Viêt-nam, l'ensemble de l'Indochine ne tarderait pas à passer aux mains des communistes, et que cette absorption entraînerait inévitablement celle des autres pays d'Asie du Sud-Est. Il parlait de « bouchon dans la bouteille », de « réaction en chaîne », d'une « chute de dominos[71] ». Non content d'avoir rejeté la participation américaine aux accords de Genève, il appuyait Diêm dans son refus de se soumettre aux élections libres. Ce faisant, il s'éloignait radicalement de ce qui avait été la politique globale de l'Amérique pendant toute la guerre froide ; en effet, elle avait toujours soutenu que les conflits entre l'Est et l'Ouest ne devaient pas être résolus par la force armée, mais en faisant appel à d'honnêtes consultations électorales. Or, Diêm se voyait encourager à enfreindre ce principe de base ; il en était même récompensé par une aide économique et militaire qui, pour la première fois, lui était attribuée directement, et non plus par l'intermédiaire de la France. Ce fut donc Eisenhower qui commit, au Viêt-nam, le péché originel. A défaut d'élections unitaires, le Viêt-cong apparut en 1957, et la guerre reprit dans le Sud. Lors de sa dernière déclaration publique d'importance majeure, le 4 avril 1959, Eisenhower engageait l'Amérique à prendre parti : « La perte du Viêt-nam, disait-il, entraînerait un processus d'éboulement progressif qui pourrait, à terme, avoir des conséquences graves pour le pays et la liberté[72]. »

Lorsque Kennedy entra à la Maison-Blanche, le Viêt-nam était déjà, de tous les engagements militaires des Etats-Unis, le plus important et le plus coûteux. On a du mal à comprendre qu'il n'ait fait aucune tentative pour revenir aux accords de Genève et aux élections libres. A Paris, le 31 mai 1961, de Gaulle lui conseilla vivement le désengagement : « Je prédis que vous vous enfoncerez pas à pas dans un bourbier militaire et politique sans fond[73]. » Kennedy n'en autorisa pas moins, en novembre, l'envoi d'un premier contingent de 7 000 hommes, à titre de « sécurité de base ». Le général Maxwell Taylor, qui avait appuyé cette mesure, le prévint que si la situation s'aggravait, « il serait difficile de résister aux pressions exigeant le renforcement ». « Il n'y a pas de limites, ajoutait-il encore, à notre engagement potentiel[74] ». Kennedy partageait ces appréhensions, comme il ressort de ce qu'il dit à Arthur Schlesinger : « Les troupes défileront en musique, les foules applaudiront, et, en moins de quatre jours, tout le monde les aura oubliées. On nous dira d'en envoyer d'autres. C'est comme pour la boisson : vous buvez un coup, l'effet s'efface, et il vous en faut un autre[75]. » Kennedy voyait juste. Son instinct l'aurait porté soit à éviter l'engagement, soit à mettre les choses au clair en attaquant directement Hanoi. A ce stade, une invasion du Nord était encore possible, et elle aurait réussi, restituant la situation de 1954 et permettant un retour aux accords de Genève. Fondamentalement, on ne pouvait opposer aucune objection morale à cette ligne d'action, car, en 1961, le Nord avait bel et bien commencé à envahir le Sud. Lorsqu'on analyse cette longue tragédie indochinoise, il ne faut jamais perdre de vue que c'est la détermination de Hô Chi Minh, celle de ses collègues et de ses successeurs, qui constitue la dynamique principale du conflit et la cause initiale de tout le sang versé. Les erreurs de l'Amérique ne firent qu'y contribuer, ce qui, par ailleurs, n'en diminue aucunement la gravité. Kennedy ne voulait ni abandonner le pays à son sort ni porter la guerre dans le Nord ; il adopta un compromis sans espoir : dispenser à un gouvernement dépendant mais impossible à contrôler une aide militaire sans cesse accrue, jamais décisive pourtant. Diêm était de loin le plus capable des dirigeants vietnamiens, et il avait le grand mérite d'être un civil. Le vice-président Lyndon Johnson put dire de lui, avec quelque exagération, qu'il était le « Churchill de l'Asie du Sud-Est », ou bien, s'adressant à un journaliste : « Merde, mon vieux, c'est le seul bonhomme que nous ayons là-bas[76] ! » Mais Kennedy, exaspéré de n'avoir pas remporté l'éclatant succès qu'il escomptait, avait tendance à en rejeter la responsabilité sur l'agent, plutôt que sur la politique elle-même. A l'automne 1963, il autorisa secrètement l'appui d'un coup d'Etat anti-Diêm. Celui-ci eut lieu le 1er novembre ; Diêm fut assassiné ; la CIA avait dépensé 42 000 dollars en pots-de-vin destinés aux militaires de la junte. Ce fut le deuxième péché capital de l'Amérique — selon Lyndon Johnson : « la plus grave erreur que nous ayons jamais faite[77] ». Trois semaines plus tard, Kennedy était assassiné à son tour, et Johnson devenait président.

Il ne se montra guère plus ferme que son prédécesseur, dont il continua plus ou moins la politique de compromis jusqu'en août 1964. C'est alors que le Viêt-nam du Nord attaqua, dans le golfe du Tonkin, des destroyers américains. Il n'est pas prouvé que cet incident ait été, comme on l'a prétendu par la suite, une provocation délibérée destinée à obliger les Américains à s'enferrer dans la guerre[78]. Johnson se montrait très réticent devant l'éventualité d'une escalade ; il venait d'engager, sur le thème de la paix, sa campagne électorale contre Barry Goldwater qui voulait, lui, que l'on se serve des armes nucléaires pour mettre fin au conflit vietnamien. Mais le Congrès n'hésita pas : il vota aussitôt une décision autorisant le Président à prendre les mesures les plus énergiques pour protéger les forces américaines. C'était ce qu'on appela par la suite la Résolution du golfe du Tonkin. Elle fut emportée par une écrasante majorité de 535 voix contre 2 opposants seulement, les sénateurs Wayne Morse et Ernest Gruening. Selon le sénateur William Fulbright, rapporteur de cette motion qui comptait alors parmi les partisans de la guerre, le Congrès ne faisait rien moins que de donner les pleins pouvoirs à Johnson. Pendant six mois, il n'en fit aucun usage. Puis, ayant emporté une brillante victoire électorale sur la base d'une opposition à l'escalade du Viêt-nam, il s'empressa, comme Wilson et Roosevelt avant lui, de faire le contraire de ce qu'il avait promis. En février 1965, l'attaque d'une caserne par le Viêt-cong causa de lourdes pertes aux forces américaines, et Johnson ordonna le bombardement du Nord[79].

Ce fut la troisième erreur critique des Etats-Unis. S'étant engagée, l'Amérique aurait dû suivre sa logique jusqu'au bout : occuper le Viêt-nam du Nord était la meilleure réponse qu'elle pouvait faire à son agression. Les bombardements, en revanche, ne représentaient qu'une solution de faiblesse, absolument caractéristique de l'irrésolution dont la politique américaine ne cessa de donner des preuves tout au long de cette tragique histoire. Dès lors que les appareils de Da Nang avaient commencé à bombarder le Nord, il fallait, inévitablement, protéger la base. Le 8 mars, on y débarquait 3 500 marines. En avril, les effectifs atteignaient 82 000 hommes. En juin, on exigeait 44 bataillons supplémentaires. Le 28 juillet, Johnson disait : « J'envoie ce jour au Viêt-nam la division aéroportée et d'autres troupes qui porteront nos effectifs de combat... à 125 000 hommes, presque sans délai. Par la suite, il sera nécessaire d'y ajouter d'autres contingents, qui seront envoyés là-bas en temps utile[80]. » Contrairement aux prévisions de Kennedy, les militaires ne cherchèrent nullement à dissimuler leurs intentions. Le rapport des chefs d'état-major, en date du 14 juillet, est sans détour : « Il n'y a aucune raison pour que nous ne gagnions pas la guerre si telle est notre volonté — et *si cette volonté s'inscrit dans la stratégie et les opérations tactiques.* » Cette phrase était soulignée dans le texte original[81]. L'un des auteurs de ce rapport était le général Wheeler. « Bus, lui demanda Johnson, qu'est-ce qu'il vous faut pour en finir ? » Réponse du général : « De 700 000 à 1 million d'hommes et sept années[82]. » Johnson entra en guerre les yeux grands ouverts. « Après Alamo, dit-il, personne ne pensait que Sam Houston s'en tirerait si vite[83]. »

Mais Johnson n'avait rien d'un Houston. Même pour les bombardements, il se montrait hésitant. L'aviation lui assura des résultats certains si l'offensive était importante, rapide, constamment répétée, et qu'elle n'était soumise à aucune restriction, car telle était bien la leçon de la dernière guerre. En revanche, ils ne promettaient rien si elle était lente et restreinte[84]. Or, c'est exactement ce que Johnson allait choisir et, du commencement à la fin, les bombardements restèrent limités pour des raisons strictement politiques. Chaque mardi, il y avait, chez le Président, un déjeuner où l'on décidait des objectifs et des tonnages de bombe ; on retrouvait une attitude toute semblable à celle d'Eden au moment de Suez. Johnson n'était pas du tout l'homme impitoyable qu'il aimait à paraître en public ; il fut, au contraire, paralysé par des scrupules moraux. Comme Doris Kearn le fait remarquer avec finesse dans sa biographie du Président : « Les bombardements limités avaient le caractère d'une pressante séduction plutôt que celui d'un viol ; la séduction est contrôlable, elle peut même être inversée[85]. » L'offensive ne s'intensifia que très lentement, et le Viêt-minh eut le temps de s'y adapter et de creuser des abris. Lorsque l'URSS se mit à installer des missiles défensifs, les bombardiers ne furent pas autorisés à attaquer les sites en construction. Il y eut 16 « trêves de bombes », dont aucune ne produisit le moindre effet, et 72 « initiatives de paix » qui ne furent pas entendues[86]. A l'inverse des Américains, les dirigeants du Viêt-nam du Nord ne fléchirent jamais dans leur détermination d'atteindre, à quelque prix que ce soit, leur but politique, qui était de dominer intégralement le pays. Ils ne semblent pas avoir été influencés en quoi que ce soit par les pertes que leurs sujets subissaient ou infligeaient aux autres. Il y a donc une amère ironie à ce qu'on ait pu lancer contre l'Amérique l'accusation de génocide. Un examen des archives classées du Pentagone montre que les imputations faites en 1967 par le Tribunal international des crimes de guerre, à Stockholm, étaient absolument dénuées de fondement. L'évacuation des civils dans les zones de feu, destinée à dégager des aires de « combat libre », sauva, en fait, de nombreuses vies humaines, et l'on notera qu'elles étaient expressément recommandées par la Convention de Genève de 1949. La forte mortalité dans les zones civiles résulta d'une tactique du Viêt-cong, consistant à transformer les villages en places fortes, chose qui constitue, par contre, une violation des accords en question. Les restrictions imposées aux bombardements américains avaient pour but de protéger les vies et les propriétés des civils, et c'est ce qui les rendit parfaitement inefficaces. La proportion de civils tués représentait environ 45 % de l'ensemble des morts, ce qui est une moyenne pour une guerre du XXe siècle, mais, en fait, la population augmenta de façon régulière pendant tout le conflit, chose qu'on peut attribuer dans une large mesure aux programmes médicaux des Américains. Dans le Sud, le niveau de vie moyen connut une augmentation rapide[87].

Comme l'histoire du XXe siècle l'a trop souvent démontré, les restrictions que peut s'imposer, au nom de la civilisation, un pays dominant sont inutiles. Pis encore, elles sont interprétées, aussi bien par ses amis que par ses ennemis, non pas comme des signes d'humanité, mais comme la preuve d'un sentiment de culpabilité, comme un manque de conviction quant à la justice de la cause défendue. Malgré ces mesures — et même à cause d'elles —, Johnson perdit la bataille sur le plan de la propagande, non seulement dans tout l'Occident, mais particulièrement, et c'était le plus grave, dans son propre pays. A l'origine, la guerre du Viêt-nam faisait l'objet, parmi les libéraux de tendance modérée, d'un véritable consensus. Ainsi, le *Washington Post* pouvait écrire, en date du 7 avril 1961 : « Les Etats-Unis ont grandement intérêt à défendre le Viêt-nam. L'effort entrepris pour protéger le peuple vietnamien contre l'absorption communiste exerce une notable incidence sur le prestige de l'Amérique. » Selon le *New York Times*, encore, en date du 12 mars 1963 : « Le prix qu'il faut payer [pour sauver le Viêt-nam] est élevé, mais la domination éventuelle de toute l'Asie du Sud-Est par la Russie et la Chine communiste coûterait plus cher encore. » Le 21 mars 1964, ce même journal ajoutait : « Si nous faisons voir que nous sommes prêts à entreprendre tous les efforts militaires et politiques nécessaires (pour empêcher la victoire du communisme), tôt ou tard, il faudra que les communistes eux-mêmes voient les choses comme elles sont. » Le 1er juin 1964, le magazine *Post* insistait également dans ce sens : l'Amérique devait persévérer et démontrer, au Viêt-nam que « l'agression, à la longue, était stérile, voire mortelle. » Mais le *Times* se désolidarisa de Johnson au début de 1966 et *Post* pendant l'été 1967[88]. Vers la même époque, les différentes chaînes de télévision devinrent neutres, puis de plus en plus hostiles.

Ce que le gouvernement avait à craindre, ce n'était pas tant les critiques de la presse qu'une certaine façon tendancieuse de présenter les nouvelles ; il y eut, en effet, de nombreux cas où les médias firent preuve d'une extrême partialité. Le plus souvent, on les avait induits en erreur, volontairement et avec beaucoup d'habileté, mais ils se fourvoyaient aussi de leur propre chef. Une photographie où l'on voyait un « prisonnier » qu'un hélicoptère venait de jeter dans le vide reçut, en son temps, une large publicité, mais il se révéla que c'était un faux ; les récits décrivant les « cages à tigres » de l'île de Can Son étaient inexacts et exagérés pour les rendre plus sensationnels ; une autre photo, qui fut très souvent reproduite, montrait une petite fille brûlée par le napalm, créant l'impression fausse que l'Amérique infligeait de telles horreurs à des milliers d'enfants[89].

Chose plus grave encore, les médias exprimaient de plus en plus souvent l'idée que la victoire du Viêt-cong était inévitable, tendance qui atteignit son point critique dans la manière dont fut traitée, le 30 janvier 1968, l'offensive du Têt. C'était la première fois que les communistes attaquaient en grand et à découvert ; il s'agissait de remporter un succès tactique complet et de déclencher une insurrection massive de la population, mais ce fut un échec sur les deux tableaux. Au cours de ce premier affrontement classique, le Viêt-cong subit de lourdes pertes, et son armée s'en trouva grandement affaiblie[90], mais, selon les médias, et surtout pour la télévision, c'était une victoire décisive de l'ennemi, un Diên Biên Phu américain. Le traitement de cette affaire devait faire l'objet d'une étude approfondie qui parut en 1977 ; elle montre avec précision comment une telle inversion des faits réels a pu se produire, le plus souvent sans intention délibérée de la part de ses auteurs[91]. Ce fut cette image, et non la réalité du Têt, qui exerça sans doute une influence décisive, surtout sur les libéraux les plus influents de la côte Est, mais la majorité de l'opinion américaine ne cessa d'appuyer fortement cette guerre, qui fut toujours mieux acceptée que celle de Corée. Selon les sondages, la seule catégorie résolument hostile fut celle que l'on définissait comme « le sous-groupe juif [92] », et la popularité de Johnson gagnait des points chaque fois qu'il augmentait la pression. Elle monta de 14 % lorsque commencèrent les bombardements [93]. Tant que dura le conflit, les critiques de Johnson furent toujours les plus nombreuses dans le camp de ceux qui lui reprochaient d'en faire trop peu. L'idée qu'il y eut un grand mouvement d'opinion contre la guerre, et, surtout, l'axiome selon lequel la majorité des jeunes s'y seraient opposés, est une pure invention. En fait, jusqu'à l'élection de 1968, où la décision était déjà prise, le retrait américain n'eut jamais la faveur de plus de 20 % de la population, et les moins de trente-cinq ans furent toujours les plus nombreux à appuyer l'intensification de la guerre ; la catégorie qui demeura la plus constante dans cette opinion était celle des jeunes gens de sexe masculin et de race blanche [94].

Ce ne fut donc pas le peuple qui perdit courage, face aux sacrifices que Kennedy avait annoncés dans son discours inaugural, mais bien les dirigeants américains. Au cours des derniers mois de 1967, et surtout après le Têt, il y eut, dans les cercles gouvernementaux, une sorte d'effondrement. Le secrétaire de la Défense, Clark Clifford, devint un opposant de la guerre, de même que le vieux Dean Acheson, et la ligne dure du Sénat commença, elle aussi, à refuser les renforts [95]. Johnson, qui avait commencé, sans grande assurance, sa campagne pour un nouveau mandat, vit ses voix chuter, le 12 mars 1968, à l'élection primaire du New Hampshire, et perdit la foi à son tour. Il baissa les armes dans l'arène électorale, annonçant qu'il passerait le reste de sa présidence à rétablir la paix. Ce n'était pas la fin de la guerre, mais celle de l'effort, de la volonté même de l'Amérique. Sa classe dirigeante avait eu le tort de croire ce qu'elle lisait dans les journaux, et elle vit, dans l'élection du New Hampshire, une victoire de la tendance pacifiste, alors que, en fait, il y avait, parmi les opposants de Johnson, davantage de faucons que de colombes [96]. Si le Président perdit alors des voix, et s'il perdit aussi la guerre, c'est qu'il ne s'était pas montré assez dur.

Il y avait, toutefois, un autre facteur, bien plus sinistre, celui-là, dans ce K.O. d'un Président qui avait eu pour slogan : « Jusqu'au bout avec LBJ ! » En mars 1968, le Commandement avait demandé un renfort supplémentaire de 206 000 hommes et le secrétaire du Trésor, Henry Fowler, avait vivement protesté : si l'on acceptait, ce serait au détriment des autres programmes de défense et même des principaux programmes intérieurs ; dans un cas comme dans l'autre, le dollar allait en souffrir [97]. On songe, aussitôt, à l'intervention glaçante de McMillan lors du débat ministériel sur Suez. Ce fut un tournant significatif dans l'histoire de l'Amérique car, pour la première fois, la grande république, la nation la plus riche de la Terre, voyait le bout de ses ressources financières.

Pour Johnson lui-même, cette mise en garde constituait un choc amer car, plus que Kennedy, plus peut-être qu'aucun autre Américain, il s'était complu dans l'illusion des années 60. Personne n'avait cru avec autant de passion à la puissance de l'Occident, aux capacités illimitées de l'économie américaine. Il n'était pas seulement l'un des derniers grands dépensiers de cette époque, mais aussi le plus prodigue de tous ; il entretenait, disait-il, son budget intérieur comme une « belle femme ». Les aveux qu'il fit à sa biographe en témoignent : « J'étais décidé à être le dirigeant de la guerre *et* de la paix, je voulais les deux à la fois, je croyais que les ressources américaines allaient être suffisantes pour alimenter les deux secteurs en même temps[98] ». A l'époque de Truman et d'Eisenhower, la Défense était restée le poste le plus important du budget fédéral, et le logement, l'éducation, le social, toutes les autres « ressources humaines », comme on les appelait alors, ne représentaient qu'un quart des dépenses, moins de 5 % du PNB. Sauf pendant une année d'importante récession, des efforts avaient été faits pour équilibrer le budget. Jusqu'au départ d'Eisenhower, les finances publiques de l'Amérique avaient donc toujours été gérées, pour l'essentiel, d'une manière très classique.

Le grand changement de politique budgétaire intervint sous Kennedy, et, plus précisément, à l'automne 1962, lorsque le gouvernement adopta un principe nouveau, d'ailleurs préconisé par la gauche, qui consistait à créer un déficit même en l'absence de toute nécessité économique, le budget étant d'avance déficitaire et l'économie en expansion. S'étant ainsi ménagé une marge financière, Kennedy introduisit dans sa politique un concept neuf, celui du « grand gouvernement », de « l'éliminateur de problèmes ». Tous les secteurs de la misère humaine étant classés comme autant de « problèmes », et le gouvernement fédéral pouvait donc s'armer pour y faire face, pour les « éliminer ». Le « problème de la pauvreté » était devenu, au début des années 60, un sujet à la mode, grâce au best-seller de Michael Harrington *L'autre Amérique*, paru en 1962, qui avait choqué, mais aussi stimulé le président Kennedy. En 1963, il lança, en même temps qu'une masse d'autres mesures législatives fort coûteuses, son « programme de la pauvreté ». Il éprouva d'abord quelques difficultés à habituer le Congrès à ses idées expansionnistes, et ses propositions avaient tendance à s'accumuler avant de passer à l'ordre du jour, mais cette résistance avait déjà commencé à faiblir de son vivant[99] ; puis, l'assassinat de Kennedy permit à Lyndon Johnson de jouer sur les réactions affectives ; il avait toujours été (et il continua à l'être) exceptionnellement doué pour mener un projet devant les congressistes, et il parvint alors à faire voter les programmes les plus coûteux de toute l'histoire des Etats-Unis.

Le 8 janvier 1968, lors de sa première allocution aux Etats de l'Union, Johnson déclarait : « En ce jour, ici et maintenant, le gouvernement déclare une guerre inconditionnelle à la pauvreté. » Lorsqu'il signa, le 20 août 1964, la première proposition de cette campagne, celle de l'« Egalité des chances pour tous », il devait dire, encore, avec fierté : « Aujourd'hui, pour la première fois dans l'histoire de l'humanité, une grande nation s'engage volontairement à éradiquer la pauvreté de son peuple , et se montre capable de le faire [100]. » Cet été-là fut celui de sa campagne électorale, et c'est alors qu'il donna forme à cette « belle femme » qu'il allait courtiser, c'était la « Grande Société ». L'Amérique, disait-il, devait acquérir « la sagesse d'utiliser ses ressources à l'enrichissement comme à l'élévation de la vie nationale », elle devait accéder « non pas seulement au statut d'une société riche et puissante, mais plus haut encore, à celui de la Grande Société », qui reposait sur « l'abondance et la liberté pour tous », où « chaque enfant aurait accès au savoir qui lui permettrait d'enrichir son esprit et de développer ses talents », où chacun pourrait satisfaire « à la fois son désir de beauté et son besoin d'être inclus dans la communauté [101] ».

La Grande Société devait être sanctionnée par l'élection de 1964, que Johnson emporta très largement, contre un adversaire exceptionnellement faible, et ce fut un véritable défilé de lois nouvelles : le projet d'Education élémentaire et secondaire, celui des Soins médicaux, celui des Augmentations locatives, et divers autres concernant la propriété. La période du 20 au 27 juillet fut, selon Johnson, « la semaine historique la plus productive que Washington ait connue, sur le plan législatif, depuis le début du siècle ». « Ils disent que Jack Kennedy avait de la classe, grognait-il, mais c'est moi qui ai fait passer les lois. » Selon le commentaire extatique du journaliste libéral Tom Wicker, dans le _New York Times_ : « Washington, en ce moment, nous sort des projets de loi de la même manière que les chaînes de montage de Detroit, quand elles s'appliquent à nous produire des autos somptueuses et supercalibrées. » La première session du 89e Congrès fut effectivement la plus productive qu'il y ait eu, sur le plan des législations nouvelles, depuis le début du mandat de Woodrow Wilson. Les sondages de popularité proclamaient Johnson gagnant à 68 %, le chiffre le plus élevé qu'un Président ait jamais connu, et 207 de ses projets furent adoptés ; c'étaient, disait-il, « les briques dont se construisait l'Amérique de l'avenir [102] ». Il établit un parallèle conscient en se servant — ce qui constituait pour lui un exercice d'idéalisme — de nombreuses métaphores militaires. Il créa des « forces de travail », il dit aux bureaucrates du Logement : « Je vais vous faire passer de l'état de généraux ronds-de-cuir à celui de stratèges de première ligne. » Il y avait un corps de la Jeunesse pour les « voisinages », un corps de l'Emploi pour les chômeurs chroniques, une Avant-Garde pour les enfants d'âge préscolaire, un Grand Large pour les étudiants, une quantité d'autres plans d'action et d'organisation les plus divers. Les coûts montèrent en flèche : 30 milliards de dollars par an pour le premier programme contre la pauvreté, auxquels devaient s'ajouter bientôt 30 nouveaux milliards, dès la fin de l'année politique[103]. Ces sommes ne tardèrent pas à faire partie intégrante des dépenses fédérales, si bien qu'il était impossible de les réduire. En 1971, grâce à Johnson, et pour la première fois, le social prit de l'avance sur la défense. Entre 1949 et 1979, ce dernier se multipliait par 10, passant de 11,5 milliards à 114,5 milliards, mais restant dans les limites de 5 % du produit national. Dans le même temps, les dépenses sociales se multipliaient, quant à elles, par 20, passant de 10,6 milliards à 259 milliards, dépassant la moitié du budget fédéral, tandis que leur rapport au produit national triplait, atteignant presque 12 %[104].

Cet énorme changement dans les dépenses et les buts mêmes du gouvernement central commença à provoquer des tensions avant même que le mandat de Johnson n'arrive à son terme, mais lorsqu'on y fut arrivé, la part du produit national que s'attribuait l'Etat était passée de 28,7 % sous Eisenhower à 33 %, et le contrôle du Trésor s'évanouissait en fumée. Au temps d'Eisenhower, le très efficace bureau du Budget (il conserva ce nom jusqu'en 1970) fonctionnait encore de la manière qu'avait conçue Harding, son fondateur, c'est-à-dire qu'il était une sorte d'agence agissant en toute objectivité, un peu comme une cour de justice, et dont le but était de surveiller l'ensemble des dépenses. Kennedy, de façon bien typique, le politisa, et sous Johnson il devint franchement activiste ; son directeur était alors choisi parmi ceux qui partageaient les nouvelles valeurs et la doctrine des grandes dépenses[105]. Le Congrès, de son côté, voulait bien voter les lois mais se montrait nettement plus réticent quand il s'agissait d'impôts destinés à alimenter leur application. Johnson se querellait amèrement avec le principal financier de la Chambre, Wilbur Mills, ainsi qu'avec le dirigeant républicain Gérald Ford. Ne parvenant pas à tirer de l'argent du fisc, il se mit à en imprimer. Sa crainte de l'inflation et son incapacité à y faire face sont à compter parmi les facteurs cachés qui l'amenèrent, en 1968, à quitter la vie publique. « J'ai dit à Mills que même s'il ne s'en rendait pas compte, l'économie du pays était en train de foutre le camp[106]. »

Quelques-unes de ses propres illusions quant aux vertus des grosses dépenses commençaient alors à se lézarder. Il n'était plus certain que les résultats puissent justifier l'impact nuisible qu'ils exerçaient sur l'économie. La plus importante, et certainement la plus permanente de ces conséquences, était d'ailleurs involontaire : la part du gouvernement dans l'emploi national avait doublé, et, en 1976, 1 travailleur sur 6, soit un total de 13 millions de personnes, émargeait directement à Washington, mais le bénéfice de ce déplacement d'emplois allait avant tout aux classes moyennes. Johnson prétendit que, pendant son mandat, sur les 35 millions qui étaient « prisonniers de la pauvreté », il en avait extrait 12,4 millions, c'est-à-dire près de 36 %[107]. Mais ce n'était qu'une des façons dont on pouvait interpréter les statistiques. A mesure que le niveau de vie s'élevait, la définition de la pauvreté changeait avec lui, et les pauvres se sentaient toujours tels, même s'ils avaient connu une certaine évolution de leurs revenus. Le type d'Etat providence que

Johnson s'activait à créer présentait un grave danger, car il excluait de façon permanente du circuit de production toute une catégorie de gens, qui devenaient des assistés. Il se produisait une division des familles, que des personnes âgées aient cessé de vivre ensemble ou à la suite de divorce; les revenus n'étaient plus partagés, et c'était assez pour augmenter la pauvreté [108]. La législation elle -même était souvent responsable de ce processus. Ainsi, on a pu compter parmi les causes isolées de pauvreté l'extrême instabilité des mariages entre Noirs. Daniel P. Moynihan, secrétaire adjoint du Travail au gouvernement Johnson, assurait, dans le rapport Moynihan de mars 1965, que la majorité de la population noire souffrait d'une « pathologie sociale », principalement d'origine familiale, puisqu'un nombre désolant de pères avait tendance à abandonner leurs femmes et leurs enfants. La meilleure politique possible eût été d'« aider à l'établissement de structures familiales stables » [109], mais c'était l'inverse qui se produisait : en vertu du système d'assistance, il était rentable pour les membres d'une famille pauvre de se séparer. Peu de temps avant le départ de Johnson, Moynihan en était venu à dire que tout le programme avait été à la fois mal conçu et mal dirigé [110].

Plus tragique et plus pénible encore était la perte des illusions qu'on s'était faites au sujet de l'éducation car elles avaient été le principal mirage de la décennie. L'ancienne croyance libérale, répandue par MacAulay, voulait qu'elle fût le seul moyen de rendre la démocratie tolérable. H.G. Wells, cet inventeur accompli de clichés progressistes, avait défini toute l'histoire des Temps modernes comme une « course entre l'éducation et la catastrophe ». La nation qui avait pris Hitler sur son cœur et mené avec une application passionnée la plus épouvantable des guerres était, sans conteste, la mieux éduquée du monde, mais la foi des libéraux avait survécu à cette triste réalité. Vers 1950, le mythe de l'éducation miracle était plus fort que jamais, et personne n'y croyait plus dévotement que Johnson. Lorsqu'il fut président, il put dire avec ferveur : « La réponse à tous nos problèmes tient en un seul mot, éducation [111]. »

Il ne faisait que refléter l'opinion générale des sages de son temps. C.P.Snow assurait qu'il y avait un lien direct entre la quantité d'argent qu'un pays investissait dans son éducation supérieure et son produit national [112]. E.F. Denison démontrait que, sur trois décennies, de 1930 à 1960, la croissance de l'Amérique s'expliquait par l'expansion de l'éducation, et, surtout, par la multiplication des universités, pendant que Fritz Machulp, dans la même année 1962, calculait que « l'industrie du savoir » entrait pour 29 % dans le produit national des Etats-Unis, et que sa croissance était 2 fois plus rapide que celle de l'ensemble de l'économie [113]. Aux conférences Godkin de Harvard, en 1963, Clark Kerr, président de Berkeley et principal universitaire américain à détenir des fonctions politiques, affirmait lui aussi, que le savoir constituait désormais « un secteur de pointe » dans le développement économique. « Ce que le chemin de fer a fait pour la seconde moitié du XIXᵉ siècle, ajouta-t-il, ce que l'automobile a fait pour la première moitié du XXᵉ, il revient sans doute à l'industrie du savoir de le réaliser pour la fin de ces siècles ; c'est elle qui doit servir de point focal à la croissance nationale [114]. »

Munies d'un tel arrière-plan académique, les années 60 allaient devenir la décennie la plus explosive de toute l'histoire de l'éducation. En Amérique, le processus avait commencé, en 1944, par une loi autorisant l'affectation de fonds publics à l'éducation supérieure des GI vétérans de la guerre ; elle fut reconduite pour englober les retours de Corée. En 1958, la loi sur l'Éducation et la Défense nationale doubla la part du budget fédéral destinée à l'éducation, et, pour la première fois, en attribua la dynamique financière au gouvernement central de Washington. Le nombre des enseignants d'État passa de 1 million en 1950 à 2,3 millions en 1970, et les dépenses, par personne, augmentèrent de 100 %. La croissance du secteur de l'éducation supérieure était d'autant plus marquée que, de l'avis général, elle devait maintenant être ouverte à tous. « La question la plus importante, disait un rapport officiel, n'est pas de savoir qui mérite d'y être admis », mais plutôt « si la société, en toute conscience, et dans son propre intérêt, peut en exclure qui que ce soit ». On ne pouvait, « en toute justice », refuser une éducation universitaire à quiconque, « à moins que ses déficiences ne fussent si profondes » que « même les institutions les plus flexibles et les plus dévouées à leur tâche éducative » ne parviennent pas à lui venir en aide [115]. Ce phénomène était d'ailleurs universel en Occident. En Grande-Bretagne, le rapport Robbins avait doublé le nombre des places disponibles dans les universités, si bien qu'en 1981 il y avait 2 millions d'étudiants. Une expansion du même ordre se manifestait en France, au Canada, en Australie, en Allemagne de l'Ouest et dans d'autres pays encore. L'expérience américaine restait la plus frappante à cause de l'importance des chiffres qu'elle mettait en jeu. Entre 1960 et 1975, le nombre des collèges et des universités était passé de 2 040 à 3 055 ; pendant l'« âge d'or » de l'expansion, il s'ouvrait un établissement universitaire par semaine. Il y eut 3,6 millions d'étudiants en 1960 et 9,4 millions en 1975, le secteur public étant responsable de la plus grande part de cette augmentation, soit 4 millions. En y incluant les étudiants non diplômés, on dépassait, en 1975, le chiffre de 11 millions, et le coût annuel de cet effort atteignait 45 milliards de dollars [116].

De ce vaste investissement dans les ressources humaines, on attendait avec confiance qu'il stimule davantage encore la croissance économique, mais on pensait aussi qu'il aurait des conséquences sociales et morales, en favorisant l'embourgeoisement des classes laborieuses. Selon Clark Kerr, il contribuerait à former « une démocratie des classes moyennes... avec toutes les libertés que cela comporte », la « vague de l'avenir » assurant ainsi une satisfaction générale et, par voie de conséquence, la stabilité politique, tout cela venait se porter à l'appui du système de capitalisme éclairé qui en était responsable. En fait, ce fut l'inverse qui se produisit. Au niveau préuniversitaire, à mesure que la dépense doublait, puis triplait, les résultats scolaires et universitaires connaissaient une chute sensible. On s'était attendu, certes, à une certaine baisse de niveau lorsque le système aurait à absorber d'importants groupes minoritaires, mais on n'avait pas prévu qu'elle serait d'une telle ampleur. Les meilleurs tests des années 1963 à 1977 faisaient ressortir, pour une échelle de 800 points, une baisse de 49 points dans les aptitudes verbales et de 32 pour les mathématiques[117]. Au milieu des années 70, une véritable épidémie de rapports annonça sombrement qu'une expansion accrue de l'effort éducatif et des dépenses qu'elle entraînait ne semblait contribuer en rien à la solution des problèmes sociaux[118]. En dépit d'une scolarisation généralisée, la criminalité augmentait inexorablement parmi les jeunes. Dans la seconde moitié de la décennie, l'opinion cessa d'appuyer l'éducation, et les municipalités, comme les Etats, se mirent à pratiquer des coupes sombres dans les rangs du personnel enseignant. La fin de la poussée démographique d'après-guerre n'était pas le seul facteur en cause; il y avait avant tout une perte de confiance dans les vertus économiques du système. La période de 1970 à 1978 vit la fermeture, dans le secteur public, de 2 800 écoles et collèges, et c'était la première fois, dans l'histoire des Etats-Unis, qu'on assistait à une pareille chose. On pensait que, vers le milieu des années 80, les embauches d'enseignants dans le secteur public allaient connaître une baisse de près de 4 millions de personnes[119]. En 1978, la scolarité moyenne des travailleurs américains était d'environ 12,5 ans et 17 % d'entre eux étaient diplômés, mais pour ces derniers, et surtout pour les femmes, il devenait de plus en plus difficile de trouver des débouchés, que ce soit, d'ailleurs, comme cadres ou comme employés. Le rapport entre le nombre d'années consacrées à l'éducation et les salaires faisait preuve d'une baisse rapide, et l'on s'aperçut que l'égalité des chances au niveau de l'accès au savoir n'entraînait nullement une égalité parallèle chez les adultes[120]. C'est ainsi que l'attrait exercé par l'Université finit par diminuer à son tour : parmi les jeunes gens du sexe masculin, la proportion d'inscrits aux collèges universitaires avait atteint rapidement 44 % en 1960, puis elle retomba à 34 % en 1974, et les chiffres s'égalisèrent au même niveau pour les femmes.

Par ailleurs, loin de favoriser la stabilité sociale, l'expansion de l'éducation produisait des effets radicalement contraires, Joseph Schumpeter était de ceux qui l'avaient pressenti. Né la même année que Keynes, il pouvait disputer à ce dernier le titre de plus grand économiste des Temps modernes, et son opinion sur cette question avait été exprimée dans un article qu'il fit paraître dès les années 20. Il allait, en 1942, la développer dans un ouvrage intitulé *Capitalisme, Socialisme et Démocratie,* dont le principal argument était que le capitalisme tend à s'autodétruire de plusieurs façons différentes. Parmi celles-ci, il y avait, selon lui, une propension à créer, puis à entretenir, à cause de l'attachement du système à la liberté de pensée, une classe d'intellec- tuels sans cesse croissante, qui finissait inévitablement par jouer un rôle destructeur sur le plan social [121]. C'est ce qu'on avait omis de con- sidérer lors de l'expansion universitaire des années 50 et 60, bien que des effets de ce genre se soient déjà manifestés, dans une certaine mesure, au cours des années 30. Mais la thèse de Schumpeter s'avéra de façon indiscutable, pendant l'ère de Johnson. Dans l'opinion estu- diantine, les premiers signes d'un glissement à gauche s'étaient fait sen- tir dès 1958. Au printemps 1960, on assista, à San Francisco, aux premiers *sit-in* de protestation, il y eut des manifestations devant le siège des Activités antiaméricaines, puis celle des « vigiles » de la côte Ouest contre l'exécution d'un assassin à la mode, Caryl Chessmann. Les contestations se multipliaient, la préparation militaire, les serments d'allégeance, la séparation des sexes dans l'organisation intérieure des campus, tous furent successivement remis en cause, en même temps que d'autres questions relatives à la discipline intérieure ou aux droits des étudiants, et ces mouvements prirent rapidement les dimensions de véritables campagnes politiques.

Tout d'abord, cet activisme fut salué comme une marque de « maturité » et de « conscience », mais les signes avant-coureurs d'une violence autrement importante ne tardèrent pas à se manifester, au cours de « l'été de la liberté », en 1964. Ils eurent précisément pour théâ- tre Berkeley, l'université de Clak Kerr. Le « secteur de pointe » de l'éco- nomie prenait les devants dans un tout autre domaine, celui de la « révolte des étudiants ». Au mois de décembre, le gouvernement de la Californie avait dû faire appel aux brigades anti-insurrectionnelles, et Berkeley était devenu le principal campus « politique » du monde [122]. La Grande Société de Johnson n'avait eu d'autre effet que de jeter de l'huile sur ce feu grandissant, et, l'année suivante, 25000 étudiants enva- hissaient Washington pour protester contre la guerre du Viêt-nam. De 1966 à 1967, un nombre croissant de campus virèrent à gauche. « L'insurrection étudiante » devint un élément permanent de la culture universitaire, et les recteurs ne savaient y répondre que par le com- promis, la capitulation ou la démission. Le 23 avril 1968, à Columbia, l'une des plus grandes universités américaines, la violence destructrice atteignit des proportions sans précédent. Appelé sur les lieux, le pro- fesseur Archibald Cox, qui enseignait le droit à l'université de Harvard, se contenta d'afficher un optimisme béat, bien caractéristique de cette époque : « Les jeunes de la nouvelle génération universitaire, disait-il, sont les mieux informés, les plus intelligents et les plus idéalistes que le pays ait jamais connus. » Selon le commentaire amer de Lionel Tril- ling, ce que Cox « célébrait sous le nom de savoir et d'intelligence » n'était rien d'autre, en fait qu'un « ramassis d'attitudes ''progressistes'' toutes faites ». Cox, ajoutait-il, fondait son jugement non pas sur sa pro- pre compréhension ou sur son expérience, mais sur l'opinion que les jeunes avaient d'eux-mêmes, comme si leur assurance suffisait à leur donner raison[123].

Qu'ils aient été ou non les plus intelligents, ces jeunes furent sans conteste les plus destructeurs qu'on ait jamais vus. Les opinions complaisantes du genre de celle de Cox ne devaient pas survivre à l'été 1968, lorsque les folles émeutes des étudiants parisiens, en mai, eurent déclenché dans le monde entier, mais en Amérique plus qu'ailleurs, un nouveau cycle de violence plus ravageur encore. Selon l'Association nationale des étudiants, il n'y eut, en 1968, pas moins de 221 manifestations importantes dans les universités américaines[124]. La campagne d'Eugène McCarthy, qui devait, lors de l'élection du New Hampshire, porter un coup fatal à Johnson dans sa course à la présidence, fut organisée par la jeunesse de gauche. Mais ce « pouvoir étudiant » était essentiellement négatif. En août 1968, lors de la Convention démocrate de Chicago, les jeunes menèrent une bataille rangée contre 11 900 policiers de Daley, maire de la ville, 7 500 agents de la garde nationale de l'Illinois, et quelque 1 000 agents du FBI en civil. Les manifestants obtinrent un réel succès sur le plan des médias, car ceux-ci qualifièrent d'« émeute policière » les efforts déployés par Daley pour le maintien de l'ordre, mais ils ne purent provoquer la nomination de McCarthy ni empêcher Richard Nixon, l'homme qu'ils haïssaient le plus, d'être élu à la présidence. L'appui qu'ils apportèrent, en 1972, au candidat démocrate de leur choix, George McGovern, n'eut d'autre effet que d'assurer, par réaction, une écrasante majorité à Nixon.

La violence des étudiants n'eut d'autre résultat notoire que de porter tort à l'éducation supérieure américaine et de démoraliser les enseignants. Lors du discours présidentiel qu'il adressa, en 1971, à l'Association des langues vivantes, le professeur Louis Kampf put dire que, depuis 1968, « les jeunes entraient dans la profession avec crainte, les plus âgés attendaient impatiemment leur retraite, et ceux qui étaient en milieu de carrière souhaitaient vivement le répit d'une année sabbatique[125] ». Un universitaire allemand, Fritz Stern, notant au passage le « langage scatologique » des étudiants activistes, fit remarquer que c'était la seule chose qui constituait une nouveauté; pour le reste, on ne faisait que reproduire le comportement extrémiste des étudiants allemands qui, dans les années 30, contribuèrent à porter Hitler au pouvoir[126].

Cette promotion de la violence par une expansion, pétrie de bonnes intentions, de l'éducation supérieure, illustre parfaitement la « loi de l'effet inattendu ». Nous en trouvons un autre exemple dans les efforts que déployèrent successivement les présidents américains pour obtenir une plus grande justice à l'égard des Noirs car, dans ce domaine comme dans l'autre, on allait, pour la bonne cause, provoquer mort et destruction. Le problème se présentait sous trois aspects. En premier lieu, il fallait mettre fin à la ségrégation, surtout sur le plan éducatif; en deuxième lieu, il fallait assurer aux Noirs les moyens d'exercer leurs droits de vote ; enfin, il s'agissait d'amener leurs revenus à un niveau égal à celui des Blancs. On pensait que les deux premières équations étaient pratiquement résolues ; quant à la troisième, elle ne tarderait pas à l'être. En 1954, la Cour suprême avait passé un décret exigeant l'intégration totale dans le secteur public de l'éducation, mais il restait encore à obtenir que cette loi soit appliquée. En 1957, Orval Faubus, gouverneur de l'Arkansas, la défia ouvertement, et Eisenhower dut envoyer des troupes à Little Rock pour en assurer l'accomplissement. En 1962, Kennedy fit à nouveau appel à la troupe pour que James Meredith, seul postulant noir d'une institution qui avait été, jusque-là, blanche à 100 %, puisse assister aux cours de l'université du Mississippi. La politique de Kennedy était d'ailleurs de se servir du pouvoir de l'exécutif fédéral chaque fois qu'il s'agissait d'obtenir l'application d'une loi existante. L'inconvénient de ce procédé était de multiplier les confrontations publiques, ce qui ne tarda pas à entraîner la création d'un énorme mouvement de défense des droits civiques dont la plupart des libéraux blancs furent progressivement éliminés. Pour les Noirs, l'action physique semblait être la seule réponse valable, et, comme pour l'agitation provoquée par Gandhi en Inde, les manifestations avaient presque toujours tendance à dégénérer. La meilleure solution eût consisté à assurer rapidement le vote aux Noirs car, dès l'instant où les politiciens auraient eu besoin de leurs voix, ils auraient été prêts, même dans le Sud profond, à envisager des concessions. Eisenhower, en 1957 et en 1960, avait amené le Congrès à voter deux lois d'intégration civique assez faibles. Kennedy finit par en produire une nouvelle, plus énergique, cette fois, mais elle fut rejetée. Johnson eut davantage de succès, car c'est lui qui parvint à faire adopter, en 1964, la monumentale loi sur les Droits civiques, puis, tout de suite après sa victoire électorale de novembre, un projet qui allait devenir la loi des Droits de vote de 1965. Au Mississippi, dont la population de couleur était, avec 36 % de Noirs, plus élevée que dans tous les autres Etats, 6 % seulement arrivaient jusqu'aux urnes, par suite de divers tests et barrières administratives. Selon la nouvelle loi, il devenait possible de faire appliquer le règlement à la lettre sous la surveillance d'inspecteurs fédéraux, et, dans les trente jours qui suivirent son entrée en vigueur, le nombre des inscrits de race noire sur les listes électorales du Mississippi augmenta de 120 %. A la fin de 1970, ce pourcentage était devenu comparable à celui des Blancs — 71 % contre 82 % — et, en 1971, 50 Noirs furent élus à des postes officiels [127]. Au début des années 70, le vote des Noirs était devenu un facteur important dans de nombreux Etats du vieux Sud, ce qui détermina un changement notoire de l'ensemble de la politique sudiste [128].

Mais le vote ne pouvait, à lui seul, égaliser les revenus, pas plus, d'ailleurs, que les énormes quantités d'argent fédéral que Johnson déversait dans le puits sans fond du « problème noir ». Plus on semblait progresser, plus on libérait de fonds, plus la colère des Noirs montait.

Dans les années 50, et jusqu'au début des années 60, l'intervention fédérale avait pour but de les protéger contre la violence blanche, mais, au cours des manifestations organisées sous Kennedy, c'étaient eux qui allaient prendre l'initiative. La violence changea pour la première fois de bord le 10 mai 1962, à Birmingham, dans l'Alabama. Il y eut une émeute noire où la police fut contrainte de se défendre, et des magasins appartenant à des Blancs furent mis à sac. « Que toute cette ville de merde brûle ! s'écria l'un des meneurs, ça leur fera voir, à ces enfoirés de Blancs ! » Nouveau cri de guerre, nouvelle attitude dans la politique interraciale de l'Amérique, qui ne pouvait se limiter au Sud[129].

A la plus grande consternation de Johnson, l'ampleur et l'intensité de la violence noire croissaient de jour en jour, parallèlement à ses efforts vigoureux et efficaces pour assurer partout le respect des droits civiques et elle flambait surtout ailleurs que dans le Sud, dans les grandes villes. La première émeute à présenter un caractère franchement inquiétant par sa taille et sa virulence fut celle qui éclata à Brooklyn et à Harlem, le 18 juillet 1964, deux semaines, à peine, après l'adoption de la fameuse loi sur les Droits civiques, qui ouvrait les portes à une ère nouvelle. La violence se répandit jusqu'à Rochester, dans l'Etat de New York, jusqu'à Jersey City, Patterson et Elizabeth, dans le New Jersey, jusqu'au quartier de Dixmoor, à Chicago, et enfin jusqu'à Philadelphie. En août 1965, l'émeute de Watts, à Los Angeles, dura six jours, entraîna la mobilisation de 15 000 gardes nationaux, provoqua la mort de 34 personnes, fit 856 blessés et détruisit la valeur de 200 millions de dollars de biens privés. A partir de ce jour, les émeutes noires d'importance majeure allaient devenir, dans les quartiers centraux des grandes villes, un des traits dominants des années 60, s'établissant en contrepoint, ou parfois dans une sinistre harmonie, avec la violence des étudiants sur les campus. Les émeutes de Détroit, du 24 au 28 juillet 1967, peuvent être comptées parmi les plus graves qui aient jamais secoué l'Amérique. Elles tuèrent 43 personnes, et contraignirent Johnson, bouleversé, à faire intervenir le 18e régiment de parachutistes, dont le commandant put dire qu'il était entré dans une ville « saturée de peur[130] ». En 1968, alors que la guerre du Viêt-nam approchait d'une difficile apogée, alors que les étudiants s'insurgeaient dans plus de 200 universités, alors que les Noirs mettaient le feu à quelques-unes des plus grandes cités, on ne pouvait plus douter de l'échec de Johnson. Sa décision de ne pas se représenter aux élections était l'aveu de sa défaite. Il fut la première grande victime de l'illusion des années 60, mais non la seule, ni surtout la dernière, car les ennuis de l'Amérique ne faisaient que commencer.

Mais la chute de Johnson ne saurait être attribuée uniquement à la perte de ses illusions. Il fut aussi, sans aucun doute possible, la victime des médias, celle surtout des libéraux de la côte Est qui contrôlaient les grands journaux et les 3 principales chaînes de télévision. Les deux choses étaient d'ailleurs liées, car l'une des plus profondes illusions des années 60 fut de croire que bien des formes d'autorité traditionnelles pouvaient, sans dommage, subir une certaine dilution : l'autorité de l'Amérique dans le monde, celle du Président dans son pays. Lyndon Johnson, qui fut un homme fort et, à bien des égards, un Président hautement efficace, appuya toujours le principe d'autorité, et c'était une raison suffisante pour que nombre de ses opposants cherchent à l'émasculer. De plus, il ne partageait pas, comme Roosevelt et Kennedy, les présupposés libéraux de la côte Est. Même en 1964, il éprouvait quelques doutes quant à l'éventualité de son élection. « Je ne croyais pas, devait-il dire, que la nation s'unirait franchement derrière un homme du Sud. L'une des raisons étant... que la presse métropolitaine ne le permettrait jamais [131]. » La prédiction était juste, quoique son accomplissement ait été différé. En août 1967, le correspondant à Washington du *St Louis Post-Dispatch* pouvait écrire : « La relation entre le Président et l'ensemble du corps de la presse à Washington s'est installée définitivement au niveau d'une incrédulité chronique [132]. » La présentation déformée que les médias firent de l'offensive du Têt fut directement responsable du départ de Johnson, mais plus encore, peut-être, la manière dont ils environnaient d'une aura de malveillance tout acte quelque peu décisif ou énergique entrepris par la Maison-Blanche

C'était nouveau, car jusqu'alors l'opposition à un Président fort était toujours venue, comme il est naturel, du Sénat, au point que Roosevelt avait pu dire : « La seule façon, pour le gouvernement américain de réaliser quelque chose, est d'arriver à contourner le Sénat [133]. » Son adversaire républicain, Wendell Wilkie, allait même jusqu'à prétendre que le but de son existence était de « sauver l'Amérique de son Sénat [134]. » Sous Roosevelt et Truman, la presse et les spécialistes du droit constitutionnel s'étaient toujours montrés favorables à la fermeté présidentielle, et leur attitude contrastait avec l'obscurantisme du Congrès [135]. A l'époque du maccarthysme, les journaux avaient sévèrement critiqué Eisenhower de ne pas défendre suffisamment les droits de l'exécutif face à l'indiscrétion des enquêtes émanant du Congrès. Selon *New Republic*, en 1953 : « La façon dont le pouvoir tombe aujourd'hui aux mains du Congrès au détriment de l'exécutif est un phénomène d'une telle imbécillité qu'on ne pourrait y croire si les faits ne le faisaient ressortir avec tant d'évidence [136]. » Quand Eisenhower invoqua « le privilège de l'exécutif » pour justifier son refus de communiquer des informations relatives aux décisions gouvernementales, il fut vivement applaudi par la presse libérale. La Commission des activités antiaméricaines, disait le *New York Times* , « n'avait aucunement le droit de connaître par le détail ce qui se passait dans les conseils gouvernementaux ». Eisenhower, pouvait-on lire également dans le *Washington Post*, avait « absolument raison » de protéger « le secret des conversations au sein de l'exécutif [137] ». Jusqu'au milieu des années 60, les médias continuèrent à appuyer la compétence du Président en

matière de droits civiques, de questions économiques et sociales et, surtout, de politique étrangère; ils sanctionnaient ainsi le jugement émis
par Kennedy : « En ce qui concerne la politique étrangère, les décisions
finales sont du ressort du Président [138]. »

Le changement d'attitude intervint après la résolution du
golfe du Tonkin, et lorsque Johnson céda la Maison-Blanche à Nixon,
en 1969, les médias de la côte Est s'étaient, en même temps que bien
d'autres éléments criards de l'opinion, installés dans une opposition
permanente. Selon un commentaire de l'époque : « Les hommes et le
mouvement qui ont brisé Lyndon Johnson en 1968 s'apprêtent à en faire
autant, en 1969, pour Richard Nixon... Comme pour beaucoup d'autres
choses, déconsidérer un Président est plus facile à réaliser la seconde
fois que la première [139]. » Nixon était particulièrement vulnérable.
C'était un Californien, que la presse de l'Est détestait depuis la fin
des années 40. Il pensait que les médias avaient largement contribué
à le priver de la présidence en 1960, et qu'ils avaient fait, en 1963, un
effort collectif pour mettre fin à sa carrière politique. Il leur rendait
d'ailleurs la monnaie de leur pièce et disait à ses collaborateurs :
« Souvenez-vous bien que l'ennemi, c'est la presse. Quand il s'agit des
nouvelles, nous ne pouvons compter sur personne parmi les journalistes. Ce sont tous des ennemis [140]. » Malgré cela, Nixon gagna l'élection
de 1968, mais de justesse, car il n'eut que 43,4 % des voix contre 42,7 %
à Hubert Humphrey. C'était la plus faible marge qu'un Président ait
connue depuis 1912, et, comme la participation au scrutin était relativement faible — 61 % — cela signifiait que 27 % seulement lui
étaient favorables. Il ne gagna pas une seule grande ville [141]. Une
partie des médias tendait à nier la légitimité de sa présidence
et cherchait à inverser le verdict par des moyens anticonstitution-
nels.

Malgré tous ces handicaps, Nixon s'en tira fort bien quand il fallut remettre de l'ordre dans l'anarchie que lui laissaient Johnson et Kennedy, et, surtout, il négocia très habilement le désengagement au Viêt-
nam. Il annonçait les mêmes objectifs que ses prédécesseurs : « Nous
voulons donner au peuple vietnamien l'occasion de déterminer
son propre avenir sans aucune ingérence extérieure [142]. » Tant qu'il
demeura seul aux commandes, ce but fut poursuivi avec constance, mais
pour un prix bien moindre que précédemment. En quatre ans, il ramena
les effectifs des troupes stationnées au Viêt-nam de 550000 à 24000,
et les dépenses passèrent de 25 milliards à la fin du mandat de Johnson à 3 milliards de dollars [143]. Cela devait permettre une utilisation
plus souple et plus intelligente des forces armées, d'abord au Cambodge,
en 1970, puis au Laos, en 1971, et enfin par les bombardements du Viêt-
nam du Nord en 1972. Hanoi, malgré toute la détermination des dirigeants, vivait dans un état d'expectative et d'appréhension quant aux
intentions de l'Amérique. Cependant, Nixon s'employait activement à
négocier la paix, et il fit ce que ni Kennedy ni Johnson n'avaient osé

entreprendre : il tira parti de la mésentente sino-soviétique et parvint à un accord avec la Chine.

Ce fut son point de vue de Californien qui lui permit de se tourner vers Pékin. Pour lui, le Pacifique était l'arène où se déciderait l'avenir du monde. Il lança sa politique chinoise le 31 janvier 1969, quelques jours seulement après son entrée à la Maison-Blanche. Elle prit corps le 4 février 1969 avec le mémorandum 14, intitulé « Etude de la sécurité nationale », et fut encore renforcée par les conversations qu'il eut avec André Malraux. Pour ce dernier, c'était une « tragédie » que la nation « la plus riche et la plus productive du monde » se trouve en désaccord avec « le pays le plus pauvre et le plus peuplé [144] ». A cause des craintes qui existaient du côté chinois, les tentatives de rapprochement furent menées dans le plus grand secret, et, lorsqu'il eut à consulter certains dirigeants du Congrès, il mit beaucoup d'assiduité à obtenir des promesses de discrétion. « La Chine communiste, disait-il à ses collaborateurs, représente un quart de la population du globe. Aujourd'hui, elle n'est pas une puissance majeure, mais, dans vingt-cinq ans, son importance pourrait être décisive. Si l'Amérique ne fait pas ce qu'elle peut dès maintenant, pendant qu'il est encore temps, la situation pourrait devenir très dangereuse. Même s'il s'établissait une détente complète avec l'Union soviétique, elle n'aurait aucun sens tant que la Chine demeurerait exclue de la communauté internationale [145]. »

La combinaison de cette nouvelle politique à l'égard de la Chine avec le changement de la stratégie américaine allait permettre de faire la paix avec Hanoi. Le 27 janvier 1973, à Paris, le secrétaire d'Etat de Nixon, William Rogers, et Nguyen Duy Trinh, du Viêt-nam du Nord, signaient un « accord sur la fin de la guerre et la restauration de la paix au Viêt-nam ». Le mérite de ce texte, qui devait permettre aux Américains de quitter le territoire vietnamien, était de leur permettre de conserver des porte-avions dans les eaux indochinoises ainsi que des forces aériennes stationnées à Taiwan et en Thaïlande, au cas où Hanoi ne tiendrait pas ses engagements [146]. Tant que Nixon eut le pouvoir, ces conditions demeurèrent en vigueur. Si l'on songe à ce qu'il avait hérité de ses prédécesseurs, c'était un notable éclaircissement de la situation.

Mais l'Amérique et, de façon plus tragique, les peuples d'Indochine, ne purent profiter de cette réussite parce qu'en 1973, Nixon et la nation tout entière étaient emportés, déjà, dans ce maelström hystérique qu'on appela « l'affaire du Watergate ». L'Amérique semble être particulièrement sujette à de tels spasmes d'émotion politique dans lesquels il lui faut démontrer sa propre rigueur morale tout en perdant, avec le sens des proportions, celui de l'intérêt national. L'explosion xénophobe des années 1918 à 1920 avait été l'œuvre de l'aile droite du Parti démocrate. La panique anticommuniste des années 40 et 50 avait été entretenue principalement par les républicains conservateurs. La chasse aux sorcières du Watergate, en revanche, est à mettre au compte des libéraux et des médias. A leurs yeux, le principal tort de Nixon était d'être trop populaire car, bien qu'il ne l'ait emporté que de peu en 1968, malgré les manipulateurs de l'opinion et malgré le handicap d'une Chambre démocrate, il était, en tant que Président, fort apprécié par les « Américains moyens ». C'étaient des gens que l'on n'entendait guère ; peu sensibles aux modes, ils étaient les défenseurs de la famille, allaient à l'église, se montraient à la fois patriotes, industrieux et rebelles au libéralisme de tout poil. Nixon prononça, le 3 novembre 1969, un discours qui reçut un accueil plus que favorable ; il demandait à son public d'appuyer sa politique extérieure, et il le définissait parfaitement : « Vous, la grande majorité silencieuse, mes concitoyens américains. » Cela mit fin, provisoirement, aux efforts des médias pour « abattre Nixon [147] ». Lorsqu'en 1972, les démocrates choisirent pour candidat l'ultralibéral Georges McGovern, Nixon en fut ravi. « C'est une excellente situation, dit-il à son équipe, car les médias de l'Est ont enfin un candidat qui partage presque entièrement leurs convictions. » Le vrai penchant du *New York Times*, du *Washington Post*, de *Time* et de *Newsweek*, ainsi que celui des 3 chaînes de télévision, « allait à l'amnistie, à la vente libre du hasch, à l'avortement, à la confiscation des richesses — à moins qu'il ne s'agisse des leurs —, à une augmentation massive des dépenses sociales, au désarmement unilatéral, à la réduction des défenses du Viêt-nam ». Enfin, concluait-il, « le pays aura les moyens de savoir si tout ce que les médias ont défendu depuis cinq ans est bien conforme aux désirs de la majorité [148] ». Que ce soit ou non pour les raisons qu'il avait indiquées, Nixon l'emporta triomphalement, avec 521 voix contre 17 au collège électoral et 60,7 % au scrutin populaire, ce qui représente un score à peine inférieur à celui de Johnson en 1964 [149].

Beaucoup de responsables des médias furent non seulement humiliés par cette éclatante victoire, mais franchement effrayés, comme en témoigne ce commentaire d'un éminent rédacteur en chef : « Il y aura du sang. Il faut nous assurer que personne ne songera à refaire ce qu'il a fait [150]. » Il s'agissait, à coups de publicité, d'obtenir l'annulation du verdict électoral de 1972 sous prétexte qu'il était, de façon quelque peu métaphysique, illégitime ; c'était, en gros, la même attitude que celle des conservateurs allemands vis-à-vis de Weimar. Or, la Maison-Blanche allait fournir des arguments à cette campagne, en se servant, pour protéger le Président et sa politique, de moyens extralégaux. L'usage de réseaux présidentiels quelque peu parallèles n'était pas nouveau ; c'était même une manière de tradition, remontant à Franklin Roosevelt. Celui-ci avait créé un organisme dépendant uniquement de sa propre autorité, une unité de Renseignements de 11 membres, financée par le Fonds d'urgence du département d'Etat [151]. Il se servait aussi du FBI de Hoover et du département de la Justice pour harceler ses ennemis — en particulier la presse —, installant un réseau d'écoute dont l'une des victimes fut le dirigeant du syndicat des mineurs, John L. Lewis [152]. Il fit des efforts désespérés pour amener devant les tribunaux le *Chicago Tribune*, un journal qu'il détestait. Il se servit même de ses réseaux pour intercepter, dans un hôtel où elle résidait, les conversations téléphoniques de sa propre femme [153]. Truman et Eisenhower ne s'impliquèrent jamais directement dans les activités clandestines de leur personnel et de la CIA, mais ils ne pouvaient guère en ignorer l'existence ; face à la Russie soviétique et à d'autres régimes totalitaires, elles étaient inévitables. John et Robert Kennedy prirent franchement plaisir à ce jeu, et l'un des principaux regrets du Président était de n'avoir pas pu mettre son frère à la tête de la CIA qui se serait ainsi trouvée directement sous le contrôle de sa tribu. Etant au département de la Justice, Robert Kennedy fut responsable de quelques opérations de ce genre. L'US Steel ayant, en 1962, défié la politique du Président, des agents du FBI pratiquèrent, aux aurores, plusieurs perquisitions au domicile des cadres de cette entreprise [154]. Au cours de la campagne des droits civiques, les frères Kennedy firent également usage des facilités que leur offrait le système des contrats fédéraux ; plutôt que la législation, ils utilisaient volontiers l'ordre exécutif pour obtenir les financements nécessaires à la réalisation de leurs objectifs [155]. Ils montèrent divers complots contre la radiodiffusion de droite et les chaînes de télévision [156]. Sous Kennedy et Johnson, le système des tables d'écoute connut une extension considérable [157], de même que les enregistrements clandestins de diverses personnalités. Le dirigeant du mouvement des droits civiques, Martin Luther King, par exemple, se livrait à un donjuanisme prononcé ; ses conversations téléphoniques avec des femmes furent l'objet d'enregistrements que l'on fit entendre aux responsables de la presse [158]. En 1963, lors du scandale de Bobby Baker — le plus grave, sans doute, depuis l'affaire du Tea Pot Dome —, Johnson se servit des fichiers secrets du gouvernement, de ceux des contributions directes et de diverses autres méthodes pour se protéger des révélations qui auraient pu être faites à son sujet.

Avant Nixon, les médias s'étaient montrés extrêmement sélectifs sur le chapitre des délits ou des péchés véniels de la présidence. Les journalistes s'étaient employés à protéger Roosevelt de toute révélation concernant ses relations extra-maritales [159]. Ils firent de même pour Kennedy, dissimulant le fait qu'il possédait, à Washington, un appartement où il recevait ses maîtresses, dont l'une fut aussi celle d'un gangster [160]. Le *Washington Post* aida même Johnson à s'extirper du scandale de Bobby Baker en noircissant le sénateur John Williams, principal accusateur du Président [161]. Johnson acceptait les pots-de-vin lorsqu'il était vice-président, tout comme Spiro Agnew ; mais Agnew fut dénoncé et poursuivi en justice, alors que Johnson put entrer à la Maison-Blanche [162].

Nixon, lui, ne bénéficiait pas, bien au contraire, d'une telle retenue de la part des médias. Certes, il alla parfois plus loin que ses prédécesseurs, mais l'importance des services intérieurs de la

Maison-Blanche y était sans doute pour quelque chose : ils avaient grandi au-delà des possibilités de contrôle. Lincoln payait sa secrétaire de ses propres deniers. Hoover avait du mal à s'en sortir sur le chapitre du personnel. Roosevelt nomma 6 « assistants administratifs », mais Kennedy en employait déjà 23. Dans la dernière année de sa présidence, le chiffre total des employés de la Maison-Blanche atteignait 1 664 personnes, et, sous Johnson, il était 40 fois supérieur à celui dont avait disposé Hoover. Au temps de Nixon, il atteignait, en 1971, 5 395 personnes, et le coût de ces services passait de 31 millions de dollars à 71 millions[163]. Pour une bonne part, cette croissance était due à Henry Kissinger, adjoint à la sécurité de Nixon, qui devint ensuite son secrétaire d'Etat et dirigea, à ce titre, les négociations du Viêt-nam. Ce fut essentiellement Kissinger qui développa le système des tables d'écoute, théoriquement dans le dessein de favoriser l'offensive de paix[164]. Il s'agissait, au Viêt-nam, de rétablir la paix dans le monde et d'épargner des vies américaines, et il pouvait sembler que ce soit une raison suffisante pour se permettre certaines activités d'un caractère discutable ; simple prétexte, sans doute, pour certains, mais sûrement pas pour Nixon. Pour lui, le secret était un élément essentiel de la réussite. En 1971, une énorme quantité de documents gouvernementaux — les « papiers du Pentagone » — furent volés et remis au New York Times, qui les publia. En Grande-Bretagne, et dans presque toutes les autres démocraties occidentales, les responsables auraient été emprisonnés pour violation des lois sur les secrets d'Etat. C'était hors de question en Amérique, où la presse, en vertu du quatrième amendement, jouit de privilèges inscrits à la Constitution. Comme le fit remarquer l'un de ses collègues, cette publication représentait, pour Nixon, « le défi qu'une presse élitiste et non élue lançait au pouvoir d'un gouvernement démocratiquement mandaté par le pays ; des principes moraux étaient en jeu[165] ». Une « unité spéciale d'investigation » fut autorisée, pour épingler l'auteur des fuites, à utiliser des moyens illégaux — dont une effraction. Cette unité de « plombiers » servit de modèle à d'autres groupes d'intervention occulte ; l'un d'eux fut celui qui pénétra par deux fois, en fin mai 1972 puis à nouveau le 17 juin, dans les locaux de l'immeuble Watergate, où se trouvait le siège du Parti démocrate. Peut-être les démocrates avaient-ils été avertis par avance de la seconde incursion ; les « plombiers » furent pris sur le fait et arrêtés[166].

Jusqu'alors, l'Amérique n'avait guère pris au sérieux l'espionnage ni même le vol en matière politique. Johnson, en 1964, ne s'était pas privé d'espionner Goldwater. La chaîne de télévision NBC avait, en 1968, posé des « mouchards » au siège du Parti républicain. A la même époque, le Washington Post et le New York Times avaient publié l'un et l'autre des documents « détournés » d'une grande valeur — les mémoires de Haldeman et de Kissinger. Mais le Washington Post, dans une série d'articles qui parurent à partir du 10 octobre 1972, décida de traiter l'affaire du Watergate comme une question morale de première importance, et il ne tarda pas à être suivi dans cette voie par le reste des médias de la côte Est. Cela n'était rien en soi et n'empêcha nullement Nixon d'emporter un succès retentissant, mais cette campagne attira l'attention d'un juge fédéral avide de publicité, John Sirica, connu sous le nom de « Maximum John » à cause de la sévérité de ses sentences ; ce n'était certes pas le genre de magistrat que la presse libérale eût approuvé en d'autres circonstances. Il mit, par provision, les cambrioleurs sous menace d'une condamnation à vie, afin de les forcer à témoigner contre les membres de l'administration. Un seul d'entre eux, Gordon Liddy, s'y refusa, et, pour montrer qu'il était sérieux, le juge le condamna à vingt ans de prison, plus une amende de 40 000 dollars pour une effraction dans laquelle aucun vol n'avait été commis ni aucune résistance opposée à la police [167]. Un tel acte de terrorisme eût été illégal dans tout autre pays, mais il était, hélas, typique de cette chasse aux sorcières juridiques qui allait mener à la poursuite, à l'accusation, puis à la condamnation des membres de l'administration de Nixon [168]. Certains plaidèrent d'ailleurs coupable dans le seul dessein d'échapper à la ruine qu'eût entraînée, pour eux, une coûteuse défense. Mais l'effet recherché était atteint, le scandale du Watergate avait « éclaté », c'est-à-dire que les rouages de l'enquête officielle s'étaient mis en route, et que le Congrès, où les démocrates, ne l'oublions pas, étaient majoritaires, put se lancer dans une attaque ouverte contre la « présidence impériale ». La notion du privilège de l'exécutif, si chaudement défendue, jadis, par les médias, avait été mise au rebut ; le désir d'abattre Nixon était, en vérité, si profond qu'il balayait tout autre considération, à commencer par celle de la sécurité nationale.

Les chasseurs de sorcières eurent la partie belle lorsque, le vendredi 13 juillet 1973, un des membres du personnel de la Maison-Blanche révéla que toutes les conversations de travail de Nixon étaient automatiquement enregistrées. Cela non plus n'avait rien de nouveau. Roosevelt avait fait construire, sous son bureau, une cabine spéciale où des sténographes transcrivaient les paroles de ses visiteurs. En 1982, on apprit qu'il utilisait également, dès 1940, des enregistrements secrets, installés par la Radio Corporation of America (RCA), propriétaire de l'une des plus importantes chaînes de télévision. A la même époque, on allait découvrir que ces pratiques avaient été, en fait, universelles : Truman y souscrivait, Eisenhower aussi, en y ajoutant un dictaphone, Kennedy enregistrait secrètement les conversations de ses invités — et de sa femme — pendant les seize derniers mois de sa présidence, et Johnson avait été un adepte invétéré du magnétophone [169]. En fait, l'une des premières initiatives de Nixon, en février 1969, avait été de faire arracher les réseaux de Johnson qu'il jugeait mal venus. Mais, en 1971, soucieux de la façon dont les historiens interpréteraient sa politique vietnamienne, il fit installer un nouveau système. Son chef de cabinet, Bob Haldeman, choisit un modèle non sélectif ne réagissant qu'à la voix, « le plus mauvais service qu'un adjoint présidentiel ait jamais rendu à son chef [170] ». La commission d'enquête du Congrès et les tribunaux exigèrent — sans doute sous l'œil ironique du fantôme de Joe McCarthy — que ces enregistrements leur soient livrés, et, dûment transcrits, ils servirent à monter le chef d'accusation putatif du Président. On ne put jamais établir avec certitude que Nixon se soit rendu coupable d'entrave à la justice, pas plus qu'on ne sait s'il était couvert, en l'occurrence, par une interprétation légitime de la raison d'Etat. Il ne put jamais faire valoir sa propre cause car, plutôt que de risquer le long bouleversement qu'eût provoqué, à l'échelon national, sa mise en accusation, il préféra démissionner en août 1972. C'est ainsi que le verdict électoral de 1972 fut renversé par ce qu'on pourrait appeler un putsch des médias. La « présidence impériale » se trouva remplacée par l'empire de la presse [171].

La chute de Nixon servit de prétexte à opérer, en faveur du législatif, un changement radical de l'équilibre des pouvoirs. Peut-être, dans une certaine mesure, était-il temps de le faire, mais les circonstances étaient telles qu'on alla beaucoup trop loin. En 1973, la résolution sur les Pouvoirs de guerre fut passée, malgré l'opposition de Nixon. Elle imposait des limites sans précédent aux possibilités qu'aurait le Président d'envoyer des troupes à l'étranger, l'obligeant, dans tous les cas, à se pourvoir de l'aval du Congrès dans les six jours. D'autres restrictions, à la politique étrangère cette fois, furent imposées successivement en 1973-1974 par deux amendements, celui de Jackson-Vanik et celui de Stevenson. En juillet-août 1974, le Congrès paralysa la présidence vis-à-vis de la crise de Chypre ; à l'automne, il imposa d'autres limites à l'emploi de la CIA. En 1975, il détruisit très efficacement l'effort présidentiel en Angola. Au cours de la même année, il passa la loi de Contrôle des exportations d'armements, ôtant à la présidence la discrétion des fournitures d'armes. Il se servit des contrôles financiers pour limiter sévèrement le système des « accords présidentiels » avec les puissances étrangères — entre 1946 et 1976, 6 300 traités avaient été conclus de cette manière, contre 411 qui nécessitaient la sanction du Congrès. Il intensifia encore son agression contre les prérogatives du Président en désignant, pour contrôler certains aspects de la politique étrangère, pas moins de 17 commissions sénatoriales et 16 commissions de la Chambre, et en multipliant jusqu'à plus de 6 000 le nombre des experts affectés à la surveillance des activités de la Maison-Blanche. (Le personnel de la Commission des relations internationales devait tripler entre 1971 et 1977 [172].) A la fin des années 70, il y avait plus de 70 amendements tendant à limiter le pouvoir présidentiel dans le domaine de la politique étrangère, et l'on put même avancer que la loi sur les Pouvoirs de guerre signifiait que le Président perdait ses fonctions de commandant en chef, et que les décisions relatives à l'envoi de troupes à l'étranger étaient désormais du ressort de la Cour suprême [173].

Mais l'hystérie du Watergate eut un impact plus immédiat, et plus tragique aussi en ce qui concerne les vies humaines : il provoqua la destruction des institutions libres dans toute l'Indochine. La politique de Nixon n'avait de sens que si Hanoi restait dans l'incertitude quant à la volonté de l'Amérique, ignorant jusqu'à quel point elle était disposée à se commettre en faveur de ses alliés du Sud. La loi sur les Pouvoirs de guerre, le ban mis par le Congrès sur les engagements militaires, les restrictions imposées à toute aide supplémentaire au Viêt-nam du Sud, tout cela procédait directement de la dégringolade du Watergate et mettait fin aux ambiguïtés nécessaires du retrait américain. Nixon et son successeur, Gerald Ford, ne disposaient plus d'aucun pouvoir lorsqu'il s'agissait d'empêcher le Viêt-nam du Nord de contrevenir aux accords de Paris. Tout au long du conflit, certains experts français n'avaient cessé d'affirmer que sa véritable cause, que sa dynamique profonde n'était rien d'autre que l'expansionnisme agressif du Viêt-nam du Nord et son désir séculaire de dominer tous les autres peuples d'Indochine. L'organisation communiste et sa logique impitoyable n'avaient fait que lui apporter des moyens efficaces de satisfaire cette impulsion première. Cette thèse allait rapidement se trouver vérifiée dans les faits. A mesure que l'aide américaine s'épuisait, en 1973, l'équilibre des forces se mit à pencher résolument du côté du Nord. A la fin de l'année, il possédait un avantage de deux contre un et se lançait dans une invasion générale. En janvier 1975, tout le centre du Viêt-nam était évacué, et des millions de réfugiés fuyaient vers Saigon. Dans un dernier appel désespéré au Congrès, le président Ford tenta de plaider leur cause : « La réticence de l'Amérique à apporter une aide convenable à des alliés qui se battent pour leur vie, disait-il, risque de miner à tout jamais dans le monde la crédibilité de l'alliance américaine [174]. » Mais le Congrès ne bougea pas. Lors d'une conférence de presse, le 26 mars, Ford tentait encore une mise en garde contre « ce changement massif de la politique étrangère à l'égard de nombreux pays, constituant une menace fondamentale... pour la sécurité des Etats-Unis [175] ». Le Congrès fit la sourde oreille. Moins de quatre semaines plus tard, le 21 avril, le gouvernement du Sud abdiquait, des hélicoptères de la marine se posaient sur le toit de l'ambassade, puis ils repartaient, emmenant à leur bord les diplomates américains ainsi que quelques-uns de leurs amis vietnamiens. Neuf jours après, les tanks communistes entraient dans la ville. Pour l'Amérique, il s'agissait sans doute de la défaite la plus grave et la plus humiliante qu'elle ait connue, mais pour les peuples d'Indochine, c'était une catastrophe.

En avril 1975, sitôt qu'elles eurent pris le pouvoir, les élites communistes entreprirent sans tarder, dans toute l'Indochine, une série de manipulations sociales qui faisaient penser à la collectivisation des paysans sous Staline, bien que dans de nombreux cas elles aient été plus inhumaines encore. Le plus connu de ces bouleversements est sans doute la « ruralisation » menée, au Cambodge, par les Khmers rouges, car on possède, à son sujet, une abondante documentation. Ils entrèrent dans la capitale, Phnom Penh, à la mi-avril, l'ambassade américaine ayant été évacuée le 12, et les atrocités commencèrent dès le 17. Elles furent commises par des soldats illettrés d'origine paysanne, mais elles avaient été projetées, deux ans auparavant, par un groupe d'idéologues des classes moyennes qui se donnait le nom d'Angka Loeu, ou « Organisation supérieure ». Les détails de cette planification avaient été obtenus par Kenneth Quin, un expert du département d'Etat, qui les avait fait connaître dans un rapport daté du 20 février 1974[176]. Ce projet entendait télescoper en une seule opération terrifiante tous les changements sociaux que la Chine de Mao avait connus en l'espace de vingt-cinq ans. Il y aurait une « révolution sociale complète », tout ce qui se rapportait au passé n'était qu'« anathème » et devait être détruit ; il fallait « reconstruire psychologiquement les membres individuels de la société », « démanteler par la terreur et d'autres moyens les bases traditionnelles, les structures et les forces » qui avaient « formé et guidé l'individu jusque-là », puis « le reconstruire conformément aux doctrines du Parti en remplaçant ces structures par une série de valeurs nouvelles[177] ». L'Angka Loeu se composait d'une vingtaine d'intellectuels, politiciens professionnels, enseignants ou bureaucrates pour la plupart. Les 8 dirigeants, dont 1 femme, avaient tous la quarantaine ; ils étaient 5 instituteurs, 2 universitaires, 1 économiste et 1 fonctionnaire. Tous avaient fait, dans les années 50, leurs études en France, où ils s'étaient pénétrés des doctrines de « violence nécessaire » prônées par l'extrême gauche. C'étaient des enfants de Sartre. On notera que, s'ils entendaient prêcher les vertus de la vie rurale, aucun d'eux n'avait jamais pratiqué de travail manuel, et qu'ils n'avaient pas la moindre expérience de la création d'une richesse quelconque. Comme Lénine, c'étaient de purs intellectuels, portant en eux, sous forme concentrée, ce qui constitue sans doute la force la plus destructrice du XXe siècle : l'alliance du fanatisme religieux et de la politique professionnelle. Leur action illustre l'impitoyable stérilité de l'idée. En d'autres lieux, en d'autres temps, les projets de ces monstrueux pédants n'auraient jamais quitté les brumes de leurs imaginations enfiévrées. Au Cambodge, en 1975, il leur était possible de les réaliser.

Le 7 avril, il y avait, dans la ville de Phnom Penh, près de 3 millions de personnes. On les poussa littéralement dans la campagne environnante. La violence avait commencé à 7 heures du matin par l'attaque des magasins chinois, qui fut suivie d'un pillage général. Les premières tueries avaient eu lieu à 8 h 45 et, à 9 heures, les troupes commençaient à évacuer l'hôpital militaire, chassant dans la rue les médecins, les infirmiers, les malades et les mourants. Une heure plus tard, dans le dessein de créer la panique, on ouvrait le feu sur toute personne qui se montrait dans les rues. A midi, on vidait l'hôpital de Preah Met Melea ; des centaines d'hommes, de femmes et d'enfants, poussés en avant à la pointe des fusils, titubaient au soleil par une température voisine de 38° C. Avant la tombée du jour, les 20 000 blessés de la ville étaient tous dans la jungle. On vit un homme transporter sur son dos son fils, qui venait d'être amputé des deux jambes ; d'autres poussaient les lits de ceux qui étaient trop malades pour marcher, emportant des bouteilles de plasma et de sérum. Tous les hôpitaux de la ville furent vidés. Tous les livres furent jetés dans le Mékong ou brûlés sur la rive, puis les billets de la Banque khmère du commerce furent incinérés à leur tour. Les automobiles, les motocyclettes, les bicyclettes étaient confisquées. On tirait au bazooka sur les maisons au moindre mouvement de leurs habitants, et il y avait de nombreuses exécutions sommaires. On disait aux survivants : « Partez, ou vous serez abattus. » Le soir, on coupa l'eau de la ville. L'absence de toute autorité visible mettait partout une atmosphère d'horreur kafkaïenne, car il n'y avait que les soldats-paysans, ils tuaient, répandaient la terreur, en invoquant, sans autre explication, les ordres de l'Angka Loeu. Les intellectuels qui avaient organisé ces horreurs ne se montrèrent à aucun moment [178].

Le 23 avril, les troupes commencèrent à évacuer d'autres villes dont les populations s'échelonnaient entre 15 000 et 200 000 habitants. Il y eut de nombreuses atrocités. A Siem Reap, plus de 100 malades de l'hôpital de Monte Peth furent assassinés dans leurs lits à coups de gourdin et de couteau ; 40 autres trouvèrent la mort dans les mêmes conditions à l'hôpital militaire. Selon la logique qui avait été celle de Staline en Pologne, on massacrait aussi les officiers. Ainsi, à Mongkol Borei, 200 gradés de l'armée furent poussés dans un champ de mines ; à la pagode de Svay, près de Sisophon, 88 pilotes furent achevés à coups de bâton. D'autres catégories de personnes étaient également soumises à des assassinats collectifs : les mendiants, les prostituées, les blessés graves et les malades incurables que l'on trouvait dans les hôpitaux, les fonctionnaires, les professeurs et les étudiants. Comme pour les grands massacres d'Indonésie, les familles des victimes étaient également sacrifiées, pour « empêcher la vengeance ». Des jeunes filles de l'armée des Khmers rouges emportaient jusqu'aux fosses communes les corps des femmes et des enfants, mais on ne faisait, à part cela, aucun effort pour cacher les tueries ; on laissait les cadavres se décomposer sur place ou flotter, par vingtaines, le long des rivières [179].

En juin, 3 millions 500 000 habitants des villes et 50 000 autres personnes originaires de « mauvaises » communautés rurales se trouvaient dispersés dans les campagnes ; on les obligeait, souvent à mains nues, à construire de nouveaux villages. Ceux qui n'allaient pas assez vite se voyaient menacés d'être « écrasés par la roue de l'Histoire », frappant exemple de léninisme appliqué. Les rapports sexuels étaient interdits, l'adultère et la fornication, punis de mort, et les sentences étaient exécutées sans délai. Pour les couples mariés, toute conversation prolongée était également prohibée, ce délit étant qualifié de « discussion » et puni d'exécution sommaire s'il se produisait une seconde fois. Il y eut bientôt une famine générale où les vieux, les malades et les très jeunes enfants, surtout s'il s'agissait d'orphelins, étaient abandonnés.

Les exécutions se faisaient en public, et l'on obligeait les familles à y assister, tandis que frères, mères ou enfants étaient étranglés, décapités, tués à coups de couteau, de gourdin ou de hache. Parfois, des familles entières étaient assassinées ensemble, et ceux qui avaient occupé des positions officielles étaient souvent torturés à mort, ou bien on les mutilait avant de les tuer. A Do Dauy, on coupa le nez et les oreilles au colonel Saray, puis il fut crucifié à un arbre et ne mourut que trois jours plus tard. Dans le même village, un instituteur du nom de Tan Samay désobéit aux ordres qui lui enjoignaient de n'enseigner rien d'autre que le travail de la terre, et l'on força ses propres élèves à le pendre, aux cris de « Mauvais maître [180] ! » La liste de ces écœurantes cruautés pourrait s'allonger à l'infini.

En avril 1976, le dirigeant de l'Angka Loeu, Khieu Samphan, devint chef de l'Etat, et sa succession à la tête du gouvernement revint à un autre intellectuel fanatique des classes moyennes, Pol Pot. Dans ses nouvelles fonctions, Khieu put assister à la conférence des nations se disant « non alignées » qui eut lieu à Colombo, au mois d'août 1976 ; dans une interview confuse qu'il accorda alors à un magazine italien, il semblait admettre que 1 million de « criminels de guerre », comme il les appelait, avaient trouvé la mort depuis la prise de pouvoir des Khmers rouges, mais, à cette époque, les assassinats se poursuivaient encore sur une grande échelle. Un Français, François Ponchaud, tenta, cette année-là, une estimation du nombre des morts ; elle était fondée sur les témoignages détaillés de 300 personnes, mais il en interrogea beaucoup d'autres. Selon ses calculs, 100 000 Cambodgiens furent exécutés, 20 000 furent tués alors qu'ils essayaient de s'enfuir, 400 000 périrent dans l'exode forcé hors des villes ; 430 000 personnes moururent dans les camps et les « villages » en 1975, et 250 000 en 1976. Entre le mois d'avril 1975 et le début de l'année 1977, les idéologues marxistes-léninistes avaient donc provoqué la mort d'un cinquième de la population du pays, soit un total de 1,2 million de personnes [181].

Bien que les atrocités du Cambodge aient été les plus remarquées en Occident, des manipulations sociales équivalentes avaient eu lieu également au Laos et au Viêt-nam du Sud. Le Laos, à la fin de 1975, s'était déclaré République démocratique et populaire, ce qui n'était qu'une couverture pour sa colonisation par le Viêt-nam du Nord, et sa classe moyenne avait été détruite ou exilée en Thaïlande. Il en fut de même pour les minorités ethniques. En 1977-1978, tout le nord du pays faisait l'objet d'une implantation massive de paysans nord-vietnamiens. En juillet 1975, le Viêt-nam du Sud fut « uni » au Nord sous le contrôle de ce dernier, et, comme au Cambodge, un nombre inconnu, mais certainement important, de citadins fut envoyé de force dans les campagnes. Le secrétaire général du Parti communiste, Le Duan, annonça que le niveau de vie allait baisser, car celui des gens du Sud, disait-il, était devenu « trop élevé pour l'économie du pays » ; une telle « société de consommation » était « absolument contraire à une vie vraiment heureuse et civilisée. » Que pouvait-on demander de plus ? Le journal du Parti parlait de « l'entière soumission de notre peuple à la volonté de la classe la plus avancée, qui représente la société ». En janvier 1977, il y avait 200 000 prisonniers politiques, sans compter des milliers d'exécutions. En décembre 1978, l'élite du Viêt-nam du Nord finit par rompre avec le régime de Pol Pot, le Cambodge fut envahi, et Phnom Penh occupé le 7 janvier 1979. Toute l'Indochine se trouvait alors « unifiée » sous le contrôle d'une dictature militaire du Nord, dont 200 000 hommes stationnaient au Cambodge et 20 000 au Laos. En 1980, les forces armées du Viêt-nam atteignaient le chiffre de 1 million, le plus élevé, après Cuba, par rapport à la population du pays [182]. Telle était la sinistre apogée du « combat de libération » ; il entrait maintenant dans une phase nouvelle, car les Chinois appuyaient, contre Hanoi, des mouvements de guérilla, tandis que les Russes livraient aux impérialistes vietnamiens les hélicoptères et les canonnières qui leur permettraient de maintenir leur suprématie. Mais ce genre d'ironie est, hélas, courant tout au long du XXe siècle.

Ces événements furent reçus avec apathie en Amérique, comme d'ailleurs dans l'ensemble de l'Occident. Ils n'étaient qu'un aspect marginal de la désillusion qui fut si caractéristique des années 70, où l'attention se portait davantage sur le marasme grandissant de l'économie mondiale. La guerre du Viêt-nam et ses amères séquelles, l'effondrement de la Grande Société, le démantèlement de la présidence impériale, tous ces éléments constituaient ensemble une tentative de suicide de la part de la superpuissance occidentale. Ils contribuèrent puissamment à mettre fin à l'expansion économique de l'après-guerre, tandis que la société internationale retrouvait les craintes et les désordres des années 30. Mais il est non moins grave qu'ils aient sapé les fondations du pouvoir américain, car il ne se montrait plus capable de faire face à cette nouvelle instabilité du monde.

VII

Le collectivisme des années 70

Le désordre militaire de la guerre est toujours précédé d'un désordre économique. La crise du début des années 30 fut l'un des facteurs déterminants de la Seconde Guerre mondiale et, lorsque l'Occident émergea du conflit, les hommes d'État s'employèrent sérieusement à éviter le retour de telles conditions, cherchant à établir leur politique économique sur des bases solides. C'est ainsi que naquit l'âge de Keynes. Ce dernier avait défini l'essence de sa doctrine dans une lettre, devenue célèbre, qu'il adressa, en 1933, au *New York Times* : « Je dois insister avant tout sur la nécessité d'une augmentation du pouvoir d'achat national ; elle résultera de dépenses de l'État, que viendront financer des emprunts [1]. » Au cours des années 50 et 60, ces principes keynésiens dominèrent la politique économique des principaux pays occidentaux, et cette doctrine fut bientôt adoptée au niveau international. En juillet 1944, à Bretton Woods, dans le New Hampshire, Keynes et Harry Dexter White, haut fonctionnaire du Trésor américain, créèrent ensemble la Banque mondiale et le Fond monétaire international. Le sourcilleux économiste de Cambridge trouvait intolérable la rudesse américaine de White. « Il n'a, disait-il, pas la moindre notion d'un comportement civilisé ». Dexter White, de son côté, appelait Keynes « Votre Altesse Royale », mais, sur le plan pratique, les deux hommes, qui cachaient l'un et l'autre de coupables secrets, s'entendaient plutôt bien. L'argument de Keynes était que, entre les deux guerres, l'affaiblissement de l'économie britannique n'avait plus permis à la Cité de Londres d'assumer le rôle qu'elle avait tenu, sur le plan monétaire, jusqu'en 1914, et que c'était l'une des principales causes du désastre. Il fallait, pour combler ce vide, inventer un système nouveau, étendre « le principe de la banque à des dimensions mondiales... Quand un type n'entend pas se servir de ses ressources, elles ne sont pas pour autant retirées de la circulation, mais un autre qui, lui, en a besoin, peut en disposer et cela devient possible sans qu'on ait retiré au premier l'usage de ses liquidités [2]. »

Le nouveau système entra en vigueur en mai 1946. Il fonctionna parfaitement, mais c'était surtout parce que les États-Unis connaissaient alors une expansion sans précédent et que les responsables de la politique économique américaine étaient d'autant plus disposés à appliquer, dans le monde entier, les principes keynésiens. La demande de dollars était, en effet, universelle, et Washington était prêt à en fournir, soit par l'intermédiaire du plan Marshall, soit par celui d'autres aides à l'étranger, soit enfin par des prêts à faible intérêt. Il en résulta la plus rapide et la plus longue expansion économique de l'Histoire. Le commerce international, qui s'était réduit de 3 % au début des années 30 et n'avait compensé ce recul qu'à la fin de la décennie, se mit à croître, entre 1948 et 1971, au taux annuel de 7,27 %[3]. On n'avait jamais rien vu de pareil. Même pendant la courte frénésie de 1926 à 1929, le taux de croissance n'avait pas dépassé 6,7 %. Parallèlement, l'expansion industrielle présentait les mêmes caractères inouïs. Au cours des deux cent soixante et quelques années pour lesquelles on dispose de chiffres fiables, c'est-à-dire de 1705 à 1971, on estime qu'on peut multiplier la production industrielle du monde par 1 730. Or, le quart de siècle postérieur à 1948 représente, à lui seul, considérablement plus que la moitié de cette augmentation. D'année en année, et sans aucun recul, la croissance industrielle de cette période se poursuivit avec constance au taux de 5,6 %[4].

L'encadrement stable qui devait permettre, sur le plan matériel, cette phénoménale amélioration de la condition humaine était fourni par le dollar, monnaie internationale qui était alors généreusement distribuée. Mais la sûreté du dollar dépendait de la solidité de l'économie américaine. Or, les présidents qui s'étaient succédé dans les années 60 avaient imposé à celle-ci une tension croissante ; c'était essentiellement une économie d'affaires, et sa stabilité reposait dans une large mesure sur l'existence d'un climat favorable dans lequel les responsables de l'industrie et de la finance trouveraient estime et sécurité. C'était l'ambiance qui avait prévalu dans les années 20, pour disparaître pendant la crise de 29 et renaître, enfin, pendant la guerre, car on avait alors besoin des hommes d'affaires pour la destruction de Hitler. Eisenhower avait maintenu la confiance jusqu'à la fin de son mandat, puis, dans les années 60, tout avait changé, le climat était devenu hostile. Les premiers signes de ce revirement se manifestèrent dans l'application vigoureuse des lois antitrusts. Le département de la Justice attaqua de front l'industrie électrique : en 1960, les dirigeants de la General Electric et de Westinghouse ainsi que les compagnies elles-mêmes furent poursuivis pour manipulation des prix. Les condamnations à elles seules prirent deux jours entiers, et 7 hommes d'affaires furent emprisonnés, tandis que le total des amendes atteignait près de 2 millions de dollars[5].

Mais ce n'était encore qu'un avant-goût. Les frères Kennedy avaient été conditionnés par un père spéculateur à haïr le monde des

affaires[6]. Il en résulta, dès 1962, une attaque contre l'industrie sidérurgique, menée par le procureur général, Robert Kennedy; en tant
qu'ancien collaborateur de Joe McCarthy, il avait, d'ailleurs, quelque
expérience dans l'art du harcèlement et de la manipulation judiciaire.
Le *Christian Science Monitor* s'interrogeait : « Face à un tel déploiement
de pouvoir direct... que reste-t-il de la liberté de l'économie américaine ? » Tandis que le *Wall Street Journal* se plaignait de ce que les
aciéries aient pu subir de telles contraintes « induites par la crainte,
par l'exercice d'un pouvoir arbitraire, par des menaces et par l'intervention de la police de sûreté de l'État[7] ». Il en résulta la première
chute de la Bourse de New York qu'on ait connue après la guerre. La
Bourse s'en remit, mais les valeurs de certaines industries ne parvinrent jamais plus à rattraper l'inflation. En 1966, lorsque celle-ci, pour
la première fois, dépassa le plafond de 3 %, et tandis que les taux d'intérêt atteignaient le niveau, fort déprimant pour l'époque, de 5,5 %, quelque chose s'éteignit dans le grand marché financier. En 1968, alors que
Lyndon Johnson connaissait l'apogée de ses difficultés, la montée des
valeurs cessa complètement, et le Dow Jones plafonna au-dessous du
magique indice 1 000. Douze ans plus tard, indexé sur l'inflation, il était
tombé à 300[8]. Pour la seule période de 1960 à 1970, la valeur des
actions cotées à la Bourse de New York baissa de près de 42 %[9]. À la
longue, cette perte de confiance dans les valeurs boursières et, par voie
de conséquence, dans l'économie américaine, allait devenir, bien que
nettement plus étalée dans le temps, aussi intense qu'à l'époque de
Hoover.

Ce fléchissement de la Bourse n'était qu'un des premiers signes
des difficultés à venir. En 1961, Rachel Carson publiait *Cette mer qui
nous entoure* puis, l'année suivante, *Le Printemps silencieux* ; les deux
ouvrages attiraient l'attention du public sur l'inquiétante pollution des
ressources naturelles et sur la destruction de la vie causées par l'expansion rapide de l'économie moderne et, en particulier, par les déchar-
ges de produits toxiques et l'utilisation d'insecticides destinés à
augmenter la production agricole. En 1965, Ralph Nader publiait à son
tour *Ces voitures qui tuent* dans lequel il présentait comme un engin
de mort le produit moyen d'une industrie qui était véritablement le
moteur de l'économie américaine, celle de l'automobile. Certes, ces
ouvrages se présentaient alors comme des correctifs nécessaires aux
effets secondaires fort néfastes d'une croissance accélérée. Mais ils
inauguraient aussi un temps où la défense de l'environnement et du
consommateur allaient prendre le caractère quasi religieux d'une croisade menée avec un zèle toujours plus fanatique. Elle présentait un
attrait certain pour les centaines de milliers de diplômés que les universités, par suite du développement des études supérieures, ne cessaient de lâcher dans le monde ; ces jeunes gens pouvaient ainsi donner
libre cours à leur plus vif désir, exprimant enfin dans cet engagement
les idées gauchisantes dont ils s'étaient imbibés. Rien n'était mieux fait

pour créer un climat d'hostilité envers les milieux d'affaires que l'accroissement du lobby de la santé et de la sécurité. À partir du milieu des années 60, son activité devint l'un des traits marquants de la vie américaine, entraînant une quantité de réglementations et de lois. Lyndon Johnson, avec son extraordinaire habileté à faire adopter les projets de loi les plus divers, fut à nouveau l'initiateur de ce processus : loi de l'Utilisation multiple, loi de l'Eau et du Territoire en 1964 ; lois de la Pollution des eaux et de l'Air pur en 1965 ; Retour à l'eau pure, enfin, en 1966. Lorsque Johnson tomba, en 1968, le Congrès pour la préservation du milieu reprit l'initiative et la conserva jusqu'en 1970 où furent adoptées, au détriment des industries américaines, une série de lois d'une telle ampleur qu'on la qualifia d'« ecotopie » : Protections de l'environnement, Contrôle des substances toxiques, Santé et Sécurité du travail, Amendement de l'air pur et toute une série d'autres lois relatives aux produits alimentaires et pharmaceutiques. En 1976, on put calculer que ces nouveaux règlements coûtaient à l'industrie 63 milliards de dollars par an, sans compter les 3 milliards versés par les contribuables pour l'entretien des services gouvernementaux. Le coût total dépassait, en 1979, 100 milliards de dollars [10].

Ces réglementations eurent un effet d'une égale gravité sur la production, comme on peut le constater, par exemple, dans le cas des charbonnages. Ceux-ci produisaient, en 1969, 19,9 tonnes par travailleur et par jour. En 1976, lorsque la loi de Santé et Sécurité des mines eut porté ses fruits — et c'était, par bien des aspects, une législation nécessaire —, la production tomba à 13,6 tonnes, soit une baisse d'environ 32 % [11]. En 1975, pour l'ensemble de l'industrie américaine, la productivité avait baissé de 1,4 % par suite de l'action combinée des lois sur la pollution et la sécurité du travail [12]. On peut donc dire qu'à la fin des années 60 et pendant toute la décennie suivante, un excès de réglementations gouvernementales apportait à l'industrie américaine le même type de freinage destructeur que le privilège légal des syndicats en Grande-Bretagne. Entre 1967 et 1977, la croissance des industries manufacturières ne dépassa pas 27 %, même taux que pour la Grande-Bretagne, contre 70 % pour l'Allemagne, 72 % pour la France et 107 % pour le Japon. À partir des années 70, la productivité américaine commença même à décroître. L'analyse la plus détaillée que l'on possède au sujet de cette stagnation, puis de ce déclin du dynamisme productif de l'Amérique, fait principalement ressortir un ensemble de causes politiques : incapacité à contrôler les sources de financement, excès des charges fiscales et, surtout, pléthore des interventions gouvernementales et des règlements [13].

Mais ce climat d'opposition n'était pas seulement d'origine politique. Il était également l'œuvre des tribunaux qui, dans les années 60, Cour suprême en tête, entrèrent dans une phase d'expansion agressive, alors qu'un mouvement général tendait, par ailleurs, à créer une véritable société du litige. En 1877, pourtant, le juge Waite, président de la Cour suprême, avait bien établi les principes à respecter : « Lorsqu'il s'agit, écrivait-il, de protection contre les abus de la législation, le peuple doit s'en référer au scrutin et non pas aux tribunaux. » Mais, dans les années 50 et 60, face aux refus du Congrès de passer des lois efficaces dans le domaine des droits civiques, l'Amérique avait pris l'habitude de faire appel à des procédures légales. Les tribunaux réagirent favorablement, puis, ayant acquis le goût du pouvoir, ils continuèrent à l'exercer, longtemps après que la bataille des droits civiques eut été gagnée. Ils se mirent à empiéter non seulement sur les prérogatives du Congrès, mais aussi sur celles du Président, et non plus dans le seul domaine des droits civiques, mais encore dans celui de l'économie, de sorte que le début des années 70 vit naître, en sus de celui de la presse, un véritable « empire du judiciaire ».

L'animosité des tribunaux concernait tout particulièrement les hommes d'affaires, surtout lorsque les juges, par extension du concept de « droits civiques », adoptèrent le principe de « l'action positive » — qui consistait à discriminer en faveur des groupes « sous-privilégiés » —, et qu'ils se mirent à imposer aux employeurs des « quotas raciaux ». Mais ce n'était qu'un des aspects des droits en question ; ceux des femmes, des homosexuels, des handicapés et d'un certain nombre d'autres entités collectives furent interprétés par les tribunaux comme étant susceptibles d'être imposés aux institutions les plus puissantes, telles que les grandes firmes industrielles et le gouvernement. La Cour suprême se livra, en fait, à une interprétation tendancieuse de la Constitution afin d'appuyer les préférences — de nature libérale — que le monde judiciaire développait sur le plan politique et législatif. Les principes constitutionnels et les pratiques juridiques qui en découlaient se mirent à changer à une allure proprement effrayante [14]. Une proportion grandissante des ressources des entreprises et du temps de leurs cadres dut être consacrée à faire face à des litiges. Dans les années 70, l'Amérique avait 4 fois plus d'hommes de loi par habitant que l'Allemagne de l'Ouest et 20 fois plus que le Japon [15].

Les décisions des tribunaux allaient aussi entraver à tous les niveaux, à l'échelon local, à celui des États comme sur le plan fédéral, les efforts gouvernementaux tendant à réduire le coût des institutions publiques. Ainsi, en 1974, Nixon supprima les attributions de fonds destinées à l'Office des facilités économiques, ce qui signifiait la fermeture effective de ses 900 Agences d'action communautaire ; il s'agissait d'une création bureaucratique coûteuse et d'une utilité pratique négligeable, mais un juge fédéral déclara illégales les mesures du gouvernement [16]. Les tribunaux furent responsables d'un certain nombre d'autres arrêts de ce genre : ils déclarèrent qu'une autorité gouvernementale qui faillirait, en violation des droits civiques des citoyens, à fournir des prestations d'assistance ou de sécurité sociale était passible de dommages ; qu'une autorité qui réduirait, à titre d'économie, le personnel pénitentiaire portait atteinte aux droits civiques des prison-

niers; que le Congrès agissait de manière anticonstitutionnelle s'il refusait de voter des fonds destinés à un secteur spécifiquement inscrit au
chapitre des droits civiques (il s'agissait, en l'occurrence, de l'avortement); et que tous les services gouvernementaux ainsi que toutes les
compagnies privées recevant des fonds de l'État ou passant des contrats avec lui étaient tenus d'engager un certain quota d'employés de
couleur [17]. Tous ces arrêts, et bien d'autres, de nature similaire, exerçaient un effet cumulatif : il devenait extrêmement difficile d'inverser
l'augmentation des dépenses gouvernementales et de faire place nette
pour un renouveau de la confiance et de l'efficacité au niveau des
affaires.

Par rapport au reste du monde, le sommet de l'économie américaine d'après-guerre se situe en 1968, année où la production industrielle des États-Unis représentait plus d'un tiers, 34 %, du total
mondial. Ce fut aussi l'année où la suprématie politique de l'Amérique
atteignit son zénith et celle de l'agonie de Lyndon Johnson, l'année où
le double fardeau des dépenses intérieures et étrangères devint trop
lourd pour le pays. À partir de là, tout n'allait plus être que décadence,
et le relatif déclin économique entraîna bientôt un affaiblissement du
dollar en tant que réserve monétaire. Il était inévitable que le système
mis au point à Bretton Woods s'en trouva ébranlé : à partir de la fin
des années 60, Washington ne contrôla plus le fond monétaire; dans
une certaine mesure, l'Amérique cessa même d'être maîtresse de sa propre devise, puisque la quantité des dollars non rapatriés — ce que De
Gaulle stigmatisait en accusant les Américains d'« exporter leur propre inflation » — atteignait maintenant des proportions catastrophiques. L'ère du dollar touchait à sa fin, celle de l'eurodollar allait
commencer.

Dès 1949, la Chine communiste, craignant que les Américains ne
mettent l'embargo sur ses recettes en dollars, avait décidé de les
conserver hors des États-Unis, à la Banque soviétique de Paris.
L'adresse télégraphique de cette dernière était « Eurobank », d'où le
nom d'« eurodollars ». Le premier déficit américain intervint en 1958,
et, par la suite, le flot de dollars en direction de l'Europe ne cessa d'augmenter. Un financier britannique, sir George Bolton, de la Bank of London fut le premier à s'apercevoir de ce phénomène nouveau : une devise
s'accumulait hors du pays qui l'avait émise, une devise expatriée, susceptible d'apporter des possibilités de crédit colossales. Il fit de Londres le centre du système des eurodollars [18]. Au cours de la seule
année 1959, le marché allait tripler; il doubla encore en 1960. Les tentatives de contrôle exercées par Kennedy ne firent que rendre cette
réserve plus attrayante encore, et des mesures similaires de la part des
gouvernements européens restèrent sans effet. C'était un bon exemple
de la façon dont les lois du marché défient le puritanisme répressif des
gouvernements ou des agences mondiales. Selon le mot de Walter Wriston, de la Citibank de New York, le marché de l'eurodevise était

« l'enfant du contrôle ». C'était, en quelque sorte, un marché noir du système financier international. Libéré de l'ingérence gouvernementale, il sut faire le meilleur usage des nouvelles facilités de communications électroniques qui se développèrent dans les années 60 et 70. Comme le disait encore Wriston : « De nos jours, l'humanité maîtrise intégralement le marché international des finances et de l'information, elle est capable en quelques minutes de diffuser en n'importe quel point du globe aussi bien de l'argent que des idées [19]. »

Mais le marché de l'eurodollar, produit de l'inflation américaine, était lui-même, comme il fallait s'y attendre, fortement inflationniste. Il reproduisait, surtout dans le domaine des prêts internationaux, certains des pires aspects du marché financier de New York, dans les années 20. Il augmentait la nature volatile de l'argent, entassant le crédit jusqu'à former des pyramides d'emprunts multiples, créant, en fin de compte, des « dollars » qui n'existaient pas [20]. Toutes les grandes banques du monde entrèrent en piste, les prêts qu'elles accordaient aux gouvernements atteignaient des proportions jamais vues, et elles s'associaient pour les gérer. Le premier prêt collectif d'eurodollars fut celui dont le chah d'Iran bénéficia en 1960 ; il s'élevait à 80 millions de dollars. Dans le courant de la même année, l'Italie recevait 200 millions. Bientôt, quelque 200 banques se joignirent au syndicat et l'importance comme le nombre des prêts, ainsi que la vitesse avec laquelle ils étaient délivrés, se mirent à croître de façon spectaculaire. Des prêts de 1 million de dollars devinrent une affaire de routine. En tant que sources de financement du tiers monde, les banques de commerce ne tardèrent pas à concurrencer les programmes d'aide des gouvernements occidentaux les plus riches. En 1967, les banques n'avaient à leur crédit que 12 % de la dette extérieure mondiale. Avant la fin de 1975, elles avaient, dans ce domaine, allégrement passé le niveau des 50 % [21].

À mesure que les banques prenaient en charge le système monétaire international, la surveillance de Washington se relâchait. En 1971, le gouvernement de Nixon perdit, ou abandonna, le contrôle de la situation [22]. Deux ans plus tard, en mars 1973, Nixon coupa le lien qui unissait le dollar à l'or, et la plupart des grandes devises se mirent à flotter, soit toutes seules, soit par paires. Ces conditions firent ressortir la faiblesse réelle du dollar qui perdit, entre février et mars 1973, 40 % de sa valeur par rapport au deutsche Mark. Elles favorisèrent également la rapidité, proprement hystérique, des mouvements monétaires qui, grâce aux nouvelles facilités de l'électronique, allaient et venaient par-dessus les frontières par vagues énormes. (À la fin des années 70, la moyenne des transactions était, pour la seule ville de New York, de 23 milliards de dollars par jour [23].) Bref, à l'automne 1973, les amarres qui maintenaient la stabilité de l'économie mondiale avaient commencé à s'effilocher, et il suffisait d'un choc pour provoquer le désastre ; il vint, mais c'était plutôt un séisme.

Ce ne fut nullement par hasard qu'il arriva du Moyen-Orient. La grande expansion de l'après-guerre avait été propulsée par l'énergie à bon marché. Entre 1951 et 1972, le prix des carburants avait baissé considérablement par rapport à celui des produits manufacturés. Cette chute était relative pour l'ensemble de la période de 1953 à 1969, mais, dans l'espace des trois dernières années, c'est-à-dire de 1966 à 1969, elle était devenue absolue[24]. L'augmentation rapide des fournitures de pétrole à bas prix en provenance du Moyen-Orient était directement responsable de cette évolution. Il est significatif que les secteurs de pointe de l'expansion occidentale, l'automobile, les produits chimiques et l'électricité, aient été tous trois de grands consommateurs d'énergie, c'est-à-dire, avant tout, de pétrole[25]. Toutes les nations faisaient preuve de courte vue quand elles supposaient que cette situation allait durer indéfiniment, mais l'histoire de l'imprévoyance américaine est, sur ce chapitre, particulièrement désolante. Les États-Unis, à coups d'intervention gouvernementale, maintenaient leurs prix intérieurs bien au-dessous du niveau international. L'Amérique, jadis, avait exporté de l'énergie dans le monde entier ; elle devenait nettement importatrice, jusqu'à 7 % de son total en 1960 ; sa consommation, en revanche, s'emballait, atteignant une augmentation annuelle de 5 % à la fin des années 60. Ses importations de produits pétroliers étaient particulièrement fâcheuses : 10 % en 1960, 28 % en 1968, 36 % en 1973[26]. Après un sommet en 1970, sa propre production de pétrole avait commencé à décroître.

Au Moyen-Orient, les dirigeants des pays producteurs n'avaient pas manqué de remarquer que l'Occident et le Japon dépendaient toujours davantage du pétrole qu'ils leur vendaient, et que ces pays semblaient peu capables de s'inventer des sources d'énergie alternatives ou supplémentaires. Certains chefs d'État, en particulier le chah d'Iran, se laissèrent gagner par la thèse des écologistes, selon laquelle les nations industrielles les plus avancées — et l'Amérique plus que tout autre — étaient en train d'épuiser, à cause de leurs prix trop bas, les ressources naturelles. En 1972-1973, il y avait eu, déjà, une certaine tendance à la hausse des matières premières et d'autres denrées, telles que les produits agricoles, et le pétrole s'était mis à suivre le mouvement. Le chah s'employa à persuader les autres dirigeants du Moyen-Orient qu'il était préférable de ralentir la production et d'augmenter les prix ; le pétrole non encore extrait prendrait ainsi de la valeur. Mais, pour qu'ils suivent un tel conseil, l'appel à la raison n'était pas suffisant, il fallait aussi un motif émotionnel ; ce fut la haine, dirigée contre Israël et contre l'Amérique, son alliée.

Aucune puissance souveraine n'avait été vraiment présente, au Moyen-Orient, depuis le fiasco de Suez, en 1956-1957, mais pendant quelques années encore, bien que son influence ait passablement diminué, la Grande-Bretagne s'était montrée très active et d'une surprenante efficacité. Les interventions militaires de Jordanie, en 1958, d'Oman, en

1959, et du Koweït, en 1961, avaient réussi à maintenir, dans ces régions, un état de relative stabilité. Puis, à la fin des années 60, les Britanniques retirèrent progressivement leurs troupes d'Aden et du golfe, et les effets s'en firent rapidement sentir car, à partir de cette époque, personne ne jouait plus le rôle nécessaire du gendarme[27]. En effet, les contingents des Nations unies envoyés par feu Dag Hammarskjöld étaient plutôt un facteur d'instabilité, puisque, selon la doctrine de souveraineté propre à l'ONU, le président Nasser pouvait en demander le retrait aussitôt qu'il se sentirait assez fort pour triompher d'Israël. C'est ce qu'il ne tarda pas à faire, dès le 16 mai 1967. L'ONU s'exécuta, ses troupes furent évacuées trois jours plus tard, et, le soir même, la radio du Caire lançait cet appel : « Arabes ! Voici votre chance de porter à Israël le coup fatal de l'annihilation. » Nasser renchérissait, le 27 mai : « Notre objectif de base sera la destruction d'Israël. » Le 31 mai, le président Aref, en Irak, ajoutait encore : « Notre but est clair, il s'agit maintenant d'effacer Israël de la carte. » Et Ahmed Sukairy, président de l'Organisation de libération de la Palestine, enchaînait, le 1er juin : « Les Juifs de Palestine devront partir... Ceux de l'ancienne population juive qui auront survécu pourront rester, mais j'ai l'impression qu'il n'en restera pas un. »

Quelle était alors la situation d'Israël ? Les troupes de l'ONU s'étaient retirées, les menaces affluaient de toutes parts, des armées aux effectifs 3 fois supérieurs aux siens se massaient sur ses frontières, pourvues d'un matériel soviétique lourd des plus modernes. Le 4 juin, les Israéliens déclenchèrent une guerre préventive, commençant par une attaque de l'aviation égyptienne. En six jours, leur réussite était totale. Les troupes égyptiennes, jordaniennes et syriennes étaient en déroute, et celles de l'Égypte, profondément humiliées. Le Sinaï et la rive occidentale du Jourdain étaient occupés ; l'armée d'Israël avait enlevé d'assaut les hauteurs du Golan d'où l'artillerie syrienne pouvait atteindre les colonies de Galilée. Mais, surtout, la Jérusalem antique, avec le mur des Lamentations et les Lieux saints auxquels Israël avait dû renoncer en 1948, se trouvait rattachée au nouvel État. La guerre avait ainsi mis fin à une pénible anomalie, car Jérusalem avait été sans cesse, pendant quatre mille ans, assiégée, occupée, détruite et rebâtie, elle avait connu un défilé de peuples, les Cananéens, les Jébuséens, les Juifs, les Babyloniens, les Assyriens, les Perses, les Romains, les Byzantins, les Arabes, les Croisés, les Mamelouks, les Ottomans et les Britanniques, mais jamais elle n'avait été divisée, sauf entre 1948 et 1967. La réunification par Israël permettait, dans le cadre d'une capitale nationale, l'administration commune des Lieux saints par les musulmans, les juifs et les chrétiens[28].

Pour le reste, la victoire d'Israël n'allait apporter aucun avantage permanent. Nasser avait survécu, grâce à une habile manipulation des foules[29]. Réarmée par la Russie soviétique, l'Égypte acquit une force de frappe 2 fois supérieure à celle de 1967. Le ton de la propagande

nassérienne devint de plus en plus anti-américain ; il se résumait dans
un seul slogan, inlassablement répété : « Israël, c'est l'Amérique. L'Amérique, c'est Israël. » L'un de ses principaux arguments était que tous
les coups que l'on porterait aux Américains atteindraient en même
temps Israël ; puisque les États-Unis comptaient toujours davantage sur
le pétrole du Moyen-Orient, c'était de ce côté-là qu'il fallait frapper. Mais
l'Égypte n'avait pas de pétrole. Nasser mourut d'une crise cardiaque,
le 28 septembre 1970 ; propagandiste de génie, son échec avait été total
en tant que chef militaire et politique. Si illusoires qu'ils aient pu être,
les espoirs du monde arabe s'étaient, un moment, rassemblés sous son
étoile, mais il n'y avait personne pour le remplacer dans ce rôle. En
revanche, dans tout ce qu'il avait de destructeur, en tant qu'avocat d'une
violence qu'il n'hésitait pas à pratiquer lui-même, Nasser fut bientôt
remplacé par le dirigeant de la Libye, Mu'ammar Kadhafi. Ce dernier
venait, l'année précédente, de réaliser un coup assez similaire à la dépo-
sition de Farouk ; aidé d'un groupe de jeunes officiers, il avait renversé
la monarchie pro-occidentale qui régnait sur le pays. Kadhafi se mode-
lait sur Nasser de plus d'une manière, répétant mot pour mot sa rhétorique panarabe et ses diatribes contre Israël. La Libye, avec 2 millions
d'habitants, était l'un des plus petits États arabes, mais elle était aussi
le plus gros producteur de pétrole à l'ouest de Suez, et, comme la fermeture du canal avait interrompu les fournitures de l'Occident, l'une
des suites de la guerre de 1967 avait été de mettre en valeur sa position
géographique. Dès les premiers jours de sa dictature, Kadhafi avait
insisté sur l'importance du pétrole en tant qu'arme lorsqu'il s'agissait
de riposter à l'« impérialisme occidental » et au soutien qu'il apportait
à l'État d'Israël.

Il fit preuve d'une extrême habileté dans ses marchandages avec
les compagnies pétrolières des pays consommateurs, démontrant qu'il
était possible de les mettre en concurrence et d'exercer un chantage
séparé sur chacune d'elles. Lorsqu'il prit le pouvoir, le pétrole libyen
était pratiquement le moins cher du monde. Après une série de négociations en 1970, 1971 et 1973, il avait obtenu les plus fortes augmentations qui aient jamais été accordées à une puissance arabe, sans compter
une indexation destinée à compenser la baisse du dollar. Ce succès avait
son importance, car il ne tarda pas à entraîner des tentatives similaires de la part de l'Organisation des pays exportateurs de pétrole, qui
était dominée par les Arabes. L'Opep avait été créée pour défendre ses
membres contre d'éventuelles baisses, mais elle n'avait encore jamais
pris de décision collective, sauf en 1945, sur le principe des royalties.
En 1971, pour la première fois, les membres de l'Opep riverains du golfe
opposèrent, dans la négociation des prix, un front uni aux compagnies
pétrolières [30]. Le 14 février, à Téhéran, ils s'assurèrent une augmentation de 40 cents le baril. C'était le début d'une véritable révolution dans
le domaine des prix de l'énergie. Ces premiers accords devaient durer
cinq ans ; non seulement ils ne furent pas tenus, mais on assista, selon

Henry Kissinger, à « un record de vitesse mondial pour la violation d'une promesse solennelle [31] ».

L'arme que le pétrole représentait pour les pays arabes allait bientôt être maniée avec plus d'habileté encore. On pouvait le prévoir dès juillet 1972, quand le successeur de Nasser, le général Anouar el-Sadate, se débarrassa de l'alliance soviétique, expulsant d'Égypte les techniciens et les conseillers russes, ce qui lui permit de rejoindre la ligne de l'Arabie Saoudite et des autres pays du golfe. Sadate n'était pas, comme Nasser, porté à l'éloquence, pas plus que son style de pensée n'approchait de celui de la génération de Bandung. C'était un réaliste. Il comprenait que l'antagonisme entre l'Égypte et Israël s'opposait à la tradition historique de son pays et qu'elle était, de plus, contraire à ses intérêts, surtout sur le plan économique. Il voulait y mettre fin, mais, avant de pouvoir négocier la paix, il fallait qu'il s'assure le prestige d'une victoire militaire. Il choisit le 6 octobre 1973 — c'était la fête du Yom Kippour, ou Grand Pardon, le jour le plus sacré du calendrier hébraïque — pour lancer contre Israël une attaque combinée des forces égyptiennes et syriennes. Pour commencer, le succès en fut considérable. L'armée passa, la ligne Bar-Lev dans le Sinaï, et une grande partie de l'aviation israélienne fut détruite par des missiles soviétiques sol-air. Non sans un certain affolement, le Premier ministre d'Israël, Golda Meir, fit appel à Washington, et la valeur de près de 2,2 millions de dollars d'armes ultra-modernes lui fut envoyée par avion. La contre-attaque commença le 8 octobre. Lorsque le cessez-le-feu fut signé, le 24, Israël avait reconquis tout le territoire perdu, s'était avancé, en Syrie, jusqu'à mettre Damas à portée de ses canons, avait établi une tête de pont sur la rive ouest du canal de Suez, et ses troupes encerclaient une bonne partie de l'armée égyptienne [32]. L'Égypte avait fait preuve d'une capacité inattendue sur le plan militaire, et c'était tout ce que demandait Sadate ; Israël, quant à lui, avait démontré qu'il savait survivre à un premier désastre.

Cette guerre avait fait ressortir à quel point Israël dépendait, en dernière analyse, de l'aide américaine. Mais elle attirait aussi l'attention sur un autre aspect de la politique internationale. On pouvait voir combien le rôle prépondérant des États-Unis, à la tête de l'Occident, avait souffert de l'affaire du Watergate, des attaques que les médias et la majorité démocrate du Congrès lançaient alors contre le Président. En effet, après le succès de la contre-offensive israélienne, Sadate s'était à nouveau tourné vers les Soviétiques, et Brejnev avait envoyé à Nixon, le 24 octobre, un message dans lequel il annonçait que des troupes pourraient être envoyées contre Israël sans autre avis. C'était Nixon qui avait donné l'ordre d'appuyer pleinement les Israéliens sur le plan logistique ; au reçu de la dépêche soviétique, il donnait maintenant son accord pour que toutes les forces américaines soient, de par le monde, mises en état d'alerte, chose qui ne s'était pas vue, à une telle échelle, depuis la crise des missiles de Cuba ; mais les complications du Watergate l'enserraient alors de tant de liens qu'il s'était senti obligé de passer la main à Kissinger, son secrétaire d'État, et c'est à ce dernier qu'il revint de faire face à cette nouvelle crise. Ce fut Kissinger, et non le Président, qui dirigea, à la Maison-Blanche, la première conférence consécutive au message de Brejnev ; ce fut lui, encore, qui donna l'ordre de mise en alerte. Les chasseurs de sorcières prétendirent, lors d'une conférence de presse qui eut lieu le 25 octobre, que la crise avait été exagérée dans le dessein de détourner l'attention publique des difficultés de Nixon. Kissinger répondit à cette accusation avec quelque dédain :

> « Nous tentons de mener la politique étrangère des États-Unis non seulement en fonction de ce que nous devons à nos électeurs, mais aussi d'une manière qui soit conforme aux intérêts des générations futures. Il est symptomatique de ce qui se passe actuellement dans le pays qu'on ait pu, un seul instant, supposer que les États-Unis mettraient leurs troupes en état d'alerte pour des raisons strictement intérieures [33]. »

Le Président était donc paralysé par ses ennemis américains ; il n'y avait personne pour prendre la tête de l'Occident au nom des pays consommateurs lorsque les membres arabes de l'Opep décidèrent, en réponse aux mesures qui avaient sauvé Israël, de se servir de l'arme du pétrole avec une brutalité extrême. Le 16 octobre, ils avaient déjà politisé les exportations de brut, baissé leur production et, entraînant en cela les pays non arabes, augmenté leurs prix de 70 %. Le 23 décembre, ils pratiquèrent une nouvelle hausse, cette fois de 128 %. Le prix du pétrole brut avait ainsi quadruplé en moins d'un an, et cette décision, devait encore dire Kissinger, était « l'un des pivots de l'histoire de ce siècle [34]. » Elle transforma l'augmentation générale mais progressive des prix en une véritable révolution, comme on n'en avait jamais vu pour une si courte période. Les plus atteintes furent les nations pauvres, chargées de dettes, et qui devaient importer toute leur énergie. Dans les pays dont le revenu par habitant ne dépassait pas 100 dollars par an, et qui représentait au total un milliard de personnes, le niveau de vie s'était élevé lentement, au cours des années 60, au taux annuel de 2 % ; un certain déclin avait commencé à s'y faire sentir avant même que l'emballement du prix du pétrole ne les atteigne, mais quand le choc se transmit jusqu'à eux, ce fut une catastrophe [35]. Ils retombèrent au-dessous de ce qu'ils avaient connu au début de la décennie, et c'était la première fois qu'une pareille chose se produisait au cours des Temps modernes. Cela signifiait, pour eux, la malnutrition et toutes les épidémies qu'elle entraîne. Après 1973, le nombre d'Africains et d'Asiatiques qui moururent en conséquence directe de la politique pétrolière des Arabes doit se compter par dizaines de millions.

L'ensemble du monde connut alors un déclin de sa richesse, puisque le chiffre des pertes de production représentait le double des fonds supplémentaires qu'il avait fallu transférer dans les pays producteurs de pétrole. Pour les pays industrialisés, il en résultait une maladie que les disciples de Keynes n'avaient pas prévue : l'inflation-stagnation. En 1974, on passa d'un taux de croissance mondiale de 5,2 % avec augmentation moyenne des prix de 4,5 % par an à une croissance négative de −5 % ou nulle, accompagnée d'augmentations annuelles de 10 à 12 %. C'était déjà une inflation très forte, et, dans beaucoup de pays, elle déboucha franchement sur l'hyperinflation. Cette révolution des prix, dont le cœur était le saut des tarifs pétroliers, fut, de loin, l'événement économique le plus désastreux depuis 1945. Il agit comme un frein puissant sur les secteurs de pointe, grands consommateurs d'énergie, qui avaient amené l'expansion prolongée de l'Amérique, de l'Europe occidentale et du Japon, provoquant des chutes de production abruptes et un taux de chômage si important qu'on n'en avait pas vu de tel depuis les années 30[36]. Au début des années 80, le nombre total des chômeurs en Europe et en Amérique était de 25 millions de personnes.

Le désastre eût été plus grave encore sans l'élasticité dont fit preuve le système bancaire. En novembre 1973, en pleines séquelles de la crise du Moyen-Orient, une grande banque de second rang, la London and County, se mit à chanceler. La Banque d'Angleterre lança aussitôt un « bateau de sauvetage » amenant les principales banques du pays à se porter au secours de 26 banques secondaires par un apport de 3 milliards de dollars. Il y eut un moment d'inquiétude lorsque, au mois de juin de l'année suivante, en Allemagne, la Herstatt Bank menaça de s'effondrer, porteuse d'une dette énorme envers des banques britanniques et américaines, réveillant de troublants souvenirs de la chute du Credit Anstalt en 1931. Mais, là encore, le système d'entraide fonctionna correctement. À la fin de 1974, le Contrôle des comptes de Washington gardait en observation 150 banques américaines, dont 2 d'une taille certaine, qui étaient connues pour être en difficulté. À Londres, le boom de l'immobilier s'enlisa, entraînant avec lui quelques brillantes compagnies financières. L'indice du *Financial Times*, qui avait été de 543 en mars 1972, tomba à 146 au début de 1975, les titres ayant chuté, en valeur absolue, plus bas qu'en 1940, au cœur de la guerre. En Amérique, les finances de la ville de New York, depuis longtemps suspectes, finirent par succomber lorsque les banques cessèrent d'accorder des prêts. La cité la plus riche du monde fit appel à Washington, mais Gerald Ford refusa d'intervenir, événement qui fut salué par un titre fameux du *New York Daily News* : « Gerald Ford à la ville de New York : Crève[37] ! » Mais le pire de la crise financière était alors passé, et les banques, comme les établissements les plus solides, étaient encore debout.

En fait, les banques de commerce qui avaient contribué à créer l'instabilité par le négoce effréné des eurodollars appliquaient maintenant le même genre de méthodes pour tirer de l'ordre du chaos. Quel était le problème à résoudre ? La révolution des prix signifiait que les pays de l'Opep soutiraient chaque année à l'économie mondiale quelque 80 milliards de dollars. Cela représentait 10 % de toutes les exportations du reste du monde. L'Arabie Saoudite et le Koweït, à eux seuls, avec une population minuscule, recevaient un bonus de 37 milliards par an, ce qui, en vingt-cinq ans, eût été suffisant pour acheter la totalité des grandes entreprises sur le marché boursier. On pouvait être terrifié à l'idée que les Arabes, après s'être servi du pétrole comme d'une arme, en fasse autant de leur argent. Il était essentiel de le faire revenir aussi vite que possible dans le cycle de la production. Washington, toujours paralysé par l'affaire du Watergate, était incapable de prendre la tête, mais, par chance, le système extra-gouvernemental des eurodollars restait disponible, avec son habitude ancienne de répondre directement aux besoins du marché, sans aides ni entraves bureaucratiques. Les eurodollars furent rebaptisés « pétrodollars », et l'on parla de « recyclage ». Bientôt, les pétrodollars furent rassemblés en prêts énormes que l'on accordait aux nations industrielles durement touchées par la crise, comme aux pays en voie de développement qui étaient, quant à eux, plus ébranlés encore. L'Indonésie, le Zaïre, le Brésil, la Turquie en bénéficièrent, et même quelques concurrents nouveaux des producteurs arabes, comme le Mexique.

Les Arabes n'avaient aucun désir d'aider les pays du tiers monde, à moins qu'il ne s'agisse de prêts gouvernementaux d'un certain rapport. Mais, sitôt qu'ils avaient introduit leur argent dans le système bancaire, ils le perdaient de vue, et il n'y avait pas d'autre endroit où ils puissent le mettre. Tels de nouveaux Crésus, ils ne savaient que faire. Ce qui se passait ne leur plaisait guère, mais comme, pour des raisons coraniques, ils n'avaient pas encore de système bancaire qui leur fût propre, il fallait bien qu'ils s'en accommodent. Comme disait un membre du Congrès : « Ils ne possèdent rien d'autre qu'une reconnaissance de dettes déposée sur un compte en banque qui peut être gelé en Amérique, en Allemagne ou dans tout autre pays où il se trouve[38]. » Lorsqu'une nation a plus d'argent qu'elle ne peut en dépenser, il faut, bon gré mal gré, qu'elle le partage. C'était de bon gré que, en 1945, les Américains s'y étaient mis, avec le plan Marshall, le Point Four et le « confinement » militaire de l'expansion soviétique. Les Arabes étaient loin de partager un tel altruisme, mais ils ne pouvaient empêcher les banques de prêter leur argent. Walter Wriston, de la Citibank, résuma parfaitement cette situation :

> « Si Exxon paie 50 millions de dollars à l'Arabie Saoudite, que se passe-t-il ? Nous débitons le compte d'Exxon et nous créditons celui des Arabes. Le bilan de la Citibank reste le même. Et s'ils disent qu'ils n'aiment pas les banques américaines, s'ils mettent leur argent au Crédit suisse, que se passe-t-il alors ? Nous débitons l'Arabie Saoudite et nous créditons le compte du Crédit suisse. Où est le changement de notre bilan ? Les gens s'affolent et courent en tous sens, attendant que le ciel leur tombe sur la tête, mais l'argent ne peut pas quitter le système : c'est un circuit fermé[39]. »

Les choses se seraient, bien sûr, présentées tout autrement si les Arabes avaient disposé eux-mêmes d'un réseau bancaire raffiné, comme ils devaient s'en apercevoir sur le tard. Lorsqu'ils commencèrent à former leur propre système de banque internationale, au début des années 80, les nations industrialisées avaient trouvé d'autres sources d'énergie, y compris du pétrole non arabe, les réserves pétrolières du monde accusaient un surplus, et le problème des pétrodollars n'était plus un risque, tout au moins sous la forme aiguë que les Arabes avaient connue. L'apogée de leur pouvoir était passé. Ils l'avaient atteint entre 1974 et 1977, alors qu'ils possédaient la moitié de l'argent liquide du monde. Grâce au système bancaire commercial, ce marché noir des finances internationales, cet argent avait disparu dans le puits sans fond que représentaient les besoins des pays en voie de développement. En 1977, ceux-ci devaient aux banques de commerce 75 milliards de dollars, la moitié de cette dette étant au compte des banques américaines, et tout, ou presque, était de l'argent arabe. Dans l'ensemble, c'était un système moins efficace que celui qui avait permis, avant 1973, l'expansion constante de l'Occident industriel. L'Indonésie emprunta plus de 6 millions de dollars dont elle gaspilla la plus grande part avant de faire défaut ; l'un des hauts fonctionnaires de ce pays alla jusqu'à mettre 80 millions sur son propre compte [40]. Le Zaïre qui, en 1979, avait une dette de 3 milliards, fut un autre cas de dépenses folles jointes à la corruption [41]. Le Brésil et le Mexique, en revanche, qui furent les plus gros emprunteurs, firent, en général, un usage plus productif de ces prêts. La plus grande partie de cet argent finissait par revenir à son point de départ, c'est-à-dire qu'il se trouvait réinjecté dans les économies industrielles. L'énormité de la dette globale devait, malgré tout, entretenir la crainte constante d'une crise bancaire à l'échelle du monde, et les années 70 furent, pour l'Occident, une époque d'inquiétude croissante. Il fallut quelque temps pour que les effets rassurants du recyclage se fassent sentir, et la récession, dans l'intervalle, avait eu des effets politiques. Comme nous l'avons dit, ce fut la grande crise des années 30 qui, en démoralisant les pays démocratiques, leur ôta la volonté de faire face à l'agression, minant leur énergie au point qu'ils furent incapables d'organiser collectivement leur défense contre les pouvoirs illégitimes et la violence. Mais, à l'époque qui nous occupe, l'Otan et quelques autres pactes locaux avaient déjà été créés, et ils continuaient à fonctionner tant bien que mal. Ce qui manquait, c'était une direction capable de trouver des réponses aux menaces nouvelles, ou même aux variations des plus anciennes. Dans cette perspective, le relatif déclin du pouvoir et de la volonté américaine fut gravement accéléré par la révolution des prix et la récession. Le dollar avait perdu, depuis 1970, la moitié de sa valeur ; il semblait que le « siècle de l'Amérique » ait pris fin, vingt-cinq ans seulement après sa naissance ; les États-Unis étaient passés d'une économie pratiquement autonome à une dépendance croissante à l'égard du monde entier, car, sans compter les sources arabes, ils importaient la moitié de leur pétrole du Canada, du Venezuela, du Mexique, du Nigeria et de l'Indonésie, et la plus grande partie du chrome, de la bauxite, du manganèse, de l'étain et du zinc leur venait de l'ensemble de l'hémisphère occidental, mais aussi de Malaisie, de Zambie, d'Australie, du Zaïre et de l'Afrique du Sud[42]. À mesure que les voies d'approvisionnement maritime devenaient plus nécessaires, ils perdaient les moyens de les défendre. Dans son rapport budgétaire de 1977, le secrétaire de la Défense, Donald Rumsfeld, notait que « la flotte actuelle pouvait encore contrôler les voies maritimes de l'Atlantique Nord en direction de l'Europe », mais seulement aux prix de « sérieuses pertes ». Il ajoutait que « la possibilité d'opérer dans la Méditerranée orientale était, au mieux, incertaine ». Quant à la flotte du Pacifique, elle pouvait « assurer l'ouverture des voies en direction d'Hawaii et de l'Alaska », mais elle aurait quelques difficultés à « protéger les lignes de communication dans l'ouest du Pacifique ». En cas de guerre mondiale, l'Amérique aurait du mal à protéger des alliés tels que le Japon ou Israël, ou même à renforcer l'Otan[43]. C'était un changement radical par rapport à la situation des années 50, ou même à celle du début des années 60, et l'affaiblissement de la puissance matérielle des États-Unis était encore intensifié par le défaut de toute direction ferme. Les années 70 furent le nadir de la présidence américaine ; après le printemps 1973, celle de Nixon avait perdu toute efficacité par suite de la chasse aux sorcières du Watergate. Son successeur, Gerald Ford, n'avait que deux ans d'exercice, sans mandat électoral, et il passa toute la première année à dégager l'administration des embrouilles du Watergate. Derrière la façade bien ordonnée de la Maison-Blanche, des sous-ordres se disputaient confusément le pouvoir, et Ford manquait de l'autorité, de la brutalité nécessaire pour mettre fin à ces désordres. Comme le disait l'un de ses collègues : « Ce brave Gerry était trop bon ; c'était ce qui le perdait[44]. » Les opinions de Ford, dans les rares cas où elles se faisaient entendre, étaient le plus souvent raisonnables, mais il manquait de poids ; il avait une malheureuse tendance à se laisser désarçonner en public[45].

Son successeur fut pis encore. En dépit du Watergate, et malgré ses défauts, Ford faillit gagner l'élection de 1976, et il l'aurait certainement emportée si on lui avait permis de choisir son vice-président, Nelson Rockefeller, pour diriger sa campagne. À cette époque, en conséquence directe du harcèlement des médias, la présidence se présentait comme un poste peu enviable. La concurrence resta faible et la nomination revint finalement à un Georgien assez terne, Jimmy Carter, qu'un habile spécialiste de la publicité d'Atlanta, Gerald Rafshoon, avait lancé sur le marché politique comme un produit nouveau à la télévision[46]. Carter eut une marge minuscule contre l'un des titulaires les plus faibles de l'histoire des États-Unis, et il se montra moins décisif encore que son prédécesseur. Il poursuivit la politique de détente à l'égard de l'URSS qu'avaient préconisée Nixon et Kissinger longtemps après que les événements lui eurent retiré le peu d'intérêt qu'elle avait pu avoir, au point que ses auteurs eux-mêmes n'y croyaient plus [47]. Le milieu des années 70 vit le premier accord tendant à limiter l'emploi des armes stratégiques, Salt 1 ; il fut signé en mars 1978 et eut des conséquences inattendues pour la politique de défense américaine. Il fut responsable, dans la bureaucratie de Washington, d'un lobby du contrôle des armements, particulièrement actif au département d'État, qui allait s'assurer un droit de regard sur tous les programmes d'armements nouveaux, aussi bien au stade de la recherche qu'à celui de la réalisation ; son veto pouvait interrompre la production de ces armes si elles posaient des problèmes de contrôle que l'on jugeait contraires aux accords de Salt 1 [48]. Ce fut l'attitude politique de Carter qui favorisa cette inquiétante évolution.

Plus dangereuse encore était la politique dite des « droits de l'homme », consécutive aux accords d'Helsinki, dont les signataires s'engageaient à faire respecter ces droits dans le monde entier. L'idée première avait été de forcer la Russie soviétique à adopter un régime intérieur plus libéral, mais les effets de ces accords furent, en fait, très différents. Derrière le rideau de fer, on n'en tint aucun compte, et les groupes de volontaires qui voulurent en contrôler l'application furent arrêtés. En Occident, en revanche, l'Amérique se trouva engagée dans une série de campagnes contre certains de ses plus anciens alliés. Selon la même logique que pour Salt, il y eut bientôt un lobby des droits de l'homme, comprenant la totalité du bureau du département d'État, qui s'employait activement à défendre des positions contraires aux intérêts de l'Amérique. En septembre 1977, le Brésil réagissait aux critiques du département d'État en annulant les 4 accords défensifs qu'il entretenait encore avec les États-Unis, 2 d'entre eux étant fort anciens puisqu'ils dataient de 1942 ; puis on s'aliéna l'Argentine dans des conditions similaires. Le rôle tenu par le département d'État dans la chute du régime Somoza, au Nicaragua, est bien représentatif de ces erreurs. Un secrétaire adjoint, Viron Vaky, fut, à cette occasion, le porte-parole du gouvernement : « Aucune négociation ou médiation, aucun compromis n'est plus à envisager avec le gouvernement de Somoza. La solution n'interviendra que sur la base d'une rupture nette avec le passé [49]. » Cette « rupture » prit la forme, en 1979, du remplacement de Somoza — allié déplaisant mais fidèle des États-Unis — par un régime marxiste dont l'attitude vis-à-vis des droits de l'homme était aussi méprisante que celle de son prédécesseur, et qui engagea aussitôt une campagne contre les alliés de l'Amérique au Guatemala, au Salvador et dans d'autres pays d'Amérique centrale. En 1978, à nouveau, le bureau du département d'État contribua activement, en Iran, à miner l'autorité du chah, préparant ainsi le terrain pour sa chute, en 1979, et son remplacement par un régime terroriste violemment anti-occidental [50]. La politique américaine des droits de l'homme, quelle que pût être, par ailleurs, sa valeur théorique, était fort naïve dans ses applications.

Mais il faut bien dire que, sous Carter, la politique était, dans son ensemble, si confuse qu'à l'exception de cette tendance à porter tort aux alliances comme aux amitiés, il était difficile d'y trouver quoi que ce soit de caractéristique. Les conflits internes de l'administration Ford n'étaient rien auprès de l'opposition triangulaire qui déchirait alors le pouvoir entre le secrétaire d'État, Cyrus Vance, son conseiller à la Sûreté, Zbigniev Brzezinski, et son adjoint georgien Hamilton Jordan ; pour une bonne part, ce conflit se déroulait sous les yeux du public, et l'on ne doit pas en exclure Billy, le frère quelque peu ivrogne de Carter, qui fut payé par la Libye pour animer un lobby favorable à ce pays notoirement anti-américain. Le seul point sur lequel les hommes de Carter semblaient capables de s'entendre était l'incapacité où se trouvait l'Amérique de contrôler les événements. Cyrus Vance jugeait qu'il serait « futile de s'opposer à l'engagement de Cuba en Afrique ». « Il faut admettre, ajoutait-il, que nous ne sommes pas plus en mesure de nous opposer au changement que le roi Canute n'était capable d'arrêter la marée. » « Le monde, ajoutait Brzezinski, change par l'effet de forces qu'aucun gouvernement ne saurait contrôler. » Carter lui-même disait que l'Amérique ne disposait que de possibilités « très limitées » pour influencer les événements. Se sentant incapable, l'administration se réfugiait dans un monde de métaphores brumeuses pour lesquelles Brzezinski était particulièrement doué. Le Viêt-nam était « le Waterloo de l'élite Wasp » ; aucune intervention de ce genre ne pourrait jamais plus être entreprise par l'Amérique. « Il y a dans le monde, disait-il encore, différents axes de conflit. Plus ils s'entrecroisent, plus ils deviennent dangereux. » Le Moyen-Orient était « l'arc de la crise » ; on n'avait pas besoin d'« acrobaties, mais d'architecture[51] ». Malheureusement, les architectes d'une politique étrangère brillaient par leur absence. Lorsque le gouvernement terroriste de l'Iran prit en otage le personnel de l'ambassade des États-Unis, ce fut bien à des acrobaties qu'on eut recours, et elles se terminèrent, en mai 1980, par un amas d'hélicoptères américains, au milieu du désert. Ce fut alors, sans doute, que le prestige de l'Amérique toucha le point le plus bas qu'elle ait connu dans ce siècle.

Son déclin, tout au long des années 70, paraît d'autant plus rapide, si on le compare à la stabilité et à l'assurance du régime soviétique. En 1971, l'URSS dépassa les États-Unis quant au nombre des missiles stratégiques nucléaires, tant pour les bases de lancement que pour les sous-marins. La même année, Andrei Gromyko put se vanter que, dans le monde entier, « aucune question importante [...] ne pouvait faire l'objet d'une décision sans l'accord de l'Union soviétique, ou sans que l'on s'oppose à elle[52] ». Il était lui-même le symbole de la stabilité intérieure et de la continuité en politique étrangère ; adjoint des Affaires étrangères dès 1946, il était devenu ministre à partir de 1956 et conserva ce poste jusqu'au début des années 80.

Cela ne signifie nullement que l'histoire de la Russie poststalinienne se soit déroulée sans heurts. Beria, le dernier des chefs de la police secrète de Staline, n'avait survécu que de peu à son maître ; il en savait trop sur tous les personnages haut placés du régime. Ses collègues établirent contre lui un acte d'accusation dont la lecture, selon Svetlana, la fille de Staline, avait pris trois bonnes heures, et dont la moitié était consacrée à ses mœurs sexuelles ; le poète Evtouchenko nous donne un raccourci de ces dernières dans ses Mémoires : « Je vis la face de vautour de Beria, à demi cachée par une écharpe, collée aux vitres de sa limousine, tandis qu'il roulait lentement près du trottoir, chassant une femme pour la nuit [53]. » Beria fut arrêté le 26 juin 1953 et fusillé, selon la version officielle, après son procès, qui eut lieu en décembre. Mais Khrouchtchev, le secrétaire du Parti, devait dire, en 1956, à un communiste italien que, en fait, il avait été assassiné au moment de son arrestation ; alors qu'il tentait de sortir son revolver, il fut saisi par Malenkov, Mikoyan, le maréchal Koniev et le maréchal Mochkalenko, et étranglé ; dans une autre version, Khrouchtchev disait aussi qu'il avait été abattu d'un coup de feu [54]. En 1955, Khrouchtchev évinça Malenkov à la tête de l'oligarchie poststalinienne. Deux ans plus tard, il confirma sa suprématie en chassant du pouvoir le « groupe anti-Parti », composé de vieux staliniens tels que Molotov et Kaganovitch, qui avaient fait cause commune avec Malenkov, se débarrassant aussi de Boulganine, son successeur au secrétariat du Parti. Selon le propre récit de Khrouchtchev, il avait contre lui la majorité du Présidium, mais avec l'aide du maréchal Joukov, il fit venir par avion ses alliés du Comité central, ce qui lui permit d'inverser la décision. Quatre mois plus tard, il s'en prenait néanmoins à Joukov, l'accusant d'« aspirations bonapartistes » et de « violation des normes léninistes ». Enfin, en 1958, il limogea Boulganine, prit sa place et conserva le pouvoir pendant six ans.

Il n'y eut pas de « déstalinisation », et ce terme ne fut jamais utilisé en Russie même. Les changements dont il fut question dans le discours de Khrouchtchev, lors de la « session secrète » du XXe Congrès, ne concernaient que la cessation du terrorisme massif à l'égard des membres du Parti ; il ne s'agissait donc que de ceux qui dirigeaient le système [55]. La structure interne de l'État léniniste demeura intacte ; le monopole absolu du pouvoir revenait toujours au Parti, c'est-à-dire à l'élite restreinte qui en avait le contrôle, et celui-ci continuait à s'appuyer, comme précédemment, sur la police et sur l'armée qu'il tenait en bride par une hiérarchie d'officiers issus de ses propres rangs. Ce soubassement autocratique se montrait durable, et il demeurait possible, à tout moment, qu'un homme sans scrupule élève, sur cette base, une superstructure de terreur généralisée. Khrouchtchev se conduisit souvent comme un autocrate, et c'est à ce titre qu'il finit par être évincé. Ses collègues n'aimaient pas l'aventurisme de ses entreprises, et ils ne tardèrent pas à juger que son influence était dangereuse. Il avait tenté de donner au fonctionnement du Parti une forme plus démocratique, et c'était déjà une idée peu conforme au léninisme. Quant à sa notion d'un « État du peuple entier », qui impliquait la fin du monopole du Parti sur le pouvoir, elle était, cette fois, franchement antiléniniste. On pourrait dire qu'à la différence de Lénine, Khrouchtchev était un vrai marxiste : il croyait que l'avènement du communisme était réalisable. En 1961, lors du XXIIe Congrès du Parti, il exposa les différentes étapes de son programme : avant la fin des années 60, le niveau de vie de l'URSS aurait dépassé celui des États-Unis ; le commencement du communisme — logements et transports gratuits, etc. — se situerait en 1970, et son achèvement était prévu pour 1980. Ne doit-on pas, sous ce rapport, le compter parmi les nombreux optimistes qui se laissèrent abuser par le mirage de cette décennie de l'illusion ? Pour ses détracteurs du Présidium, il était inconcevable que de telles promesses puissent être tenues, elles ne servaient qu'à provoquer la colère et le désappointement, tout comme l'aventure des missiles de Cuba en 1962, ou le projet des « territoires vierges » de 1954, qui devait ouvrir à l'exploitation agricole 40 millions d'hectares de terres nouvelles en Asie centrale soviétique et en Sibérie, et dont le seul résultat tangible fut de créer les plus gigantesques tempêtes de poussière de l'Histoire. Le Présidium profita de ce qu'il était en vacances en Crimée pour voter son exclusion et la fit confirmer, le lendemain, par le Comité central. Ce complot avait été préparé par le principal théoricien du parti, l'ultraléniniste Michael Souslov, et mis en œuvre par le chef du KGB, Alexandre Chelepine. Ce dernier attendait Khrouchtchev à l'aéroport lorsqu'on le ramena à Moscou, sous la garde de nombreux policiers [56]. L'objectif comme les méthodes de ce coup d'État confirmaient le lien qui unissait les « normes léninistes » à l'utilisation de la police secrète.

Souslov, qui préférait rester à l'arrière-plan, aida le nouveau premier secrétaire du Parti, Leonid Brejnev, à s'élever vers le pouvoir suprême. Brejnev fut nommé secrétaire général en 1966, chef de l'État, dirigeant du Présidium et président du Conseil de la défense en 1977 ; il devint également maréchal de l'Union soviétique en 1976 et reçut le prix Lénine de la paix en 1972 et celui de littérature en 1979. Ce brillant cumul de fonctions et d'honneurs était, en fait, une récompense ; elle lui était conférée par ses pairs, plus anciens que lui à la tête du Parti, parce qu'il apportait une stabilité nouvelle ; grâce à lui, la direction des affaires soviétiques était devenue plus sûre, plus prévisible, et elle se fondait sur la détermination absolue de concentrer le pouvoir entre les mains de l'élite communiste [57]. Brejnev résuma cette philosophie gouvernementale dans un slogan : « Confiance aux cadres » ; il s'agissait de consolider et de perpétuer une classe de privilégiés qui s'assuraient la direction du reste de la population. Cette division ne pouvait faire l'objet d'aucune contestation ; il n'était pas question de céder une once de pouvoir à un électorat qui dépasserait en quoi que ce soit le cadre étroit du Parti. Les postes du pouvoir, une fois qu'ils étaient acquis, ne seraient plus jamais abandonnés, nul ne s'en dessaisirait, et ce principe était appliqué aussi bien en URSS que dans les pays satellites. S'adressant, en 1968, à Dubcek, communiste tchèque de tendance libérale, Brejnev ne laissait subsister aucun doute à ce sujet : « Ne me parlez pas de "socialisme", disait-il, ce que nous avons, nous le conservons[58]. »

La Russie de Brejnev était une société achevée. On n'y attendait plus rien de neuf. Plutôt qu'un changement de la qualité de la vie, elle offrait les mêmes choses en quantités croissantes. Au XXVIᵉ Congrès, en 1981, Brejnev reconnut que les projets de 1961 n'avaient plus cours : il n'y aurait plus d'objectifs spécifiquement « communistes ». Il rétablit, comme au temps de Staline, la priorité des armements, et ceux-ci demeurèrent le secteur le plus favorisé et le plus florissant de l'économie soviétique ; dans les années 60 et 70, les dépenses militaires augmentèrent, en valeur absolue, de 3 % par an, ce qui signifiait que, entre la chute de Khrouchtchev et le milieu de la décennie, la Russie avait affecté aux armements un pourcentage de ses ressources 2 fois supérieur à celui de l'Amérique[59], et la croissance générale de l'économie soviétique demeurait plus lente que celle des États-Unis. Selon l'une des estimations qu'on a pu faire, en 1978, le produit national de l'URSS était de 1 253,6 milliards de dollars, contre 2 107,6 milliards en Amérique, ce qui donne, par habitant, un revenu de 4 800 dollars pour la Russie, contre 9 650 pour les États-Unis[60]. La difficulté d'interprétation de ce genre de calcul est évidemment le revenu par habitant ne signifie pas grand-chose dans une société très largement dominée par le secteur public ; de plus, ces estimations sont fondées sur les statistiques du gouvernement soviétique pour lesquelles aucune vérification objective n'est possible. Parlant des fonctionnaires du bureau des Statistiques, Khrouchtchev lui-même disait : « Ils sont capables de fondre la merde pour en faire des balles de fusil[61]. » Au cours des années 60 et 70, Brejnev mit à la disposition du consommateur moyen une quantité considérable de biens de basse qualité. On put estimer qu'à la fin des années 70, le niveau de vie d'un travailleur soviétique était à peu près celui de son homologue américain des années 20[62], mais cette comparaison pèche sur 3 points importants : en Russie, le logement urbain ne rattrappa jamais l'augmentation de la population des villes qui, de 19 % en 1926, était passée, cinquante ans plus tard, à 62 %, en conséquence de quoi les Russes connaissaient des conditions de logement plus mauvaises que celles d'aucun autre pays industrialisé ; la surface logeable par habitant n'était que de 6,70 mètres carrés (contre 111 aux États-Unis) ; en deuxième lieu, 1 seul Russe sur 46 possédait une automobile (bien que les morts par accident de la route soient plus nombreuses qu'en Amérique) ; enfin, les approvisionnements en denrées alimentaires se détériorèrent sous Brejnev, surtout à la fin des années 70 et après 1980[63].

Mais, dans l'optique de Brejnev, la Russie était bien assez prospère pour servir ses desseins. Il ne voulait nullement une « révolution d'espérances croissantes » ; le régime n'avait pas d'autre but que de se perpétuer lui-même. Alexandre Hertzen avait, jadis, décrit une attitude semblable en parlant du régime tsariste : « Il se sert du pouvoir afin de continuer à s'en servir », écrivait-il, mais la comparaison ne fait pas justice aux tsars qui avaient souvent le désir sincère d'élever leur peuple. Aleksandr Soljenitsyne rejeta toujours avec violence l'idée que le régime soviétique pût être, en aucune manière, la continuation de l'autocratie tsariste[64]. Politiquement autant que moralement, il s'agissait d'une société totalitaire d'un tout autre genre ; plutôt qu'un gouvernement légitime, c'était une sorte de conspiration axée sur sa propre pérennité. Bien que le gangstérisme de style Chicago qui avait eu cours au temps de Staline ait été remplacé par l'action plus sourde d'une mafia entretenue par Brejnev et ses consorts, l'aspect essentiellement criminel du système n'en était pas moins évident. Le régime s'appuyait non pas sur la loi, mais sur la force. En terme d'économie, la meilleure description qu'on pût en faire avait été donnée par un *samizdat* intitulé *Mémorandum*, publié en mai 1966 sous le pseudonyme de Fedor Zniakov ; c'était, disait-il, un « supermonopole capitaliste » dans lequel toute propriété de quelque importance se trouvait rassemblée sous un contrôle unique[65]. Le seul problème de Brejnev était de s'assurer que les profits n'en seraient distribués qu'aux seules classes dirigeantes. En 1976, la population de l'URSS était de 260 millions, dont 15 millions seulement étaient membres du Parti, mais ce dernier chiffre était loin de constituer l'effectif de la classe dirigeante et n'en représentait, pour la plus grande part, que des membres potentiels. À force d'assiduité et de soumission, une partie d'entre eux y accédaient, tandis que d'autres — environ 300 000 par an — étaient éliminés par le refus de renouvellement de leur carte. La véritable classe dirigeante était constituée de 500 000 personnes, membres à plein temps du Parti ou personnalités gouvernementales avec leurs familles. Tous recevaient, en récompense, l'avantage du pouvoir administratif ; l'énormité de la machine d'État et l'existence d'un vaste empire soviétique de par le monde assuraient en effet un nombre suffisant de postes aux noms ronflants, « assez de pâture pour nourrir tout le troupeau », selon le mot de sir Robert Walpole ; à cela venaient s'ajouter des privilèges économiques fondés sur un système de distribution clos et comprenant les denrées alimentaires et d'autres biens de consommation, des magasins spéciaux, le logement, les voyages à l'étranger, la santé, les villégiatures et l'éducation supérieure. Les hautes sphères du régime devinrent ainsi une véritable « classe supérieure », au sens ancien et féodal du terme et telle que l'avait également définie le marxisme, car son statut ne reposait pas sur la seule richesse mais encore sur l'exercice des droits administratifs et légaux parfaitement distincts, qui la plaçaient au-dessus du reste de la société. Dans son ensemble, celle-ci avait connu, sous Lénine et Staline déjà, mais plus encore sous Brejnev, une stratification hiérarchique très rigoureuse. On en trouvera un exemple dans l'attribution des logements pratiquée, dans les années 70, au sein de la communauté scientifique de Novossibirsk : un membre titulaire de l'Académie avait droit à une villa entière, tandis qu'un membre correspondant ne s'en voyait attribuer qu'une moitié ; un maître de recherches recevait un appartement de 3 mètres de hauteur de plafond, alors que les chercheurs subalternes devaient se contenter de 2,25 mètres et d'une salle de bains collective [66]. Mais la véritable barrière de classe était celle qui séparait du reste de la population le demi-million de personnes les plus haut placées ; c'était de celles-ci qu'il s'agissait quand les Russes disaient « eux » par opposition à « nous ». 426 exerçaient le pouvoir politique réel en tant que membres du Comité central, et quelque 200 autres avaient rang de ministres. Ce qu'ils attendaient de Brejnev, et ce qu'ils obtenaient en effet, c'était un large éventail de privilèges divers, la sécurité de leurs personnes et de leurs biens, et le maintien de leurs postes. En 1976, par exemple, les membres du Comité central furent réélus à 83,4 %, ce qui représente une proportion typique. À la fin des années 70, la plupart des 200 personnes les plus élevées dans la hiérarchie étaient âgées de plus de soixante-cinq ans, et beaucoup d'entre elles avaient passé soixante-dix ans. Isolée du reste de la population, accédant dans son ensemble à l'éducation supérieure, favorisant, enfin, les mariages intérieurs à ses propres rangs, cette nouvelle classe dirigeante avait déjà commencé à devenir héréditaire ; la propre famille de Brejnev en fournit un exemple.

Sous Staline et dans l'Allemagne hitlérienne, l'opposition était inexistante, ou bien elle prenait forme de conspirations. Normalement, un régime totalitaire n'est pas vulnérable de l'intérieur, à moins qu'il ne tente de se libéraliser. Il y avait eu, au temps de Khrouchtchev, quelques timides essais dans ce sens ; une partie du réseau des Goulag avait été démantelée, mais son noyau subsistait encore. Le 25 décembre 1958, on décréta des « Principes fondamentaux du droit pénal et de la procédure », qui attribuaient des droits théoriques aux accusés, et l'on put assister au premier débat légal qu'on ait connu dans la presse soviétique. Mais cette réforme, octroyée d'en haut, ne pouvait que créer de l'instabilité, et elle était destinée d'avance à devenir lettre morte puisque la Russie soviétique n'était pas une société régie par la loi. Le marxisme, d'ailleurs, n'avait jamais développé une philosophie du droit. Le seul spécialiste soviétique du droit général, Evgueny Pashukanis, affirmait que, dans une société socialiste, le Plan serait amené à remplacer la loi [67]. C'était logique, puisque la notion d'un processus légal indépendant était incompatible avec celle d'un déterminisme historique interprété par une élite de dirigeants marxistes. Pashukanis fut bientôt à même de vérifier l'exactitude de ses prévisions : la loi ayant été remplacée par le plan de Staline, il fut assassiné dans les années 30. L'ordonnance de 1958 ne pouvait pas être mise en application parce qu'elle aurait conféré aux tribunaux les premiers éléments d'un statut indépendant, et qu'un tel état de choses exercerait nécessairement une érosion sur le monopole du pouvoir détenu par le Parti. Même sous Khrouchtchev, aucun tribunal ne prononça jamais un verdict de non-

culpabilité en matière politique, de même qu'aucune cour d'appel soviétique ne cassa jamais un jugement de cette nature. C'est ainsi que
l'entière soumission aux diktats du Parti fut préservée, sans la moindre exception, depuis la première année du règne de Lénine jusqu'à nos
jours [68].

Une autre réforme de Khrouchtchev eut sans doute plus d'impact,
en son temps, que la précédente : il s'agit du relâchement de la censure.
Comme le Présidium refusait de modifier le système, c'est de sa propre autorité que Khrouchtchev devait permettre la publication d'un certain nombre d'ouvrages ou d'articles hétérodoxes [69]. En 1962,
Aleksandr Soljenitsyne put sortir *Un jour dans la vie d'Ivan Denisso-
vitch*; de tous les livres de circulation libre parus en Russie depuis la
Révolution, aucun, sans doute, n'exerça autant d'influence. Mais au
cours de la même année, à Novocherkask, il y eut d'importantes manifestations contre la hausse du prix des denrées alimentaires. Le 2 juin,
les troupes tirèrent sur la foule, tuant un grand nombre de personnes.
Les émeutes étaient, et sont encore, un trait récurrent de la société soviétique, où elles jouent, comme aux temps féodaux, le rôle que tiennent
ailleurs les grèves et la politique, attirant l'attention sur les causes de
doléances populaires. L'émeute de juin, cependant, avait pris une
ampleur inhabituelle, et l'on peut supposer qu'elle fut en partie responsable de la chute de Khrouchtchev, deux ans plus tard. Avant de
quitter la scène, il avait lui-même refusé d'autoriser la publication
d'autres ouvrages relatifs aux camps. Selon Roy Medvedev, notre meilleur informateur en cette matière, le mouvement de dissidence aurait
commencé en 1965, l'année qui suivit le départ de Khrouchtchev et, en
1966-1967, il y aurait eu une période qui n'était guère éloignée d'une
véritable protestation de masse, correspondant à la plus forte densité
des samizdats, ou publications clandestines [70]. La répression
commença à la même époque avec le procès des 2 principaux dissidents
Siniavsky et Daniel, en février 1966. Cela mit fin à la prétendue réforme
judiciaire comme, en général, à toute forme de libéralisme. Peu de
temps après, 2 officiers supérieurs de la police secrète furent nommés
juges de la Haute Cour soviétique. La phase la plus aiguë de la répression se situa entre 1968 et 1970, commençant par le « procès des quatre » — il s'agissait de Galanskov, Guinsburg, Dobrovolsky et
Lashkova — en janvier 1968. On est mieux documenté sur ce procès
que sur tout autre ; c'était une farce politique préétablie, indiquant avec
évidence que le système soviétique demeurait, pour l'essentiel, une
tyrannie totalitaire, et que toute réforme intérieure y était aussi impossible que la quadrature du cercle [71].

Après 1970, cette nouvelle terreur se relâcha quelque peu. Les Russes exigèrent alors une Conférence sur la sécurité et la coopération européennes qui siégea à Helsinki entre les mois de juillet 1973 et 1975. En
Occident, ceux qui appuyaient la participation de leur pays à ces rencontres assuraient qu'elles permettraient, si cette clause était introduite

dans les accords, de contraindre les Soviétiques à respecter chez eux les droits de l'homme. Ce fut la thèse des administrations de Ford et de Carter. Selon l'article 7 des accords d'Helsinki, le gouvernement soviétique s'engageait à « respecter les droits de l'homme et les libertés fondamentales ». Mais ce n'était jamais qu'un traité de plus à rompre, après bien d'autres. En fait, l'une des conséquences directes de ces accords fut la reprise de la répression sur une grande échelle, non seulement en Russie, mais dans d'autres pays situés au-delà du rideau de fer. Ils encouragèrent, en effet, les dissidents à se montrer au grand jour. À Moscou, en Ukraine, en Géorgie, en Arménie, en Lituanie, ils formèrent des groupes de contrôle qui se proposaient de « promouvoir le respect des accords d'Helsinki ». Des mouvements similaires apparurent en Tchécoslovaquie, en Allemagne de l'Est, en Pologne et dans d'autres pays encore ; des informations relatives aux cas de violation des accords étaient transmises aux journalistes occidentaux.

Il s'ensuivit une vague de persécutions extrêmement violentes qui commencèrent en 1975 et atteignirent leur maximum en 1977. Les responsables des groupes de contrôle en furent les principales victimes. Le KGB, dans certains cas, adopta une politique nouvelle qui consistait à pourvoir les dissidents d'un visa de sortie et à les chasser de leur pays, mais beaucoup d'autres furent condamnés à de longues peines de prison ou de travaux forcés. C'est ainsi que les accords d'Helsinki ne parvinrent, en ce qui concerne la Russie, qu'à intensifier considérablement la violation des droits de l'homme et la férocité de la répression. Cette farce tragique devait atteindre son comble lors de la session de rappel qui se tint à Belgrade, en 1977-1978, car la délégation russe produisit alors une abondante documentation relative à la persécution des catholiques en Ulster et à celle des Noirs en Amérique, mais se refusa tout net à discuter les pratiques soviétiques. Peu de temps après la fin de cette conférence, 2 membres du groupement ukrainien furent condamnés à sept ans d'emprisonnement, le fondateur du groupe de Moscou, qui était déjà détenu sans jugement depuis quinze mois, reçut une sentence de sept ans dans un camp « dur », et le plus célèbre des dissidents soviétiques, Andréï Sakharov, fut accusé de « hooliganisme » puis assigné à résidence pour un long exil intérieur[72]. Le procès du groupement géorgien évoquait, comme un sinistre écho, les pires moments de l'époque stalinienne ; on y produisit de fausses preuves d'espionnage au profit des services de renseignements occidentaux, et les aveux forcés laissaient soupçonner l'usage de la torture[73].

Il est un aspect de la répression où l'attitude soviétique vis-à-vis des opposants se montre d'une remarquable constance puisqu'on le retrouve, inchangé, depuis le début du règne de Lénine jusqu'aux années 80 : la dissidence fut toujours traitée comme une maladie mentale, et ceux qui s'opposaient au régime couraient le risque d'être soumis à un « traitement » dans un hôpital spécialisé. Le premier cas connu remonte à 1919 : Lénine obtint alors du tribunal révolutionnaire de Moscou qu'il condamne à l'internement dans un sanatorium une femme, Maria Spiridonova, qui était l'un des chefs du Parti socialiste révolutionnaire[74]. L'usage systématique du châtiment psychiatrique prit une grande ampleur dans les années 30, où la NKVD construisit un établissement pénitentiaire spécial de 400 lits sur le terrain de l'hôpital psychiatrique de Kazan. À la fin des années 40, l'institut Serbsky, principal centre de recherches et d'enseignement de la criminologie psychiatrique, possédait une section spécialisée dans le travail « politique[75] ». Au début des années 50, il existait au moins 3 établissements qui « traitaient » des prisonniers politiques, puisqu'on connaît un homme, Ilya Yarkov, qui les endura tous successivement. Le châtiment psychiatrique s'appliquait plus particulièrement aux cas relevant d'un certain article 58, fourre-tout du code pénal, qui concernait les « activités anti-soviétiques » : parmi les personnes internées en même temps que Yarkov, il y avait des chrétiens, quelques trotskistes survivants, des opposants de Lyssenko, des écrivains, des peintres et des musiciens hétérodoxes, des Lettons, des Polonais, et d'autres nationalistes[76]. Loin d'être abandonné à la mort de Staline, le système se développa considérablement sous Khrouchtchev, car ce dernier tenait à persuader le monde que la Russie n'emprisonnait plus personne pour délit politique, et qu'il s'agissait seulement de déséquilibrés. En 1959, il fut cité dans la *Pravda* : « Un crime est une déviation par rapport aux standards de comportement habituellement admis, et il résulte souvent d'un désordre mental... Si certaines personnes se mettaient à exiger l'opposition au communisme... il s'agirait bien évidemment d'un état mental anormal[77]. »

C'est en 1955, lors de la parution du *Pavillon 7* de Valery Tarsis, que l'Occident prit conscience de l'existence d'une psychiatrie pénale en URSS. Certains psychiatres occidentaux tentèrent alors de réunir une documentation concernant des cas précis, afin que l'on puisse évoquer la question aux sessions de l'Association internationale de psychiatrie[78], mais ces efforts échouèrent ; d'une part, en effet, certains psychiatres — surtout américains — voulaient à tout prix préserver la participation des pays d'au-delà du rideau de fer à l'Association ; d'autre part, les cercles psychiatriques soviétiques se montrèrent fort habiles à dissimuler, organisant, en particulier, en 1973, une visite « à la Potemkine », de l'établissement de Serbsky[79]. On n'en obtint pas moins, cntrc 1965 ct 1975 des détails sur 210 cas, tous parfaitement authentifiés[80]. En plus de la prison de Kazan, 13 autres hôpitaux psychiatriques spéciaux furent établis entre 1960 et 1970. Aucun Occidental n'était admis à les visiter, mais on put savoir qu'ils dépendaient à la fois du ministère de l'Intérieur (MVD) et de celui de la Santé, qu'ils étaient dirigés par des officiers et administrés comme des prisons. Les rapports d'anciens internés font ressortir une ressemblance frappante de ces hôpitaux avec les cliniques pénitentiaires, dirigées par des médecins SS, que Himmler avait inclues dans son programme racial : le genre de cruautés qu'on y pratiquait et le type de médecins qu'on y rencontrait étaient tout à fait du même ordre. La torture la plus commune, qui consistait à enrouler le patient dans une toile mouillée, semble avoir été inventée par le docteur Elizaveta Lavritskaya, l'une des plus insensibles créatures décrites par Yarkov [81]. Le détail des tortures, des tabassages et des administrations punitives de drogues fut présenté, en 1972, au Sénat américain [82]. On put alors identifier quelques-uns des pires criminels : le professeur Andreï Snejnevsky, directeur de l'Institut de psychiatrie à l'Académie des sciences médicales, qui fit campagne pour que la dissidence soit reconnue comme une forme de schizophrénie ; son adjoint, le professeur Ruben Nadjarov ; le docteur Giorgy Morozov, directeur de Serbsky ; enfin, le professeur Daniel Lunts, considéré par les dissidents comme le pire des praticiens de la terreur psychiatrique. Comme c'était le cas pour les SS, beaucoup de ces médecins possédaient un grade militaire : Lunts, selon divers rapports, était soit colonel du KGB, soit commandant du MVD. Ces hommes étaient autorisés à voyager à l'étranger pour y représenter la psychiatrie soviétique, leurs salaires étaient 3 fois supérieurs à ceux des autres médecins de leur spécialité, et ils avaient accès aux luxes et aux privilèges réservés aux plus hauts échelons de la classe dirigeante [83].

Le châtiment psychiatrique prit beaucoup d'extension sous Brejnev quoique, par suite des campagnes de dénonciations occidentales, il ait été plutôt réservé à d'humbles protestataires ouvriers qui ne risquaient pas d'attirer l'attention. Pour les gens en vue, on eut recours à tout un éventail de mesures de plus en plus sévères qui ne nécessitaient même pas le préalable d'un procès. Parlant de l'exil de Sakharov à Gorky, Medvedev notait : « De Gorky on pouvait l'envoyer à Irkoutsk, en Sibérie, ou à Tomsk, ou à Chita, et chaque fois ce serait pire... L'important est que la victime ait toujours quelque chose à perdre, donc quelque chose à craindre [84]. » À la fin de 1977, Brejnev indiquait brutalement, et de façon parfaitement claire, que le retour à des conditions plus libérales était hors de question :

> « Dans notre pays, il n'est pas interdit de "penser autrement" que la majorité... mais la question est différente quand il s'agit de quelques individus qui... se sont déclarés activement en opposition avec le système socialiste, s'embarquant sur la voie des activités antisoviétiques, contrevenant aux lois, et qui, ne trouvant aucun appui dans leur propre pays, se tournent vers l'étranger, vers les centres de subversion de l'impérialisme... Notre peuple exige que de tels activistes soient traités comme des opposants du socialisme, comme des personnes qui s'attaquent à leur terre maternelle, comme des complices, sinon des agents de l'impérialisme... Nous avons pris, et nous continuerons à prendre à leur égard toutes les mesures prévues par la loi [85]. »

L'identification de toute critique politique à la trahison, voire à la sédition active, était, on le sait, la base même de la terreur léniniste

ou stalinienne. Brejnev indiquait clairement qu'elle pourrait reprendre à tout moment. Elle était même prévue par la nouvelle version de
la constitution qui fut ratifiée par le Soviet suprême le 7 octobre 1977.
L'article 6 confirmait le monopole du parti communiste sur le pouvoir
politique et l'activité de l'État. À l'article 62, on pouvait lire : « Les
citoyens de l'URSS sont tenus de sauvegarder les intérêts des États
soviétiques, de soutenir leur pouvoir et leur prestige. » Le premier de
ces articles s'inscrivait en contradiction de l'article 2, où il était dit que
tout pouvoir appartenait au peuple, et le second s'opposait à l'article 49,
selon lequel les citoyens avaient le droit de critiquer les corps d'État,
mais, ensemble, ils constituaient le cœur de la Constitution, conférant
à la classe dirigeante la possibilité de soumettre tout opposant intérieur au degré de terreur que l'on jugerait nécessaire. La dissidence
n'en continua pas moins tout au long de la répression. Entre 1977 et
1980, 24 publications samizdats paraissaient régulièrement et, en 1980,
le nombre total de ces publications dépassait 100 000[86], mais toute
espèce d'activité politique organisée, toute diffusion quelque peu étendue d'opinions hétérodoxes, devenait impossible. On peut donc dire
qu'au cours des années 70, tandis qu'aux États-Unis l'autorité subis-
sait une dangereuse érosion, le pouvoir autocratique du gouvernement
soviétique ne cessait, lui, d'être systématiquement renforcé. Ce processus atteignit sa conclusion logique après la mort de Brejnev, en 1982 ;
Iouri Andropov, chef du KGB depuis quinze années, au cours desquelles il avait institutionnalisé le châtiment psychiatrique des dissidents,
devenait à son tour le dirigeant de l'Union soviétique.

Comme elle opérait à partir d'une base politique stable, la Russie
put, au cours des années 70, développer avec régularité, de par le monde,
l'importance de sa puissance militaire. Le signe le plus frappant et le
plus visible de cette expansion fut la croissance spectaculaire de sa
marine. Elle était, par bien des aspects, comparable au programme
naval de l'Allemagne entre 1890 et 1900, car elle ne se fondait nullement sur la nécessité de défendre des voies de communication ou
d'approvisionnements historiques et n'avait d'autre but que de modifier, sur les mers, l'équilibre mondial des pouvoirs[87]. La puissance
aérienne et maritime des États-Unis avait été, pour le monde d'après-
guerre, le principal facteur de stabilisation, assumant un rôle similaire
à celui qu'avait eu, au XIXe siècle, la marine britannique. En 1945,
l'Amérique possédait, en service actif, 5 718 navires, dont 98 porte-
avions, 23 cuirassés, 72 croiseurs et plus de 700 destroyers et vaisseaux
d'escorte. En juin 1968, elle avait encore 976 navires en activité opérationnelle, mais, dans les années 70, la flotte américaine allait rapidement diminuer ne conservant que 13 porte-avions et leur escorte[88].
Pendant ce temps, la marine soviétique croissait en proportion. À la
fin de 1951, l'amiral Carney, commandant des forces de l'Otan en
Europe du Sud, pouvait encore affirmer que la puissance navale de
l'URSS en Méditerranée était négligeable : « Il disait qu'il pourrait bien

y avoir quelques sous-marins soviétiques "sauvages" dans la Méditerranée, et qu'en préparation d'une guerre, les Russes seraient éventuellement capables d'en sortir d'autres, mais ils ne pourraient continuer
longtemps à les approvisionner [89]. » Le grand changement devait débu-
ter en 1962, lorsque la crise des missiles cubains eut fait comprendre
aux dirigeants soviétiques que s'ils voulaient répandre le communisme
au-delà du continent eurasiatique, il leur fallait une importante flotte
de surface.

La nouvelle stratégie fut l'œuvre de l'amiral Gorchkov, dont les
écrits constituent le corps d'une doctrine comparable à celle de l'amiral Mahan, aux États-Unis ; ce dernier, en effet, recommandait la création d'une énorme flotte de sous-marins s'ajoutant à une force de
surface d'importance mondiale, ce qui devint, au début des années 60,
la politique officielle de l'Amérique [90]. Au cours des quatorze ans qui
suivirent la crise des missiles, la Russie construisit 1 323 navires (contre 302 pour les États-Unis) dont 120 bâtiments de combat de grande
taille, 83 navires amphibies et 53 auxiliaires. Dans le même temps —
en 1976 — Gorchkov avait créé une flotte de 188 sous-marins, dont 46
étaient porteurs de missiles stratégiques [91]. À la fin des années 70, on
vit paraître les premiers porte-avions soviétiques dignes de ce nom.
L'impact géopolitique de cette nouvelle marine se fit sentir avec évidence pendant la guerre de 1967 entre Israël et les États arabes, car
la présence maritime de l'URSS s'établit alors de façon permanente en
Méditerranée orientale. En 1973, pendant la guerre du Yom Kippour,
on put dire que la situation de la marine américaine dans ce secteur
était très « inconfortable », chose qui ne s'était pas produite depuis la
destruction de la flotte japonaise [92]. À ce stade, la flotte soviétique,
déjà prédominante dans le nord-est de l'Atlantique et le nord-ouest du
Pacifique, s'apprêtait à investir l'Atlantique Sud et l'océan Indien.

L'un des traits dominants de la fin des années 70 fut certainement
la pénétration des Russes en Afrique noire, qu'il faut attribuer pour
une bonne part à leur nouvelle puissance maritime. C'est aussi ce qui
leur permit de se servir de Cuba comme d'un satellite mercenaire. Dans
les années 60, le prix de l'allégeance cubaine était resté raisonnable :
moins de 1 demi-milliard de dollars par an ; l'URSS recevait en retour
l'appui verbal de Castro qui défendit à grand bruit, en 1968, l'invasion
de la Tchécoslovaquie. Mais, dès le début des années 70, Cuba avait
connu une détérioration rapide de son économie et, en 1972, il y eut
une déchirante remise en cause de sa relation avec l'URSS. La dette
de Cuba s'élevait alors à quelque 4 milliards de dollars, et Brejnev
n'avait d'autre alternative que d'en ajourner le remboursement, intérêts et principal, à 1986, tout en profitant de ce délai pour se débarrasser de cette charge [93]. En effet, l'entretien de Cuba avait d'abord coûté
à la Russie 8 millions, puis 12 millions de dollars par jour, soit presque 4,5 milliards par an. Pour ce prix, Brejnev s'était cependant acquis
un moyen précieux de pénétrer en Afrique subsaharienne. Certes,

l'URSS n'avait cessé de s'activer en Afrique arabe depuis ses premiers accords avec Nasser en 1955, mais ses missions militaires et économiques s'étaient bien souvent rendues impopulaires, et, comme il s'agissait de Blancs, on pouvait aisément les taxer d'« impérialisme ». Selon le dirigeant soudanais Maghoub, les États arabes obtenaient de la Russie des « machines démodées » en échange de leurs matières premières, et ce n'était qu'une forme de « troc » ; le bloc soviétique, ajoutait-il, « revend souvent à l'Occident capitaliste les matières premières que nous lui avons fournies », et cela à un prix inférieur à ceux du marché normal, « ce qui produit, pour nous autres, pays producteurs, un effet désastreux [94] ». L'un des nombreux avantages d'une action indirecte, exercée par l'intermédiaire de Cuba, tenait à ce que, par un inexplicable paradoxe, cette nation cliente de l'URSS et si bruyamment fidèle à son alliance, faisait officiellement partie du « bloc non aligné ». Les soldats cubains n'étaient pas des Blancs — beaucoup d'entre eux étaient même de race noire —, et il était moins facile de les confondre avec des impérialistes. En 1973, à Alger, lors de la conférence des pays non alignés, Castro avait déjà gagné de quoi justifier son entretien en se faisant chaleureusement l'avocat de la Russie. En quoi, disait-il en substance, pouvait-elle être accusée d'impérialisme ? Où étaient ses « monopoles industriels » ? En quoi participait-elle aux « multinationales » ? « De quelles usines, de quelles mines, de quels champs pétrolifères » était-elle propriétaire dans les pays sous-développés ? Et quel travailleur d'Afrique noire ou d'Amérique latine avait à subir « l'exploitation d'un capitalisme soviétique [95] » ? On lui demandait maintenant de faire un pas de plus, en prêtant ses forces à une invasion non impérialiste. En décembre 1975, sous escorte maritime soviétique, les premières troupes cubaines débarquaient en Angola. En 1976, elles passaient en Abyssinie, qui se trouvait maintenant dans le camp soviétique et, de là, en Afrique centrale et orientale. Dès 1963, l'ancienne colonie française du Congo s'était proclamée république populaire, premier État marxiste-léniniste d'Afrique. S'il ne se conduisait pas toujours en conformité avec son nouveau statut, c'était sans doute que les catégories politiques européennes ne recouvraient que difficilement les réalités africaines, mais, à la fin des années 70, 10 autres États d'Afrique avaient adopté des régimes similaires, apportant diversement à la Russie l'appui de leur diplomatie et de leur propagande, ainsi que des avantages économiques et des bases militaires [96]. En 1979, Cuba acquérait à son tour, avec le Nicaragua, son premier satellite d'Amérique centrale.

Ainsi, dans les années 70, la guerre froide s'était pratiquement étendue au monde entier, et cette décennie connaissait une ambiance d'insécurité chronique comparable à celle des années 30 — c'était le même syndrome de chômage, de déclin économique, d'armement et d'agression. La politique soviétique était loin d'être le seul facteur en cause, car il est certain que l'Amérique fut, elle aussi, grandement responsable de ce glissement progressif du monde vers la violence. Afin de compenser les pertes qu'avait entraînées pour elle la fin de la guerre du Viêt-nam, l'industrie américaine s'était lancée, avec une ampleur sans précédent, dans le commerce international des armements. En 1970, ses exportations dans ce domaine étaient de 952 millions de dollars ; entre 1977 et 1978, elles atteignirent plus de 10 milliards. Par ailleurs, d'autres pays entraient, eux aussi, dans la course : en France, le chiffre des ventes d'armements se multiplia par 30 au cours des années 60 et 70 ; les exportations soviétiques connurent une expansion plus forte encore que celle de l'Amérique et, entre 1978 et 1979, les États-Unis cessèrent d'être à la tête des exportateurs mondiaux, régressant même jusqu'à la troisième place, derrière la Russie et la France (la Grande-Bretagne se classait quatrième, assez loin en arrière). Au début des années 80, la valeur totale des ventes d'armes dans le monde approchait 70 milliards de dollars, la plus grande partie de ce chiffre représentant un commerce direct entre États. L'une des fabriques de chars de l'URSS couvrait une surface de près de 52 kilomètres carrés, exportant dans une trentaine de pays, pauvres pour la plupart. La libre entreprise des anciens marchands de canons paraît bien innocente au regard de ce commerce concurrentiel des États modernes, mesurant à la mégatonne leurs ventes de destruction et de mort.

Il est vrai qu'aucune des grandes puissances ne vendit jamais d'armes nucléaires, mais elles se montraient impuissantes à en éviter la prolifération. En toute bonne foi, les milieux scientifiques avaient, dans les années 50, répandu l'idée que le plutonium des réacteurs « pacifiques » n'était pas utilisable, normalement, pour la fabrication des bombes. C'est en se fondant sur cette affirmation — d'ailleurs parfaitement fausse — que les États-Unis avaient, en décembre 1953, lancé l'opération Candeur et leur programme d'Atomes pour la paix. Ce dernier mettait en circulation 11 000 documents classés, comprenant la méthode Purex qui permettait de produire le plutonium pur nécessaire aux grandes explosions [97]. Certains passages des accords d'aide nucléaire furent rédigés de façon si confuse qu'en cas de contravention évidente — on songe à l'explosion de la bombe indienne en 1974 —, les milieux officiels américains pouvaient toujours prétendre qu'il n'en était rien. Le traité de non-prolifération fut signé, tout d'abord, par l'Amérique, la Russie et la Grande-Bretagne, en juillet 1968 ; d'autres pays ne tardèrent pas à s'y joindre, mais cela ne servait pas à grand-chose puisque son règlement permettait à n'importe lequel d'entre eux d'approcher autant qu'il le pourrait de la capacité nucléaire, puis de l'atteindre rapidement après s'être retiré du traité ; l'article 11, en effet, n'imposait, pour ce faire, qu'un préavis de trois mois.

Mais les puissances nucléaires ne se multiplièrent pas aussi vite que les pessimistes l'avaient prédit. En 1960, on estimait qu'avant 1966, 12 pays nouveaux disposeraient d'un armement nucléaire [98], mais des alliances telles que l'Otan, l'Otase et le Cento, dans la mesure où elles offraient un « parapluie » nucléaire, dissuadèrent beaucoup d'États de se lancer dans l'aventure pour leur propre compte. La prolifération eut bien plus son origine dans le « couplage » des antagonismes nationaux ; ainsi, la bombe chinoise de 1964 était née de la mésentente avec l'URSS, celle de l'Inde, en 1974, résultait directement de l'existence de la précédente, et l'éventuelle bombe pakistanaise serait, à son tour, l'enfant naturelle de la bombe indienne. Si, dans les années 70, Israël et l'Afrique du Sud devinrent, officieusement, des puissances nucléaires, c'est qu'ils n'étaient membres d'aucun pacte susceptible de leur apporter ce genre de protection. La bombe israélienne allait, à son tour, provoquer la mise en route du programme nucléaire irakien, mais celui-ci fut réduit à néant en 1981, lorsque l'aviation israélienne détruisit le réacteur Pacifique installé par la France.

Il existait aussi, chez les nations les plus avancées, une propension naturelle à se laisser porter vers les programmes d'armement nucléaire. C'est ce qui s'était produit en France, sous la IVe République, longtemps avant que De Gaulle ne prenne la décision de fabriquer des bombes. Une personnalité politique française put dire à ce sujet : « L'idée de fabriquer une bombe atomique... s'était amalgamée à notre vie publique comme une sorte de sous-produit d'un effort officiellement pacifique[99]. » C'était l'évolution la plus normale qui allait conduire des pays comme l'Allemagne ou le Japon à s'engager à leur tour dans cette voie, bien que la garantie américaine les ait, jusqu'alors, dissuadés de le faire. À la fin des années 70, le Japon avait développé, dans le domaine spatial, une importante industrie innovatrice qui lui permettait non seulement de produire très rapidement des têtes nucléaires, mais encore des fusées porteuses d'une technologie fort avancée, équivalentes au Trident américain. Mais, à ce stade, il restait encore, pour devenir une puissance nucléaire de premier ordre, à développer un système de protection et une capacité de seconde frappe, opérations dont le coût avait de quoi décourager les plus entreprenants[100]. À moins que les États-Unis ne se retranchent dans une politique isolationniste, il y avait donc peu de chances pour que le Japon et l'Allemagne songent à se joindre au club. Le danger était ailleurs ; il se situait plutôt dans l'éventualité du progrès nucléaire que pourraient réaliser, en marge et à l'économie, quelque puissance arabe instable ou des États qui, pour une raison ou une autre, se sentiraient insuffisamment protégés par leurs alliances : le Brésil, par exemple, ou l'Argentine, la Corée du Sud, Taiwan ou l'Indonésie. Au début des années 80, en plus d'Israël et de l'Afrique du Sud, 22 nations étaient en mesure de fabriquer des armes atomiques à un prix relativement bas et dans un délai de un à quatre ans[101].

Cependant, pour le monde des années 70, l'éventualité d'un conflit nucléaire était loin d'être le principal sujet d'inquiétude ; d'autres formes de violence y prenaient, en effet, un relief plus saisissant. Il y eut alors plus de 30 guerres conventionnelles dont la plupart se déroulèrent en Afrique, mais l'angoisse venait encore d'ailleurs : moins coûteux certes en vies humaines, mais d'un impact bien supérieur sur le plan politique et psychologique, l'accroissement du terrorisme international apportait, lui aussi, sa part de troubles. Les éléments qui contribuaient à former la trame de ce phénomène nouveau étaient nombreux et divers. On y comptait la tradition musulmane d'un terrorisme politico-religieux, fort ancienne, puisque sa filiation remontait à la secte sunnite et persane des Assassins ; la Palestine de l'entre-deux-guerres l'avait vue renaître du conflit arabo-israélien, puis, dans les années 60, elle s'était incarnée dans l'Organisation de libération de la Palestine. Dix ans plus tard, cette dernière était, de tous les groupements terroristes, à la fois le plus riche, le mieux armé et le plus actif. L'OLP possédait ses propres camps d'entraînement, et de nombreux autres groupes terroristes qui n'avaient aucun lien avec elle venaient y faire leurs classes.

Puis il y avait la tradition russe. Lénine ayant répudié le terrorisme individuel en tant que « gauchisme infantile », on l'avait transmué en terrorisme d'État à usage interne, mais susceptible aussi d'être exporté à l'étranger. Pendant toute cette période, la Russie soviétique avait eu son plan d'entraînement, mis en pratique à l'académic militaire de Simteropol, en Crimée, ou les « guérilleros » et autres « saboteurs » étrangers recevaient une instruction qui leur permettait de prendre du service au Moyen-Orient, en Amérique latine et en Afrique. La plupart des instructeurs de l'OLP avaient bénéficié de ces cours [102].

On connaissait aussi une tradition européenne, principalement germanique et de tendance intellectuelle, qui entendait faire de la violence une nécessité morale. La première phase importante du terrorisme moderne se développa, comme nous l'avons vu, entre 1919 et 1922, en Allemagne, où les tueurs d'extrême droite assassinèrent 354 personnes. La société d'alors se montra incapable d'exiger des comptes et c'est ce qui prépara le terrain au terrorisme d'État de Hitler. Il prit de nombreuses formes, dont les enlèvements d'enfants ; les Sœurs brunes SS ratissaient les camps de concentration à la recherche de sujets blonds, aux yeux bleus, âgés de moins de six ans. La tradition terroriste germanique trouva son expression philosophique dans l'existentialisme, popularisé par Sartre dans l'immédiat après-guerre ; toute sa vie, Sartre devait être fasciné par la violence, et son disciple Frantz Fanon publia, en 1961, le plus influent de tous les manuels de terrorisme, *Les Damnés de la Terre*.

Enfin, il y avait la tradition apolitique de la piraterie méditerranéenne qui remontait, quant à elle, au IIe millénaire avant Jésus-Christ. Pompée y avait mis fin au Ier siècle avant notre ère, et les pirates n'étaient revenus en force qu'au milieu du IIIe siècle après Jésus-Christ, sombres indicateurs du déclin de la puissance romaine. Au XVIIIe siècle, la marine britannique avait chassé les pirates des océans, mais la menace des Barbaresques subsista, en Méditerranée, jusqu'en 1830, date de l'occupation d'Alger par la France. Au cours des cent trente années qui allaient suivre, et qui correspondent à l'ère coloniale, la piraterie cessa pratiquement d'exister, mais elle réapparut aussitôt que la marée impérialiste se fut retirée ; après la fin de la guerre d'Algérie et le coup d'État de Kadhafi, on la retrouvait, en effet, liée à ses deux centres traditionnels, Alger et Tripoli. Elle avait, maintenant, une coloration nettement politique. Les dirigeants algériens, dans les années 60, et Kadhafi, dans les années 70, lui apportèrent l'argent, les armes, les facilités d'entraînement et jusqu'à l'organisation de ses coups. Ces 4 éléments du terrorisme mondial fusionnèrent donc, à cette époque, formant un réseau d'une extrême complexité, fort difficile à définir. Il ne pouvait s'agir d'une simple conspiration soviétique destinée à déstabiliser les États du monde libre. Le pays le plus atteint, l'Italie, fut bien davantage victime d'une violence à but lucratif que d'une véritable terreur politique ; les enlèvements, à eux seuls, rapportèrent à leurs auteurs près de 100 millions de dollars entre 1975 et 1980 [103].

Pourtant, on ne peut douter que les mouvements terroristes, comme la bande Baader-Meinhof en Allemagne de l'Ouest, l'IRA en Ulster, les brigades rouges en Italie, les séparatistes basques en Espagne, l'OLP et une vingtaine d'autres groupes arabes, latino-américains, africains, aient bénéficié de l'existence d'un réseau gauchiste international dont les responsables, tel l'assassin vénézuélien connu sous le nom de Carlos, étaient tous des communistes [104]. 2 incidents choisis parmi des douzaines d'autres illustrent le caractère international et marxiste de ce mouvement occulte : le massacre, en 1972, sur l'aéroport israélien de Lod, de 26 pèlerins, pour la plupart portoricains, fut accompli par des marxistes japonais, entraînés par l'OLP au Liban, avec des armes japonaises qui leur avaient été remises, à Rome, par Carlos en personne. Par ailleurs, les tueurs basques qui, en 1974, assassinèrent un amiral espagnol, avaient été entraînés à Cuba et au Yémen du Sud par des Allemands de l'Est, des Palestiniens et des Cubains, et ils se servirent d'explosifs qu'ils tenaient de gangsters de l'IRA, rencontrés à Alger, sous les auspices du KGB [105].

Il est significatif que, dans les années 70, à mesure que le pouvoir américain connaissait un relatif déclin et que celui des Soviétiques, au contraire, s'affermissait, le nombre des incidents provoqués par le terrorisme international — explosions, pose de bombes, assassinats, prises d'otages, enlèvements — ait progressé de façon constante, passant de 279 en 1971 à 1 709 en 1980. Si l'on ne retient que les assassinats — qui furent toujours une spécialité du KGB et des organisations qui le précédèrent —, l'augmentation devient spectaculaire, puisqu'on passe de 17 en 1971 à 1 169 en 1980 [106]. Les sociétés totalitaires, dont l'omniprésente police secrète avait le pouvoir d'arrêter et d'emprisonner sans jugement, de torturer, de pratiquer l'assassinat judiciaire ou le meurtre pur et simple, n'avaient rien à craindre du terrorisme. Les sociétés libérales et démocratiques étaient, au contraire, particulièrement vulnérables. La leçon des années 70 est que le terrorisme ne peut servir qu'à l'expansion de l'État totalitaire, et qu'il le fait activement, systématiquement, nécessairement ; qu'ayant à choisir entre le totalitarisme et l'État légitime, il penchera toujours en faveur du premier ; qu'il tirera parti, dans les sociétés libérales, de l'appareil même de la liberté et s'en servira pour les mettre en danger ; qu'une société civilisée, enfin, risque d'y perdre jusqu'à la volonté de se défendre [107].

Si l'on pénètre plus profondément la question, on verra que le terrorisme politique fut, à cette époque, un produit typique du relativisme moral, et, en particulier, que les inqualifiables cruautés qu'il pratiquait n'étaient possibles qu'en vertu de l'habitude marxiste consistant à penser en termes de classes plutôt que d'individus. Ceux qui servaient de victimes à ces jeunes idéologues gauchistes n'étaient choisis qu'en fonction de leurs occupations — c'étaient, en général, des diplomates ou des hommes d'affaires ; ils étaient enchaînés dans de minuscules cellules bétonnées, sous terre, les yeux bandés, les oreilles bouchées avec de la cire, ils y demeuraient des semaines ou des mois, puis on les éliminait sans hésitation ni pitié ; c'est que leurs tortionnnaires ne voyaient pas en eux des hommes, mais de simples meubles politiques. Ce faisant, ils perdaient eux aussi leur humanité, ils devenaient des âmes damnées, semblables aux créatures aviliés que Dostoïevski décrit dans son grand roman antiterroriste, *Les Possédés*.

En tant que menace à l'égard de toutes les sociétés régies par la loi, le terrorisme aurait dû être la toute première préoccupation des Nations unies, mais, dans les années 70, elles n'étaient plus qu'une assemblée corrompue et démoralisée, et ses interventions mal venues favorisaient la violence bien plus qu'elles ne l'empêchaient. Truman avait commis une faute grave, en 1956, lorsqu'il permit à l'Assemblée générale de se saisir du pouvoir exécutif, Eisenhower y avait ajouté la sienne en laissant Hammarskjöld poursuivre comme des agresseurs, en 1956, la Grande-Bretagne et la France ; le fruit de ces années d'erreur était amer et abondant. Les Nations unies avaient été fondées par 51 États, dont la grande majorité était des démocraties. En 1975, le nombre de ses membres s'élevait à 144 et atteindrait bientôt 165 ; à l'exception de 25 d'entre eux, c'étaient tous des États totalitaires à parti unique, généralement de gauche. La majorité active était constituée par les États soviétiques, arabo-musulmans et africains. Il n'était donc pas question d'entreprendre quoi que ce soit contre le terrorisme. Bien au contraire. Comme nous l'avons vu, Idi Amin, terroriste lui-même, protecteur et bénéficiaire du terrorisme, reçut, en 1975, une ovation triomphale, lorsqu'il se fit l'avocat du génocide. Yasser Arafat, chef de cette OLP qui était la plus puissante organisation terroriste du monde, reçut un siège à l'Assemblée. Le secrétariat des Nations unies avait cessé, depuis longtemps, d'appliquer les principes de la Charte. Le secrétaire général n'était plus qu'une boîte aux lettres. Les membres communistes du secrétariat ne sortaient pas de leurs enceintes nationales, remettant aux attachés financiers de leurs ambassades les chèques, en monnaie forte, de leurs salaires. Leur doyen, Arkady Chevchenko, sous-secrétaire général du Conseil de sécurité, vivait sous la garde d'un « gorille » du KGB spécialement affecté à sa personne[108].

De façon générale, la majorité des Nations unies concentra son activité, au cours des années 70, sur 3 objectifs principaux : il s'agissait d'abattre l'Afrique du Sud et Israël, et de condamner l'« impérialisme » personnifié par l'Amérique. En 1974, en remplacement de son expulsion, on rejeta les justifications de l'Afrique du Sud, membre fondateur de l'ONU. En mars 1975, la Conférence des nations membres non alignées se tint à La Havane, capitale d'un satellite soviétique ; on y rédigea le projet d'une motion visant à expulser Israël des Nations unies, mais il fut abandonné par la suite, lorsque les États-Unis menacèrent de quitter l'Assemblée et de retirer leur contribution financière. La IIIe Commission passa donc une résolution antisémite, condamnant Israël pour « racisme », par 70 voix contre 23 avec 27 abstentions. Les promoteurs en étaient Cuba, la Libye et la Somalie, qui étaient toutes trois, à l'époque, des satellites de l'URSS. Comme le fit remarquer le délégué américain, Leonard Garment, cette résolution était de « mauvais augure » car elle se servait du terme « racisme » non pas comme d'un mot recouvrant « une série d'injustices très réelles et concrètes, mais comme d'une épithète susceptible d'être lancée contre quiconque se trouverait être l'adversaire du moment ». Elle faisait d'« une idée la signification claire et haïssable... un simple outil idéologique[109] ». Certaines des interventions en faveur de cette motion étaient ouvertement antisémites, et elles auraient appelé, à Nuremberg, un tonnerre d'applaudissements. Parmi les 70 États qui l'appuyèrent, il n'y en avait que 8 qui puissent, de loin ou de près, prétendre au titre de démocraties, et les deux tiers d'entre eux pratiquaient officiellement le racisme sous diverses formes. À Moscou, Andreï Sakharov, qu'on n'avait pas encore arrêté, fit remarquer que cette résolution « ne servirait qu'à favoriser l'antisémitisme dans de nombreux pays, en lui donnant les apparences de la légalité internationale ». On pouvait avoir d'autres craintes, plus graves encore, car ce vote pourrait éventuellement justifier, moralement et sur le plan des lois internationales, une tentative commune des États arabes visant à exterminer le peuple israélien, fondateur, faut-il le rappeler, d'un refuge contre le racisme et le meurtre. Lorsque l'Assemblée générale ratifia cette proposition par 67 voix contre 55, l'ambassadeur des États-Unis aux Nations unies protesta vivement : « Les États-Unis s'élèvent devant l'Assemblée générale et devant le monde pour déclarer qu'ils ne reconnaissent pas, refusent d'accepter et n'admettront jamais cette infâme motion[110]. » Il est vrai qu'elle n'existait que sur le papier, mais les accords écrits des Nations unies avaient une dangereuse propension à s'incarner dans une action politique réelle ; l'arithmétique corrompue de l'Assemblée, où les votes pouvaient être achetés en échange d'armements ou même de pots-de-vin distribués personnellement aux délégués, tendait, imperceptiblement, à servir de base normale à la moralité de la société internationale.

Ce fut particulièrement évident lors des attaques contre une Amérique de plus en plus isolée que l'on rendait responsable, à mesure que la crise s'intensifiait, de tous les malheurs du monde. Conséquence frappante de l'arithmétique très particulière qui avait alors cours aux Nations unies : les États arabes avaient, grâce à l'augmentation de leurs prix, ajouté 70 milliards de dollars à leurs revenus entre 1974 et 1975 ; ils l'avaient fait au détriment non seulement des nations industrielles, mais encore des pays sous-développés ; or, il n'y eut, à leur égard, pas une critique, pas une seule résolution émanant de l'Assemblée ou d'une commission de l'ONU. À aucun moment, la majorité ne chercha à leur faire rendre gorge d'une partie de ces profits à titre d'aide internationale. L'ire synthétique de l'ONU s'adressait entièrement à sa principale victime, l'Amérique, et, par extension, à l'ensemble de l'Occident. Il est fort instructif de retracer la genèse de cet assaut collectif : à l'origine, il y avait la thèse marxiste de l'effondrement inévitable du capitalisme, mais elle ne s'était pas vérifiée, et la première position de repli fut celle de Khrouchtchev : le bloc socialiste allait rattraper l'Occident sur le plan du niveau de vie. Autre déception, cela non plus n'était pas arrivé. Mais il existait encore un dernier retranchement dans lequel on allait s'installer à partir des années 70, une théorie que l'on avait vendue sans mal au tiers monde, et qui devint, aux Nations unies, la base même de l'orthodoxie. Le haut niveau de vie de l'Occident, loin d'être la conséquence d'un système économique plus efficace, n'était qu'un immoral salaire obtenu par l'appauvrissement de tout le reste du monde. C'est ainsi que, en 1974, l'ONU adopta la Charte des droits et des devoirs économiques, qui condamnait le fonctionnement des économies occidentales. Toujours en 1974, la Conférence mondiale de la population ne fut qu'une longue mise en accusation de l'égoïsme américain, et la Conférence mondiale de l'alimentation, la même année, dénonçait l'Amérique et quelques autres pays, les seuls, en fait, à distribuer des surplus alimentaires. Le ministre de l'Approvisionnement de l'Inde jugeait « évident » que ces nations étaient « responsables de la déplorable situation actuelle » des pays pauvres, et que c'était leur « devoir » de les aider. Une telle assistance n'était pas une « œuvre de charité », mais « une compensation différée pour le mal que les nations développées avaient fait subir à ces pays par le passé ». En février 1975, les pays « non alignés » châtiaient « l'obstination des puissances impérialistes à préserver les structures du colonialisme et du néocolonialisme, exploitation dont le but était d'alimenter leurs débordantes sociétés de consommation, tandis qu'elles maintenaient une grande partie de l'humanité dans la misère et la famine ».

Cette attaque était d'autant plus déraisonnable qu'au cours des quatorze années précédentes, entre 1960 et 1973, l'aide officielle au développement dispensée par les nations avancées — soit directement, soit par l'intermédiaire des agences — s'était élevée à 91,8 milliards de dollars, ce qui représente le plus énorme transfert de ressources de l'Histoire[111]. La manière dont cet argent fut utilisé est une autre affaire, car, dans une large mesure, il ne servit qu'à prolonger l'arriération, maintenant au pouvoir des régimes inefficaces et tyranniques qui pratiquaient, comme celui de Julius Nyerere en Tanzanie, diverses formes de « socialisme ». L'argument selon lequel l'Occident était responsable de la pauvreté d'une grande partie du monde était, quant à lui, une invention occidentale. Comme la décolonisation, c'était un produit du sentiment de culpabilité, ce grand dissipateur de l'ordre et de la justice. Il se faisait l'écho de l'erreur fondamentale du marxisme, celle qui entend catégoriser les personnes non pas en tant qu'individus mais en tant que membres d'une classe, la structure nationale étant, par ailleurs, arbitrairement rapprochée de celle d'une classe sociale. Nous avons déjà noté l'effet qu'avait pu avoir sur la génération de Bandung le concept du « tiers monde ». Comme bien d'autres idées aussi brillantes que fallacieuses, celle-ci venait de France. En 1952, le démographe Alfred Sauvy avait écrit un article célèbre, « Trois mondes, une planète », dans lequel il citait la fameuse remarque de Sieyes en 1789 : « Qu'est-ce que le tiers état ? — Tout. — Qu'a-t-il été jusqu'à présent dans l'ordre politique ? — Rien. — Que demande-t-il ? — À devenir quelque chose. » La guerre froide, selon Sauvy, était une lutte entre le monde capitaliste et le monde communiste dont l'enjeu essentiel était le tiers monde. Tout comme le tiers état, il avait été ignoré, exploité, méprisé, et il désirait à son tour devenir quelque chose[112]. Peu à peu, le terme « tiers monde » devint un des clichés du jargon d'après-guerre[113]. Nul ne donna jamais une définition claire de ce concept pour la bonne raison que toute tentative dans ce sens en faisait ressortir, aussitôt, l'inanité et le manque de consistance, mais il exerça une immense influence. Il permettait de satisfaire le désir naturel qu'ont les hommes d'établir, sur le plan moral, des distinctions simples. Il y avait les « bonnes nations », celles qui étaient pauvres, et les « mauvaises », autrement dit les riches. Si les nations étaient riches, c'était justement parce qu'elles étaient mauvaises, et si d'autres étaient pauvres, c'était précisément parce qu'elles étaient bonnes. Telle fut bientôt, à l'ONU, la dynamique de l'assemblée générale. Elle mena cet organisme à créer, en 1962, la Conférence sur le commerce et le développement (UNCTAD), qui diffusa largement ces idées ; ce furent elles qui inspirèrent, en 1969, le rapport Pearson, pétri de culpabilité, qui faisait le bilan de l'ensemble du programme d'assistance pour la période de 1950 à 1967, et rendait responsables de son échec ceux-là mêmes qui en avaient fourni les fonds.

Avec le temps, les termes « tiers monde » montrèrent quelques signes d'usure ; on s'en était trop servi. À Paris, l'usine productrice du chic intellectuel s'empressa de sortir un modèle nouveau : Nord-Sud. On l'avait forgé en 1974, lorsque le président Giscard d'Estaing avait réuni une Conférence des nations exportatrices, importatrices et non productrices de pétrole. L'idée première était d'attacher la culpabilité au Nord et l'innocence au Sud. Il fallut, pour cela, faire violence, dans une assez large mesure, à la simple géographie comme aux réalités économiques. Le Sud était représenté par l'Algérie, l'Arabie Saoudite, l'Agentine, le Brésil, le Cameroun, l'Égypte, l'Inde, l'Indonésie, l'Irak, l'Iran, la Jamaïque, le Mexique, le Nigeria, le Pakistan, le Pérou, le Venezuela, la Yougoslavie, le Zaïre et la Zambie. Le Nord comprenait le Canada, les pays de la CEE, le Japon, l'Australie, la Suède, la Suisse et les États-Unis. 11 pays du Sud se trouvaient, en fait, au nord de l'équateur et l'un d'eux, l'Arabie Saoudite, possédait le revenu par habitant le plus élevé du monde. Le bloc soviétique n'entrait pas en ligne de compte, bien qu'il fût entièrement situé au nord. À nouveau, le concept était dénué de toute signification sauf pour un usage abusif de nature purement politique. De ce point de vue, cependant, il ne manqua pas d'une certaine efficacité. Il y eut, à Paris, en mai-juin 1977, une conférence fort élaborée qui inspira, en 1980, un document connu sous le nom de rapport Brandt [114]. Comme le rapport Pearson, il rejetait toute la responsabilité sur l'Occident — baptisé Nord en l'occurrence — et proposait un système de taxation international en vertu duquel le Nord aurait à subventionner le Sud selon un modèle analogue aux systèmes de prévoyance sociale pratiqués dans divers États [115].

Comme il fallait s'y attendre, le rôle du traître revenait, dans ce mélodrame Nord-Sud, à l'Amérique. Elle était aussi la cible privilégiée d'un autre abus de langage des années 70, « La multinationale ». C'était encore une invention française. En 1967, Jean-Jacques Servan-Schreiber sortit un livre qui fit sensation, *Le défi américain* ; l'auteur y attirait l'attention de ses contemporains sur l'expansion des firmes américaines à l'étranger. Dans les années 80, prédisait-il, la troisième puissance industrielle du monde ne serait pas l'Europe, mais « l'investissement américain en Europe ». La « multinationale » était le défi que les Américains lançaient au monde. Cette notion fut largement reprise, en Europe, par les intellectuels de gauche et traduite en termes tiers-mondistes. La multinationale, en tant que fer de lance de l'« impérialisme américain », faisait fi des souverainetés nationales. En avril-mai 1974, elle fut clouée au pilori des Nations unies, presque à égalité avec l'Afrique du Sud et Israël. Comme la plupart des modes intellectuelles, cette notion était à la fois erronée et dépassée. Les multinationales n'étaient que des entreprises opérant simultanément dans divers pays. Elles dataient du début du siècle, époque où Gilette, Kodak et quelques autres firmes s'établirent en Europe ; il en était de même pour les banques, les sociétés pétrolières et d'autres encore dont la spécialité était, par nature, internationale. C'étaient de loin les meilleurs véhicules pour l'exportation des capitaux et de la technologie en direction des pays pauvres et, chose non moins importante, au cours de l'après-guerre, elles apprirent bien plus rapidement que les gouvernements à se fondre dans l'environnement local et à s'adapter aux préjugés nationaux. L'étude des multinationales américaines au Chili et au Pérou, par exemple, fait ressortir que leur influence politique, considérable jusqu'en

1939, n'avait cessé de décliner jusqu'à l'époque où ce terme devint à la mode[116]. Aux États-Unis mêmes, le pouvoir des compagnies internationales était plus que largement compensé par celui des lobbies syndicaux ou ethniques. « L'explosion des multinationales » était, en fait, un phénomène propre aux années 50 et au début des années 60. Au moment où Servan-Schreiber publia son ouvrage, il était proche de son zénith. En 1959, l'Amérique possédait 111, ou 71 %, des grandes compagnies du monde. En 1976, leur nombre était tombé à 68 et le pourcentage à 44. C'est en 1968 que la courbe d'accroissement des multinationales atteignit son point culminant. Cette année-là, qui vit, en fait, l'apogée de la souveraineté américaine dans tous les domaines, 500 succursales furent établies ou acquises hors des États-Unis. En 1974-1975, les 187 multinationales américaines majeures n'engendraient déjà plus que 200 succursales par an[117]. Il est exact que, de 1967 à 1977, les investissements américains passèrent, en Europe, de 16 milliards de dollars à 55 milliards[118]. Mais la vision apocalyptique de Servan-Schreiber paraissait absurde, au milieu des années 70, alors que les firmes ouest-allemandes et japonaises connaissaient, à l'étranger, une expansion beaucoup plus rapide que celle de leurs concurrents américains. En 1970, les 10 plus grandes banques du monde étaient toutes américaines. En 1980, seules 2 d'entre elles pouvaient encore revendiquer ce titre, alors que, pour le reste, le palmarès se partageait ainsi : 4 pour la France, 2 pour l'Allemagne, 1 pour le Japon et 1 pour la Grande-Bretagne. Sur les 20 banques les plus importantes, les Japonais en détenaient 6 et cette catégorie comprenait une société brésilienne[119]. Toutes les informations démontrent qu'au cours des années 70, le pouvoir économique international, loin de se concentrer, devenait, au contraire, de plus en plus diffus. Mais cette tardive panique à l'égard des multinationales fit énormément de mal à l'Amérique à une époque où, justement, son influence relative connaissait un déclin rapide. Loin d'exercer un pouvoir excessif, les sociétés américaines faisaient l'objet d'une discrimination croissante, comme en témoigne ce commentaire d'un cadre de la Chase Manhattan : « Je peux vous dire qu'en tant que banque américaine au Mexique, les autorités nous traitent comme de la crotte[120]. » On notera que le Mexique, comme le Brésil, avait alors une dette flottante de 69 millions de dollars, dont une bonne partie concernait la Chase[121]. Bien qu'elle ne fût qu'une création artificielle, cette hostilité à l'égard des multinationales se réfléchit sur les États-Unis eux-mêmes ; en 1971, on tenta, en effet, de faire passer un projet de loi sur le Commerce extérieur et les Investissements qui exigeait le contrôle des exportations de capitaux et de technologie à l'étranger, ainsi qu'une taxation plus rigoureuse des profits des multinationales. Le conflit qui s'ensuivit eut un effet désastreux pour les intérêts économiques de l'Amérique[122].

Cette mise en accusation des États-Unis était si venimeuse et, pour la plus grande part, tellement irrationnelle, qu'elle mériterait d'entrer dans la catégorie des persécutions. Sur le plan international, c'était une véritable chasse aux sorcières. On pourrait dire encore que la forme la plus universelle du racisme se manifestait alors dans l'anti-américanisme. L'adage selon lequel « tout savoir, c'est tout pardonner » ne s'applique guère aux affaires internationales. L'une des raisons des attaques répétées dont l'Amérique faisait l'objet, était plutôt qu'on en savait trop à son sujet, grâce à ses médias, grâce à ses milieux universitaires, car les uns et les autres ne cessaient de déverser sur le monde un torrent d'autocritiques [123]. Mais il y avait une autre raison, plus fondamentale celle-là : l'Amérique en tant que puissance majeure, et plus encore, peut-être, le concept même de l'américanisme, représentaient aux yeux du monde le principe de l'individualisme, par opposition au collectivisme, celui du libre arbitre, face au déterminisme. Or, toute la période allant de la fin des années 60 jusqu'au milieu des années 70 fut profondément marquée par une idéologie collectiviste et déterministe.

À nouveau, les tendances intellectuelles en vogue dans les milieux parisiens exercèrent, dans ce domaine, une influence qui est loin d'être négligeable, et cela d'autant moins que le récent dynamisme économique de la France lui permettait de lancer énergiquement ses idées sur la scène mondiale. Dans les années 40 et 50, Sartre croyait encore au libre arbitre. C'était même l'essence de sa philosophie, qui la rendait fondamentalement incompatible avec le marxisme, quelles qu'aient pu être, par ailleurs, les alliances qu'il entretenait pour des raisons purement politiques. Sartre vécut jusqu'en 1980, mais à l'époque de la révolte des étudiants, en mai 1968, il faisait déjà figure d'antiquité intellectuelle. Les mandarins qui lui succédèrent étaient tous, à des degrés divers, influencés par le déterminisme marxiste pour qui l'individu, pas plus que le libre arbitre ou la conscience morale ne sont capables de contribuer, en quoi que ce soit, à modifier le monde. À la différence des marxistes orthodoxes, ils ne pensaient pas que les forces économiques, agissant par l'intermédiaire des classes, étaient seules à agir sur l'histoire de l'humanité. Chacun avançait des explications alternatives ou complémentaires à cette théorie, mais tous admettaient le point de départ du marxisme, selon lequel les événements n'étaient pas, comme le voulait la tradition, déterminés par la volonté humaine, mais bien davantage par les structures cachées de la société. « Le *dessein final*, disait Marx, du relatif économique tel qu'on peut l'observer en surface [...] est très différent, et même tout à fait l'inverse *de son dessein essentiel, intérieur et caché*, et de la *conception* qui lui correspond [124]. » L'homme était emprisonné dans les structures et, pour l'humanité du XXᵉ siècle, il s'agissait de structures bourgeoises. Dans son *Anthropologie structurelle*, parue en 1958, Claude Lévi-Strauss assurait qu'il existait des structures sociales invisibles, indétectables pour une observation empirique ; elles n'en étaient pas moins présentes, de même que les structures moléculaires, indiscernables sans l'aide d'un microscope électronique. Ces structures donnaient forme aux opérations du mental humain, de sorte que ce qui semblait être un effet de la volonté individuelle était, en fait, déterminé par elles. Pour Lévi-Strauss comme pour Marx, l'Histoire n'était pas une succession d'événements, mais elle s'organisait selon des motifs particuliers que l'on pouvait discerner et dont il était possible de dégager certaines lois. Une variation sur ce thème était offerte par les historiens français de l'école des Annales, en particulier par Fernand Braudel ; son étude intitulée *La Méditerranée et le monde méditerranéen au temps de Philippe II* parut en 1949 ; de tous les ouvrages historiques de l'après-guerre, ce fut certainement celui qui exerça la plus forte influence. Braudel et les autres historiens de son école jugeaient que la narration des événements n'était que surface, et que les individus étaient sans importance ; leur doctrine voulait que l'Histoire fût soumise à un déterminisme géographique et économique ; à long terme, c'étaient ces structures qui, seules, décidaient de son orientation. Jacques Lacan, de son côté, proposait une interprétation personnelle des théories de Freud — peu connues, jusqu'alors, en France — afin de mettre au jour un déterminisme du comportement humain fondé sur des signes, des signaux, des codes et des conventions dont l'analyse faisait ressortir qu'ils laissaient peu de place à la liberté du choix. Roland Barthes affirmait qu'un romancier ne saurait créer son œuvre par un acte de sa volonté imaginative ; il le faisait en réponse aux structures sociales dont il recevait ses impulsions, exprimant celles-ci à l'aide de symboles qui pouvaient être codifiés par une science nouvelle appelée sémiologie. Enfin, dans le domaine de la linguistique, l'Américain Noam Chomsky rejetait, comme autant de qualités superficielles, les caractéristiques physiques de la parole et du langage, affirmant qu'elles étaient déterminées, en profondeur, par des structures internes.

Tous ces structuralistes avaient en commun l'idée marxiste que les attributs et les activités de l'homme étaient régies par des lois analogues à celles qui s'exercent, pour les sciences, sur la matière inanimée. C'était la fonction des sciences sociales que de déterminer ces lois ; celle de la société était de s'y conformer. L'apparition de cette utopie intellectuelle promettait assez dangereusement que de nouvelles formes de manipulation sociale pourraient bien être en route. De plus, elles coïncidaient exactement avec l'expansion rapide de l'éducation supérieure qui, à la fin des années 50 et tout au long des années 60, s'était manifestée tout particulièrement dans le domaine des sciences sociales. Pour cette période, l'augmentation annuelle des dépenses consacrées à l'éducation supérieure avait été, en moyenne de 10 % en Grande-Bretagne, de 11 % en Amérique, en Espagne et au Japon, de 13,3 % en France, de plus de 15 % en Italie, en Belgique, aux Pays-Bas et au Danemark, de plus de 16 %, enfin, au Canada et en Allemagne de l'Ouest. Les inscriptions dans les universités augmentaient, à la même époque, de 12 % [125]. Par un accident historique qui n'avait rien à voir avec les structures, profondes ou non, les structuralistes furent donc en mesure d'exercer une influence tout à fait hors de proportion avec la valeur intrinsèque de leur doctrine ; leur impact atteignit son maximum dans les années 70, lorsque les universités lâchèrent sur le monde des millions de nouveaux diplômés.

Les beaux jours du structuralisme correspondaient à ceux qui virent la démoralisation de l'Amérique et l'expansion graduelle mais constante du pouvoir soviétique et de son influence. Il renforça l'une et l'autre tendance car, semblable en cela au marxisme dont il était issu, c'était une philosophie essentiellement contraire à l'empirisme, s'éloignant du réel au profit de la théorie, préférant l'explication à l'observation des faits. La tendance des faits réels à contredire les thèses marxistes avait toujours irrité les communistes. On pourrait dire, de ce point de vue, que toute la dictature stalinienne n'avait été qu'une vaste campagne menée contre le réel, ou plutôt un effort surhumain pour transformer les réalités gênantes de la nature humaine en « structures profondes », enfouies à six pieds sous terre. Pour les structuralistes, les faits d'expérience étaient, par définition, à la surface, donc ils étaient trompeurs. Toute tentative pour les organiser sous forme de preuves ne pouvait être, dès lors, qu'une défense éhontée du statu quo [126]. Le structuralisme s'insérait fort bien dans ce monde tout en faux-semblants, ce monde « à la Potemkine » qui était celui des Nations unies, où les faits réels étaient sans importance, où le Nord était le Sud, et vice versa, où la richesse créait la pauvreté, où le sionisme n'était que racisme, où le mal était le monopole de l'homme blanc. La multinationale, cette sinistre infrastructure de la justice internationale, représentait la quintessence du concept structuraliste. Comme le marxisme, le structuralisme était une doctrine gnostique, c'est-à-dire l'arcane d'un système de connaissances réservé à une élite. L'un et l'autre connurent une expansion dans les années 60 et fleurirent conjointement à partir de 1970. Mais on ne saurait longtemps bannir de l'Histoire l'évidence de la réalité. Les faits ont pour habitude de s'imposer à la longue. Le dessein général des années 70, objet du désarroi croissant des quelques sociétés que régissaient encore des lois démocratiques, se défaisait sous leurs yeux, avant même que la décennie n'ait atteint son terme.

VIII

Palimpsestes pour la liberté

Les six décennies qui suivirent la Première Guerre mondiale virent s'étendre la connaissance plus que jamais auparavant. Cependant, globalement, un homme cultivé des années 80 était loin de pouvoir se reposer sur autant de certitudes qu'un Egyptien du IIIe millénaire avant Jésus-Christ. Au moins celui-ci possédait-il une cosmologie simple, claire et sécurisante. Dès 1915, l'univers ordonné de Newton fut remplacé par les théories d'Einstein, et la nouvelle pensée scientifique des années 20 était purement spéculative. La théorie générale de la relativité était admise comme fondamentale et ne pouvait servir à expliquer un phénomène unique tel que les conditions précises du moment de la création. Le modèle mathématique du big-bang d'après lequel l'univers était en expansion depuis l'instant initial 0, il y a 6 000 à 10 000 millions d'années, et pour lequel les éléments essentiels de la vie étaient réunis dans les vingt premières minutes n'était pas plus démontrable que l'hypothèse judéo-chrétienne grossièrement décrite au chapitre I du livre de la Genèse, à laquelle il ressemblait étrangement. La connaissance empirique de notre monde s'accéléra vertigineusement pendant les soixante années qui suivirent. Elles atteignirent leur apogée dans les années 70, époque où les données provenant de la conquête de l'espace affluèrent vers la Terre en quantités prodigieuses. La mesure des rayonnements à micro-ondes qui forment la trame constitutive de l'univers confirma la quasi-certitude de l'existence d'un big-bang[1]. Mais de quelle nature ? En 1973, un astrophysicien observait laconiquement que « notre univers n'était qu'un avatar parmi des milliers d'autres qui naissent çà et là[2] ». On était donc plus éloigné que jamais d'une explication limpide des origines primordiales.

Dans ces conditions, l'historien du monde moderne est tenté de se rallier à la déprimante conclusion que le progrès est destructeur de la certitude. Au XVIIIe siècle, et plus encore au XIXe, les élites intellectuelle et scientifique étaient fermement convaincues d'une nécessaire et inéluctable évolution de l'humanité vers le règne absolu de la raison. Cependant l'homme allait vite découvrir que la raison ne joue qu'un rôle très secondaire dans son comportement. Elle ne guide même pas les scientifiques. Max Planck observait en le déplorant que : « La découverte d'une nouvelle vérité scientifique n'est généralement pas présentée de manière à convaincre ses détracteurs. Au contraire, ces savants disparaissent, et le bénéfice de leurs découvertes n'est pleinement perçu que par la génération suivante[3]. » Trois ans après sa vérification par Eddington, la théorie générale mit un terme à une définition linéaire de l'espace et du temps ; Ludwig Wittgenstein, qui compte parmi les figures clés de notre époque, publia son *Tractacus logico-philosophicus*, signant l'arrêt de mort des systèmes philosophiques et scolastiques pris comme voie royale vers la raison humaine. Aux relativités de l'espace-temps s'ajoutèrent celles de la logique. Près de deux siècles auparavant, Kant n'avait-il pas affirmé dans son *Traité de Logique* (1800) : « Quelques sciences seulement peuvent prétendre à une codification intangible, qui n'admet aucune modification ultérieure. A celles-ci appartiennent la Logique... Celle-ci ne requiert aucune autre découverte, car elle englobe, contient et recouvre la quasi-intégralité des formes de la pensée. » Et en 1939 même, un philosophe britannique ajoutait : « Aussi puissants que soient les dictateurs aujourd'hui, ils ne peuvent altérer les lois de la Logique ; même Dieu ne le peut pas[4]. » Treize ans plus tard, le philosophe américain Willard Quine admettait sereinement les changements fondamentaux qui bouleversaient la Logique : « Quelle différence de principe y a-t-il entre une telle mutation et celle qui a fait succéder Kepler à Ptolémée, Einstein à Newton ou Darwin à Aristote[5] ? » Dans les vingt ans qui suivirent, la logique classique fut battue en brèche par une floraison de nouvelles théories : la logique à multiples valeurs de Bochvar, la logique des quantas de von Neumann, la logique présuppositionnelle de Van Fraassen, les nouveaux systèmes de pensée de Birkhoff, la logique de Destouches-Février et Reichenbach, la logique minimale, la logique déontique, la logique des tensions. Il devint possible désormais de parler des preuves empiriques de la logique[6]. « Quelles seront les conséquences de l'adoption de systèmes non standardisés quant à la théorie de la vérité[7] ? » se demandait un logicien chagrin en 1974. Examinant les systèmes de logique modale, un de ses collègues observait (en 1973) : « On éprouve un sentiment de malaise au fur et à mesure que l'on discerne et étudie davantage les systèmes appartenant à cette famille ; car il s'agit d'une famille au sens littéral du terme, et qui a le pouvoir d'engendrer et de multiplier des nouveaux systèmes à l'infini[8]. »

Bâti sur les ruines de la logique, il n'est pas surprenant que le monde actuel se soit édifié sur des bases que la génération des années 20 n'eût pas considérées comme logiques. Les événements qui adviennent ne sont pas les seuls importants en histoire : comptent aussi, et surtout, ceux qui, obstinément, n'apparaissent pas. On peut ainsi dire que le non-événement fondamental de notre époque réside dans la faillite des contempteurs des croyances religieuses. Nietzsche, qui avait si brillamment prédit la transmutation de la foi en fanatisme politique et en volonté de domination, ne vit pas que l'esprit religieux pouvait, de façon tout illogique, coexister avec la sécularisation et ressusciter le dieu mort. Bien au contraire, ce qui parut vraiment suranné, et même risible, au début des années 80, ne fut pas la croyance religieuse, mais l'affirmation péremptoire et définitive de son extinction, prévue par Feuerbach, Marx et Comte, Durkheim et Frazer, Wells, Shaw, Gide et Sartre et d'innombrables autres. A la fin de notre époque, le terme même de « sécularisation » tomba en disgrâce. « Le concept tout entier apparaît comme un outil des idéologies antireligieuses, écrivit rageusement un professeur de sociologie, il utilise l'élément "réel" dans la religion à des fins polémiques, et puis, arbitrairement, l'identifie à la notion d'un processus unitaire et irréversible... [Il] devrait être éliminé du vocabulaire sociologique[9]. » Le mouvement « séculariste », athée militant, semble être apparu dans les années 1880, exactement au même moment que son grand rival, le « non-conformisme protestant », de telle sorte que Lénine apparaît davantage comme un survivant que comme un précurseur[10]. Dans les années 80, ses musées de l'anti-Dieu et ses chaires d'athéisme scientifique ne semblèrent plus que des simples curiosités historiques. Les ersatz et religions de remplacement, tels que le positivisme, disparurent sans presque laisser de traces, confirmant ainsi l'observation de John Henry Newman : « La religion vraie pousse lentement, mais, une fois implantée, elle est difficile à déraciner ; sa contrefaçon intellectuelle n'a pas de racines propres ; elle apparaît aussi soudainement qu'elle disparaît[11]. » C'est ainsi qu'il y avait bien moins d'athées connus comme tels en 1980 qu'en 1880.

Cependant la religion institutionnelle et organisée était remplie de paradoxes dont beaucoup s'incarnaient en la personne de Karol Wojtyla, qui devint, le 16 octobre 1978, le 263e pontife romain, sous le nom de Jean-Paul II. Cardinal-archevêque de Cracovie avant d'être le premier pape non italien élu depuis 1522, il était le plus jeune depuis 1846. Jamais aucun évêque originaire de l'Est slave n'avait été élu pape ; cependant, le choix se révélait maintenant des plus judicieux car la Pologne était devenue le phare du catholicisme mondial. D'abord sous Hitler, puis sous Staline, tout avait été fait pour détruire l'Eglise polonaise. Hitler avait fermé ses écoles, ses universités, ses séminaires et exécuté un tiers du clergé. Quand l'Armée rouge imposa le gouvernement de Lublin en 1945, on croyait fermement que l'Eglise disparaîtrait en moins d'une génération. Cependant, la Pologne d'avant-guerre, dans laquelle l'Eglise jouissait d'un statut spécial, constituait un environnement moins favorable au catholicisme que la république populaire d'après-guerre, où il était persécuté avec acharnement. Les nouvelles frontières firent de la Pologne l'un des États les plus homogènes du monde : plus de 95 % de la population étaient désormais d'origine polonaise et virtuellement tous baptisés dans la religion catholique.

Celle-ci focalisa la résistance au régime communiste d'importation. Aux alentours des années 60, le nombre des prêtres catholiques en Pologne égala celui d'avant-guerre, soit environ 18 000. Le nombre de religieux grimpa de 22 000 en 1939 à 36 500. Il y avait 50 % de monastères, de prieurés et de couvents de plus qu'avant la guerre. Quelque 92,5 % d'enfants firent leur communion solennelle en sortant des 18 000 centres de catéchisme. Plus de 90 % des Polonais étaient enterrés selon les rites catholiques. Le mouvement des paysans vers les villes réévangélisa la population urbaine. Les trois quarts des citadins se mariaient à l'église. Le taux de remplissage des lieux de culte chrétiens dépassait 50 %, même en milieu urbain : chiffres inégalés dans le monde [12].

Tout le paradoxe entre une foi vivante issue d'un environnement athée s'incarnait dans la personne du nouveau souverain pontife, car lui-même était un paradoxe : intellectuel, poète, auteur de pièces de théâtre, philosophe rompu à la pensée phénoménologique et familier de l'existentialisme chrétien, dont la piété, cependant, affectionnait la culture du catholicisme populiste, les reliquaires, les miracles, les pèlerinages, les saints, le rosaire et la Vierge. Connu comme membre des plus actifs du concile Vatican II, le pape progressiste Jean XXIII lui demanda, en 1962, de préparer ce qu'il appelait l'*aggiornamento* (« mise à jour ») de l'Église ; pendant quatre ans, il s'attela à la modernisation de tous les aspects des activités de celle-ci, introduisant une liturgie nouvelle, vernaculaire, ainsi que des formes nouvelles de consultations démocratiques. Le concile refléta l'optimisme et les illusions des années 60. Cet état d'esprit ne survécut pas aux événements de 1968, année cruciale tant pour le catholicisme que pour les sociétés séculières. En effet, le nouveau pape, Paul VI, refusa de lever l'interdit de l'Église sur la contraception artificielle et condamna celle-ci une nouvelle fois dans son encyclique *Humanæ Vitæ*. Pour l'Église, comme pour le monde, les années 70 furent une période de désillusions, de chute d'assiduité dans la pratique religieuse, de déclin de l'autorité, d'âpres divisions intestines et d'affaiblissement de la foi : des milliers de prêtres renoncèrent à leur vocation. Comptant parmi les ordres les plus importants et les plus influents de l'Église, les jésuites constituèrent un exemple frappant. 36 000 à l'ouverture du concile, ils avaient doublé leur nombre depuis les années 20. Cette expansion s'est retournée dans la seconde partie des années 60, et, à partir de 1970, ils perdirent un tiers de leurs effectifs : le nombre des étudiants et des novices chuta de 16 000 à environ 3 000 [13].

Reflétant un nouvel état d'esprit réaliste et conservateur, artisan d'un retour à l'autorité caractéristique de la période de transition entre les années 1970 et 1980, le pape Jean-Paul II restaura le catholicisme traditionnel. Il utilisa les nouveaux moyens du jet et de l'hélicoptère pour inscrire les voyages apostoliques au programme de son pontificat.

Pendant les trois premières années de son règne papal, Jean-Paul II rendit visite à une grande partie de l'Amérique centrale et de l'Amérique du Sud, à l'Afrique, à l'Amérique du Nord, à certains pays européens, à l'Asie du Sud-Est, au Moyen-Orient et à l'Extrême-Orient. Ses déplacements attirèrent certaines des plus grandes foules de l'Histoire. Plus de 100 millions d'hommes assistèrent à ses offices. En Afrique et en Amérique latine, des rassemblements de 1 million de personnes ou plus ne furent pas rares.

En Irlande, la moitié de la population se déplaça pour l'entendre. En Pologne, à Czestochowa, il y eu plus de 3,5 millions de participants, soit le plus grand rassemblement humain jamais recensé [14]. Jean-Paul II survécut à l'attentat dirigé contre lui en mai 1981, et reprit son bâton de pèlerin sitôt rétabli. Ses déplacements à l'étranger eurent un double intérêt : d'une part, ils permirent de mesurer l'actuelle extension du christianisme ; d'autre part, le degré de modification de son caractère et de son impact. A l'arrivée de Jean-Paul II, le nombre des catholiques romains était de 739 millions 126 000, soit environ 18 % de la population totale du monde qui comptait 4 094 110 000 habitants. Ce grand corps de l'Église développait encore une force éducative et culturelle puissante : il avait autorité sur 79 207 écoles primaires, sur plus de 28 000 écoles secondaires et fournissait plus de 1 million de postes universitaires. Au début des années 60, les catholiques des pays européens traditionnels (auxquels il faut ajouter l'Amérique du Nord), constituaient encore 51,5 % de cet ensemble. Au moment de l'accession de Jean-Paul II, le catholicisme était devenu essentiellement une religion du tiers-monde. Sur les 16 pays catholiques de plus de 10 millions d'habitants, 8 appartenaient à celui-ci ; par ordre de grandeur décroissante, on obtient : le Brésil (avec 100 millions de catholiques, et, de loin, le plus fort contingent d'évêques — 330 — dans l'Eglise), le Mexique, l'Italie, l'Argentine, la Colombie, le Pérou, le Venezuela, la France, l'Espagne, la Pologne, l'Allemagne de l'Ouest, la Tchécoslovaquie, les États-Unis, le Canada, le Zaïre et les Philippines [15]. Tout indique qu'à l'horizon de l'an 2000, 70 % des catholiques vivront dans des pays en voie de développement, principalement en Afrique et en Amérique latine. La religion romaine ne cessa pas seulement d'être à prédominance européenne : elle devint une religion de cités et même de cités géantes. En l'an 2000, une grande proportion de catholiques habiteront dans des mégalopoles de plus de 5 millions d'habitants, dont beaucoup dans les 2 plus grandes : Mexico (31 millions d'habitants) et Sao Paulo (26 millions) [16]. Mais, au moment où le centre de gravité démographique du catholicisme se déplaçait vers l'Amérique du Sud, conséquence des taux de natalité très élevés qui avaient doublé la population depuis 1945, ce fut au bout du compte en Afrique qu'il enregistra le plus grand nombre de conversions. Une statistique datant du milieu des années 70 montrait que le christianisme romain, dont le nombre de missionnaires avait doublé depuis 1950, était le principal bénéficiaire de l'expansion générale de la chrétienté en Afrique, passant d'environ 25 millions d'âmes en 1950 à quelque 100 millions en 1975 [17].

Ces grands bouleversements furent à l'origine de nombreux paradoxes ultérieurs. En Amérique centrale, le visage le plus connu du catholicisme était celui de la « théologie de la libération » (importée d'Allemagne). Celle-ci pensait transformer le militantisme religieux en force politique extrémiste, organisée en « communautés de base », sur le modèle des cellules communistes et appelant même à l'action violente pour renverser les gouvernements oppressifs de droite. Au Nicaragua, pays satellisé par Castro, 4 prêtres ayant eu des fonctions ministérielles en 1979 refusèrent, deux ans plus tard, d'obéir à leurs évêques qui leur demandaient de retourner à leurs devoirs pastoraux. Une partie du clergé, jusqu'à présent respectueuse des autorités établies, devint farouchement rebelle dans les années 60 et 70 [18]. Cependant, bien que source de fascination pour les médias, elle fut le fait d'une minorité de gens cultivés. La plupart des prêtres et des évêques restèrent traditionalistes, et les fidèles plus encore. En effet, un phénomène autrement plus puissant et répandu dans l'Amérique latine des années 70 fut la croissance de la « religion populaire », non politisée et non intellectualisée, spontanée, dévote, fervente, caractérisée par le culte des saints, souvent non officiels, des reliques, et des châsses. Jean-Paul II donna à ce mouvement le sceau de sa bénédiction quand il visita le reliquaire de la Vierge de la Guadeloupe et plaça le peuple mexicain sous la protection de cette madone de type indien. Bien sûr, les cultes populaires étaient souvent hétérodoxes, mélangés de paganisme et de christianisme, enfantés dans les villages et importés par des paysans immigrés dans les villes surpeuplées, pour se protéger eux-mêmes des agressions de la vie urbaine. Ces formes de syncrétisme chrétien ont toujours eu tendance à faire leur apparition dans les périodes d'accroissement rapide de la population, et dans les lieux de brassage racial et culturel. Au cours des années 70, elles ont été particulièrement marquées au Brésil, où l'importante population noire a conservé les modes de croyances et de vénération tardivement hérités de l'Afrique [19]. Elles étaient encore davantage la marque du christianisme africain, bouillant maelström fait d'expansion, de renaissance, de sectes étranges, de gnosticisme, d'évangélisme, de sionisme, d'orthodoxie fervente et de zèle fanatique, comparable au christianisme primitif du IIIᵉ siècle de notre ère, dans les Balkans et en Asie Mineure [20]. Au moment même où les théologiens des universités de Tübingen et d'Utrecht firent chuter l'audience globale du christianisme, un étrange élan charismatique, issu des bidonvilles de Mexico et de Sao Paulo, de Recife et de Rio, de Capetown, Johannesburg, Lagos et Nairobi, contribua à l'accroître. Les premiers touchaient des milliers d'âmes, les seconds, des millions.

L'islam également conquérait des positions en Afrique noire, souvent avec l'aide de l'argent arabe, des armes et de la force. Dans les années 60, l'élite de la classe dirigeante « nordiste » entreprit d'imposer la religion musulmane au Sud chrétien. Plus tard, au début des années 70, Kadhafi tenta à plusieurs reprises de convertir le Tchad tout entier par le fer et par le feu, sans oublier le napalm et les hélicoptères d'assaut, au moment même où Amin islamisait l'Ouganda par des massacres collectifs. Mais l'islam, par une sorte de résurrection et de renouveau interne, jouit d'une croissance naturelle. Une des raisons fut la prise de conscience de plus en plus forte du monde musulman, à la faveur de la flambée des prix du pétrole. Les conséquences au niveau des masses se traduisirent par un accroissement sans précédent des pèlerinages à La Mecque ; se pressant par charter entier au pied de la Kaaba, les pèlerins rentraient chez eux débordants d'un zèle islamique, en fait, beaucoup plus politique et temporel que le christianisme. Les premiers bénéficiaires de ces nouveaux zélotes des années 70 ne furent pas les sunnites « orthodoxes », majoritaires dans le monde musulman — en particulier parmi les Arabes et représentant l'islam traditionnel bien-pensant, conservateur, régissant aussi les deux familles régnantes et régentes : les Hashémites et les Saoudiens. Cette résurgence eut pour effet de ranimer le dramatique clivage né aux VIIe et VIIIe siècles, lors de l'apparition d'un islam non conformiste, « protestant » et contestataire, incarné par les chiites et beaucoup d'autres sectes, telles que les druzes, les ismaéliens et les alaouites. Le chiisme musulman, avec sa croyance messianique en « l'imam caché » et ses conséquences millénaristes, son culte des martyrs et de la souffrance, son puritanisme et son adhésion à la violence, qui n'en est pas le moindre aspect (les « assassins » étaient des ismaéliens chiites), a toujours été une source de désordre dans le monde musulman, surtout en Syrie, au Liban, en Irak, où ses adeptes sont nombreux, et en Iran, où ils sont majoritaires. Ils ont toujours proclamé qu'à la première opportunité, les sunnites les considéraient comme des citoyens de seconde zone. Le renouveau islamique les a poussés à réclamer, à leur bénéfice, une redistribution générale des cartes dans le monde musulman, ainsi que l'honneur d'être le fer de lance de l'Islam contre les « infidèles ». Ce faisant, ils provoquèrent une série de crises qui bouleversèrent les schémas bipolaires de la guerre froide.

La première conséquence fut la destruction du Liban. Pays de faible superficie mais hautement civilisé, seule démocratie arabe dont la survie dépendait uniquement d'une série de *gentleman's agreements* entre les dirigeants des diverses confessions religieuses : maronites (chrétiens orientaux rattachés à Rome), chrétiens orthodoxes, musulmans sunnites, chiites et druzes. De tels accommodements n'étaient possibles et envisageables que dans la mesure où chaque religion et chaque secte s'ingéniait à conjurer le fanatisme. Le conflit israélo-arabe rendit de plus en plus difficile le maintien de cet équilibre. En 1949, le Liban fut obligé d'accueillir 300 000 réfugiés palestiniens, dont 100 000 dans 15 grands camps ; 5 d'entre eux entouraient la capitale, Beyrouth, et contrôlaient toutes les voies d'accès. Tous les conflits israélo-arabes successifs portèrent des coups sévères à la fragile unité de ce pays. En

1958, succédant à l'affaire de Suez, éclatèrent les premiers signes de guerre civile, nécessitant l'intervention des troupes américaines à la requête de la majorité maronite dominante. La guerre de 1967 doubla le nombre de réfugiés en Jordanie, et lorsque, en 1970, le roi Hussein expulsa par la force les Palestiniens de son royaume, ceux-ci s'installèrent au Liban ; ils y formèrent un véritable État dans l'État, sous la houlette des terroristes de l'OLP. En 1975, à la suite de la guerre du Yom Kippour, le président égyptien Anouar el-Sadate, encouragé et soutenu par les États-Unis, prit l'initiative historique de poser avec Israël les jalons de la paix. Le processus de Camp David, ainsi nommé en raison de la retraite présidentielle du Maryland où le président Carter réunit pour la première fois Sadate et le Premier ministre Bégin, déboucha sur un traité de paix qui fut immensément bénéfique aux deux parties. L'une des menaces mortelles qui pesait sur Israël s'estompa, et l'Egypte se libéra du fardeau d'une sorte de vendetta qui ne la concernait pas et qui engloutissait tous ses espoirs d'essor économique. Le traité de paix israélo-arabe fut un des actes les plus créateurs et les plus positifs d'une décennie bien maussade et morose, et montra que la paix entre Israël et tous ses voisins n'était pas seulement possible, mais, à terme, inévitable.

　　Parallèlement toutefois, cette paix engendra directement la guerre civile du Liban, déclenchée par l'OLP et élargie par l'intervention de la Syrie, dont la classe dirigeante, en majorité alaouite, souhaitait ravir à l'Egypte le *leadership* du monde arabe. Le précaire équilibre des forces au Liban fut finalement détruit. Il avait été jusque-là préservé par le conseil supérieur de l'islam local, qui rassemblait toutes les sectes musulmanes y compris les druzes, et que tenait en main un petit noyau de dirigeants sunnites conservateurs et traditionnels. Les décisions de ce conseil furent bouleversées lorsque les chiites, sous l'impulsion et la direction de l'iman Moussa Sadr, intégriste iranien d'origine libanaise, réunirent leur propre conseil supérieur de l'islam chiite. Ceux-ci firent alliance, une mauvaise alliance, avec la gauche laïque et séculière de l'OLP. Toutes les sectes, chrétiennes ou musulmanes, eurent leurs milices privées. Dans les combats qui suivirent, et atteignirent leur paroxysme en 1975-1976, pour devenir ensuite plus sporadiques, Israël et la Syrie furent contraints d'intervenir. Les gangsters de bas étage se muèrent en combattants respectables et en dirigeants politiques honnêtes ; 40 000 personnes furent tuées ; Beyrouth fut détruit en tant que plaque tournante du commerce international ; le Liban cessa d'exister en tant que nation indépendante ; la vieille communauté chrétienne perdit sa suprématie, bien qu'elle defendît âprement les zones où elle était implantée. Ainsi un phare de la raison et du bon sens s'éteignit dans le monde arabe[21]. En 1982, Israël sentit la nécessité d'une invasion à grande échelle, qui aboutit à l'expulsion et à la dislocation de l'OLP.

　　Les intégristes musulmans, principalement mais non exclusive-

ment des chiites, tentèrent, par tous les moyens, de déstabiliser le
Proche-Orient. Ils portèrent des coups très durs au régime égyptien et
réussirent finalement à assassiner le président Sadate en 1981. En 1979,
ils prirent d'assaut le mausolée de La Mecque, dans l'intention de renverser la famille royale saoudienne, et ne furent neutralisés et chassés
des tunnels souterrains et des labyrinthes qu'après une semaine de violents combats. Mais ils connurent leur plus grand succès en 1978-1979,
lorsqu'ils renversèrent le chah d'Iran de son trône de paon. Cet événement — largement incompris — jette une lumière révélatrice sur les
forces qui sont à l'œuvre dans le monde moderne. Armé jusqu'aux dents
par les Anglais et les Américains, le régime aurait dû être extrêmement
fort puisqu'il se présentait comme la seule force stabilisatrice dans le
golfe, après le retrait militaire de l'Occident. Fort ancienne, et respectée comme une vulnérable institution, la monarchie était, en effet, la
seule force unificatrice, le seul ciment, d'un royaume constitué pour
l'essentiel de minorités religieuses, culturelles, linguistiques et géographiques; la plupart du temps, elles se haïssaient mutuellement et cherchaient une protection auprès du trône. Face à celles-ci les intégristes
chiites de Qôm ou de Meshed ne s'adressaient qu'à une poignée de
musulmans et leur chef, l'ayatollah Khomeyni, était autant haï que
craint et aimé. Le chah ne fut pas renversé parce qu'il était pro-
occidental, ou capitaliste, corrompu ou cruel : la plupart des dirigeants
du Moyen-Orient l'étaient également et, comparé à eux, c'était un libéral ! Le chah ne fut pas non plus renversé parce qu'il était roi. En vérité,
il se détruisit lui-même en succombant à la fatale tentation des temps
modernes : le mirage de la planification sociale. Tout compte fait, il perdit son trône parce qu'il voulut être un Staline persan.

C'était chez lui un héritage de sang, une sorte d'atavisme. Officier de cosaque persan parti à la conquête du pouvoir en 1925, son père
prit pour modèle Kemal Atatürk, l'homme de la laïcisation; plus tard,
il en vint à admirer et à envier la rudesse avec laquelle Staline collecti-
visa les paysans, et avait pour coutume de déclarer sévèrement : « J'ai
fait comprendre aux Iraniens que lorsqu'ils se lèvent le matin, ils doivent aller travailler, et travailler dur tout au long de la journée [22]. » Il
défenestra personnellement un ministre oisif. Encore enfant, son fils
monta sur le trône en 1944, puis gouverna dès l'âge de vingt et un ans,
mais ne se laissa aller à ses rêves de grandeur qu'à partir des années
60, en même temps que les revenus du pétrole s'accrurent. Commençant par distribuer les terres de la couronne aux paysans, il changea
d'avis et décida, à l'instar de Staline, d'accomplir la modernisation du
pays de son vivant. Pas plus qu'en Russie soviétique, ce genre d'entreprise ne fut très populaire. Cette révolution par en haut, prit le nom
de « révolution blanche ». De simples plans d'investissement, ses perspectives se muèrent par bonds successifs en planification sociale. A la
fin des années 40 le régime de Téhéran adopta la notion de planification, le premier plan septennal impliqua un investissement financier

modeste, de l'ordre de 58 millions de dollars, essentiellement attribués à l'agriculture, aux produits de première nécessité, aux routes et aux cimenteries. Le deuxième plan septennal, 1955-1962, fit un bond jusqu'à 1 milliard de dollars, attribués aux routes, aux chemins de fer et aux barrages pour l'énergie et l'irrigation. Un troisième plan quinquennal engouffra 2,7 milliards de dollars, entre 1963-1968, pour la construction d'oléoducs, l'industrie pétrochimique et les aciéries : touchant pour la première fois au domaine social, il commença à déborder sur la pâte humaine. Le quatrième plan, 1968-1972, engloutit 10 milliards de dollars pour les routes, les ports, les aéroports, les barrages, le gaz naturel, l'eau, les logements, l'industrie lourde et l'agro-alimentaire. La phase « staliniste » débuta avec le cinquième plan 1973-1978 dont le budget prévisionnel était initialement de 36 milliards de dollars, et atteignit très rapidement les 70 milliards de dollars au moment du quadruplement du prix du pétrole [23]. Pour la seule année financière 1978-1979, la dernière du règne du chah, quelque 17,2 milliards furent dépensés pour le seul développement, soit 300 fois plus que l'enveloppe globale du tout premier plan, auxquels il faut ajouter 5,8 milliards supplémentaires pour la santé, l'éducation et les loisirs, et 10 milliards de dollars également pour les dépenses militaires [24].

Les technocrates planificateurs, formés à l'étranger et connus sous le nom de « massachusetts » (du nom du fameux MIT, Massachusetts Institute of Technology), avaient l'arrogance des apparatchiks du Parti, une foi staliniste dans la planification centralisée, les vertus de la croissance et de la grandeur, et cherchaient par-dessus tout le changement. On assista donc à une furieuse et démente expansion des extractions de minerais : l'or, le sel, la chaux, le phosphore, le gypse, le marbre, l'albâtre, les pierres précieuses, le charbon, le plomb, le zinc, le chrome, le cuivre par la sixième plus grande industrie du monde, récemment bâtie dans le centre de l'Iran et dont les 25 000 mineurs vivaient dans des baraques en brique. On commença la construction de 4 réacteurs nucléaires; la nation entière se transforma en usine et se couvrit de fabriques, produisant des voitures, des moteurs Diesel, des ascenseurs, des bicyclettes, des compteurs d'eau, de l'amiante, du sable de moulage, du glucose, de l'aluminium, des tissus, des tracteurs, des machines-outils, et des armes. Le chah proclamait que sa révolution blanche combinait « les principes du capitalisme... et ceux du socialisme, et même du communisme... Il n'y a jamais eu tant de changement en trois mille ans. La structure entière est en train de se renverser [25] ». Malheureusement, voulant dépenser trop et trop vite, il créa lui-même l'inflation. Pour casser celle-ci, il favorisa la création de gangs d'étudiants chargés d'arrêter les commerçants « profiteurs » et les patrons de petites entreprises. Cela ne fit que donner à la jeunesse le goût de la violence et coûta au trône l'appui *du* Bazar*.

---

* Le « Bazar » : quartier populeux et populaire de Téhéran (N.d.T.).

Cela ne sembla pas avoir une grande importance car le chah avait, jusqu'à présent, toujours pu s'appuyer sur la paysannerie conservatrice pour contrebalancer l'agitation et le radicalisme des grandes cités. Mais sa plus grave erreur fut, précisément, de s'aliéner ces paysans, dont les fils composaient les soldats de son armée. Après avoir donné les terres de la couronne et les biens confisqués au clergé à ses paysans, il trouva, comme on pouvait s'y attendre, que les revenus baissaient. En 1975, l'Iran passait de l'état d'exportateur alimentaire à l'état d'importateur : changeant de politique, le chah s'embarqua dans la collectivisation. Il prit pour modèle le plan d'irrigation du nord Khusistan de 1972-1975, pour lequel il avait fallu reprendre 100 000 hectares de terres cultivables, données aux paysans quelque cinq ans seulement auparavant, et sacrifia tout et tout le monde à ce qu'il était convenu d'appeler la « consolidation de l'aménagement agricole ». Ainsi les petits propriétaires terriens se transformèrent en prolétariat rural, gagnant un dollar par jour et vivant dans des maisons de deux pièces en béton, disposées dos à dos dans le style des « villes nouvelles » appelées *chahraks* [26]. La loi de juin 1975 étendit ce modèle à tout le pays, forçant les paysans indépendants à se regrouper dans plusieurs centaines d'« unités agro-alimentaires », dans des grandes « fermes corporatives », ou dans 2 800 coopératives. Il est vrai que les paysans, bien qu'ayant abandonné leurs propriétés personnelles, se virent offrir des parts dans ces nouveaux organismes. Cependant, pour l'essentiel, le processus ressembla fort à une collectivisation forcée [27]. Prévoyant de transformer brutalement 67 000 petits villages en 30 000 plus grands, tous assez importants pour justifier la construction d'un hôpital, d'une école, d'un système d'adduction d'eau courante et de routes, ce plan eut pour effet de provoquer la dispersion de grandes familles. Des convois menaçants, composés de bulldozers et d'engins de terrassement de taille souvent gigantesque rasèrent, sans avertissements ni explications, des communautés villageoises vieilles de deux mille ans. On débaptisa des petits hameaux et même des vergers. Les planificateurs agricoles et les hommes du « corps de justice », comme on les appelait, se conduisirent avec l'arrogance des hommes de Staline pour promouvoir leur programme ; ils ne rencontrèrent cependant ni résistance ni véritable brutalité [28] ; l'accomplissement de cette tâche constitua une atteinte délibérée à la diversité des tribus, aux patriarches locaux, à la cohésion familiale, aux divers accents et patois, aux costumes régionaux, aux coutumes et groupements d'intérêts, finalement à toutes choses qui pouvaient constituer un contre-pouvoir équilibrant l'omnipotence du gouvernement central. Dans l'esprit de la révolution blanche, l'ultime jouissance de toutes les terres et propriétés devait revenir à la couronne, c'est-à-dire à l'Etat. Ainsi le chah, malgré son libéralisme et ses positions extérieures de pilier de l'Occident, poursuivit une politique totalitaire absolue. « Cela montre que si vous pensez qu'on ne peut faire une révolution sans verser le sang, vous vous trompez [29] », avait-il coutume d'expliquer. Cepen-

dant, le chah, lui aussi, se trompait. Les « anciens », les vieux, furent
jetés dans les _chahraks_, mais leurs fils aînés s'urbanisèrent et allèrent
grossir les bandes de l'ayatollah; et leurs frères militaires répugnèrent
à ouvrir le feu sur eux quand vint le temps des émeutes. Le chah y répu-
gna aussi; la collectivisation est impossible sans la terreur : il n'en avait
pas le goût. A la fin de 1978, quand la situation devint périlleuse, il sentit que son allié, le président Carter, l'avait trahi[30]. Mais il s'était trahi
lui-même. Et, au bout du compte, il manqua de volonté pour faire face.

Le chah et le président Carter trahirent tous deux le peuple iranien. Ils livrèrent une nation entière, comprenant beaucoup de minorités sans défense, à un clergé qui n'était ni éduqué ni entraîné à l'exercice
du pouvoir[31]. Le résultat en fut une terreur barbare qu'exerça un tout
petit noyau de despotes intégristes, agissant au nom d'une république
islamique, promulguée en février 1979. Dans les deux années qui suivirent, 8 000 personnes furent exécutées, parce que jugées « ennemies
d'Allah », dans les cours de justice islamiques[32]. La terreur khomeyniste s'attaqua en premier lieu aux membres de l'ancien régime et assassina 23 généraux, 400 autres officiers de la police et de l'armée et 800
civils appartenant au gouvernement; puis elle se retourna contre les
partisans d'ayatollahs rivaux, dont 700 furent exécutés; enfin, contre
ses anciens alliés libéraux (500) et contre la gauche (100). Dès le
commencement, elle organisa l'exécution ou le meurtre des dirigeants
des minorités ethniques ou religieuses, assassinant plus de 1 000
Kurdes, 200 Turkomans et beaucoup de juifs, de chrétiens, de shaik-
his, de sabéens et de membres de sectes chiites dissidents comme de
sunnites orthodoxes[33]. La persécution des Bahaïs fut particulièrement
féroce[34]. Les églises et les synagogues furent dévastées, les cimetières
violés, les mausolées abîmés ou détruits. La tranche d'âge des personnes légalement exécutées allait de celui du poète kurde Allamed Vahidi,
cent deux ans, à celui d'une petite fille de neuf ans, accusée d'avoir attaqué des gardiens de la Révolution. Les exactions contre les minorités
sunnites irakiennes et les mesures réciproques contre les Persans chiites en Irak aboutirent à la guerre irano-irakienne de 1980-1983, à la destruction de la grande raffinerie d'Abadan et aux bombardements
iraniens des champs de pétrole irakiens. Le régime de Khomeyni signa
son appartenance et ses liens avec le terrorisme international en prenant en otage le personnel de l'ambassade US, qu'il finit par relâcher
contre une rançon : pendant un temps, d'ailleurs, Téhéran finança des
mouvements tels que l'OLP, mais finit par rompre avec ses « protégés »
terroristes.

Cette révolution mit un terme définitif à la planification sociale
voulue et entamée par le chah. La confiscation de ses avoirs à l'étranger, la guerre avec l'Irak, la cessation virtuelle de toute production
pétrolière et l'exil de toute la classe moyenne bourgeoise amenèrent
le secteur moderne de l'économie iranienne à un arrêt quasi total de
son activité. Les inévitables conséquences s'ensuivirent : chômage,

dégradation de la santé, de l'hygiène et d'autres secteurs élémentaires, épidémies collectives, malnutrition et famine. Cependant, l'horrible expérience iranienne démontra une fois de plus la loi des effets non désirés. Les efforts du chah pour forcer une nation à entrer dans l'âge moderne furent l'expression de son atavisme. La route royale vers Utopie ne mena qu'au Golgotha.

Le réveil de l'islam, la chute du chah et la terreur intégriste furent directement à l'origine de la guerre civile en Afghanistan en décembre 1979 ; là encore, on se trouve devant un autre exemple de planification sociale menant à la barbarie, bien que, dans ce cas, l'origine utopique provînt du camp communiste. Eloquente, la politique soviétique montra bien ses forces et ses faiblesses. Moscou avait des plans à long terme. L'URSS apporta son appui au prince Mohammed Daud, non marxiste, lorsque celui-ci établit une monarchie constitutionnelle en 1953 ; puis, de nouveau, vingt ans après, lorsqu'il chassa le roi et se proclama lui-même président de la République. Dans les années 50, Moscou octroya une petite aide financière ; dans les années 60, les Russes construisirent des routes depuis la frontière du Nord (pour l'usage ultérieur de leurs troupes) ; dans les années 70, le gouvernement soviétique s'appliqua à édifier un parti marxiste unifié. Les Russes crurent le dernier objectif atteint, en 1977, lorsqu'ils favorisèrent l'unification des 3 factions révolutionnaires en Parti populaire démocratique, dirigées par Babrak Karmal, Nur Muhammed Taraki et Hafizullah Amin. En 1978, il sembla que le temps de la planification sociale fût venu, et le putsch d'avril, avalisé par les Soviétiques, renversa Daud[35].

Mais l'expérience du XXe siècle montra à souhait que l'utopie ne s'éloigna jamais du gangstérisme. Les dirigeants soviétiques purent commencer la révolution en Afghanistan ; ils furent incapables de la contrôler. Le trio maintenant au pouvoir ne différait pas des sombres idéologues qui semèrent la terreur au Cambodge. Amin, le plus féroce était professeur de mathématiques ; il se tourna frénétiquement de l'abstraction des chiffres vers la réalité du sang versé. Son premier acte fut de faire fusiller 30 membres de la famille de Daud en présence de celui-ci ; puis les membres du gouvernement, enfin Daud lui-même[36]. Selon les chiffres d'Amnesty International, il y eut 12 000 prisonniers, internés sans jugement ; beaucoup furent torturés. La mise en place en application du « plan » marxiste-léniniste, comme au Cambodge, impliqua la destruction de villages entiers ainsi que le décrit un témoin oculaire :

> « Au moment où les soldats commencèrent à détruire et à brûler les maisons, 13 enfants furent raflés et alignés debout devant leurs parents. Certains soldats crevèrent alors les yeux des enfants avec des tiges d'acier. Mutilés, les enfants furent ensuite, lentement, étranglés. Puis, ce fut le tour des parents... Les champs environnants furent passés au bulldozer, tous les arbres et arbustes déracinés, et le site tout entier réduit à un champ de ruines calcinées et dévastées[37]. »

Plus tard, Karmal accusa Amin d'être « un boucher sanguinaire », et de « liquider en masse ». L'évidence montra cependant qu'il se rendit également coupable de telles atrocités jusqu'en mars 1979, date à laquelle Amin se nomma lui-même seul dictateur, et se débarrassa de Karmal en l'envoyant comme « ambassadeur » à Prague. Il intensifia même la terreur, car le nouveau régime khomeyniste fournissait désormais une aide aux musulmans rebelles en Afghanistan. En effet, Karmal semble avoir nourri l'intention de rayer entièrement l'islam de ce pays. La violence ne fit que croître pendant l'année 1979. Spécialiste des problèmes subversifs, l'ambassadeur des États-Unis fut probablement assassiné par les Russes. Le 12 août, 30 conseillers soviétiques furent écorchés vifs près du monument islamique de Kandahar. Représentant suprême du parti au sein de l'Armée rouge, artisan de la préparation politique de l'invasion tchèque de 1968, le général Alexei Yepishev se rendit à Kaboul : à son retour, Taraki, considéré comme le plus « fiable » du trio, fut requis pour balayer Amin. Mais au cours d'une très vive discussion à l'ambassade soviétique, Taraki fut abattu, et Moscou dut envoyer un télégramme (17 septembre 1979) à Amin, pour le féliciter d'avoir survécu à une tentative de complot « contre-révolutionnaire ». La semaine suivante, à la demande d'Amin, 3 bataillons soviétiques entrèrent dans le pays ; les troupes aéroportées intervinrent le 17 décembre. Amin ignorait tout, mais les soldats russes transportaient Karmal dans leur paquetage, et, le jour de Noël, la Russie soviétique entreprit une invasion à grande échelle, mettant en œuvre 2 de ses 7 divisions parachutistes : les 4e et 105e divisions toutes deux composées de « Grands Russes » (c'est-à-dire d'Européens blancs). L'essentiel du puissant corps expéditionnaire, fort de 80 000 hommes, pénétra par les nouvelles routes construites spécialement à cet effet. Amin fut assassiné deux jours plus tard, avec sa femme, ses 7 enfants, 1 neveu et 20 des trente personnes composant sa suite[38]. Le général soviétique, Victor Papertin, chargé de l'organisation du putsch, se suicida. Karmal instaura un nouveau gouvernement, mais la suite des événements montra qu'il n'était rien de plus qu'un pantin entre les mains des Soviets, gesticulant devant un général dont l'étoile grandissait[39]. Trois ans plus tard, l'armée d'occupation soviétique tenait encore les villes principales, les axes routiers, mais guère davantage. Elle menait le combat antiguérilla avec des chars, des canons, des bombardements, du napalm, des armes chimiques et la destruction systématique de ce qu'elle appelait « les bandits des villages ». Un huitième de la population émigra : 1,5 million d'Afghans se réfugièrent au Pakistan et 500 000 en Iran. Triste mais incontestable réalité numérique et arithmétique : pendant les années 70, la politique menée par la Russie soviétique et ses satellites cubains, éthiopiens et indochinois ajouta environ 9 millions d'âmes au total mondial des personnes déplacées : cela ne souffre pas la comparaison avec les exterminations statistiques de Staline ou de Hitler.

Les frontières d'Asie centrale tenant peu compte des divisions eth-

niques, la guerre d'Afghanistan menaça de s'étendre jusqu'au Baloutchistan, dans le sud, où les hélicoptères du dernier Président en date,
Ali Bhutto, massacrèrent 17 000 guérilleros Baloutch en 1974[40]; elle
menaça même de s'étendre vers le nord, à l'intérieur de l'Asie soviétique. Les Bolcheviks n'avaient jamais accordé que peu d'importance
et de poids à la question de l'islam. « Le tissu pourri de l'islam tombera en poussière au premier souffle, pensait Trotski. C'était à l'islam
de craindre le changement, changement émanant de "la femme orientale" appelée à être un jour le grand ferment des révolutions futures[41]. » Staline, et plus encore Khrouchtchev ou Brejnev pensèrent
mettre l'islam au pas, comme ils mirent au pas l'Église orthodoxe au
moyen d'un clergé accommodant et souple. A la conférence musulmane
de Tachkent en 1970, le mufti Ahmed Habibullak Bozgoviev, vanta les
mérites des dirigeants soviétiques : lesquels, bien qu'infidèles, façon-
nèrent leur politique sociale, selon « les lois dictées par Dieu et expli-
quées par son prophète ». Un autre délégué déclara : « Nous admirons
le génie du prophète qui prêcha les principes sociaux du socialisme[42]. » Au cours des années 70, l'accroissement des pèlerinages intérieurs, le culte des sheiks (saints) vivants et morts, le soufisme et les
mouvements de foules surexcitées témoignèrent de la renaissance de
l'islam à l'intérieur du territoire soviétique; certains dirigeants musulmans tentèrent, parfois désespérément, de rétablir les pratiques, y compris les prières publiques, le ramadan et d'autres fêtes en accord avec
les lois soviétiques, afin d'« adopter la légitimité de l'islam » en termes
de société communiste. Ils cherchèrent à encourager les musulmans,
surtout les jeunes, à se joindre aux organisations sociales soviétiques,
« en tant que musulmans[43] ». Mais le clergé musulman travaillant pour
le chah avait eu une attitude identique.

Le renouveau de l'islam n'était qu'une partie du problème plus
vaste qui se posait à l'Empire soviétique, en tant que grande anomalie
non résolue de ce XXᵉ siècle finissant. Préfaçant l'édition de 1921 de
son *Impérialisme*, Lénine reconnut que cet ouvrage avait été écrit « avec
un œil sur la censure tsariste », qui en autorisa une première publication au printemps 1915, à la seule condition que l'ouvrage ne soufflât
mot de l'impérialisme russe tout en attaquant les autres empires. En
conséquence, dit Lénine, « je fus obligé de prendre un exemple... le
Japon ! Le lecteur attentif peut aisément substituer le Japon à la
Russie[44] ». La théorie léniniste de l'impérialisme ne contenait donc
aucune attaque sur sa composante slave; finalement, Lénine, et surtout ses successeurs, y trouvèrent leur compte au moment de leur prise
de pouvoir en décidant de garder la majeure partie des possessions du
gouvernement précédent. L'impérialisme de la Grande Russie se poursuivit donc, et les provinces et territoires tsaristes furent transformés
en satellites intérieurs, baptisés du nom de « républiques socialistes ».
Dans les années 50, Khrouchtchev entama un processus de « décolonisation » toute superficielle, et décréta (29 août 1957-22 juin 1959) un

élargissement des pouvoirs dans les assemblées des républiques fédératives ainsi que l'indépendance judiciaire et administrative. Mais certains de ses collègues apprécièrent fort peu les bien timides mesures, lesquelles furent abolies à sa chute. Par son article 70, et même l'article 77, qui laisse rêveur, la Constitution de 1977 maintenait un système fédéral de pure forme, autorisant le « droit à la sécession ». Dans tous ses autres aspects, le document était monolithique et faisait de la centralisation, de l'unité et de l'émergence d'un « peuple soviétique » une nouvelle communauté historique, embrassant, et peut-être même coiffant, les 53 principales communautés nationales de l'URSS[45].

De fait, dans ses caractères essentiels, la politique impériale soviétique ressemble à celle de la France : une union dans laquelle les « colonies » acquerraient peu à peu les avantages culturels et économiques de l'égalité avec les Grands Russiens, moyennant l'abandon de leurs aspirations nationales. Comme celle de la France, la politique était fondée sur les élections truquées et sur des diktats administratifs. Et cela plus encore depuis que la politique impériale était l'œuvre d'un parti qui détenait le monopole du pouvoir politique, de la parole et de l'écrit, que les impérialistes français n'ont jamais possédé ni même souhaité. La Constitution de 1977 faisait des forces armées et du Parti, composés de Slaves (principalement des Grands Russiens), les principaux instruments de l'intégration. Les officiers généraux et membres du Soviet suprême étaient slaves à 95 %. Tous les grands corps de l'État l'étaient également et, à travers le Parti, les Grands Russiens contrôlaient la sélection des cadres politiques, administratifs et techniques, à tous les niveaux des Républiques non russes[46]. Dans les années 60 et 70, la langue était utilisée comme un dissolvant de la cohésion nationale, le nombre des écoles enseignant le russe était en progression constante, et sa connaissance, indispensable à l'avancement social. Même quand existait un système d'éducation nationale complet, le russe était obligatoire à tous les niveaux[47]. Et quand il n'était pas complet, le système russe était imposé. Il en résulta un déclin des langues nationales dès 1950 : les populations balte, biélorusse, moldave, allemande (au nombre de 1,8 million) et juive (au nombre de 3,4 millions) furent pénalisées. Même en Ukraine, le russe était accusé de concurrencer sérieusement l'ukrainien dans l'enseignement supérieur. Les langues nationales étaient en déclin total sur l'ensemble du territoire de la Russie soviétique[48].

Nous avons vu cependant que l'impérialisme d'assimilation de la France échoua ; les raisons d'ordre démographique ne furent pas les moindres. Un taux de croissance élevé de la population dans des pays assujettis signe l'arrêt de mort du colonialisme : telle est une des grandes leçons du XXᵉ siècle. La Russie possédait l'un des dynamismes démographiques les plus forts du monde jusqu'à l'arrivée du bolchevisme. Le « déficit démographique » total dû à la Première Guerre mondiale, à la guerre civile, à la famine léniniste, à la famine stalinienne, aux grandes purges, et enfin à la Seconde Guerre mondiale avoisina

60 millions pour toute la période. Il ne fut que partiellement comblé par l'apport des 20 millions d'habitants dû à la mainmise soviétique sur les États baltes, la Bessarabie, la Carélie, la Pologne orientale, la Bukovine et autres territoires[49]. La période incluse entre 1945 et 1958 connut un certain dynamisme démographique, et le taux de natalité annuel des années 1959-1970 dans la population russe « européenne » fut, bien qu'en chute, de 1,34 %. Dans les années 70, la moyenne semble avoir été de moins de 1 %. Les démographes soviétiques s'attendaient à voir le recensement de 1970 indiquer un total de 250 millions d'habitants, et des prévisions de l'ordre de 350 millions pour la fin du siècle. En fait, il manqua 10 millions d'habitants au total du recensement de 1970, et celui de 1979 n'en fit ressortir que 262 millions 436 000 : ce qui signifie que la population prévisible pour l'an 2000 ne dépassera guère les 300 millions d'habitants. Le recensement de 1970 révéla pour la première fois un double taux de natalité : bas, en Russie slave et balte ; élevé, en URSS orientale, en Asie centrale et dans le Caucase. Dans les seules années 60, la population musulmane fit un bond de 24 à 35 millions d'habitants, auxquels s'ajoutèrent les 14 autres millions en 1970, ce qui donne un total d'environ 50 millions au début des années 80. Il paraît donc clair qu'au tournant du siècle la population de l'Asie centrale et du Caucase sera de 100 millions d'habitants, soit un tiers de la population totale[50]. Même en 1979, les 137 millions de Grands Russiens, dont la population était nettement plus âgée par rapport aux non-Slaves, commencèrent à se sentir démographiquement minoritaire. Fait également significatif : la connaissance de la langue russe alla en déclinant parmi les populations musulmanes[51].

La culture soviétique officielle fut encore plus gravement handicapée par sa propre perte de confiance en elle-même. Dans les années 60, et plus encore dans les années 70, les sociologues soviétiques furent étonnés de la montée des baptistes, pentecôtistes, mémonistes, adventistes et autres sectes dans la jeunesse urbaine cultivée. L'explication qu'ils en donnèrent — selon laquelle de telles religions provenaient d'émotions inassouvies, de besoins esthétiques, et d'un désir de sécurité dans les moments de difficultés personnelles — se révéla être profondément antimarxiste : le sentiment religieux était donc un phénomène universel existant dans toutes les sociétés indépendamment du système économique adopté[52]. La religion ne pouvait être livrée à elle-même et devenir un contre-courant du communisme : tel était l'un des quelques points d'accord entre Marx et Lénine. Cependant, en dehors de tout jugement d'échec concernant sa politique et son économie, on peut dire que l'une des faiblesses du marxisme était son manque d'éthique : une éthique autre que la version « utilitariste sociale » des théories du siècle des Lumières français, lequel fit amplement la preuve de sa nuisance et de son erreur, y compris dans la France de 1790. Dans son maître livre, *L'Égoïsme* (1969), E.F. Petrov admettait que « l'être humain n'était pas né civilisé et moral », et que la raison devait venir au secours des carences de la nature. Les penseurs des Lumières voyaient l'État comme le « législateur rationnel », le moteur de la reconstruction de l'humanité : pour Petrov et d'autres auteurs soviétiques intéressés par les questions éthiques, le moteur était l'Histoire et son bras séculier, le parti communiste, guidé par sa « connaissance scientifique des lois de l'Histoire ». « L'égoïsme, écrivit Petrov, est à peu près autant apparenté à la notion de mal que les lois de Kepler à la loi générale de gravitation universelle de Newton. » Le rôle de la collectivité était de supprimer l'égoïsme. La difficulté résidait dans le caractère inséparable de l'égoïsme et de l'individualisme. Selon le schéma soviétique courant, exprimé par G.M. Gak (1955), on peut comprendre à peu près ceci :

> « Bien que la collectivité se compose de personnes, elle ne se réduit pas à l'addition des individus qui la compose... Justement, parce que la collectivité est composée de personnes, ses intérêts deviennent objectivement ceux de chacun de ses membres. Donc les intérêts de classe du prolétariat sont objectivement les mêmes que ceux de chaque prolétaire individuellement [53]. »

Cela signifiait donc, en fin de compte que, même si une personne pouvait trouver un désagrément subjectif à quelque chose — par exemple à être tuée —, cela pouvait être objectivement une bonne chose pour elle, et que, si cette personne faisait une objection quelconque à être tuée — comme le faisaient les victimes de Staline —, elle était alors coupable d'égoïsme et donc nuisible ! Exactement l'argumentaire de Staline ! Ainsi la théorie éthique ramenait au stalinisme, comme il se devait, puisque celui-ci ne naquit pas *ex nihilo*, mais de sa matrice léniniste. Aucun citoyen soviétique moderne ne pouvait raisonnablement accepter l'éthique officielle, et ce d'autant moins que le Parti, gardien de ses « lois », était la première source de corruption. Le communisme étant un système essentiellement matérialiste, l'inconsistance de l'éthique soviétique aurait pu ne pas être si dommageable si les résultats purement matériels avaient été plus concluants. Les réalisations techniques des années 50 et 60 avaient paru fort impressionnantes, mais presque uniquement cantonnées au secteur spatial et militaire : le régime se révélait incapable ou refusait de les transformer en biens de consommation de qualité. Dans les années 70 l'Union soviétique sembla en progrès par rapport aux États-Unis : en fait, il ne s'agissait que d'un mirage évanescent dû à la politique de détente inaugurée par Nixon-Ford-Carter. Elle permit au bloc soviétique d'importer du matériel et de la technologie occidentale en quantités très importantes pendant toute cette décennie, aidée en cela par des banques occidentales avides, notamment les banques allemandes. Celles-ci semblent, en effet, être un des facteurs déterminants de la croissance des taux de productivité derrière le rideau de fer [54]. L'illusion fut encore plus grandement entretenue par les répercussions dramatiques des hausses du coût de l'énergie sur les économies occidentales, et par l'inflation générale des années 70. Toutefois, les exportations de technologie en provenance de l'Ouest s'arrêtèrent net après l'invasion de l'Afghanistan. A peu près au même moment, le bloc de l'Est, comme toujours en retard d'environ cinq ans sur les bilans économiques du monde libre, fut frappé de plein fouet par la stagflation dont l'Ouest venait d'être victime dans les années 70.

Le bloc soviétique était débiteur de 80 milliards de dollars envers les banques occidentales, dont 27,5 milliards pour la seule Pologne, deuxième membre, en terme d'importance, des pays de l'Est. La Pologne avait importé de l'Ouest environ 30 % de son investissement total en équipements mécaniques pendant la période 1972-1976. A la fin de la décennie, ses seuls intérêts débiteurs dépassaient les gains en devises fortes provenant de ses exportations. Le bilan de l'économie polonaise malade était préoccupant depuis 1976, et les raisons qui poussèrent les banques allemandes à lui accorder encore un crédit demeurent un des mystères du système bancaire international[55]. Keynes disait que les banquiers sont « les hommes les plus romantiques et les moins réalistes » qui soient. En juillet 1980, l'inflation plongea la Pologne dans une crise politique autant que financière dont sortit le mouvement syndical indépendant Solidarité. Les 18 mois suivants virent l'économie de ce pays tomber en chute libre, pour finalement aboutir à la loi martiale et à la dictature militaire en décembre 1981. La dette polonaise fut rééchelonnée en 1981, mais, à la fin de l'année, elle ne put rembourser ses intérêts. Celle de la Roumanie fut également rééchelonnée ; tous les États satellites, même l'Union soviétique, furent vivement priés de bien vouloir régler leurs dûs. Au début de l'année 1982, le bloc de l'Est tout entier connut une profonde récession semblable à celle de l'Occident, qui s'avéra être la conséquence immédiate de la crise du milieu des années 70. La détresse soviétique se manifesta de façon évidente par des ventes d'or massives et longues, puisé dans ses réserves, provoquant la chute des prix de l'once entre 300 et 500 dollars, alors qu'il avait connu, en 1980, des sommets à 800 dollars. Pour la première fois depuis ses conquêtes, l'Union soviétique mesurait le poids du fardeau économique de ses colonies européennes et considérait le système du Comecon tout entier comme une dangereuse responsabilité.

La fâcheuse posture de l'Union soviétique fut encore aggravée par l'évidence de plus en plus criante de la faillite de sa politique agricole à long terme. La collectivisation stalinienne marqua au rouge le front du régime et la brûlure devint plus profonde au fil des ans. La Russie, qui était encore à l'époque tsariste un des plus grands exportateurs mondiaux de produits alimentaires, devint entièrement importateur dès les premiers âges du communisme, et son déficit ne fit que croître au cours des décennies suivantes. La récolte de 1963 fut la première des grandes calamités agricoles soviétiques d'après-guerre. Khrouchtchev se plaignit qu'elle aurait été bien pire s'il n'avait eu le blé de ses terres vierges. Comme celle de Staline, sa politique fut confuse et changeante. Aucun idéologue marxiste ne semble jamais avoir eu des idées justes et précises dans le domaine de l'agriculture ; peut-être parce que ni Marx ni Lénine ne s'y intéressèrent. Le marxisme est une religion essentiellement urbaine. Khrouchtchev hésita entre des fermes d'État et des fermes collectives, entre la centralisation et la décentralisation. Ni lui ni aucun de ses collègues ou successeurs n'osa suggérer la restitution de la terre au secteur privé. Mais, en revanche, Khrouchtchev se plaignit amèrement de la pénurie alimentaire. Dans un hôpital moscovite réservé aux dignitaires du Parti, il critiqua vivement la nourriture infâme. Pourtant, Moscou était, comme toujours, la vitrine alimentaire de la Russie soviétique et la situation était bien plus grave dans les provinces. Il rencontra des habitants de zones traditionnellement riches en produits agro-alimentaires qui « me dirent tout haut et tout net comment les œufs et la viande étaient tout simplement manquants, et comment il leur était nécessaire de prendre quelques jours pour se rendre à Moscou par le train », afin d'avoir le privilège de faire la queue devant les épiceries. Pourquoi, demandait-il, ne pouvait-on pas obtenir des œufs et de la viande « après cinquante ans de pouvoir soviétique » ? « J'attends le jour, devait-il écrire, où un chameau pourra se rendre à pied de Moscou à Vladivostok sans être dévoré en chemin par des paysans affamés [56]. » Dix ans plus tard, la pénurie alimentaire avait empiré. Au fur et à mesure que s'écoulèrent les années 70, la viande et les œufs devinrent rares dans les magasins non privilégiés, même à Moscou. Pourtant, les « mauvaises » récoltes, dont les inondations, les sécheresses et autres désastres naturels étaient rendus responsables, devinrent la norme. L'URSS possédait 2 fois plus de terres cultivables que tout autre pays y compris une des meilleures terres du monde en Ukraine, ainsi qu'une densité de population relativement faible ; cependant, ses importations et ses besoins, variant de 15 à 30 millions de tonnes de grain par an, grevèrent considérablement les ressources alimentaires mondiales.

Les Soviétiques n'étaient pas seuls dans cette imprévoyance due à leur dogmatisme doctrinaire. Grand exportateur de nourriture dans les années 30, la Pologne devint également importateur en dépit de sa paysannerie non collectivisée, car le régime se crispa sur un système de distribution socialisé. La Roumanie, la Hongrie et la Bulgarie, dont les agricultures étaient collectivisées, produisaient peu ou pas d'excédents. Ainsi, l'ensemble du Comecon, pourtant prodigieusement riche, devint un fardeau mondial. Quiconque, et surtout dans le tiers monde, traditionnellement exportateur de denrées alimentaires, adopta le mirage utopique de l'État patron et de la planification étatisée comme panacées passa de l'état excédentaire à celui de déficitaire. L'Iran fut un exemple. L'Irak et la Syrie, tous deux soumis à une dictature militaire, en furent deux de plus. L'Indonésie de Sukarno et la Birmanie socialiste cessèrent d'exporter du riz. Malgré une économie centralisée et supposée planifiée, l'Inde importa du blé, en quantité toujours croissante. Partout en Afrique, les anciennes colonies se lancèrent à corps perdu dans des expériences socialistes, dans le domaine agricole, comme le Ghana et la Tanzanie, qui devinrent rapidement déficitaires. De grands exportateurs comme le Kenya et la Rhodésie (devenue plus tard Zimbabwe), déchirés par le terrorisme politique, virent leurs exportations chuter. L'Amérique latine ne fut pas davantage épargnée. Les États traditionnellement exportateurs de denrées agricoles, comme l'Argentine, le Mexique et le Brésil, connurent la baisse de leurs stocks exportables ; dans tous les cas la responsabilité incombe à des tentatives d'étatisation, irréfléchies ou doctrinalement motivées. Dans le monde entier, les années 60 et 70 virent les professionnels de la politique tenter d'enfermer fermiers et paysans dans des systèmes planifiés ; le résultat fut partout le même : moins de nourriture. Les politiciens de l'agriculture épuisèrent, stérilisèrent les gains de productivité dus aux fertiliseurs, aux insectisides et à la mécanisation. Durant les années 70, la crise alimentaire devint, d'une certaine manière, plus grave encore que la crise de l'énergie : en conséquence, le système agricole capitaliste de l'Amérique, du Canada, de l'Europe de l'Ouest et de l'« Australasie » fut le seul à produire des excédents substantiels [57] (et heureusement croissants).

Le contraste existant entre la faillite collectiviste et le succès capitaliste dans le domaine agricole ne fut pas exploité politiquement. Les bons résultats américains dans la production alimentaire furent accompagnés d'une extraordinaire faiblesse dans le domaine de la diplomatie économique, tandis que les Russes, bien que piètres fermiers, se révélèrent être des marchandeurs redoutables. Si, au printemps 1972, Nixon avait négocié, d'État à État, un volume d'échange fixe, ou, mieux, s'il avait laissé le marché libre, personne n'aurait souffert, et aucun dommage n'aurait été créé. Au lieu de cela, tout en laissant la liberté aux Russes de s'approvisionner sur le marché, il accorda aux commis voyageurs officiels soviétiques des crédits à long terme à des taux dérisoires. Rapidement, ceux-ci achetèrent à bas prix 13 millions de tonnes de blé sur des récoltes à venir, pour une valeur de près de 1 milliard de dollars, payés sous forme de crédits à faible taux d'intérêts, provenant de la poche des contribuables américains. La récolte fut mauvaise cet été-là : les prix grimpèrent en flèche ; les fermiers du Middle-West et les consommateurs furent très mécontents, les Européens se plaignirent à Washington que les prix alimentaires contribuaient à la hausse de leur inflation, et le coût élevé des reliquats de stocks de blé US fut l'un des facteurs qui poussa l'Opep à quadrupler le prix du pétrole [58]. A la Conférence mondiale de l'alimentation des Nations unies en 1974, l'Amérique fit contre elles l'unanimité du monde entier. La CIA répliqua qu'« en tant que détenteurs du plus gros stock mondial de blé exportable, les États-Unis pouvaient retrouver, dans les affaires mondiales, la primauté de l'immédiat après-guerre [59] ». Mais le président Ford s'y refusa : « Il n'est pas conforme à la politique américaine, dit-il aux Nations unies, d'utiliser la nourriture comme arme politique, en dépit de l'embargo pétrolier. » Les Canadiens projetèrent de créer un groupe d'exportation de denrées alimentaires, sur le modèle de l'Opep : l'idée fut également rejetée[60]. Malgré cela, l'Amérique ne fut pas payée de retour : elle continua même d'être accusée de provoquer les ruptures de stocks dans le monde, bien qu'elle en produisît les excédents, tandis que la Russie soviétique qui, elle, les pillait échappa à la censure.

Les erreurs américaines se poursuivirent. En septembre 1977, au sommet de la tension soviéto-américaine, le département d'État et le Conseil national de sécurité entrèrent en fureur lorsqu'ils apprirent, par voie de presse, la vente récente de 15 millions de tonnes de blé à l'Union soviétique par le département de l'Agriculture : soit 7 millions de plus que ne le prévoyait le nouvel accord céréalier soviéto-américain[61]. C'est seulement à la fin de la décennie que l'Amérique mit de l'ordre dans le chaos de sa diplomatie céréalière. Malgré cela, la balance penchait régulièrement en faveur de l'Ouest, car les stocks grandissaient en Amérique, au Canada, en Australie et dans la CEE, alors que les pays du Comecon s'enfonçaient, chaque année un peu plus, dans le marasme. Malgré toute l'habileté diplomatique, il était inévitable qu'à terme le contraste ait des conséquences.

La maigre performance de l'agriculture collectiviste et « planifiée » dans les deux tiers des nations du globe fut la raison sous-jacente de la crainte provoquée par la croissance de la population mondiale. De 1 milliard 262 millions en 1900, celle-ci passa à 2 milliards 515 millions en 1950, et, en 1960, on calcula qu'elle serait de 6 milliards 130 millions en l'an 2000[62]. Comment nourrir ces milliards d'hommes supplémentaires ? Toutes les sociétés modernes connaissent un cycle appelé « cycle de transition démographique ». Attaqués dans un premier temps, par la médecine scientifique et la santé publique, le taux de mortalité infantile et les maladies contagieuses reçoivent un coup d'arrêt, tandis que le taux de naissance se stabilise à l'ancien taux de renouvellement. Ainsi la population s'accroît vite. Dans un second temps, l'accroissement du niveau de vie fait chuter le taux de natalité. Le taux de la population s'abaisse donc lentement et aboutit en fin de compte à l'équilibre. Cependant, entre la première et la seconde phase, l'accroissement de la population peut paraître alarmant et produire des conséquences politiques violentes. En Europe, la « transition » débuta avec la révolution industrielle 1760-1870, et se termina virtuellement dans les années 70, époque à laquelle le taux de naissance tomba sous le seuil critique de 20 ⁰/ₒₒ, y compris en Russie (1964), en Yougoslavie (1967) au Portugal et en Espagne (1969). Le cycle démographique européen mesura et expliqua tout le cycle de la colonisation et de la décolonisation[63]. Quoique plus tardivement, le Japon suivit une évolution similaire. Dans les années 20, son taux de natalité était encore de 34 ⁰/ₒₒ, et son taux de mortalité chutait précipitamment, de 30 ⁰/ₒₒ au début de la décennie, à 18 à la fin de celle-ci : raison pour laquelle la croissance du Japon semblait désespérée. Cependant la seconde phase débuta pendant l'entre-deux-guerres : à la fin des années 30, le taux de natalité tomba pour la première fois au-dessous du seuil de 30 %₀. En dépit du baby-boom universel de l'après-guerre, il continua de baisser, pour finalement descendre sous le seuil de 20 %₀ dans la seconde moitié des années 50[64]. Le préoccupant problème de la population japonaise se régla au cours des années 60.

Il fut par conséquent possible de tirer une double conclusion de la théorie de transition démographique : en premier lieu, il était inutile de s'alarmer même à l'apogée de la première phase en Asie, en Amérique latine et en Afrique ; en second lieu, l'amélioration des taux de croissance industrielle dans les pays en voie de développement s'avérait réellement nécessaire afin de passer le plus rapidement possible à la seconde phase. Les programmes et les techniques de contrôle des naissances furent d'une aide importante mais non décisive : en effet, l'usage des moyens contraceptifs révéla davantage le symptôme de la baisse de la natalité qu'il n'en fut la cause. Cette chute des naissances entraîna d'autre part, une amélioration générale de l'économie. L'indispensable élévation des niveaux de vie fut la véritable réponse de ceux qui, dans les années 70, répondirent par la politique de croissance aux difficultés de l'environnement.

La Chine sembla aborder la seconde phase de transition dans les années 70, suivie de l'Inde dans les années 80. Dans les pays en voie de développement, les taux de mortalité étaient encore loin d'avoir suffisamment chuté pour se stabiliser. Ainsi, au tout début des années 70, les taux de natalité dépassaient 40 % en Afghanistan, en Birmanie, aux Indes, en Indonésie, en Iran, en Irak, au Laos, en Mongolie, au Népal, au Pakistan, aux Philippines, en Syrie, en Thaïlande, au Yémen et dans la République khmère. En Turquie et en Malaisie, le taux n'était que très légèrement inférieur à ce chiffre. Pis encore était la situation de l'Amérique latine (particulièrement l'Amérique centrale) : au Mexique, par exemple, le taux de mortalité chuta de 25,6 en 1930 à presque 9,9 en 1970, tandis que le taux de naissance se maintint à plus de 40 %[65]. A la fin des années 60, le taux de croissance annuel de la population latino-américaine était de 2,9 %, dont 3,4 % pour la seule Amérique centrale. Quant à l'Afrique, elle aborda la phase de transition démographique en bonne dernière et, dans les années 60, son taux global d'accroissement de population augmentait rapidement.

Il est vrai qu'une élévation du PNB ne provoque pas nécessairement une chute immédiate du taux de natalité ou, du moins, à un rythme régulier. Mais, en fin de compte, elle agit toujours. Confirmation en fut donnée par l'expérience démographique des années 70, bien moins alarmante que celle des années 60. Le 1er juillet 1979, le Bureau de recensement US estima la population mondiale à 4 410 millions d'habitants, dont 1 010 millions pour la Chine et 667 millions pour l'Inde. Le taux de croissance était tombé de 2,1 % par an à la fin des années 60, et de 1,9 % au début des années 70 à 1,7 % à la fin de ces mêmes années. La chute brutale des taux chinois, abordant nettement la seconde phase de transition, était en grande part responsable de ces résultats, tandis que la croissance générale de la population asiatique n'était que 1,9 % : pourcentage légèrement supérieur à la moyenne mondiale. Les chiffres latino-américains avaient ralenti à 2,4 %. Seule l'Afrique avait finalement grimpé de 2,5 à 2,9 % : schéma exactement conforme aux prévisions des démographes [66]. L'expérience des années 70 confirme donc les grandes lignes de la théorie. L'« explosion démographique » n'en était pas véritablement une ; il s'agissait bien plutôt d'une courbe concave liée au développement économique qu'une forte politique de croissance pouvait contenir.

L'expérience des années 60 montra que l'élévation des niveaux de vie commençait à agir sur les taux de naissance à partir d'un revenu annuel par tête dépassant les 400 dollars (prix de 1964). Plus les revenus montent vite, plus rapide est la chute des taux de natalité. L'Extrême-Orient en fournit un exemple frappant. Dans les années 60, les taux de natalité de Hong Kong, Singapour, Taiwan et la Corée du Sud varièrent d'une moyenne de 36 (Hong Kong) à 42,9 (Corée du Sud). Au cours de ces mêmes années, les niveaux de vie dans ces 4 territoires s'accrurent plus rapidement que dans n'importe quelle autre partie du globe. En 1971, le taux de natalité de Hong Kong tomba sous le seuil des 20 %₀ ; à Singapour également ; quant à Taiwan et à la Corée du Sud, elles étaient bien au-dessous du seuil des 30 %₀ [67].

L'économie de marché libre, hautement capitaliste, adoptée par ces 4 pays, constitua un fait significatif. La raison pour laquelle les pays pauvres adoptèrent des économies collectivistes reste un des mystères de la période postcoloniale. Comme nous l'avons vu, le collectivisme dans l'agriculture a partout fait la preuve de son échec. Il s'est d'ailleurs révélé tout aussi inefficace dans le domaine industriel et dans l'accroissement rapide des revenus par tête servant à combler le fossé démographique. A l'opposé, le modèle du marché libre, qui réussit tellement bien aux États-Unis et en Europe occidentale dans la période 1945-1973, se développa d'une façon plus dynamique encore dans la zone Pacifique, au cours des années 60 et 70. Ce marché libre fut en effet à l'origine d'un phénomène entièrement nouveau : celui de l'état de la libre entreprise des pays du Pacifique ; ce phénomène constitua dans le début des années 80, un des signes les plus encourageants de la société humaine.

Le processus démarra au Japon à la fin des années 40. Comme en Allemagne de l'Ouest en 1948-1949 et en France en 1958, il s'appuyait sur un excellent système constitutionnel. La Constitution nippone d'avant-guerre était une sorte d'égorgeoir, et tout le système juridique était archaïque et instable. L'omnipotente occupation américaine se révéla être providentielle. Elle s'incarna dans le pouvoir autocratique du général MacArthur, qui eut la possibilité de jouer le rôle d'un despote éclairé et d'imposer au Japon une révolution par le sommet, semblable à celle de l'ère Meiji ; laquelle, dans les années 1860, fit du Japon une nation moderne. Conçue et préparée dans les états-majors de MacArthur, la Constitution de 1947 ne fut pas un compromis entre partis unis par le plus petit dénominateur commun, mais, au contraire, une construction homogène intégrant harmonieusement les meilleurs aspects des constitutions anglo-américaines. A l'image de celle de De Gaulle, elle instaura un habile partage des pouvoirs exécutifs et législatifs, ainsi qu'entre le gouvernement central et les assemblées représentatives [68]. Comme d'autres lois d'occupation, cette constitution — symbole de l'« ère américaine » — permit la création d'une presse libre, de syndicats libres et d'un pouvoir délégué sur la police (l'armée proprement dite fut dissoute). De plus, elle réussit à détruire l'emprise quasi hypnotique autrefois exercée par l'État sur les Japonais. L'occupation américaine fut sans doute l'œuvre la plus élaborée de la diplomatie des États-Unis pendant toute la période d'après-guerre. Elle fut pratiquement menée seule [69]. Tout comme la création par les Britanniques d'un mouvement syndical « modèle » en Allemagne de l'Ouest, cette œuvre généra un solide concurrent.

Essentiellement, les réformes constitutionnelles réussirent à persuader les Japonais que l'État existait pour eux, et non l'inverse. Elles posèrent les fondations d'un individualisme nouveau et salutaire. Le rôle de la famille fut encouragé, ainsi que l'émergence de nombreuses institutions incarnant l'image familiale, en tant que substitut de la loyauté absolue envers l'État. Tout comme dans l'Allemagne et l'Italie d'après-guerre, la famille , dans ses formes biologiques et ses prolongements, servit d'antidote naturel à l'infection totalitaire. Une profonde réforme agraire s'y ajouta, qui donna la libre jouissance des terres à 4,7 millions de métayers et éleva à 90 % le pourcentage total des terres cultivables privées. Des remaniements administratifs décentralisés vinrent compléter la naissance de communautés locales solides et démocratiques, sur le modèle de l'Europe occidentale chrétienne-démocrate [70]. L'indépendance du pouvoir judiciaire et la création d'une Cour suprême inspirée de celle des États-Unis mirent l'accent sur les droits de propriété individuelle et les libertés civiles aux dépens de l'État et de la collectivité [71]. Une structure parlementaire exceptionnellement stable s'éleva sur ces fondations. Elle fut prise en main par l'alliance libérale-conservatrice (devenue plus tard le Parti libéral démocrate), dont les factions internes, à l'image des familles élargies, garantirent une certaine souplesse qui évita la sclérose, mais dont l'unité extérieure donna à l'économie du pays un cadre de libéralisme solide. C'est ainsi que les libéraux démocrates assurèrent la même cohésion que les chrétiens démocrates en Allemagne et en Italie, et que les gaullistes indépendants sous la Ve République en France. Les parallèles allèrent plus loin. L'épuration imposée après la guerre par MacArthur permit et favorisa l'émergence d'une classe d'âge politique plus âgée, laquelle, à l'image d'hommes comme Adenauer, De Gasperi et De Gaulle, s'était opposée aux régimes politiques d'avant-guerre. Ancien diplomate, Yoshida Shigeru était à ce titre proche des traditions démocratiques du monde anglo-saxon et respectueux de la légalité. Agé de soixante-sept ans lorsqu'il devint Premier ministre en 1946, il conserva ce poste pendant près de neuf ans avec une brillante ténacité, et, selon la formule d'un observateur, « comme un vieux *bonsai* (« prunier ») sur les branches noueuses duquel des pousses fleurissaient chaque année[72] ». Parrainant le nouveau système encore adolescent jusqu'à la maturité de celui-ci, il se retira en 1954 : au moment de son départ, la stabilité était non seulement assurée pour les années 50, mais pour le prochain quart de siècle et au-delà.

Conséquence de tout cela : le Japon acheva sa reconstruction dès 1953, soit quatre ans seulement après l'Allemagne, et entra pour vingt ans dans une période de croissance qui jouxta annuellement le taux de 9,7 : soit presque le double de celui de n'importe quelle grande nation industrialisée après la guerre. Seule la spectaculaire croissance de l'économie américaine dans les quarante ans précédant la crise de 1929 peut soutenir la comparaison[73]. Le « miracle » fut essentiellement dû à l'automobile, à la croissance de production des véhicules de tourisme dans la période 1966-1972 (dont le taux ahurissant fut de près de 29 % par an), et à la fantastique augmentation des immatriculations : le nombre de Japonais propriétaires d'une voiture augmenta annuellement d'un tiers[74]. La production automobile japonaise se multiplia par 100 entre la fin des années 50 et la fin des années 70, atteignant plus de 10 millions d'unités en 1979, soit à peu près l'équivalent de celle des États-Unis, pour finalement dépasser nettement celle-ci au début des années 80. Le Japon en exporta la moitié. Peu à peu, dépassant la simple production de véhicules, il s'engagea dans la fabrication en série de toute la gamme des produits de consommation. En 1979, il devint, avec 60 millions d'unités (contre 50 pour la Suisse), premier producteur mondial de montres. Il évinça les États-Unis sur le marché des appareils de radio au cours des années 60 et sur celui des postes de télévision au cours des années 70. Pendant la même décennie, il détrôna l'Allemagne dans la mise au point d'appareils photographiques et de caméras. Entre 1970 et 1980, la production japonaise par tête égala celle des États-Unis et, à certains égards, le Japon devint le chef de file mondial de la puissance industrielle. En 1978, la balance commerciale de l'industrie japonaise était excédentaire de 76 milliards de dollars (contre un déficit de 5 milliards pour les USA). A la fin de la décennie, la capacité de ses aciéries équivalut celle des États-Unis, et atteignit presque celle de la CEE tout entière. Elle les coiffa également au poteau sur le plan qualitatif, particulièrement dans les secteurs de pointe et de haute technologie comme l'industrie aéronautique, les machines-outils, les robots, les semi-conducteurs, les calculateurs et photocopieurs, l'informatique et les télécommunications, les systèmes d'énergie avancée, jusques et y compris le domaine nucléaire et les fusées. Son investissement par tête fut le double de celui des États-Unis et bientôt le dépasserait en terme absolu[75].

Aucun miracle n'intervenait dans ces résultats. Il s'agissait d'un cas typique du modèle économique d'Adam Smith, auquel vint s'ajouter un zeste de keynésisme. Les conditions de la réussite étaient évidentes : formation d'un très haut pourcentage de capitaux fixes. Très peu d'investissements non productifs. Fiscalité modérée. Budget d'État et dépenses militaires réduites, très fort pourcentage d'épargne privée, efficacement canalisée vers l'industrie par le réseau bancaire. Judicieuse importation de technologies étrangères sous licence. Taux de remplacement très rapide des infrastructures existantes, rendu possible par des limitations de salaire remarquables, malgré une productivité dépassant de loin les indices de traitement. La main-d'œuvre, abondante en raison de la contraction du secteur agricole, était exceptionnellement instruite et compétente : le Japon (et tous les États libres d'Asie en général) adaptait l'expansion de son système éducatif au plus près des besoins de son industrie, et non des idéologies sociales. En effet, il est remarquable de constater que les États asiatiques furent les seuls à profiter fructueusement, sur le plan économique, de la politique de scolarisation et d'instruction des années 60, qui fut si néfaste à l'Europe et à l'Amérique du Nord. Il est vrai que le Japon bénéficia substantiellement des retombées des guerres de Corée et du Viêt-nam. Mais, pour le reste, ce pays ne dut ses succès qu'à lui-même. Le gouvernement de Tokyo mena une politique quelque peu protectionniste et favorisa l'exportation. Mais sa contribution essentielle fut de bâtir le cadre d'une libre concurrence sur le marché intérieur, selon le modèle d'Adam Smith, et de créer un climat de bienveillance à l'égard du monde des affaires : démarche inverse de l'expérience américaine, pendant l'époque qui suivit l'administration Eisenhower[76].

Unique en son genre, la plus créatrice des contributions japonaises à l'évolution du monde moderne apparut dans la manière dont l'économie et le commerce utilisèrent le principe de l'anthropomorphisme et le nouvel et important individualisme familial, afin d'humaniser le processus industriel et de réduire ainsi l'impact destructeur de la lutte des classes. Les syndicats, au nombre de 34 000 en 1949, furent cependant loin d'être inactifs au Japon[77]. Ils ne manquèrent pas de succès non plus. Durant les années 70, la recherche de nouvelles implantations, d'amélioration de la productivité — davantage à l'actif des employés et des ouvriers que du patronat — accrurent plus rapidement, en termes réels, les taux des salaires que ceux de n'importe quel autre pays industrialisé ; à cela vinrent s'ajouter le niveau le plus élevé en matière de sécurité de l'emploi et le taux de chômage le plus bas. Fait également important : au cours de cette décennie, le Japon avait réussi, dans la répartition des richesses intérieures, une politique d'égalité plus grande que n'importe quelle autre économie industrielle. A l'exception peut-être des économies scandinaves, celle du Japon avait davantage œuvré que bien d'autres à l'éradication de la pauvreté absolue[78]. Mais la plupart des firmes nippones dépassèrent les efforts des syndicats en intégrant le travailleur dans une structure paternaliste qui remédiait aux problèmes matériels tels que repas, soins médicaux, santé morale, sports et vacances. L'anthropomorphisme s'étendait aux produits et même aux consommateurs. A la firme des Aciers Kubota, par exemple, les machines étaient pour les travailleurs comme des pères et des mères. Les produits finis de l'usine étaient des fils et des filles, que l'on mariait ensuite aux consommateurs en utilisant les représentants comme des agents matrimoniaux. Le service commercial de Kubota assurait ensuite le « service postnatal », à la joie du « marié » et de la « mariée ». Principal produit de la firme, la carcasse de cette machine était le corps, le moteur était le cœur. Les visiteurs de l'usine étaient des « relations de famille », des « amis de la famille ». Ardents à se réunir en « comités d'auto-amélioration », afin d'augmenter la productivité et les ventes, les travailleurs composaient et calligraphiaient des slogans de productivité dont la courbe était aussi importante que celle d'un « planning familial ». Ils publiaient des poèmes enthousiastes dans le journal de l'usine[79]. Cette sorte de production-propagande collectivisée, qui échoua si lamentablement en Union soviétique, et même en Chine où l'on y apporta d'ailleurs bien davantage de soins, réussit dans le contexte non totalitaire du Japon : on lui donna une référence humaine, une impulsion fondée sur le volontariat et un déguisement familial. Dernier point et non des moindres : on y vit le moyen de dégager des gains immédiats et substantiels pouvant servir à la consommation personnelle. L'immense et constante expansion de l'économie japonaise eut un effet décisif sur la naissance d'un marché très dynamique dans toute la zone du Pacifique. Elle servit à la fois de stimulant direct et de modèle. A ce titre, l'exemple le plus frappant fut celui de la Corée du Sud, dont le revenu par tête était encore inférieur à 100 dollars par an, en 1961. En 1976, il atteignit 800 dollars par an, et, en 1979, la Corée du Sud dépassa largement le seuil de 1 000 dollars par an (avec son économie collectiviste, la Corée du Nord s'était hissée à environ 400 dollars[80]). Daté de 1977, un rapport de la Banque mondiale notait : « L'accroissement soutenu et continu des revenus depuis plus de quinze ans a transformé le visage de la Corée. Auparavant un des pays en voie de développement les plus pauvres, fortement tributaire de l'agriculture et dont la balance des paiements était faible, ce pays est devenu une nation semi-industrialisée, au revenu moyen, et doté d'une balance excédentaire en forte progression[81]. » Taiwan suivit la même évolution. En 1949, lors de la chute du régime du KMT*, complètement discrédité, l'économie était presque entièrement de type

* Kouomintang : nom du gouvernement du maréchal Tchang Kaï-Chek (N.d.T.)

préindustriel, et le revenu par tête était au-dessous du seuil de 100 dollars. Comme au Japon, la transformation s'effectua par une réforme agraire qui connut un grand succès, suivie par un accroissement rapide — et en termes réels — du revenu des paysans et par la création d'un marché local pour les nouvelles usines. Dans les années 70, 90 % des paysans cultivateurs étaient propriétaires des terres. A la fin de la décennie, grâce à une loi antigrève et à la mise en place de zones franches, le revenu par tête monta à plus de 1 300 dollars ; 90 % du PNB provint de l'exportation (le taux le plus élevé du monde), et la croissance fut de 12 % malgré la récession. De plus, soutenue par une population fortement alphabétisée, l'économie s'appuya sur un complexe industriel axé sur les chantiers navals, les textiles, les équipements électriques et pétrochimiques [82].

Cependant, la croissance fut peut-être plus remarquable encore dans le principal entrepôt de toutes les économies. Grâce à un marché parfaitement rodé, et malgré le poids des lourdeurs et des inconvénients du colonialisme, Hong Kong, qui demeurait possession de la couronne britannique, multiplia par 6 son revenu par tête par rapport à celui de la Chine continentale. Par la même occasion, elle accueillit plus de 4 millions de réfugiés, soit 4 fois plus que le nombre de Palestiniens auquel le monde arabe tout entier fut incapable de porter secours. Ici encore, comme au Japon et à Taiwan, la stabilité du gouvernement ainsi qu'une politique économique intelligente et stable pendant plus d'un quart de siècle, créèrent les conditions idéales pour le développement des affaires. Il en fut de même pour Singapour. Après une période d'instabilité dans les dix années qui suivirent 1945, elle se donna un cadre gouvernemental solide en 1959, avec le Parti de l'action populaire de Lee Kuan. Selon les termes mêmes de ce dernier plus de vingt ans après, et période durant laquelle le revenu par tête de ses citoyens talonna celui du Japon, « la question principale était de faire vivre [...] de faire vivre et mourir décemment 2 millions de personnes... Quelle méthode, socialisme ou libre entreprise, devrait-on employer pour y parvenir ? Le problème était secondaire. Il se trouva que le plateau de la balance pencha en faveur de la libre entreprise, tempérée par la pensée socialiste de l'égalité des chances en ce qui concerne l'éducation, le droit au travail, la santé et l'habitation [83] ».

Au sujet de ces 4 économies de la zone Pacifique (Japon compris), il est remarquable de noter l'absence de toutes ressources naturelles. « Le succès est presque entièrement dû à une bonne politique, à la capacité du peuple, mais très peu à des circonstances favorables et à un bon départ [84] », dit un rapport. La façon dont ces vigoureuses économies de marché prirent leur essor à partir des années 60 poussa en avant et encouragea des voisins mieux lotis de la zone Pacifique à se diriger eux aussi vers des économies de marché. Ce fut le cas de la Thaïlande, par exemple, lorsqu'elle se donna en 1958 un gouvernement stable et acquis à cette forme de politique économique. Dans les années 60, elle avait largement entamé son décollage dans ce domaine, avec des taux de croissance annuelle de 9 %. De plus, la Thaïlande fut le seul pays du tiers monde à être demeuré exportateur de produits agricoles, en élevant sa productivité de 1,5 % par an et en accroissant la superficie de ses terres arables[85]. A la fin des années 70, son revenu par tête dépassait de 4 fois celui de la Birmanie voisine ; celle-ci, d'ailleurs quittait furtivement les rivages du socialisme. Pendant ces mêmes années, la Malaisie lui emboîta le pas, se plaçant hardiment dans le créneau des revenus moyens. Les Philippines suivirent le même chemin ; même l'Indonésie, après une incartade socialisante, reprit la voie de l'économie de marché et accrut rapidement son revenu par tête, en dépit du handicap de son terrible endettement.

Durant ces années 70, en dépit des difficultés et des servitudes dues à ses vastes distances, la zone Pacifique devint le premier centre de développement économique mondial grâce à la généralisation de son économie de marché. Les anciennes colonies du Pacifique, telles que les Fidji et la Nouvelle-Calédonie, franchirent allègrement le seuil des 1 000 dollars par an et par tête. La minuscule république insulaire de Nauru, si riche en phosphate, devint « par arpent et par habitant » la nation la plus riche du monde[86]. Même l'Australie, qui avait tant craint le Japon pendant l'entre-deux-guerres, en fit son principal partenaire ; les insatiables besoins de ce dernier en produits bruts (et alimentaires) provoquèrent une frénésie telle que, pendant les années 70, l'Australie devint l'un des plus grands producteurs mondiaux de minerais, talonnant l'Afrique du Sud dans l'extraction du charbon, du fer, du pétrole et de toute une gamme de métaux précieux et semi-précieux. Hormis la brève et désastreuse parenthèse socialiste de Gough Whitlam, 1972-1975, Canberra resta toujours fidèle à l'économie de marché.

La même époque vit refleurir cette idéologie sur les rivages orientaux du Pacifique. Le cas le plus typique et le plus intéressant fut certainement le Chili. Au cours des années 60, le Chili démocrate-chrétien du président Eduardo Frei de même que le Venezuela de Romulo Betancourt étaient considérés comme les meilleurs piliers de « l'alliance pour le Progrès » chère au président Kennedy. Cependant, le Chili souffrait d'une inflation chronique : 20 % par an à la fin des années 50, 26,6 % en 1968 et 32,5 % en 1970. En fait, les dépenses de l'État et l'utilisation de la « planche à billets » en étaient les seules causes. Aux élections de 1970, le socialiste réformiste Salvador Allende fut, au bout de la quatrième tentative, enfin élu à la présidence, à la faveur d'une rupture au sein de la coalition antisocialiste, qui néanmoins obtint 62 % des suffrages contre 36,2 % en faveur d'Allende. Le nouveau Président avait donc un mandat sans objectif. Selon le principe jeffersonien que les grandes innovations ne devraient pas reposer sur des majorités courtes le président Allende eût dû se contenter d'être un bon gestionnaire et un bon intendant.

Mais Allende était un faible, à la solde d'un entourage divisé et partiellement révolutionnaire, dont il perdit rapidement le contrôle. Il se lança dans une politique de nationalisation à outrance, qui eut pour effet d'isoler le Chili des circuits commerciaux du monde ; les militants de gauche n'étaient absolument pas prêts à se soumettre aux contraintes consitutionnelles. Ils mirent sur pied et déclenchèrent un « pouvoir populaire », lequel donna naissance à des soviets de paysans et d'ouvriers qui saisirent la terre et occupèrent les usines [87]. « La tâche du moment est de détruire l'institution parlementaire », répétait le parti socialiste. La stratégie était donc bel et bien léniniste, mais le parallèle s'imposait avec l'Espagne de 1936, dans laquelle les divisions de la gauche et la montée de la violence débouchèrent sur la guerre civile. Allende fut ainsi pris dans une tenaille, dont l'un des bras était constitué par les révolutionnaires et l'autre par une classe moyenne outragée et sans cesse plus nombreuse, à laquelle s'adjoignit une armée à l'origine peu disposée à intervenir, mais de plus en plus politisée et choquée par l'effondrement de l'ordre établi.

Au moment où Allende prit le pouvoir en janvier 1971, l'inflation était finalement tombée à 23 % environ. Mais, en quelques mois, ce fut l'hyperinflation. De 163 % en 1972, elle bondit à 190 % pendant l'été 1973, battant ainsi tous les records mondiaux [88]. Atteints avant le quadruplement du prix du pétrole, ces sommets relevèrent de l'entière responsabilité d'Allende. En novembre 1971, le Chili déclara un moratoire unilatéral pour ses dettes extérieures (c'est-à-dire un état de banqueroute). Les banques coupèrent les crédits ; les capitaux s'évadèrent ; la production chuta dans les campagnes ravagées par le chaos, elle chuta également dans les usines occupées ; les exportations se tarirent, les importations grimpèrent en flèche avant de se tarir, elles aussi, faute d'argent. Les magasins se vidèrent. Les classes moyennes se mirent en grève. Les travailleurs, dont les salaires baissaient, arrêtèrent, eux aussi, le travail. La politique officielle en matière de prix devint totalement irrationnelle, puis incohérente lorsque le marché noir fit son apparition. La gauche se lança dans la contrebande d'armes en juillet 1971, qui déboucha sur une violence politique grave en mai de l'année suivante. Avec 30 000 armes recensées, elle en possédait plus que l'armée régulière et la police, respectivement fortes de 26 000 et 25 000 hommes [89]. Allende hésita : donner à la police l'ordre de combattre l'extrême gauche ou accuser l'armée de fomenter un complot. Mais il approuva également un plan qui visait à fournir des armes à la guérilla de gauche et, le 4 septembre 1973, autorisa une manifestation de 750 000 personnes pour l'anniversaire des élections. Une semaine après sa propre nomination, le général Augusto Pinochet prit la tête d'un putsch regroupant les trois armées. Jusqu'à présent, selon les critères de la politique sud-américaine, le Chili détenait un record exceptionnel en matière de stabilité politique et de constitutionnalité. Le coup d'État n'alla pas sans effusion de sang. Allende fut tué ou se suicida, et les statistiques officielles de la morgue de Santiago révélèrent 2 796 tués [90]. La résistance fut surtout le fait des réfugiés politiques non chiliens, dont le nombre à l'époque atteignait 13 000 dans la capitale. L'échec de l'occupation des usines par les ouvriers et des fermes par les paysans ainsi que l'absence de réelle combativité des « bandes armées révolutionnaires » en disent assez sur le peu d'enthousiasme soulevé par l'extrême gauche.

Bruyante, l'opposition à Pinochet vint essentiellement de l'étranger. Elle fut intelligemment orchestrée par Moscou, bien que la Russie soviétique eût bassement refusé de soutenir financièrement Allende : il lui était plus utile mort que vivant [91]. La critique étrangère visait particulièrement l'aspect répressif du régime militaire. Pourtant, sa décision majeure fut de limiter la croissance du secteur public qu'Allende avait démesurément accélérée et d'ouvrir l'économie à la libre concurrence, sur le modèle des autres pays de la zone Pacifique. Remarquons au passage que tous les pays asiatiques libres avaient été, peu ou prou, accusés de nourrir des régimes répressifs : la Thaïlande, la Corée du Sud et Taiwan. Tous avaient connu une longue période de dictature militaire. Bien qu'incontestablement démocratique, le gouvernement de Lee Kuan Yew avait, lui aussi, subi les assauts de l'extrême gauche. Mais il n'existait qu'un seul moyen de démontrer la représentativité et la légalité de l'État ainsi que l'étendue de ses pouvoirs sur la vie de la nation. Par définition, l'économie de marché impliquait un retrait de la mainmise étatique sur d'immenses secteurs de décision qui laissa la place à l'initiative individuelle. Liberté économique et politique étaient indissolublement liées ; elles entraînaient inévitablement une érosion des prérogatives du pouvoir politique : telle fut la leçon de la Thaïlande, de Taiwan et de la Corée du Sud.

Elle s'appliqua également au Chili. Le désastre de 1973 provoqua une faillite politique et économique complète. Il fallut entreprendre la reconstruction économique sur la toile de fond de la récession mondiale. Le mérite du régime fut de renverser le cours d'une inflation, causée par l'état, qui persistait depuis des décennies et qui semblait faire partie intégrante des structures de l'économie chilienne [92]. Politique douloureuse et impopulaire qui entraîna, au départ, des chutes du PNB et une montée du chômage, mais permit avec l'aide des prêts du FMI un redécollage de l'économie sur les bases du marché. A la fin des années 70, l'inflation fut enfin maîtrisée, la croissance reprit et, au début des années 80, un rapporteur de la Banque mondiale put écrire : « Les autorités chiliennes ont été à l'origine d'un redressement économique sans précédent dans l'histoire du Chili, malgré des circonstances et une conjoncture extraordinairement défavorables [93]. »

Plus au nord, sur la rive occidentale du Pacifique, le Mexique prit, trois ans plus tard, et d'une façon moins dramatique, le même chemin que le Chili. Entre 1940-1970, la croissance fut très forte et, dans les années 70, le président Luis Echeverria voulut faire de son pays le modèle tiers-mondiste d'un État dirigiste. Il accrut de 50 % les parts de celui-ci dans le secteur économique et le nombre d'entreprises nationalisées bondit de 86 à 740. Le résultat prévisible fut une montée en flèche de l'inflation et une crise de la balance des paiements. Le pays était en plein marasme lorsque le président Lopez Portillo prit le pouvoir à la fin de 1976 et ramena le Mexique à l'économie de marché[94]. Au FMI, il déclara craindre pour son pays la contagion « sud-américaine » faite de coups d'État et de dictatures droitières ou gauchistes[95]. Sa politique fut soutenue par les grandes découvertes de gisements d'hydrocarbures en 1977, laissant croire que le Mexique pourrait, en fin de compte, devenir un producteur du même rang que le Koweït ou même l'Arabie Saoudite. D'autre part, la classe politique mexicaine, essentiellement dominée par la majorité bourgeoise du PRI (Parti révolutionnaire institutionnel), entrava la réduction du nombre des fonctionnaires (et de patronages)[96]. Au tout début des années 80, la dette extérieure du Mexique dépassait même celle du Brésil. Pendant l'été 1982, Mexico fut dans l'impossibilité d'honorer le service de sa dette et nationalisa les banques.

Cependant, l'économie mexicaine s'intégra dans l'ensemble plus vaste du Nord-Est Pacifique, composé par l'ouest des États-Unis, l'ouest du Canada, et l'Alaska. En 1970, le Mexique exportait 70 % de sa production vers l'Amérique et 60 % de ses importations venaient des États-Unis. Environ 10 millions d'immigrés clandestins franchirent la frontière du Rio Grande : 1 famille sur 7 en Californie et 1 sur 3 au Nouveau-Mexique était d'origine hispanique. Il est vrai aussi que le Mexique avait une économie « caraïbe ». Tout comme l'Amérique, d'ailleurs, surtout depuis l'hispanisation de l'économie en Floride, qui progressa rapidement dans les années 70 et l'entraîna dans une direction latino-américaine. A la même époque, le Mexique comme les États-Unis se sentirent attirés vers le Pacifique et, notamment, par la croissance de son économie de marché.

Le déplacement du centre de gravité démographique et économique du nord-est des États-Unis vers le sud-ouest marqua l'un des tournants les plus importants des Temps modernes. Dans les années 40, le géographe E.L. Ullman localisa le « cœur » de l'économie US dans le Nord-Est. Bien que ne couvrant que 8 % du territoire national, cette zone regroupait alors 43 % de la population et 68 % des emplois industriels[97]. Cette configuration resta stable pendant la majeure partie des années 50. En 1960, le géographe H.S. Perloff considérait encore ce qu'il appelait la « ceinture industrielle » comme le « cœur de l'économie nationale[98] ». Les choses étaient, cependant, en train de changer au moment même où il écrivait ces lignes. Dans la période comprise entre 1940 et 1960, la population du Nord s'accrut encore (2 millions), mais le phénomène s'expliquait seulement par un mouvement de migration des populations noires du Sud, aux revenus faibles et sans qualifications. Le Nord souffrait déjà d'une nette hémorragie de Blancs ; cette fois-ci, elle devint absolue. Le mouvement débuta dans les années 60 et s'accentua au cours de la décennie suivante. Entre 1970 et 1977, le Nord-Est se vida de 2,4 millions d'habitants, tandis que 3,4 millions de Blancs qualifiés s'installèrent dans le Sud-Ouest. Allant essentiellement de la ceinture du froid vers celle du soleil, cette migration fut amplifiée par la hausse du coût de l'énergie, ainsi que le prouva le recensement de 1980. Les variations régionales des revenus, autrefois favorables à l'ancien « épicentre » du Nord-Est, s'équilibrèrent, puis se dessinèrent très nettement en faveur du Sud-Ouest. Les investissements suivirent la population. Le taux d'emplois industriels tomba de 66 % en 1950 à 50 % en 1977. Celui du Sud-Ouest grimpa de 20 % à 30 % [99].

Le changement démographique entraîna une modification dans le pouvoir politique et l'état d'esprit général. Lors de l'élection de Kennedy en 1960, la ceinture du froid détenait 286 sièges dans les collèges électoraux contre 245 pour celle du soleil. En 1980, celle-ci devança sa concurrente de 4 sièges. Les projections du Bureau du recensement montrèrent que le Sud mènerait par 26 sièges d'avance aux élections de 1984 [100]. Ce transfert de population sonna le glas de la vieille classe interventionniste de l'époque rooseveltienne qui régna pendant deux générations, et marqua l'émergence d'une coalition du Sud-Ouest, attachée au marché libre ; l'élection de Ronald Reagan fut, à cet égard, symptomatique. L'énorme prédominance du « vieux cœur » dans le secteur des médias — dangereuse anomalie au début des années 80 — aida à dissimuler le transfert du pouvoir. Mais celui-ci devint inéluctable et inévitable, lorsque les industries de pointe, tournées vers le Pacifique, se concentrèrent dans le Sud-Ouest, principalement en Californie, qui devint alors la septième plus grande zone économique mondiale, avec un marché de 400 milliards de dollars.

Le cercle des économies de la zone Pacifique fut bouclé par l'entrée en scène de la Chine continentale, également désireuse d'introduire une part de marché dans son système au début des années 80. L'espoir d'amener 1 milliard de Chinois à l'ère de la consommation de masse encouragea le Japon et les autres États asiatiques à augmenter leur dynamisme économique jusqu'à la fin du siècle. Ce retour à l'économie de marché n'était nullement circonscrit à la zone Pacifique. La Grande-Bretagne, par exemple, entreprit sa pénible reconversion en 1971, sous le gouvernement de Margaret Thatcher. Dans les années qui suivirent, la plupart des gouvernements cherchèrent à réduire les secteurs publics de leurs économies respectives, et à étendre le marché. Il en fut de même derrière le rideau de fer, surtout dans les pays satellites en détresse, bien que l'impossibilité quasi ontologique de dissocier les libertés économiques des libertés politiques (comme en Russie soviétique) freina largement cet élan : le « marché communiste » était donc une contradiction dans les termes, une tentative de quadrature du cercle, tout comme la moindre érosion de l'absolu monopole du parti communiste inquiétait l'existence même des régimes de type soviétique. Ces contradictions empêchèrent toute émergence du principe volontaire dans le bloc de l'Est : la crise polonaise de 1980-1982 le montra à souhait. Partout ailleurs, cependant, l'économie de marché gagna du terrain. Ce faisant, parallèlement à la baisse des coûts de l'énergie, la courbe inflationniste, tellement raide dans les années 70, commença de fléchir. Les économies génératrices d'inflation furent discréditées, et les mentalités générales changèrent. Keynes, ou du moins les vulgarisateurs du keynésisme en vogue depuis 1945, fut démenti par les faits. Les étoiles montantes de l'économie se nommèrent F.A. Hayek, de l'école de Vienne, et Milton Friedman, de l'école de Chicago. La théorie d'Adam Smith, modifiée par Alfred Marshall, parut plus appropriée que Marx revu par Lénine. Même et surtout à l'intérieur des pays de l'Est, l'idée d'un marxisme considéré comme une science vivante opposée à une philosophie officielle disparut totalement. Dans un ouvrage essentiel intitulé *Les Grands Courants du marxisme*, paru au début des années 80, Leszek Kolakowski écrivit sans ambages : « On peut avancer sans crainte d'être contredit, que si la liberté de pensée était accordée dans le bloc soviétique, le marxisme apparaîtrait comme la plus ennuyeuse et la plus vide des formes intellectuelles dans cette partie du monde [101]. » L'enthousiasme pour le collectivisme s'évanouit également dans le tiers monde, bien que les régimes quasi totalitaires qui l'avaient adopté n'osèrent pas encourir le risque politique d'une réorientation nette vers l'économie de marché. L'Ouest connut le mirage de l'eurocommunisme. On établit une distinction entre le « socialisme démocratique », lequel était en pratique synonyme de « socialisme non démocratique », forme d'élitisme léniniste parfois appelée « démocratie des apparatchiks » ; et la « social-démocratie » qui, elle, était assimilable au bien-être capitaliste. Il ne sembla plus possible de donner une définition exacte du socialisme, ni même de décider s'il pouvait ou pourrait exister. Pendant toute l'époque moderne, le seul et unique modèle de société socialiste non utopique fut l'expérience des kibboutz en Israël ; expérience marginale, ne couvrant que 10 % d'un petit pays, elle perdit, elle aussi, du terrain et du prestige dans les années 80. Il sembla désormais évident que le socialisme volontaire n'était pas adapté aux masses, et que sa version forcée et obligatoire ne recouvrait qu'un simple capitalisme d'État.

Les désillusions concernant le socialisme et autres formes de collectivisme n'exprimèrent, au fond, qu'une partie d'un mouvement bien plus vaste de perte de confiance en l'État Providence. Le XXᵉ siècle avait vu le triomphe de la notion d'État ; ainsi que son échec profond. Jusqu'en 1914, il était rare qu'un secteur public englobe plus de 10 % de l'économie d'un pays ; or, durant les années 70, même dans les pays libéraux, l'État parvenait à s'arroger jusqu'à 45 % du PNB [102]. Cependant, à l'époque du traité de Versailles, les hommes les plus avisés croyaient sincèrement que l'élargissement du pouvoir de l'État engendrerait un plus grand bonheur individuel ; dans les années 80, personne ne partageait plus ce point de vue, hormis une petite bande de zélotes décérébrés de moins en moins nombreux. Tentées sous de multiples formes, les expériences avaient presque toutes échoué. De plus, l'État s'était révélé être le plus grand tueur de tous les temps. A l'approche de la décennie 80, l'État (avec une majuscule) était responsable de la mort violente ou du moins non naturelle de plus de 100 millions d'hommes ; davantage peut-être qu'il n'avait réussi à en détruire pendant toute l'histoire de l'humanité jusqu'en 1900. Sa malveillance inhumaine avait crû plus rapidement que sa taille et ses besoins sans cesse grandissants.

Cependant, un point semblait encore obscur : malgré la disgrâce dans laquelle était tombé l'État et le discrédit général qui frappait ses serviteurs, le nombre de militants politiques à l'autorité sans cesse grandissante, n'avait jamais été aussi élevé. On touchait là un des traits les plus importants et les plus paradoxaux du monde contemporain. Le tournant du siècle vit la politique détrôner la religion comme forme nouvelle et majeure du fanatisme. Aux yeux des prototypes de la nouvelle classe dominante, tels Lénine, Hitler et Mao Tsö-tong, la politique, vue sous son angle idéologique bien sûr, était apparue comme la plus légitime et la plus morale des activités humaines, la seule voie sûre capable d'améliorer la condition de tous. Jadis absurde, une telle vision triompha partout : édulcorée à l'Ouest, virulente derrière le rideau de fer et dans le tiers monde. Sous sa forme démocratique, le nouveau fanatisme politique engendra les New Deal, les Grandes Sociétés et les États Providence. Sous sa forme totalitaire, il généra des révolutions culturelles. Une constante partout et toujours : la planification. Charlatans ou personnages charismatiques, exaltés, saints séculiers ou bourreaux des peuples, les fanatiques de l'idéologie traversèrent les décennies et les hémisphères, unis par la croyance commune selon laquelle la politique était le remède aux maux de l'humanité ; Sun Yat-sen et Atatürk, Staline et Mussolini, Khrouchtchev, Hô Chi Minh, Pol Pot, Castro, Nehru, U Nu et Sukarno, Perón, et Allende, Nkrumah et Nyerere, Nasser, le chah Pahlavi et Kadhafi, tous apportèrent le plus souvent dans leurs basques la pauvreté et la mort. Le début de la décennie 80 trouva cette nouvelle classe dirigeante encore solidement assurée de son pouvoir, mais néanmoins globalement en perte de vitesse. La plupart de ces dirigeants, morts ou vivants, étaient maintenant exécrés par leur propre peuple. Etait-il enfin possible d'espérer l'effacement de l'âge de la politique « après celui de la religion » ? Parallèlement, se fit sentir une désaffection croissante pour les sciences sociales, qui avaient pourtant tellement contribué à propulser le monde dans la folie des idéologies politiques. L'économie, la sociologie, la psychologie et toutes les autres sciences inexactes — à peine des sciences d'ailleurs, aux yeux du monde moderne — avaient fabriqué de toutes pièces et installé le monstre froid et écrasant de l'évolution sociale, responsable de tant de malheurs et de deuils. Le malheur voulut que ces sciences sociales ne tombent en disgrâce que dans les années 70, après avoir bénéficié de l'énorme apport de la scolarisation. Leurs conséquences fallacieuses feront donc sentir leurs effets jusqu'aux environs de l'an 2000. Mais il est certain que leurs influences iront en déclinant, lentement mais inéluctablement et, jamais peut-être, l'humanité n'aura tant mis sa confiance dans cette métaphysique moderne.

En revanche, les sciences exactes tinrent toutes leurs promesses. Les Temps modernes furent dominés par la physique ; tant la physique nucléaire que l'astrophysique. Les physiciens conduisirent l'humanité jusqu'aux bords du gouffre, mais l'y arrêtèrent et la forcèrent à contempler l'abîme. À la suite de deux guerres mondiales inévitables, il est possible que la mise au point de l'arme atomique puisse être considérée comme un don salutaire, afin d'épargner à l'humanité le choc d'un troisième conflit entre grandes puissances et de générer la plus longue période de paix — quoique fondée sur la terreur — depuis l'ère victorienne. Cependant les sciences physiques semblèrent avoir atteint leur apogée pendant les années 60. En tout cas, elles furent incapables d'apporter une réponse à la question toujours plus lancinante qui se posait à l'homme : de quoi le monde avait-il donc tant souffert ? Où était la faille ? Pourquoi les espoirs nés au XIXᵉ siècle avaient-ils avorté ? Pourquoi le XXᵉ était-il devenu l'âge de l'horreur ou, comme diraient certains, l'âge du diable ? Les sciences sociales, qui s'étaient réservé le droit de réponse sur ce terrain de chasse gardée, étaient restées muettes. À cela rien d'étonnant : elles étaient, elles-mêmes, parties prenantes de la question.

L'incapacité des sciences exactes à fournir les éléments de réponse aux grandes questions de l'existence était un des aspects du problème. Alors que l'âge d'or de la physique théorique prenait fin, une nouvelle ère, marquée par la recherche biologique, commença, pendant la période 1950-1970. Les mécanismes du monde non organique étant en grande partie connus, on s'intéressa de plus près à la connaissance des lois de la vie. Ces lois sont unitaires et holistiques. De même que les théories d'Einstein s'appliquaient aussi bien à la mécanique des immenses amas stellaires qu'à la structure des particules de l'atome, les lois de l'évolution biologique recouvraient tout le champ du vivant, de l'infiniment grand à l'infiniment petit.

Au milieu du XIXᵉ siècle, la théorie de Charles Darwin donna pour la première fois une explication scientifique de l'évolution des espèces, animales et végétales. Système non déductif, il ne permettait ni la prédiction du développement futur, ni même la reconstruction du passé : en ce sens, il n'était guère semblable aux lois de Newton, ou aux modifications qu'Einstein avait pu leur apporter. Darwin lui-même avait toujours fixé les limites de ses découvertes et découragé ceux qui pensaient pouvoir utiliser ses recherches comme point de départ d'extrapolations plus ambitieuses. Aussi ne cautionna-t-il aucunement les théories des « sociaux darwinistes » qui aboutirent à l'holocauste hitlérien, ni les tentatives de Marx pour adapter le darwinisme à ses propres théories du déterminisme social, qui engendrèrent finalement les

exterminations massives de Staline, Mao Tsö-Tong et Pol Pot. Cependant, dans les décennies qui suivirent la fin de la Seconde Guerre mondiale, une théorie générale et unificatrice naquit enfin des laboratoires,
qui touchait les deux extrêmités du spectre de la connaissance.

À l'extrémité microscopique, la biologie moléculaire, la neurophy-
siologie, l'endocrinologie et d'autres nouvelles disciplines commencèrent à fournir des explications sur les mécanismes de l'hérédité et de
la programmation génétique. La plus importante découverte dans ce
domaine de l'infiniment petit vint de l'université de Cambridge en 1953,
lorsque deux chercheurs, James Watson et Francis Crick, réussirent
à déchiffrer la configuration en « double hélice » de la molécule d'acide
désoxyribonucléique (ADN)[103]. Ils découvrirent que ces molécules
d'ADN, déterminant la structure et la fonction de tout être vivant,
avaient la forme d'un double rouleau, comme une échelle en spirale,
composé de sucres et de phosphates et formé de bâtonnets contenant
divers acides. À l'image d'un merveilleux ordinateur, vivant et complexe,
la structure moléculaire de l'ADN indique le code de fabrication particulier à tel ou tel type de protéine : base même de la logique du
vivant[104]. Plus frappante encore fut la vitesse à laquelle cette découverte trouva une infinité d'applications pratiques. Un demi-siècle séparait la découverte des bases théoriques de la physique nucléaire et la
réalité de la puissance atomique. Ce laps de temps fut réduit à moins
de vingt ans dans le domaine de la nouvelle biologie. En 1972, les scientifiques de Californie découvrirent les « enzymes de restriction » qui
permettent à la molécule d'ADN de se fragmenter, puis de se recombi-
ner ou de s'assembler en vue d'un travail particulier et spécifique.
L'ADN ainsi recombiné était réintégré dans sa cellule ou dans sa bac-
térie et se divisait ou se dupliquait pour former de nouvelles proté-
ines, selon les principes biologiques ordinaires. Ce micro-organisme,
créé par l'homme, fut ensuite alimenté et traité selon les procédures
en usage dans l'industrie pharmaceutique depuis la production des anti-
biotiques[105].

Une fois l'ADN découvert, décortiqué et analysé, l'industrie chi-
mique moderne n'eut aucun mal à mettre au point et à commercialiser
toute une série de produits à usage courant et immédiat. La production de masse et les études de marché débutèrent en juin 1980, lorsque
la Cour suprême des États-Unis édicta une loi protégeant les micro-
organismes mis au point par l'homme. Les vieux syndromes des « monstres de Frankenstein », secrètement développés et échappés des laboratoires, s'évanouirent rapidement. Aux États-Unis, où se concentrèrent
la plupart des manipulations génétiques, un système de contrôle volontaire remplaça, dès le mois de septembre 1981, les entraves à la liberté
de recherche sur l'ADN[106]. En 1976, moins d'une vingtaine de laboratoires et de firmes étaient spécialisés dans ces recherches : on en
comptait plusieurs milliers au début des années 80. Par ses applications immédiates et multiples dans la production alimentaire animale

et végétale, dans le domaine de l'énergie et surtout dans le domaine médical et pharmaceutique, la nouvelle biologie industrielle était un des grands espoirs des dernières années du siècle.

La vitesse à laquelle se développèrent les recherches sur l'ADN s'appliquant à des problèmes concrets et pratiques, ne manqua pas d'interroger l'extrémité macroscopique du spectre biologique : le processus explicatif de l'évolution du comportement social en termes de croissance et de structure d'âge dans tout le règne animal — homme compris — et en termes de constitution génétique. Une fois admis le caractère unitaire des lois biologiques, ne fallait-il pas s'attendre ou redouter des répercussions à l'autre extrémité de la chaîne, alors qu'une véritable révolution scientifique en secouait déjà les premiers maillons ? En ce domaine, les sciences sociales avaient le plus manifestement échoué : les superstitions marxistes n'étaient pas les dernières responsables. L'impérialisme académique de certains sociologues freina bien des recherches sérieuses dans la ligne suggérée par les découvertes de Darwin : les systèmes de pensées et les attitudes mentales évoluaient comme des corps physiques, et le comportement pouvait s'étudier de la même façon que d'autres propriétés organiques : en terme de généalogie comparative et d'analyse évolutionniste. De telles approches furent, tout à fait irrationnellement, discréditées par l'eugénisme raciste, sinistrement prôné par les fascistes d'avant-guerre (tout comme par les communistes dans les années 20).

Cependant, dans les années 30 à Chicago, Warder Alee publia *Animal Aggregations* (1931) et *The Social Life of Animals* (1938). Ces ouvrages fournirent des lumineux exemples de l'effet de l'évolution sur le comportement social. La véritable percée vint à peu près en même temps que la découverte de Watson-Crick, lorsque l'écologiste anglais V.C. Wynne-Edwards publia *Animal Dispersion in Relation to Social Behaviour* (1962). Il démontrait que pratiquement tous les phénomènes sociaux, tels que les hiérarchies, protections de territoires, rassemblements d'oiseaux, de bestiaux et danses, étaient des moyens pour les espèces de se réguler et d'éviter le pillage excessif des ressources alimentaires disponibles. Il mit en évidence que les catégories socialement inférieures ne devaient pas se reproduire, que chaque animal cherchait à optimiser sa propre reproduction et que seul le plus adapté y parvenait. En 1964, W.D. Hamilton, autre généticien anglais, montra dans *The Genetic Evolution of Social Behaviour*, combien l'attachement à son propre lignage était important dans l'organisation du comportement social : la « protection » parentale ne s'étendait à d'autres individus que proportionnellement à leur degré de parenté. L'absence d'égoïsme ou l'altruisme que l'on trouvait dans la sélection naturelle n'avait donc pas d'origine morale et n'impliquait ni conscience ni motivation personnelle : il existait des poulets et même des virus altruistes. La théorie de la souche génétique établissait que l'existence d'un comportement altruiste croissait proportionnellement au nombre de gènes partagés avec un ancêtre commun. C'était un problème de coûts et de rendements qui jouait d'autant plus que le prix à payer était maigre pour le donneur et que le rendement était grand pour le receveur. Biologiste à l'université de Harvard, Robert Trivers compléta et affina la théorie de la souche. Il développa les notions d'« altruisme réciproque » (forme d'intérêt personnel éclairé) et d'« investissement parental », dont le principe était de lier l'augmentation des chances de survie au prix que les parents étaient aptes à investir dans leur progéniture ultérieure. Les femelles investissaient plus que les mâles, parce que les œufs « coûtaient » plus que le sperme. Le choix de la femelle était largement responsable de l'évolution des accouplements, puisqu'elle était intimement liée à l'optimisation des capacités évolutives. Le développement de cette nouvelle méthodologie permit de démontrer que les schémas sociaux de presque toutes les espèces prenaient leur origine dans la sélection naturelle évolutive.

En 1975, Edouard Wilson, de l'université de Harvard, fit la synthèse de vingt ans de recherches en publiant un maître livre, *Sociobiology, the New Synthesis*. Ses travaux personnels s'appuyaient sur les insectes, mais il étendit ses études détaillées et empiriques à un domaine plus vaste afin de montrer qu'il était désormais possible d'établir une théorie générale analogue aux lois de Newton et d'Einstein. « Le but principal d'une théorie générale de la sociobiologie est de pouvoir prévoir les traits de l'organisation sociale par la connaissance des paramètres de la population [et] des contraintes imposées par la constitution génétique des espèces », écrivit-il. Mettant en cause un grand nombre de vieux tabous, l'ouvrage de Wilson souleva le même genre de fureur que celui de Darwin sur *L'Origine des espèces* : prenant la place des Églises, les sociologues extrémistes, notamment marxistes, jouèrent, cette fois-ci, un rôle d'inquisiteurs. Science exacte, la sociobiologie prouvait à l'évidence leur dogmatisme religionnaire. Pas plus que Darwin avant lui, Wilson ne pensait outrepasser les bornes de ses expériences empiriques ; il n'était en aucun cas un idéologue. Mais, comme Darwin, il entendait rester ferme sur les applications limitées de la nouvelle science. « Les centres de contrôle de nos émotions dans l'hypothalamus et le système limbique du cerveau submergent notre conscience de tous les sentiments » utilisés par les « moralistes », afin de déterminer « les critères du bien et du mal ». D'où proviennent ces centres de contrôle ? « Ils ont évolué par la sélection naturelle. » Plus tard, dans un autre livre intitulé *On Human Nature* (1979), il insistait sur le fait que le mental : était un « épiphénomène du cerveau ». Les buts essentiels de la théorie évolutionniste étaient de mettre à jour l'harmonie existant entre les lois des sciences sociales et biologiques et celles des sciences physiques, « reliées entre elles par une série d'explications causales » ; ils voulaient montrer que « la vie et l'esprit » ont une base physique, que « le monde tel que nous le connaissons provient, en évoluant, de mondes antérieurs obéissant aux mêmes lois » et que « l'univers visible aujourd'hui est partout soumis à ces explications matérialistes [107] ».

L'assaut marxiste contre *Sociobiologie* fut suivi par d'autres attaques dogmatiques portant sur les études empiriques du comportement humain. En mai 1976, l'école de médecine de Harvard fut contrainte d'abandonner un projet de recherches à long terme sur les anomalies génétiques et les schémas sociaux. Il y eut bien d'autres exemples de terrorisme intellectuel, principalement contre les études menées sur les niveaux d'intelligence des différents groupes raciaux [108]. Les attaques menées contre la sociobiologie étaient bien significatives, celle-ci incarnait en effet « une forme de prophétie sociale conforme aux énergies des sociétés capitalistes modernes. Elle invite... à cultiver ce que Wilson appelle "une certaine aisance philosophique" dans le déroulement des problèmes de l'homme contemporain ». À cela la critique répliquait que la sociobiologie acceptait « la discrimination, le militarisme et l'injustice sociale comme une chose naturelle et inévitable [109] ». C'était, bien entendu, faux. Wilson lui-même écrivait : « Il ne fait aucun doute que la plupart des différences existantes entre les sociétés humaines tiennent davantage de l'apprentissage et du conditionnement social que de l'hérédité. » L'être humain et ses sociétés pouvaient donc s'améliorer par une action humaine consciente. Mais la sociologie attirait l'attention sur le processus biologique de cette incessante amélioration, élément vital du progrès humain. Ce mécanisme devait donc être étudié, non par la métaphysique, mais par une science empirique et par la méthodologie si brillamment mise au point par Karl Popper. Celle-ci fait à la théorie une place étroite, spécifique et variable au gré des données fournies par l'expérience, diamétralement opposées aux explications universelles, invérifiables, et automodificatrices de Marx, Freud, Lévi-Strauss, Lacan, Barthes et autres prophètes.

À cela, bien sûr, on pouvait opposer que si les hommes étaient génétiquement programmés pour s'améliorer, un doute fondamental était jeté sur la possibilité de toutes recherches d'égalité sociale et économique. Le projet humain n'était-il pas de réaliser une « société sans classes » non pas seulement intrinsèquement hors d'atteinte, mais positivement dépourvue de toute agressivité, alors qu'en cela les plans, cachés mais magistraux, de la nature elle-même semblaient le contrarier ? Peut-être que oui. L'aventure des Temps modernes, alors même que l'activisme humain a si souvent mené à des destructions inhumaines et sur une si grande échelle, lançait un tel défi. Peut-être que non. Il se pouvait très bien que l'amélioration de l'homme soit utilisée pour renforcer la sélection naturelle. Cependant, la question essentielle était de chercher toujours plus avant. Ainsi que le suggère la réponse à la conclusion d'Alexander Pope que lui faisaient, dans les années 80, les esprits les plus avisés parmi nous : « Le meilleur terrain d'étude de l'humanité, c'est l'homme [110]. »

NOTES

I. LA PAIX PAR LA TERREUR

1. Rhodes James (éd.), *op. cit.*
2. Cité dans Charles Bohlen, *Witness to History 1929-1969* (New York, 1973), 26-9.
3. Robert Sherwood, *Roosevelt Hopkins*, 2 vol. (New York 1950) I 387-423; Adam B. Ulam, *Stalin the Man and his Era* (New York, 1973), 539-42, 560-1.
4. Yergin, *op. cit.*, 54.
5. Winston Churchill, *Wartime Correspondence* (Londres, 1960), 196.
6. Conférence du Caire 1943. Cité dans Terry Anderson, *The United States, Great Britain and the Cold War 1944-1947* (Colombia), 1-4.
7. Cité dans Robert Garson, « The Atlantic Alliance, East Europe the Origin of the Cold War » in H. C. Allen and Rogert Thompson (éd.), *Contrast and Connection* (Athènes Ohio 1976), 298-9.
8. Lord Moran, *Churchill: the Struggle for Survival, 1940-1944* (Londres, 1968), 154.
9. John Wheeler-Bennett and Anthony Nicholls, *The Semblance of Peace: the Political Settlement after the Second World War* (New York, 1972), 290.
10. Anderson, *op. cit.*, 15.
11. John R. Deane, *The Strange Alliance: the Story of American Efforts at Wartime Co-operation with Russia* (Londres, 1947), 29.
12. Lisle A. Rose, *Dubious Victory: United States and the End of World War Two* (Kent, Ohio, 1973), I 6-7.
13. Mémo du Foreign Office - 21 mars 1944, « Essentials of an American Policy ».
14. La minute se trouve dans les papiers d'Inverchapel dans le PRO; Carlton, *op. cit.*, 244; Churchill, *Second World War*, VI 196-7.
15. Agenda de Sir Pierson Dixon, 4 décembre 1944, cité dans Carlton, *op. cit.*, 248-9; Churchill *Second World War*, VI 252.
16. Cité dans Carlton, *op. cit.*, 248.
17. Averell Harriman and Elie Abel, *Special Envoy to Churchill and Stalin 1941-1946* (New York, 1975), 390.
18. Churchill, *Second World War*, VI 337.
19. William D. Leahy, *I Was There* (New York, 1950), 315-16.
20. Anderson, *op. cit.*, 47.
21. *Ibid.*, 50.
22. Viscount Montgomery, *Memoirs* (New York, 1958), 296-7.
23. Harry S. Truman, *Memoirs*, 2 vol. (New York, 1955-1956), I 81-2.
24. Omar Bradley, *A Soldier's Story* (New York 1951), 535-6; Forrest Pogue, *Georges C. Marshall: Organizer of Victory* (New York, 1973), 573-4.
25. Thomas Campbell et George Herring, *The Diaries of Edward R. Stettinius Jr, 1943-1946* (New York, 1975), 177-8.
26. Anderson, *op. cit.*, 69.
27. Moran, *op. cit.*, 305.
28. Victor Rothwell, *Britain and the Cold War 1941-1947* (Londres, 1982).
29. *Forrestal Diaries* (New York, 1951), 38-40, 57.
30. Z. Stypulkowski, *Invitation to Moscow* (Londres, 1951).
31. Anderson, *op. cit.*, 75-6.
32. Patricia Dawson Ward, *The Threat of*

Peace : James F. Byrnes and the Council of Foreign Ministers 1945-1946 (Kent, Ohio, 1979).

33. Yergin, *op. cit.*, 160-1 ; George Curry, James F. Byrnes in Robert H. Ferrel and Samuel Flagg Bemiss (éd.), *The American Secretaries of State and their Diplomacy* (New York, 1965).

34. Kennan, *Memoirs 1925-1950*, 294.

35. Texte du discours de Robert Rhodes James, *Churchill Complete Speeches* (Londres, 1974), VII 7283-96 ; Jerome K. Ward, « Winston Churchill and the Iron Curtain Speech », *The History Teacher*, janvier 1968.

36. Leahy Diaries, 24 janvier, 7 février 1946.

37. John Morton Blun, *The Price of Vision : the Diary of Henry A. Wallace* (Boston, 1973), 589-601 ; Yergin, *op. cit.*, 253-4.

38. Dean Acheson, *Present at the Creation* (New York, 1969), 219 ; Yergin, *op. cit.*, 281-2.

39. Acheson, *op. cit.*, 234.

40. Voir « Overseas Deficit » daté du 2 mai 1947, Dalton Papers ; Harry Bayard Price, *The Marshall Plan and its Meaning* (Cornell, 1955).

41. Yergin, *op. cit.*, 348-50.

42. Jean Edward Smith (ed.), *The Papers of General Lucius D. Clay : Germany, 1945-1949.* (Bloomington, 1974), 734-7.

43. Yergin, *op. cit.*, 380.

44. Talbot (ed.) *op. cit.*, 205.

45. David Alan Rosenberg, « American Atomic Strategy and the Hydrogen Bomb Decision », *Journal of American History*, juin 1979 ; David Lilienthal, *Atomic Energy : a New Start* (New York, 1980).

46. W. Phillips Davison, *The Berlin Blockade* (Princeton, 1958).

47. Kennan, *Memoirs 1925-1950*, 354ff.

48. Warner Shilling *et al.*, *Strategy, Politics and Defence Budgets* (Colombie, 1962), 298-330.

49. Richard Hewlett and Francis Duncan, *Atomic Shield 1947-1952* (Pennsylvanie, 1969), 362-9.

50. Anderson, *op. cit.*, 184.

51. Churchill, *Second World War*, VI : *Triumph and Tragedy* (Londres, 1954), 701.

52. Samuel I. Rosenman (ed.), *Public Papers and Addresses of Franklin D. Roosevelt : Victory and the Threshold of Peace 1944-1945* (New York, 1950), 562.

53. Schram, *op. cit.*, 220ff. ; Tang Tsou, *America's Failure in China 1941-1950* (Chicago, 1963), 176ff.

54. Schram, *op. cit.*, 228-9 ; Tang Tsou, *op. cit.*, 100-24.

55. Milovan Djilas, *Conversations avec Staline*, trad. anglaise, 1971, Gallimard. Vladimir Dedijer, *Tito Speaks* (Londres, 1953), 331.

56. Schram, *op. cit.*, 232-3.

57. Wolfram Eberhard, *History of China* (4th ed., Londres 1977), 344.

58. Derk Bodde, *Peking Diary : a Year of Revolution* (tr. Londres, 1951), 32.

59. Cité dans Noel Barber, *The Fall of Shangai : the Communist Takeover in 1949* (Londres, 1979), 42.

60. Bodde, *op. cit.*, 47.

61. Barber, *op. cit.*, 49-50.

62. *Ibid.*, 51.

63. Tang Tsou, *op. cit.*, 482-4, 497-8 ; Schram, *op. cit.*, 245.

64. Mao Tse-Tung, *Selected Works*, IV 201-2, ordre du 13 février 1948.

65. Kennan, *Memoirs 1925-1950*, 376.

66. Samuel Wells, « The Lessons of the Korean War », in Francis Heller (ed.), *The Korean War : a 25-Year Perspective* (Kansas, 1977).

67. Duncan Wilson, *Tito's Yugoslavia* (Cambridge, 1979), 50 note.

68. Djilas, *op. cit.*

69. Hingley, *op. cit.*, 385 ; D. Wilson, *op. cit.*, 55.

70. D.Wilson, *op. cit.*, 61.

71. *Ibid.*, 87.

72. Robert Conquest, *La grande terreur*, 1970, Stock.

73. Hingley, *op. cit.*, 388.

74. S. Wells, *op. cit.*

75. Kennan, *Memoirs, 1925-1950*, 490.

76. *New York Times*, 3 août 1980 ; S. Wells, *op. cit.*

77. Talbot (ed.), *op. cit.*, 269 ; *China Quaterly* avril-juin 1964.

78. Yergin, *op. cit.*, 407 ; S. Wells, *op. cit.*

79. Robert C. Tucher, 'Swollen State, Spent Society : Stalin's Legacy to Brezhnev's Russia', *Foreign Affairs*, 60 (Hiver 1981-1982), 414-45.

80. Kolalowski, *op. cit.*, III 132-5 ; Hingley, *op. cit.*, 380-2.

81. Zhores A. Medvedev, *The Rise and Fall of T. D. Lysenko* (tr. New York 1969), 116-17.

82. Robert Payne, *The Rise and Fall of Stalin* (Londres, 1968), 664.

83. *Pravda*, 17 février 1950, cité dans Hingley, *op. cit.*, 508.

84. Rigby, *Stalin*, 71 ; Marc Slonim, *Soviet Russian Literature* (New York, 1964), 289.

85. Svetlana Alliluyera, *vingt lettres*, Seuil, *op. cit.*

86. Robert Conquest, *Power and Policy in the USSR* (Londres, 1961), 100.

87. Grey, *op. cit.*, 453-4.

88. Kennan, *Memoirs 1950-1963*, 154-6.

89. Hingley, *op. cit.*, 404.

90. Rigby, *Stalin*, 81.

91. Conquest, *Power and Policy*, 165-6 ; Rigby, *Stalin*, 66. Hingley, *op. cit.*, 414.

92. Svetlana Alliluyeva, *Une seule année*, trad. russe, 1971, Albin Michel ; Hingley, *op. cit.*, 393-5, 416.

93. K. P. S. Menon, *The Flying extracts from a diary* (Londres, 1963), 27-9.

94. Svetlana Alliluyeva, *Vingt lettres*.

95 Hingley, *op. cit.*, 424, 427.

95. Hingley, *op. cit.*,, 424, 427.

96. Sidney Olson, « The Boom », juin 1946.

97. Kennan, *Memoirs 1950-1951*, 191-2.

98. Alan Harper, *The Politics of Loyalty* (New York, 1969).

99. Roy Cohn, *McCarthy* (New York, 1968), 56 ff.

100. Richard Rovere, *Senator Joe McCarthy* (Londres, 1960).

101. Cité dans Arthur Schlesinger. *Robert Kennedy and his times* (Boston, 1978).

102. Edwin R. Bayley, *Joe McCarthy and the Press* (Université de Wisconsin, 1981), 66-87.

103. Kennan, *Memoirs 1950-1963*, 220.

104. Barton J. Bernstein, « New Light the Korean War », *International History Review*, 3 (1981), 256-77.

105. Robert Griffith, *The Politics of Fear : Joseph McCarthy and the Senate* (Lexington, 1970) ; Richard M. Fried, *Men Against McCarthy* (New York, 1976).

106. Fred I. Greenstein, « Eisenhower as an Activist President : a look at new evidence », *Political Science Quarterly*, Winter

1979-1980. Robert Wright, « Ike and Joe : Eisenhower's White House and the Demise of Joe McCarthy », unpublished thesis (Princeton, 1979).

107. Trohan, *op. cit.*, 292.

108. Emmet John Hughes, *Ordeal of Power : a political Memoir of the Eisenhower Years* (New York, 1963), 329-30.

109. Richard Nixon, *Six Crises* (New York 1962), 161.

110. Greenstein, *op. cit* ; voir aussi : Douglas Kinnaird, *President Eisenhower and Strategic Management* (Lexington, 1977).

111. Sherman Adams, *First Hand Report* (New York, 1961), 73.

112. Trohan, *op. cit.*, 111.

113. Robert H. Ferrell, *The Eisenhower Diaries* (New York, 1981), 230-2.

114. Kennan, *Memoirs 1950-1963*, 196.

115. Vernon A. Walters, *Services discrets*, trad., anglaise, 1979, Plon.

116. Voir Robert A. Divine, *Eisenhower and the Cold War* (Oxford, 1981).

117. *Publics Papers of Dwight D. Eisenhower 1954* (Washington, 1960), 253, 206.

118. Voir Richard H. Immerman, « The US and Guatemala 1954 », thèse de doctorat, non publiée, (Boston College, 1978), cité dans Greenstein, *op. cit.* ; Richard Cotton, *Nationalism in Iran* (Pittsburg, 1964).

119. Joseph B. Smith, *Portrait of a Cold Warrior* (New York, 1976), 229-40 ; Schlesinger, *Robert Kennedy et son temps*, trad. américaine, 1979, Orban.

120. C. L. Sulzburger, *Dans le tourbillon de l'histoire*, *Mémoires*, trad., anglaise, 1971, Albin Michel.

121. Kennan, *Memoirs 1950-1963*, 183.

122. Sherman Adams, *op. cit.*, chapitre XVII, 360ff.

123. Voir Joan Robinson, « What has become of the Keynesian Revolution » in Milo Keynes (éd.), *op. cit.*, 140.

124. Arthur Larsen, *Eisenhower : the President that Nobody Knew* (New York, 1968), 34.

II. LA GÉNÉRATION DE BANDUNG

1. E. L. Woodward, *British Foreign Policy in the Second World War* (Londres, 1970), IXLIV.

2. 16 juin 1943 ; cité dans David Dilks

(éd.), *Retreat from Power* (Londres, 1981), II *After 1939*.

3. William Roger Louis, *Imperialism at Bay : the United States and the Decoloniza-*

tion of the British Empire 1941-1945 (Oxford, 1978).

4. Lisait dans le carnet de bord de l'Amiral Leahy, 9 février 1945, cité dans Anderson, *op. cit.*

5. W. K. Hancock et Margaret Gowing, *The British War Economy* (Londres, 1949), 546-9.

6. Dalton Diary, 10 septembre 1946.

7. *Harold Nicolson : Diaries and Letters 1945-1962* (Londres, 1968), 115-16.

8. A. Goldberg, « The Military Origins of the British Nuclear Deterrent », *International Affairs*, XL (1964).

9. Edward Spiers, « The British Nuclear Deterrent : problems, possibilities », in Dilks, *op. cit.*, II 183-4.

10. M. H. Gowing, *Independence and Deterrence, Britain and Atomic Energy 1945-1952*, 2 vol. (Londres, 1974), I 131.

11. *Ibid.*, 182-3.

12. *Ibid.*, 406.

13. Dilks, *op. cit.*, II 161.

14. Pour les statistiques de la fin de la guerre, voir James, *op. cit.*

15. *Ibid.*, 251-3.

16. Robert Rhodes James, *Memoirs of a Conservative : J. C. C. Davidon's Letters and Papers 1910-1937* (Londres, 1969), 390.

17. John Wheeler-Bennett, *King George VI : his Life and Times* (Londres, 1958), 703.

18. Ved Mehta, *Mahatma Gandhi and his Apostles* (New York, 1976), 33ff.

19. *Ibid.*, 13-16.

20. *Ibid.*, 44.

21. *Ibid.*, 56.

22. Orwell, *Collected Essays*, etc., IV 529.

23. Cité dans Sarvepalli Gopal, *Jawaharlal Nehru : a biography* (Londres, 1965), I 38-9.

24. *Ibid.*, 79, 98, 236; Leonard Woolf, *Downhill All the Way* (Londres, 1967), 230.

25. Discours de Nehru à Ootacamund, 1er juin 1948; Gopal, *op. cit.*, II 308.

26. Richard Hughes, *Foreign Devil* (Londres, 1972), 289-92.

27. Richard Hough, *Mountbatten* (Londres, 1980), 216.

28. R. Jeffrey, « The Punjab Boundary Force and the problem of order, August 1947 », *Modern Asian Studies* (1974), 491-520.

29. M. Masson, *Edwina Mountbatten* (Londres, 1958), 206-7.

30. Gopal, *op. cit.*, II 13.

31. Penderal Mood, *Divide and Quit*

(Londres, 1961), donne 200000; G. D. Khosla, *Stern Reckoning* (Delhi n.d.), 400000-500000; Ian Stephens, *Pakistan* (Londres, 1963), 500000; M. Edwardes, *Last Years of British India* (Londres, 1963), 600000.

32. Gopal, *op. cit.*, II 21,42.

33. Lettre de Nehru à Krishna Menon, 24 août 1949.

34. Walter Lippmann in *Herald Tribune*, 10 janvier 1949; Acheson, *op. cit.*, 336; *Christian Science Monitor*, 26 octobre 1949; *Manchester Guardian*, 26 mai 1954; W. Johnson (éd.), *The Papers of Adlai E. Stevenson* (Boston, 1973), III 181.

35. Nehru, lettre datée du 9 juin 1951.

36. Gopal, *op. cit.*, 311.

37. Lettre de Nehru à Rajagopalachari, 3 juillet 1950; télégramme au président Nasser, 31 octobre 1956; télégramme à J.F. Dulles, même date.

38. Cité dans Gopal, *op. cit.*, II 246.

39. S. Dutt, *With Nehru at the Foreign Office* (Calcutta, 1977), 177.

40. Lettre de Nehru à Ernest Bevin, 20 novembre 1950.

41. Gopal, *op. cit.*, II 194-5, 227.

42. J. K. Galbraith, *A life in Our Times* (Londres, 1981), chapitre XXVII, 420ff.

43. Keith Irvine, *The Rise of the Coloured Races* (Londres, 1972), 540ff.; G. McT. Kahin, *The Asian-African Conference, Bandung* (Ithaca, 1956).

44. J. D. Legge, *Sukarno : A Political Biography* (Londres, 1972), 264-5.

45. Richard Wright, *The Colour Curtain* (Londres, 1965), 15.

46. Harry J. Benda, « Christian Snouck Hurgronje and the Foundation of Dutch Islamic Policy in Indonesia », *Journal of Modern History*, XXX (1958), 338-47.

47. E. H. Kossman, *The Low Countries, 1780-1940* (Oxford, 1978), 672ff.

48. Voir l'ouvrage de Sukarno, *The Birth of Pantja Sila* (Djakarta, 1950).

49. D. S. Lev, *The Transition to Guided Democracy : Indonesia Politics 1957-1959* (Ithaca, 1966).

50. Pour les slogans, voir Legge, *op. cit.*, 288-90, 324, 332-3, 359 et *passim*.

51. Talbot (éd.), *op. cit.*, 322.

52. Legge, *op. cit.*, 387; John Hughes, *The End of Sukarno* (Londres, 1968), 44.

53. J. R. Bass, « The PKI and the attempted *coup* », *Journal of SE Asian Studies*, mars 1970; pour une bibliographie critique

du coup d'État, voir Legge, *op. cit.*, 390 note, 45.

54. Hughes, *op. cit.*, chapitre 16.

55. Howard M. Sachar, *Britain Leaves the Middle East* (Londres, 1974), 391.

56. *Petroleum Times*, juin 1948; *Oil Weekly*, 6 mars 1944.

57. *Forrestal Diaries*, 356-7.

58. Sachar *op. cit.*, 395.

59. Churchill, *Second World War*, IV 952.

60. Sachar, *op. cit.*, 442.

61. Chaim Weizmann, *Trial and Error* (Philadelphie, 1949), II 437.

62. Yehudah Bauer, *From Diplomacy to Resistance: a History of Jewish Palestine 1939-1945* (Philadelphie, 1970), 230.

63. Sachar, *op. cit.*, 447.

64. *New York Post*, 21 mai 1946.

65. Nicholas Bethell, *The Palestine Triangle: the struggle between British, the Jews and the Arabs, 1935-1948* (Londres, 1979), 254-5.

66. Bethell, *The Palestine Triangle* 261ff., fondé sur des rapports dévoilés en 1978.

67. *Jerusalem Post*, 1er août 1947.

68. Bethell, *The Palestine Triangle*, 243-4.

69. Jon et David Kimche, *Both Sides of the Hill: Britain and the Palestine War* (Londres, 1960), 21-2.

70. Bauer, *op. cit.*, 230.

71. *The Jewish Case for the Anglo-American Committee of Inquiry on Palestine* (Jérusalem, 1947), 6-7, 74-5.

72. Joseph Schechtman, *The US and the Jewish State Movement* (New York, 1966), 110.

73. Cité dans Alfred Steinberg, *The Man from Missouri: the life and times of Harry S. Truman* (New York, 1952), 301.

74. Truman, *Memoirs*, II 135.

75. *Petroleum Times*, juin 1948.

76. *Forrestal Diaries*, 324, 344, 34.

77. Howard Sachar, « The Arab-Israeli issue in the light of the Cold War », *Sino-Soviet Institute Studies* (Washington DC), 1966, 2.

78. Sachar, *Europe Leaves the Middle East*, 546-7.

79. *Ibid*, 518ff.

80. Kimche, *op. cit.*, 60.

81. Netanel Lorch, *The Edge of the Sword: Israel's War of Independence 1947-1948* (New York, 1961), 90.

82. David Horowitz, *State in the Making* (New York, 1953), 232-5.

83. Rony E. Gabbay, *A Politicar Study of the Arab-Jewish Conflict* (Genève, 1959), 92-3.

84. Sachar, *Europe Leaves the Middle East*, 550-1; Walid Khalidi, « Why Did the Palestinians Leave ? », *Middle East Forum*, juillet 1955; Erkine B. Childers, « The Other Exodus », *Spectator*, 12 mai 1961. Les instructions de la Ligue Arabe ont été publiées dans *Al-Kayat* (Liban, 30 avril, 5-7 mai 1948).

85. Colonial Office transcript (CO 733-477) cité dans Bethell, *The Palestine Triangle*, 355.

86. Walter Pinner, *How Many Arab Refugees?* (New York, 1959), 3-4.

87. Sachar, *op. cit.*, 191; pour la répartition statistique de l'exode juif, voir Martin Gilbert, *The Arab-Israeli Conflict: its History in Maps* (Londres, 1974), 50.

88. Jon Kimche, *Seven Fallen Pillars* (Londres, 1954), 46.

89. Francis Williams : *A Prime Minister Remembers* (Londres, 1961), 175-6.

90. Bethell, *The Palestine Triangle*, 358.

91. Sachar, *Europe Leaves the Middle East*, 51.

92. Pour un portrait incisif d'un Compagnon de dirigeant arabe, voir Mohammed Ahmed Mahgoub, *Democracy on Trial: Reflections on Arab and African Politics* (Londres, 1974).

93. Constantine Zurayak, *The Meaning of the Disaster* (Beyrouth, 1956), 2.

94. Pour le projet de barrage, voir P. K. O'Brien, *The Revolution in Egypt's Economic System* (Londres, 1966) et Tom Little, *High Dam at Aswan* (Londres, 1965).

95. Carlton, *op. cit.*, 416.

96. *Ibid.*, 389.

97. André Beaufre, *L'Expédition de Suez*, 1967, Grasset; Hugh Stockwell, « Suez : Success or Disaster ? », *Listener*, 4 novembre 1976.

98. Voir le compte rendu personnel d'Eden dans *Memoirs : Full Circle* (Londres, 1960); Selwyn Lloyd, *Suez 1956 : a Personal Account* (Londres, 1978).

99. Moshé Dayan, *Histoire de ma vie*, Fayard.

100. Dwight D. Eisenhower, *The White House Years : Waging Peace 1956-1961* (New York, 1965), 666-7.

101. Carlton, *op. cit.*, 451-3.

102. Brian Urquhart, *Hammarskjöld* (Londres, 1973), 26.

103. *Ibid.*, 170, 174, 185-9.

104. Horne, *op. cit.* (Londres, 1977), 60.

105. Voir Robert Aron *et al.*, *Les Origines de la guerre d'Algérie* (Paris, 1962).

106. Albert-Paul Lentin, *L'Algérie des colonels* (Paris, 1958).

107. Horne, *op. cit.*, 72.

108. *Ibid.*, 91-2, 101; Pierre Leulliette, *Saint-Michel et le Dragon*, Minuit.

109. Horne, *op. cit.*, 132-5.

110. C. Marighela, *For the Liberation of Brazil* (Penguin, 1971).

111. Horne, *op. cit.*, 98-9.

112. Germaine Tillion, *L'Algérie en 1957* (Paris, 1957); Vincent Monteil, *Soldat de fortune* (Paris, 1966).

113. Jacques Soustelle, *Aimée et Souffrante Algérie* (Paris, 1956).

114. Horne, *op. cit.*, 117-18.

115. Albert Camus, *Chroniques algériennes 1939-1958* (Paris, 1958).

116. Horne, *op. cit.*, 187.

117. Jacques Massu, *La Vraie Bataille d'Alger* (Paris, 1971).

118. Henri Alleg, *La Question* (Paris, 1958).

119. Horne, *op. cit.*, 201.

120. Pour les exemples, voir J.-R. Tournoux, *Secrets d'État* (Paris, 1960); J.-J. Servan-Schreiber, *Lieutenant en Algérie* (Paris, 1957).

121. Charles de Gaulle : *Mémoires d'espoir*, 2 vol., 1970-1971, Plon.

122. *Ibid.*, 15.

123. Simone de Beauvoir, *La Force des choses* (Paris, 1963).

124. Horne, *op. cit.*, 291.

125. De Gaulle, *op. cit.*, 47.

126. Horne, *op. cit.*, 376-8.

127. *Ibid.*, 515-16.

128. *Ibid.*, 495.

129. *Ibid.*, 506.

130. Mouloud Feraoun, *Journal 1955-1962* (Paris, 1962).

131. Horne, *op. cit.*, 524.

132. *Ibid.*, 540-3.

133. *Ibid.*, 537-8.

134. De Gaulle, *op. cit.*

135. Ben Bella, interview à Radio Monte-Carlo : *Daily Telegraph*, 19 mars 1982.

III. LES ROYAUMES DE CALIBAN

1. Mark Amory (éd.), *Letters of Evelyn Waugh* (Londres, 1980), 517.

2. James, *op. cit.*, 193.

3. Cité dans Dorothy Pickles, *French Politics : the First Years of the Fourth Republic* (Londres, 1953), 151.

4. Stewart Easton, *The Twilight of European Colonialism* (Londres, 1961).

5. *Le Monde*, 21 juin 1951.

6. De Gaulle, *op. cit.*

7. *Ibid.*

8. Cité dans Easton, *op. cit.*

9. Michael Blundell, *So Rough a Wind* (Londres, 1964).

10. *Weekend Telegraph*, 12 mars 1965.

11. Miles Hudson, *Triumph or Tragedy : Rhodesia to Zimbabwe* (Londres, 1981), 38-9.

12. Jean Labrique, *Congo Politique* (Léopoldville, 1957), 199-219.

13. Comnd 9109 (1918), 3, cité dans Barnett, *op. cit.*, 147.

14. Kirkman, *op. cit.*, 15ff.

15. Pour l'élaboration de cette théorie, voir P. A. Baran, *The Political Economy of Growth* (New York, 1957); C. Leys, *Underdevelopment in Kenya : the Political Economy Neo-Colonialism 1964-1971* (Londres, 1975).

16. Cité dans Mahgoub, *op. cit.*, 250ff.

17. Tawia Adamafio, *A Portrait of the Osagyefo, Dr Kwame Nkrumah* (Accra, 1960), 95.

18. Mahgoub, *op. cit.*, 284.

19. John Rogge, « The Balkanization Nigeria's Federal System », *Journal of Geography*, avril-mai 1977.

20. J.L. Lacroix, *Industrialisation au Congo*, 1967, éd. Mouton/De Gruyter.

21. Easton, *op. cit.*, 445; voir aussi R. Anstey, *King Leopold's Legacy : the Congo Under Belgian Rule 1908-1960* (Oxford, 1966).

22. Voir G. Heinz and H. Donnay, *Lumumba : the Last Fifty Days* (New York, 1969).

23. Urquhart, *op. cit.*, 392-3, 397.

24. Paul-Henri Spaak, *Combats Inachevés* (Paris, 1969), 244-5.

25. Urquhart, *op. cit.*, 385.

26. *Ibid.*, 507.

27. Urquhart, *op. cit.*, 587 ; Conor Cruise O'Brien, *To Katanga and Back* (Londres, 1962), 286.

28. *Sunday Times*, 11 octobre 1964

29. Ali Mazrui, « Moise Tschombe and the Arabs, 1960-1968 » *in Violence Thought : Essays on Social Tension in Africa* (Londres, 1969).

30. *Wall Street Journal*, 25-26 juin 1980 ; Patrick Marnham, *Fantastic Invasion* (Londres, 1980), 203 note 10.

31. K. W. Grundy, *Conflicting Images of the Military in Africa* (Nairobi, 1968).

32. Samuel Decalo, *Coups and Army Rule in Africa* (Yale, 1976), 5-6 et Tables 1.1 et 1.2.

33. Fait démontré dans Shiva Naipaul, *North of South : an African Journey* (Londres, 1978).

34. *African Standard*, Nairobi, 12 avril 1965 ; cité dans Mazrui, *op. cit.*, 210-11.

35. Marvin Harris, *Portugal's African 'Wards'* (New York, 1958) ; James Duffy, *Portuguese Africa* (Harvard, 1959).

36. Marcello Caetano, *Colonizing Traditions : Principles and Methods of the Portuguese* (Lisbonne, 1951).

37. Easton, *op. cit.*, 506.

38. T. R. H. Davenport, *South Africa : a Modern History* (Londres, 1977), 346.

39. W. K. Hancock, *Smuts* (Londres, 1968), II.

40. Pour ces sectes, voir Bengt G. M. Sundkler, *Bantu Prophets in South Africa* (2ᵉ éd., Oxford, 1961) et *Zulu Zion and some Swazi Zionists* (Oxford, 1976).

41. Davenport, *op. cit.*, 176ff.

42. *Ibid.*, 207 ; pour les règlements des indigènes, voir M. Ballinger, *From Union to Apartheid* (Londres, 1969).

43. B. Patchai, *The International Aspects of the South African Indian Question 1860-1971* (Londres, 1971).

44. N. M. Stultz, *Afrikaaner Politics in South Africa 1934-1948* (Londres, 1974).

45. G. D. Scholtz, *Dr H.F. Verwoerd* (Londres, 1974).

46. Ambrose Reeves, *Shooting at Sharpeville* (Londres, 1961).

47. Davenport, *op. cit.*, 270-1.

48. *Ibid.*, 296-7, avec le diagramme de la croissance démographique.

49. *Ibid.*, 304-5.

50. *Ibid.*, 376 pour la carte géographique des minéraux.

51. *Wall Street Journal*, 10 juillet 1980.

52. *Ibid.*, 4 août 1980.

53. Naipaul, *op. cit.*, 231.

54. Richard West, *The White Tribes Revisited* (Londres, 1978), 16ff.

55. Naipaul, *op. cit.*, 232-3.

56. Cité dans Marnham, *op. cit.*, 196.

57. West, *op. cit.*, 147.

58. Marnham, *op. cit.*, 112.

59. *Ibid.*, 125ff.

60. *Inside East Africa*, août-septembre 1960.

61. *Sunday News* (Dar es-Salaam), 26 janvier 1964.

62. « One Party Government », *Transition*, décembre 1961.

63. *Report of the Presidential Commission on the Establishment of a Democratic One Party State*, (Dar es-Salaam, 1965), 2.

64. Lionel Cliffe (éd.), *One-Party Democracy in Tanzania* (Nairobi, 1967).

65. Mazrui, *op. cit.*, 255ff.

66. *The Arusha Declaration and Tanu's Policy on Socialism and Self-Reliance* (Dar es-Salaam, 1967) ; Marzui, *op. cit.*, 48.

67. Naipaul, *op. cit.*, 144ff.

68. *Ibid.*, 200-1.

69. *Daily Nation*, Nairobi, 6 février 1968.

70. Ali Mazrui, « Mini-skirts and Political Puritanism », *Africa Report*, Octobre 1968.

71. *Reporter*, Nairobi, 23 février 1968.

72. Naipaul, *op. cit.*, 237-8.

73. *The Times*, 7 octobre 1965.

74. Marnham, *op. cit.*, 199.

75. West, *op. cit.*, 146.

76. *Annual Register* (Londres, 1980).

77. Pierre Kalck, *Central African Republic : a Failure of Decoloniziation* (New York, 1971).

78. Winston Churchill, *My African Journey* (Londres, 1908).

79. George Ivan Smith, *Ghosts of Kampala* (Londres, 1980), 34.

80. *Ibid.*, 51ff.

81. West, *op. cit.*, 24-5.

82. Cité dans Smith, *op. cit.*, 96.

83. *Ibid.*, 101 pour le texte du mémorandum.

84. Henry Kyemba, *State of Blood* (Londres, 1977).

85. Smith, *op. cit.*, 111-12.

86. *Ibid.*, 124-31.

87. *Ibid.*, 166-7.

88. Daniel Patrick Moynihan. *A Dangerous Place (Londres, 1978)*, 154-5.

89. Cité dans Smith, *op. cit.*, 181.

90. J.J. Jordensen, *Uganda : a Modern*

History (Londres, 1981); Wadada Nabundere, *Imperialism and Revolution in Uganda* (Tanzanie, 1981).

91. Victoria Brittain, « After Amin », *London Review of Books*, 17 septembre 1981.

92. Par exemple, *Daily Telegraph*, 5 septembre 1981.

93. Mazrui, *Violence and Throught*, 37-9.

94. Colin Legum *et al.*, *Africa in the 1980s* (New York, 1979).

95. West, *op. cit.*, 6-7.

96. Pour des tableaux détaillés, voir *New York Times*, 11 mai 1980.

97. Marnham, *op. cit.*, 165, 205.

98. *Ibid.*, 168.

99. David Lomax, « The civil war in Chad », *Listener*, 4 février 1982.

100. Genganne Chapin and Robert Wasserstrom, « Agricultural production and malarial resurgence in Central America and India », *Nature*, 17 septembre 1981.

101. *New York Times*, 11 mai 1980.

102. Marnham, *op. cit.*, 240.

103. Compilé d'après *Annual Register* (Londres, 1980-1981) et *New York Times*.

IV. EXPÉRIENCE SUR UNE MOITIÉ DE L'HUMANITÉ

1. Jack Chen, *Inside the Cultural Revolution* (Londres, 1976), 219-20.

2. Hollander, *op. cit.*, chapitre 7, « The Pilgrimage to China », 278ff.

3. *Ibid.*, 326-30.

4. Talbot (éd.), *op. cit.*, 249.

5. John Gittings, *The World and China, 1922-1975* (Londres, 1974), 236.

6. Bill Brugger, *China : Liberation and Transformation 1942-1962* (New Jersey, 1981), 212.

7. Ross Terrill, *Mao : a Biography* (New York, 1980), 383.

8. Cité dans Han Suyin, *Le premier jour du monde : Mao Tsé-toung et la révolution chinoise 1949-1975*, trad. anglaise, 1975, Stock.

9. Talbot (éd.), *op. cit.*, 249.

10. Schram, *op. cit.*, 253-4.

11. *Ibid.*, 295.

12. *Ibid.*, 291.

13. Talbot (éd.), *op. cit.*, 255.

14. Terrill, *op. cit.*, 53.

15. Roger Garside, *Coming Alive : China After Mao* (Londres, 1981), 45.

16. *Ibid.*, 46-7.

17. Robert Jay Lifton, *Revolutionary Immortality* (Londres, 1969), 72-3.

18. Garside, *op. cit.*, 50.

19. Brugger, *op. cit.*, 44-55.

20. Schram, *op. cit.*, 267, note ; voir Jacques Guillermaz, *La Chine Populaire* (3e éd., Paris, 1964).

21. Robert Jay Lifton, *Thought Reform and the Psychology of Totalism : a Study of Brainwashing in China* (New York, 1961), chapitre XIX.

22. Schram, *op. cit.*, 271 note.

23. *Ibid.*, 277.

24. Talbot (éd.), *op. cit.*, 272.

25. Jerome A. Cohen, « The criminal process in the People's Republic of China : an introduction », *Harward's Law Review*, janvier 1966.

26. Editorials, *Peking Review*, 6, 13, 20 septembre 1963.

27. Cité dans Schram, *op. cit.*, 253.

28. Brugger, *op. cit.*, 174ff.

29. Talbot (éd.), *op. cit.*, 272-8.

30. Brugger, *op. cit.*, 212.

31. K. Walker, *Planning in Chinese Agriculture : Socialization and the Private Sector 1956-1962* (Londres, 1965), 444-5.

32. Bill Brugger, *China : Radicalism and Revisionism 1962-1972* (New Jersey, 1981), 36.

33. *Ibid.*, 47.

34. Roxane Witke, *Camarade Chiang Ch'ing*, 1978, Laffont.

35. *Ibid.*, 154 ; Chiang Ching se confia longuement dans Witke.

36. Colin Mackerras, *The Chinese Theatre in Modern Times* (Amherst, Mass., 1975).

37. Witke, *op. cit.*

38. *Ibid.*, 158-9.

39. *Ibid.*, 309-10.

40. *Ibid.*, 312-14.

41. Terrill, *op. cit.*, 305, note.

42. *Ibid.*, 304-9.

43. Witke, *op. cit.*

44. Pour les origines lointaines de la Révolution culturelle, voir Roderick MacFarquhar, *The Origins of the Cultural Revolution, 1. Contradictions Among the People 1956-1957* (Londres, 1974).

45. *China Quartely*, 45.

46. Terrill, *Mao*, 315.

47. Witke, *op. cit.*

48. Naranarayan Das, *China's Hundred Weeds : a Study of the Anti-Right Campaign in China 1957-1958* (Calcutta, 1979); Garside, *op. cit.*, 69.

49. Chen, *op. cit.*, 388.

50. *Ibid.*, 226.

51. *Ibid.*, 211.

52. Garside, *op. cit.*, 70, 91 ; Witke, *op. cit.* ; Terrill, *op. cit.*, 315 ; Chen, *op. cit.*, 226ff.

53. Chen, *op. cit.*, 221-4.

54. Anita Chan, *et al.*, « Students and class warfare : the social roots of the Red Guard conflict in Guangzhon (Canton) », *China Quarterly*, 83, septembre 1980.

55. Chen, *op. cit.*, 228-31.

56. Voir Simon Leys dans *The Times Literary Supplement*, 6 mars 1981, 259-60.

57. Witke, *op. cit.*

58. Witke, *op. cit.*

59. William Hinton, *Hundred Days War : the Cultural Revolution at Tsinghua University* (New York, 1972), 101-4.

60. Terrill, *op. cit.*, 319.

61. Witke, *op. cit.*

62. *Ibid.*, 435.

63. *Ibid.*, 391-2, 402.

64. Parris Chang, « Shangai and Chinese politics before and after the Cultural Revolution » in Christopher Howe (éd.), *Shangai* (Cambridge, 1981).

65. Philip Bridgham, « Mao's Cultural Revolution in 1967 » in Richard Baum et Louis Bennett (éd.), *China in Ferment* (Yale 1971), 134-5 ; Thomas Robinson, « Chou-en-Lai and the Cultural Revolution in China » in Baum et Bennett (éd.), *The Cultural Revolution in China* (Berkeley, 1971), 239-50.

66. Witke, *op. cit.* ; Edward Rice, *Mao's Way* (Berkeley, 1972), 376-8.

67. *Far Eastern Economic Review*, 2 octobre 1969 ; Terrill, *op. cit.*, 321-8.

68. Terrill, *op. cit.*, 328-30.

69. Chen, *op. cit.*, 344ff. ; Terrill, *op. cit.*, 345ff.

70. Terrill, *op. cit.*, 369 ; Witke, *op. cit.*, 365.

71. Terrill, *op. cit.*, 387-90 ; Witke, *op. cit.*, 475-6.

72. Terrill, *op. cit.*, 402, note.

73. *Ibid.*, 381, 420.

74. Cité dans Ross Terrill, *The Future of China After Mao* (Londres, 1978), 121.

75. *Ibid.*, 115-17.

76. Witke, *op. cit.* ; Terrill, *China After Mao*, 121-3.

77. *Daily Telegraph*, 9 janvier 1981, citant *Zheng Ming* magazine.

78. Garside, *op. cit.*, 67ff.

79. *Ibid.*, 73ff.

80. Leys, *op. cit.*

81. Michael Oksenberg, « China Policy for the 1980s », *Foreign Affairs*, 59 (Hiver 1980-1981), 304-22.

82. *Guardian*, 5 février 1982.

83. M.D. Morris *et al.*, (éd.), *Indian Economy in the Nineteenth Century* (Delhi, 1969) ; W.J. Macpherson, « Economic Development in India under the British Crown 1858-1947 », in A.J. Youngso (éd.), *Economic Development in the Long Run* (Londres, 1972), 126-91 ; Peter Robb, « British rule and Indian "Improvement" », *Economic History Review*, XXXIV (1981), 507-23.

84. J. Nehru, *The Discovery of India* (Londres, 1946).

85. Dom Moraes, *Mrs Gandhi* (Londres, 1980), 127.

86. Dom Moraes, *The Tempest Within* (Delhi, 1971).

87. Moraes, *Mrs Gandhi*, 224.

88. Shadid Javed Burki, *Pakistan under Bhutto 1971-1977* (Londres, 1979).

89. Moraes, *Mrs Gandhi*, 250.

90. Victoria Schofield, *Bhutto : Trial and Execution* (Londres, 1980).

91. Moraes, *Mrs Gandhi*, 319.

92. Exposé parlementaire du ministre d'État, ministre de l'Intérieur, 15 mars 1981.

93. *The Times*, 3 février 1981.

94. *Daily Telegraph*, 2 février 1981.

95. Voir par exemple, James Freeman, *Untouchable : an Indian Life History* (Londres, 1980).

96. *New York Times*, 20 juillet 1980.

97. R. Kipling, *From Sea to Sea* (Londres, 1899)

98. Ved Mehta, *Portrait of India* (Londres, 1970), 7e partie, 362.

99. Voir, par exemple, *Daily Telegraph*, 8 février 1982.

V. L'EUROPE, TEL LAZARE...

1. Jacques Dumaine, *Quai d'Orsay 1945-1951* (tr., Londres, 1958), 13.

2. Simone de Beauvoir, *Force of Circumstance* (tr., Londres, 1965), 38ff.

3. David Pryce-Jones, *Paris in the Third Reich : A history of the German Occupation 1940-1944* (Londres, 1981).

4. Bernard-Henry Lévy, *L'Idéologie française* (Paris, 1981).

5. Cité dans Herbert R. Lottman, *Camus* (Londres, 1981 ed.), 705.

6. *Ibid.*, 322.

7. Guillaume Hanoteau, *L'Age d'or de Saint-Germain-des-Prés* (Paris, 1965); Herbert Lottman, « Splendours and miseries of the literary café », *Saturday Review*, 13 mars 1963, et *New York Times Book Review*, 4 juin 1967.

8. Popper, *Conjectures and Refutations*, 363.

9. Terence Prittie, *Konrad Adenauer 1876-1967* (Londres, 1972), 35-6.

10. Maria Romana Catti, *De Gasperi uomo solo* (Milan, 1964), 81-2.

11. Elisa Carrillo, *Alcide De Gasperi : the Long Apprenticeship* (Notre-Dame, 1965), 9.

12. *Ibid.*, 23.

13. Catti, *op. cit.*, 104-11 ; Carrillo, *op. cit.*, 83-4.

14. Prittie, *op. cit.*, 224-312.

15. *Ibid.*, 97.

16. *Ibid.*, 106-10.

17. Lewis J. Edinger, *Kurt Schumacher* (Stanford, 1965), 135-6.

18. Arnold J. Heidenheimer, *Adenauer and the CDU* (La Hague, 1960).

19. Pour le discours, voir Leo Schwering, *Frühgeschichte der Christlich-Demokratische Union* (Recklinghausen, 1963), 190-3.

20. Cité dans Prittie, *op. cit.*, 171.

21. Frank Pakenham, *Born to Believe* (Londres, 1953), 198-9.

22. *Die Welt*, 30 novembre 1946.

23. Konrad Adenauer, *Mémoires*, 3 vol., Hachette.

24. Aidan Crawley, *The Rise of West Germany 1945-1972* (Londres, 1973), chapitre XII.

25. Walter Henkels, *Gar nicht so Pingelig* (Dusseldorf, 1965), 161.

26. Hans-Joachim Netzer (éd.), *Adenauer und die Folgen* (Munich, 1965), 159.

27. Prittie, *op. cit.*, 173, note 7.

28. Henkels, *op. cit.*

29. Prittie, *op. cit.*, 236.

30. Adenauer, *Mémoires*.

31. Rudolf Augstein, *Konrad Adenauer* (tr., Londres, 1964), 94.

32. Émission radiophonique, 2 juillet 1954 ; Prittie, *op. cit.*, 173.

33. J. Galtier-Boissière, *Mon Journal pendant l'Occupation* (Paris, 1945).

34. Philippe Bauchard, *Les Technocrates et le pouvoir* (Paris, 1966); Zeldin, *op. cit.*, 1068-9.

35. G. Wright, *Rural Revolution in France* (Stanford, 1964), chapitre v.

36. Zeldin, *op. cit.*, 687.

37. W.D. Halls, *The Youth of Vichy France* (Oxford, 1981); Zeldin, *op. cit.*, 1141.

38. Robert Aron, *Histoire de l'Épuration*, 3 vol. (Paris, 1967); Peter Novick, *The Resistance v. Vichy* (New York, 1968).

39. Herbert Lüthy, *The State of France* (tr. Londres, 1955), 107.

40. André Rossi, *Physiologie du parti communiste français* (Paris, 1948), 83, 431-2.

41. Annie Kriegel, *Les communistes français : essai d'ethnographie politique*, 1968, Seuil.

42. Voir Herbert Lüthy, « Why Five Million Frenchmen Vote Communist », *Socialist Commentary*, décembre 1951, p. 289.

43. Cité Lüthy, *State of France*, 117.

44. Philip Williams, *Politics in Post-War France* (Londres, 1954), 17-19.

45. Lüthy, *State of France*, 123.

46. Zeldin, *op. cit.*, 1045ff.

47. Jean Monnet, *Mémoires*, 1976, Fayard.

48. *Bulletin mensuel de statistique* (Paris, octobre 1952), p. 44.

49. Lüthy, *State of France*, 432.

50. Joseph Hours in *Année politique et économique*, printemps 1953.

51. Cité dans Lüthy, *op. cit.*, 385.

52. Jean-Raymond Tournoux, *Pétain*, Plon, 1965.

53. Zeldin, *op. cit.*, 1121.

54. Gaston Palewski, « A Surprising Friendship : Malraux and de Gaulle » in Martine de Courcel (éd.), *Malraux : Life and Work* (Londres, 1976), 70.

55. *Ibid.*, 69.

56. *Faust* de Goethe.

57. De Gaulle, discours, 17 avril 1948.

58. De Gaulle, discours du 13 avril 1963;

22 novembre 1944; 1er mars 1941; 25 novembre 1943; voir Philip Cerny, *The Politics of Grandeur : Ideological Aspects of de Gaulle's Foreign Policy* (Cambridge, 1980).

59. De Gaulle, *op. cit.*

60. *Ibid.*

61. Cité dans Jacques Fauvet, *La Quatrième République* (Paris, 1959), 64, note.

62. David Schoenbrun, *Three Lives of Charles de Gaulle* (Londres, 1965) 94-5.

63. J.R. Frears, *Political Parties and Elections in the French Fifth Republic* (Londres, 1977), 18ff.

64. De Gaulle, *op. cit.*

65. John Ardagh, *The New France : a Society in Transition 1945-1977* (Londres, 3e éd., 1977), 31-2.

66. Zeldin, *op. cit.*, 625, 635-6.

67. *Ibid.*, 300-30.

68. Cité dans Lüthy, *State of France*, 382.

69. Albert Sorel, *Europe and the French Revolution* (tr. Londres, 1968), I 277ff.

70. De Gaulle, *op. cit.*

71. Adenauer, *op. cit.*

72. Texte in Uwe Kitzinger, *The European Common Market and Community* (Londres, 1967), 33-7.

73. Cité dans Anthony Sampson, *Macmillan* (Londres, 1967), 146.

74. Prittie, *op. cit.*, 268-9.

75. Adenauer, *op. cit.*

76. Prittie, *op. cit.*, 268.

77. Transcription de la conférence de presse dans Harold Wilson, *The Labour Government 1964-1970* (Londres, 1971), 392-4.

78. En ce qui concerne les vetos de De Gaulle, voir Uwe Kitzinger, *Diplomacy and Persuasion: how Britain joined the Common Market* (Londres, 1973), 37-8.

79. Rostow, *World Economy*, 234-5 et Table, III-47.

80. Kitzinger, *Diplomacy and Persuasion*, Table, p. 29.

81. Cité dans B. Simpson, *Labour: the Unions and the Party* (Londres, 1973), 39.

82. A. Flanders, *Trades Unions* (Londres, 1968); John Burton, *The Trojan Horse: Union Power in British Politics* (Leesburg, 1979), 48, 50.

83. Sydney et Beatrice Webb, *The History of Trade Unionism* (Londres, 1920); *Dicey's Law and Public Opinion in England* (Londres, 1963 éd.).

84. *BBC v. Hearn and Others* (1977); voir J.H. Bescoby and C.G. Hanson, « Continuity and Change in Recent Labour Law », *National Wesminster Bank Quarterly Review*, février 1976; *Trade Union Immunities* (Londres, HMSO, 1981), 34-101.

85. F.W. Paish, « Inflation, Personal Incomes and Taxation », *Lloyds Bank review*, avril 1975.

86. Geoffrey Fry, *The Growth of Government* (Londres, 1979), 2-3; A.T. Peacock and J. Wiseman, *The Growth of Public Expenditure in the UK* (Londres, 2e éd., 1967); M. Abramovitz and V.F. Eliasberg, *The Growth of Public Employment in Great Britain* (Londres, 1957).

87. J.M. Buchanan, John Burton et R.E. Wagner, *The Consequences of Mr. Keynes* (Londres, Institut des affaires économiques, 1978), 67 et Table II, p. 34.

88. Rostow, *World Economy*, Table III-42, p. 220; *League of Nations Statistical Yearbook 1933-1934* (Genève, 1934), Table 10.

89. Derry, *Norway*, 325; P.M. Hayes, *Quisling* (Newton Abbot, 1971).

90. T.K. Derry, *A History of Scandinavia* (Londres, 1979), 322-4; Rostow, *World Economy*, 220.

91. E.D. Simon, *The Smaller Democracies* (Londres, 1939); Marquis Childs, *Sweden: the Middle Way* (New York, 1936).

92. Derry, *Scandinavia*, 336-7.

93. Christopher Hughes, *Switzerland* (Londres, 1975), 167-72.

94. Urs Altermatt, « Conservatism in Switzerland : a study in anti-Modernism », *Journal of Contemporay History*, 14 (1979), 581-610.

95. *Wall Street Journal*, 23 juin 1980.

96. Kenneth Maxwell, « Portugal under Pressure », *New York Review of Books*, 29 mai 1975, 20-30.

97. Tom Gallagher, « Controlled Repression in Salazar's Portugal », *Journal of Contemporary History*, 14 (1979) 385-402; pour la Pide, voir « Para a Historia do Fascismo Portugues : a Pide », *Portugal Informaca*, juin-juillet 1977.

98. Neil Bruce, *Portugal : the Last Empire* (Newton Abbot, 1975), 108.

99. Franco, discours au Musée de l'Armée de Madrid, 9 mars 1946, cité dans Trythall, *op. cit.*

100. *Ibid.*, 206.

101. *Estudios sociológicos sobre la situación social de Espana 1975* (Madrid, 1976).

102. Raymond Carr et Juan Pablo Fusi

Spain : Dictatorship to Democracy (Londres, 1979), 195ff.

103. Stanley Meisler, « Spain's New Democracy », *Foreign Affairs*, octobre 1977.

104. Carr and Fusi, *op. cit.*, 246.

105. Richard Clogg, *A Short History of Modern Greece* (Cambridge, 1979), 164-5.

106. William McNeil, *Metamorphosis of Greece since World War II* (Chicago, 1978).

107. *New York Times*, 6 juillet 1980.

VI. LA TENTATIVE DE SUICIDE DE L'AMÉRIQUE

1. Edgar M. Bottome, *The Missile Gap* (Rutherford, N.J. 1971).

2. Schlesinger, *Robert Kennedy*, note; William Safire, *Before the Fall : an inside view of the pre-Watergate White House* (New York, 1975), 152-3.

3. Pierre Salinger, *With Kennedy* (New York, 1966), 51.

4. Cité par William F. Buckley Jr, « Human Rights and Foreign Policy », *Foreign Affairs*, printemps 1980.

5. J.F. Kennedy, *Public Papers etc.* 3 vol. (Washington DC, 1963-1964), I 1 ff.

6. R.J. Walton, *Cold War and Counter-revolution : the Foreign Policy of John F. Kennedy* (New York, 1972).

7. Poole, *op. cit.*, 28.

8. Rostow, *World Economy*, 222ff.; Carlos Díaz Alejandro, *Essays on the Economic History of the Argentine Republic* (Yale, 1970).

9. H.S. Ferns, *Argentina* (Londres, 1969), 184ff.

10. Claudio Veliz (éd.), *The Politics of Conformity in Latin America* (Oxford, 1967), Appendix, « Successful Military Coups 1920-1966 », 278.

11. Ferns, *Argentina*, 173.

12. Walter Little, « The Popular Origins of Peronism » in David Rock (éd.), *Argentina in the Twentieth Century* (Londres, 1975).

13. Ferns, *Argentina*, 190.

14. David Rock, « The Survival and Restoration of Peronism », in *Argentina in the Twentieth Century*.

15. Martin Shermin et Peter Winn, « The US and Cuba », *Wilson Review*, hiver 1979.

16. Earl Smith in congressional testimony, Senate Judiciary Committee, 30 avril 1960.

17. Hugh Thomas, *Cuba or the Pursuit of Freedom* (Londres, 1971), 639.

18. Blas Roca, *En Defensa del Pueblo* (1945), 41-3; cité dans Thomas. *Cuba*, 736.

19. E. Suarez Rivas, *Un Pueblo Crucifi-*cado (Miami 1964), 18; cité dans Thomas, *Cuba.*

20. *America Libre*, Bogota, 22 mai 1961; Thomas, *Cuba*, 811.

21. Thomas, *Cuba*, 814-16.

22. Cité dans *ibid.*, 819.

23. Pour Castro, voir Luis Conte Aguero *Fidel Castro, Psiquiatria y Politica* (Mexico, 1968 éd.), qui est défavorable; et Herbert Matthews, *Castro : a Political Biography* (Londres, 1969), qui manifeste davantage de sympathies.

24. Thomas, *Cuba*, 946.

25. Cité dans *ibid.*, 977.

26. Pour la politique des États-Unis vis-à-vis de Batista et Castro, voir Earl Smith, *The Fourth Floor* (New York, 1962) and *Communist Threat to the USA through the Caribbean : Hearings of the Internal Security Sub-committee, US Senate* (Washington DC, 1959-1962).

27. Smith, *Fourth Floor*, 60.

28. Thomas, *Cuba*, 1038-44.

29. E. Guevara, *Œuvres Révolutionnaires 1959-1967* (Paris, 1968), 25.

30. Smith, *Fourth Floor*, 170.

31. Thomas, *Cuba*, 1071ff.

32. *Ibid.*, 1197.

33. *Ibid.*, 1202-3.

34. *Ibid.*, 1233-57.

35. *Ibid.*, 969-70.

36. Schlesinger, *Robert Kennedy*, 452.

37. *Ibid.*, 445.

38. En ce qui concerne l'attitude de J.F. Kennedy dans l'affaire de la Baie des Cochons, voir Haynes Johnson, *The Bay of Pigs* (New York, 1964) et Arthur Schlesinger, *A Thousand Days* (Boston, 1965), chapitres X-XI.

39. Thomas, *Cuba*, 1365.

40. *Ibid.*, 1371.

41. Schlesinger, *Robert Kennedy*, 472; *Readers'Digest*, novembre 1964.

42. *Alleged Assassination Plots involving Foreign Leaders* (Washington DC, 1975), 14.

43. *Ibid.*, rapports intermédiaires et

finals; Schlesinger, *Robert Kennedy*, chapitre 21.

44. H.S. Dinerstein, *The Making of a Missile Crisis* (Baltimore, 1976), 156; voir aussi Talbot (éd.), *op. cit.*

45. Jean Daniel in *L'Express*, 14 décembre 1963 et *New Republic*, 21 décembre 1963; Claude Julien, *Le Monde*, 22 mars 1963.

46. Schlesinger, *Robert Kennedy*, 504-5.

47. *Ibid.*, 507-11.

48. Pour un compte rendu interne de la crise des missiles, voir Robert Kennedy, *Thirteen Days : a memoir of the Cuban Missile Crisis* (New York, 1971 éd.).

49. Cité dans Michel Tatu, *Le pouvoir en URSS*, 1967, Grasset.

50. *Newsweek*, 28 octobre 1963.

51. Edwin Guthman, *We Band of Brothers* (New York, 1971), 26; *Saturday Review*, 15 octobre 1977.

52. Thomas, *Cuba*, 1414.

53. Cité dans Schlesinger, *Robert Kennedy*, 531.

54. Talbot (éd.), *op. cit.*, 511.

55. Cité dans Schlesinger, *Robert Kennedy*, 530-1.

56. *Ibid.*, 523 et note.

57. Thomas, *Cuba*, 1418.

50. Cité dans Hollander, *op. cit.*, chapitre 6 : « Revolutionary Cuba and the discovery of the New World », esp. 234ff.

59. Hugh Thomas in *The Times Literary Supplement*, 10 avril 1981, 403.

60. Voir Werner von Braun et F.I. Ordway, *La fusée à travers les âges*, trad. anglaise, 1977, éd. France-Empire.

61. Cité par Hugh Sidey, qui était présent, dans son *John F. Kennedy : Portrait of a President* (Londres, 1964).

62. H. Young, *et al.*, *Journey to Tranquillity : the History of Man's Assault on the Moon* (Londres, 1969), 109-10.

63. Cité dans Leslie H. Gelb et Richard K. Betts, *The Irony of Vietnam : the System Worked* (Washington DC, 1979), 70-1.

64. W.W. Rostow, *The Diffusion of Power : an essay in recent history* (New York, 1972), 265.

65. Voir Archimedes L.A. Patti, *Why Viêt-nam? Prelude to America's Albatros* (Université de Californie, 1981); mais voir Dennis Duncanson, *The Times Literary Supplement*, 21 août 1981, 965.

66. Truman, *op. cit.*, I 14-15.

67. Acheson, *op. cit.*, 675-6.

68. Acheson, discours au National Press Club, *Department of State Bulletin*, 23 janvier 1950, 115f.

69. Kennan, *Memoirs 1950-1963*, 59.

70. D. Eisenhower, *Public Papers* (1954), 253, 306; Gelb and Betts, *op. cit.*, 60.

71. Eisenhower, conférence de presse, 7, 26 avril 1954; Gelb and Betts, *op. cit.*, 59.

72. Eisenhower, *Public Papers* (1959), 71.

73. De Gaulle, *op. cit.*

74. J.F. Kennedy, *Public Papers*, II 90.

75. Schlesinger, *A Thousand Days*, 547.

76. David Halberstam, *On les disait les meilleurs et les plus intelligents* (Robert Laffont, 1974).

77. Cité dans Henry Graff, *The Tuesday Cabinet : Deliberation and Decision in Peace and War under Lyndon B. Johnson* (New York, 1970), 53.

78. Gelb and Betts, *op. cit.*, 104 note 31; mais voir aussi Joseph C. Goulden, *Truth is the First Casualty : the Gulf of Tonkin Affair* (New York, 1969), 160.

79. Gelb and Betts, *op. cit.*, 117-18.

80. *Ibid.*, 120-3.

81. Lyndon Johnson, *Public Papers*, IV 291.

82. Cité dans Halberstam, *op. cit.*

83. Graff, *op. cit.*, 81.

84. Gelb and Betts, *op. cit.*, 135ff.

85. Doris Kearns, *Lyndon Johnson and the American Dream* (New York, 1976), 264.

86. Gelb and Betts, *op. cit.*, 139-43.

87. Guenther Lewy, « Viêt-nam : New Light on the Question of American Guilt », *Commentary*, février 1978.

88. Gelb and Betts, *op. cit.*, 214-15.

89. Lewy, *op. cit.*

90. Gelb and Betts, *op. cit.*, 171.

91. Peter Braestrup, *Big Story : How the American Press and TV Reported and Interpreted the Crisis of Tet 1968 in Viêt-nam and Washington*, 2 vol. (Boulder, 1977).

92. John Mueller, *War, Presidents and Public Opinion* (New York, 1973).

93. Gelb and Betts, *op. cit.*, 130.

94. William Lunch et Peter Sperlich, « American Public Opinion and the War in Viêt-nam », *Western Political Quarterly*, Utah, mars 1979.

95. Don Oberdorfer, *Tet!* (New York, 1971), 289-90.

96. Sidney Verba *et al*, *Viêt-nam and the Silent Majority* (New York, 1970); Stephen Hess, « Foreign Policy and Presidential Campaigns », *Foreign Policy*, automne 1972.

97. Herbert Y. Shandler, *The Unmaking of a President : Lyndon Johnson and Vietnam* (Princeton, 1977), 226-9.

98. Kearns, *op. cit.*, 286, 282-3.

99. Schlesinger, *Robert Kennedy*, 1002.

100. Lyndon Baines Johnson, *The Vantage Point : perspectives of the Presidency 1963-1969* (New York, 1971), 81.

101. Johnson, allocution à l'université de Michigan, mai 1964, citée dans Lawrence J. Wittner, *Cold War America : from Hiroshima to Watergate* (New York, 1974), 239-40.

102. Johnson, *Vantage Point*, 322-4 ; *New York Times*, 10 août 1965 ; Wittner, *op. cit.*, 247-8.

103. Johnson, *Vantage Point*, 330, 172-3.

104. *Office of Management and Budget : Federal Government Finances* (Washington DC, 1979) ; pour un calcul légèrement différent, voir Rostow, *World Economy*, 272, Table III-65.

105. Larry-Berman, *The Office of Management and Budget and the Presidency 1921-1979* (Princeton, 1979).

106. Johnson, *Vantage Point*, 435, 442ff., 450-1.

107. *Ibid.*, 87.

108. Stanley Lebergott, *Wealth and Want* (Princeton, 1975), 11-12.

109. Daniel P. Moynihan, *The Negro Family* (New York, 1965).

110. Daniel P. Moynihan, *Maximum Feasible Misunderstanding* (New York, 1968).

111. Cité par Diane Divoky, « A Loss of Nerve », *Wilson Review*, automne 1979.

112. C.P. Snow, *The Two Cultures and the Scientific Revolution* (Cambridge, 1959).

113. Edward F. Denison, *Sources of Economic Growth* (New York, 1962) ; Fritz Machlup, *The Production and Distribution of Knowledge in the United States* (Princeton, 1962).

114. Clark Kerr, *The Uses of the University* (New York, 1966).

115. Cité par Lewis B. Mayhew, *Higher Education in the Revolutionary Decades* (Berkeley, 1967), 101ff.

116. Charles E. Finn, *Scholars, Dollars, and Bureaucrats* (Washington DC, 1978), 22.

117. *On Further Examination : Report of the Advisory Panel on the Scholastic Aptitude Test score decline* (College Entrance Examination Board, New York, 1977).

118. Par exemple, *National Institute of Education Compensatory Education Study* (New York, 1978).

119. Divoky, *op. cit.*

120. Christopher Jenks, *Who Gets Ahead ? The Determinants of Economic Success in America* (New York, 1979).

121. Voir Arnold Heertje (éd.), *Schumpeter's Vision : Capitalism, Socialism and Democracy after Forty Years* (Eastbourne, 1981).

122. Wittner, *op. cit.*, 246-7.

123. Trilling, *Last Decade*, 174.

124. Wittner, *op. cit.*, 292.

125. Cité par Trilling, *Last Decade*, 111.

126. Fritz Stern, « Reflections on the International Student Movement », *The American Scholar*, 40 (hiver 1970-1971), 123-37.

127. Paul Joubert et Ben Crouch, « Mississippi blacks and the Voting Rights Act of 1965 », *Journal of Negro Education*, printemps 1977.

128. Jack Bass and Walter de Vries, *The Transformation of Southern Politics* (New York, 1976).

129. Cité dans Schlesinger, *Robert Kennedy*, 330 ; voir D.W. Matthews et J.R. Prothero, *Negroes and the New Southern Politics* (New York, 1966), 240ff.

130. *Report of the National Advisory Commission on Civil Disorders* (Washington DC, 1968), 56.

131. Johnson, *Vantage Point*, 95.

132. Cité dans Wittner, *op. cit.*, 283.

133. Bohlen, *op. cit.*, 210.

134. Cité dans Arthur Schlesinger, *The Imperial Presidency* (Boston, 1973), 123.

135. Thomas Cronic, « The Textbook Presidency and Political Science », *Congressional Record*, 5 octobre 1970.

136. Wilfred Binkley, *New Republic*, 18 mai 1953.

137. *New York Times*, 18 mai 1954 ; *Washington Post*, 20 mai 1954.

138. Schlesinger, *Imperial Presidency*, 169.

139. David Broder cité dans Safire, *op. cit.*, 171.

140. *Ibid.*, 70,75.

141. Wittner, *op. cit.*, 300-1.

142. Richard Nixon, *Public Papers, 1969* (Washington DC, 1971), 371.

143. Gelb and Betts, *op. cit.*, 350.

144. Safire, *op. cit.*, 369.

145. *Ibid.*, 375-9.

146. Test of Agreement in *State Depart-*

ment Bulletin, 12 février 1973; Gelb and Betts, *op. cit.*, 350.

147. Safire, *op. cit.*, 117-18.

148. *Ibid.*, 360.

149. Wittner, *op. cit.*, 370-1.

150. Cité dans Safire, *op. cit.*, 264.

151. Richard W. Steele, « Franklin D. Roosevelt and his Foreign Policy Critics », *Political Science Quarterly*, 1979, 22 note 27.

152. *Ibid.*, 18; Saul Alindky, *John L. Lewis* (New York 1970), 238; Safire, *op. cit.*, 166.

153. Trohan, *op. cit.*, 179; *Daily Telegraph*, 4 mars 1982.

154. Schlesinger, *Robert Kennedy*, 403ff; Roger Blough, *The Washington Embrace of Business* (New York, 1975).

155. Schlesinger, *Robert Kennedy*, 311-12.

156. Fred Friendly, *The Good Guys, the Bad Guys and the First Amendment* (New York, 1976), chapitre III.

157. Safire, *op. cit.*, 166.

158. Schlesinger, *Robert Kennedy*, 362ff.; Senate Select Committee (on) Intelligence Activities (Church Committee), *Final Report* (Washington, 1976), II 154, III 158-60.

159. Trohan, *op. cit.*, 136-7.

160. *Ibid.*, 326; Judith Exner, *My Story* (New York, 1977).

161. Alfred Steinberg, *Sam Johnson's Boy* (New York, 1968), 671.

162. For Johnson's misdemeanours, see Robert A. Caro, *The Years of Lyndon Johnson* (New York, 1982 and forthcoming).

163. Charles Roberts, *LBJ's Inner Circle* (New York, 1965), 34; Schlesinger, *Imperial Presidency*, 221; Voir « The Development of the White House Staff », *Congressional Record*, 20 juin 1972.

164. Safire, *op. cit.*, 166ff.

165. *Ibid.*, 357.

166. Fred Thompson, *At That Point in Time* (New York, 1980).

167. *Will : the Autobiography of G. Gordon Liddy* (Londres, 1981), 300.

168. Voir par exemple, Maurice Stans,

The Terros of Justice : the untold side of Watergate (New York, 1979), et James Nuechterlein, « Watergate : towards a Revisionist View »,*Commentary*, août 1979 Sirica fournit sa propre explication : John J. Sirica, *To Set the Record Straight* (New York, 1979).

169. *Daily Telegraph*, 15 janvier et 5-6 février 1982.

170. Anthony Lukas, *Nightmare : the Underside of the Nixon Years* (New York, 1976), 375ff.; Safire, *op. cit.*, 292.

171. Tom Bethell et Charles Peters, « The Imperial Press », *Washington Monthly*, novembre 1976.

172. Lee H. Hamilton et Michael H. Van Dusen, « Making the Separation of Powers Work », *Foreign Affairs*, automne 1978.

173. Conférence sur le Pouvoir à l'université de Georgetown reproduite dans Williamsburg, Virginia, *Wall Street Journal*, 15 mai 1980.

174. Gerald Ford, *Public Papers 1975* (Washington DC, 1977), 119.

175. *State Department Bulletin*, 14 avril 1975.

176. *Political Change in Wartime : the Khmer Krahom Revolution in Southern Cambodia 1970-1974*, papier (article) donné à l'American Political Science Association Convention, San Francisco, 4 septembre 1975.

177. *Ibid.*

178. (Témoignages). Évidence recueillie d'après plus de 300 réfugiés dans les camps de Thaïlande, Malaisie, France et USA, octobre 1975 - octobre 1976, paru dans John Barron et Anthony Paul, *Un peuple assassiné*, trad. américaine, 1978, Denoël.

179. *Ibid.*, *New York Times*, 9 mai 1974, 31 octobre 1977, 13 mai 1978; *Washington Post*, 21 juillet 1977, 2, 3, 4 mai et 1er juin 1978.

180. Barron et Paul, *op. cit.*

181. *Ibid.*

182. *Annual Register* 1981 (Londres, 1982).

VII. LE COLLECTIVISME DES ANNÉES 70

1. *New York Times*, 31 décembre 1933.

2. Lettre à Montagu Norman, *Collected Writings of J.M. Keynes* xxv 98-9.

3. Rostow , *World Economy*, 68, Table II-7.

4. *Ibid.*, 49.

5. Richard Austin Smith, « The Incredible Electrical Conspiracy », *Fortune*, avril-mai 1961.

6. Schlesinger, *Robert Kennedy*, 405.

7. *Christian Science Monitor*, 16 avril 1962; *Wall Street Journal*, 19 avril 1962.

8. Robert Sobell, *The Last Bull Market : Wall Street in the 1960s* (New York, 1980).

9. James Lorie, « The Second Great Crash », *Wall Street Journal*, 2 juin 1980.

10. Robert DeFina, *Public and Private Expenditures for Federal Regulation of Business* Université de Washington (Saint-Louis, 1977); Murray L. Weidenbaum, *Government Power and Business Performance* (Stanford, 1980).

11. Weidenbaum, *op. cit.*

12. Edward F. Denison in *Survey of Current Business* (US Department of Commerce, Washington DC, janvier 1978).

13. Denison, *Survey of Current Business*, août 1979 (Part II); et son *Accounting for Slower Economic Growth : the United States in the 1970s* (Washington DC, 1980).

14. R.A. Maidment, « The US Supreme Court and Affirmative Action : the Cases of Bakka, Weber and Fullilove », *Journal of American Studies*, décembre 1981.

15. Laurence H. Silberman, « Will Lawyers Strangle Democratic Capitalism ? », *Regulation* (Washington DC, mars/avril 1978).

16. John Osborne, *White House Watch : the Ford Years* (Washington DC, 1977), 68.

17. *Washington Star*, 16 avril 1980; *Washington Post*, 18 avril 1980; *Wall Street Journal*, 24 avril 1980; Carl Cohen, « Justice Debased : the Weber Decision », *Commentary*, septembre 1979.

18. Richard Fry (éd.), *A Banker's World* (Londres 1970), 7.

19. Discours — Conférence monétaire internationale — 11 juin 1979; cité dans Anthony Sampson, *The Money Lenders : Bankers in a Dangerous World* (Londres, 1981), chapitre VII, 106ff., décrit l'origine du système des Eurodollars.

20. Geoffrey Bell, *The Eurodollar Market and the International Financial System* (New York, 1973).

21. Irving Friedman, *The Emerging Role of Private Banks in the Developing World* (New York, 1977).

22. Charles Coombs, *The Arena of International Finance* (New York, 1976), 219.

23. Geoffrey Bell, « Developments in the International Monetary System Since Floating », *Schroders International*, novembre 1980.

24. Rostow, *World Economy*, 248-9.

25. *Ibid.*, 260-1 and Table III-59.

26. *Ibid.*, 254-5.

27. J.B. Kelly, *Arabia, the Gulf and the West* (Londres, 1980).

28. Teddy Kollek, « Jerusalem », *Foreign Affairs*, Juillet 1977.

29. P.J. Vatikiotis, *Nasser and his Generation* (Londres, 1978).

30. Ruth First, *Libya : the Elusive Revolution* (Harmondsworth,1974), 201-4.

31. Henry Kissinger, *Years of Upheaval* (Londres, 1982).

32. Martin Gilbert, *The Arab-Israel Conflict* (Londres, 1974), 97.

33. Cité dans Poole, *op. cit.*, 247; Scott Sagan, « The Yom Kippur Alert », *Foreign Policy*, automne 1979.

34. Kissinger, *op. cit.*

35. Rostow, *World Economy*, 295.

36. *Ibid.*, 290-5.

37. Charles R. Morris, *The Cost of Good Intentions : New York City and the Liberal Experiment* (New York, 1980), 234.

38. *House Banking Committee : International Banking Operations*, hearings (Washington DC, 1977), 719.

39. Cité dans Sampson, *The Money Lenders*, 126-7.

40. Seth Lipsky, *The Billion Dollar Bubble* (Hong Kong, 1978).

41. *Wall Street Journal*, 25-26 juin 1980.

42. Bruce Palmer (éd.), *Grand Strategy for the 1980s* (Washington DC, 1979), 5.

43. *Annual Defence Department Report, Financial Year 1977* (Washington DC, 1977), section V.

44. Osborne, *op. cit.*, XXXIII.

45. *Ibid.*, 32.

46. Paula Smith : « The Man Who Sold Jimmy Carter », *Dun's Review* (New York), août 1976.

47. Robert W. Tucker, « America in Decline : the Foreign Policy of "Maturity" », *Foreign Affairs*, 58 (automne 1979), 450-84.

48. Articles de Judith Reppy et Robert Lyle Butterworth dans symposium on American Security Policy and Policy-Making, *Policy Studies Journal*, automne 1979.

49. Jeane Kirkpatrick, cité par « Dictatorship and Double Standards : a Critique of US Policy », *Commentary*, novembre 1979.

50. Michael A. Ledeen et William H. Lewis, « Carter and the Fall of Shah : the Inside Story » *Washington Quarterly*, été 1980, 15ff.

51. Cité dans Thomas L. Hughes : « Carter and the Management of Contradictions », *Foreign Policy*, 31 (été 1978), 34-55 ; Simon Serfaty, « Brzezinski : Play it Again, Zbig », *Foreign Policy*, 32 (automne 1978), 3-21 ; Elisabeth Drew, « Brzezinski », *New Yorker*, 1er mai 1978 ; et Kirpatrick, *op. cit.*

52. Voir Robert Legvold, « The Nature of Soviet Power », *Foreign Affairs*, 56 (automne 1977), 49-71.

53. Cité dans Ronald Hingley, *The Russian Secret Police* (Londres, 1970), 222.

54. Robert Payne, *The Rise and Fall of Stalin* (Londres, 1968), 718-19.

55. Kolakowski, *op. cit.*, III « Destalinization ».

56. Pour le coup d'État, voir Michel Tatu, *Le Pouvoir en URSS* 1967, Grasset ; Hingley, *Russian Secret Police*, 43-5.

57. Hélène Carrère d'Encausse, *Le Pouvoir Confisqué : Gouvernants et Gouvernés en URSS* (Paris, 1981).

58. Cité dans Robert C. Tucker, « Swollen State, Spent Society : Stalin's Legacy to Brezhnev's Russia », *Foreign Affairs*, 60 (Winter 1981-1982), 414-25.

59. Voir CIA, *A Dollar Comparison of Soviet and US Defence Activities 1967-1977* (Washington DC, janvier 1978) ; Les Aspin, « Putting Soviet Power in Perspective », *AEI Defense Review* (Washington DC, juin 1978).

60. National Foreign Assessment Center, *Handbook of Economic Statistics* 1979 (Washington DC).

61. Talbot (éd.), *op. cit.*, 131.

62. Arcadius Kahan et Blair Rible (éd.), *Industrial Labour in the USSR* (Washington DC, 1979).

63. Voir Joint Economic Committee, Congress of the USA, *Soviet Economy in a Time of Change* (Washington DC, 1979).

64. Voir la déclaration de Soljenitsyne « Misconceptions about Russia are a Threat to America », *Foreign Affairs*, 58 (printemps 1980), 797-834.

65. *Arkhiv samizdata*, Document numéro 374, cité dans Tucker, *op. cit.*

66. Mark Popovsky, *Manipulated Science : the Crisis of Science and Scientists in the Soviet Union Today* (tr., New York, 1979), 179.

67. Voir Evgeny Pashukanis, *Selected Writings on Marxism and Law* (tr. Londres, 1980) ; Eugene Kamenka, « Demythologizing the Law », *The Times Literary Supplement*, 1er mai 1981, 475-6.

68. Tufton Beamish et Guy Hadley, *The Kremlin Dilemma : the struggle for Human Rights in Eastern Europe* (Londres, 1979), 24.

69. Roy Medvedev, *On Soviet Dissent : interviews with Piero Ostellino* (tr., Londres, 1980), 61.

70. *Ibid.*, 53-4.

71. Bavel Litvinov (éd.), *The Trial of the Four* (Londres, 1972).

72. Beamish and Hadley, *op. cit.*, 216ff.

73. *Ibid.*, 221ff.

74. I.Z. Steinberg, *Spiridonova : Revolutionary Terrorist* (Londres, 1935), 241-2 ; en fait, elle fut mise en garde à vue au Kremlin jusqu'à son évasion en avril 1919.

75. Sidney Bloch et Peter Reddaway, *Russia's Political Hospitals : the Abuse of Psychiatry in the Soviet Union* (Londres, 1977), 51-3.

76. Le *Samizdat* autobiographique de Yarkov passa clandestinement à l'Ouest en 1970.

77. *Pravda*, 24 mai 1959.

78. Voir le témoignage de quarante-quatre médecins psychiatres britanniques dans C. Mee (éd.), *The Internment of Soviet Dissenters in Mental Hospitals* (Londres, 1971).

79. Bloch et Reddaway, *op. cit.*, 311ff. ; voir aussi I.F. Stone, *New York Review of Books*, 10 février 1972, 7-14.

80. L'ensemble est résumé dans Bloch et Reddaway, *op. cit.*, Appendice I, 347-98.

81. *Ibid.*, 57.

82. *Abuse of Psychiatry for Political Repression in the Soviet Union*, US Senate Judiciary Committee (Washington DC, 1972).

83. Bloch and Reddaway, *op. cit.*, 220-30.

84. Medvedev, *On Soviet Dissent*, 142-3.

85. *Reprints from the Soviet Press*, 30 avril 1977, 22-3.

86. *Index on Censorship* (Londres), n° 41980 ; Vladimir Bukovsky, « Critical Masses : the Soviet Union's Dissident Many », *American Spectator*, août 1980 ; voir aussi Joshua Rubenstein, *Soviet Dissidents : their Struggle for Human Rights* (Boston, 1981).

87. Alva M. Bowen, « The Anglo-German and Soviet-American Naval Rivalries :

Some Comparisons », dans Paul Murphy (éd.), *Naval Power and Soviet Policy* (New York, 1976).

88. James L. George (éd.), *Problems of Sea-Power as we approach the 21st Century* (Washington DC, 1978), 18.

89. Sulzberger, *op. cit.*, 698.

90. Les articles collectifs de Gorkov sont publiés, traduits, par l'École Navale des USA (Annapolis) sous le titre de : *Red Star Rising at Sea et Sea-Power and the State.*

91. George, *op. cit.*, 17.

92. Admiral Elmo Zumwalt, *On Watch* (New York, 1976), 444-5.

93. Richard Fagen, « Cuba and the Soviet Union », *Wilson Review*, hiver 1979.

94. Mahgoub, *op. cit.*, 277.

95. Cité dans Fagen, *op. cit.*

96. Jonathan Kwitny, « "Communist" Congo, "Capitalist" Zaire », *Wall Street Journal*, 2 juillet 1980.

97. Albert Wohlstetter (éd.), *Swords from Ploughshares : the Military Potential of Civilian Nuclear Energy* (Chicago, 1979), XIII.

98. *Ibid.*, 17.

99. Lawrence Scheinman, *Atomic Policy in France under the Fourth Republic* (Princeton, 1965), 94-5.

100. Pour le Japon, voir Wohlstetter, *op. cit.*, chapitre 5, 111-25 ; Geoffrey Kemp, *Nuclear Forces for Medium Powers* (Londres, 1974).

101. Wohlstetter, *op. cit.*, 44-5.

102. Voir Claire Sterling, Le Temps des assassins, Mazarine, 1984.

103. Caroline Moorehead, *Fortune's Hostages : Kidnapping in the World Today* (Londres, 1980).

104. Christopher Dobson and Ronald Payne, *The Carlos Complex : a pattern of violence* (Londres, 1977), 30-44.

105. Pour ces deux cas, voir Sterling, *op. cit.*

106. « The Most Sinister Growth Industry », *The Times*, 27 octobre 1981.

107. Cet argument est soulevé dans l'ouvrage de Paul Johnson, « The Seven Deadly Sins of Terrorism », Conférence de Jérusalem sur le terrorisme international, publié par l'Institut Jonathan, Jérusalem, 1979.

108. Moynihan, *A Dangerous Place*, 86.

109. *Ibid*, 157-8.

110. *Ibid.*, 197.

111. Rostow, *World Economy*, Table II-71, 285.

112. Alfred Sauvy, *L'Observateur*, 14 août 1952.

113. Carl E. Pletsch, « The Three Worlds, or the Division of Social Scientific Labour, 1950-1975 », *Comparative Studies in Society and History*, octobre 1981.

114. Jahangir Amuzegar, « A Requiem for the North-South Conference », *Foreign Affairs*, 56 (octobre 1977), 136-59.

115. *North-South : a Programme for Survival* (Massachusetts Institute of Technology, mars 1980.

116. Theodore Moran, *Multinational Corporations and the Politics of Dependence : Copper in Chile* (Princeton, 1974) ; Charles Goodsell, *American Corporations and Peruvian Politics* (Harvard, 1974).

117. Lawrence Franco, « Multinationals : the end of US dominance », *Harvard Business Review*, novembre-décembre 1978.

118. « Finis for the American Challenge ? », *Economist*, 10 septembre 1977.

119. *The Banker* (Londres, juin 1980) ; Sampson, *The Moneylenders*, 200-2.

120. *Euromoney*, juillet 1980 ; cité par Sampson in *The Moneylenders*, 257.

121. World Bank estimates, décembre. Estimations de la Banque mondiale, 1981.

122. Richard Baricuck, « The Washington Struggle over Multinationals », *Business and Society Review*, été 1976.

123. Paul Hollander, « Reflections on Anti-Americanism in our time », *Worldview, juin 1978.*

124. Marx, *Fondements de la critique de l'économie politique*, cité dans Maurice Gordelier, « Marxisme et Structuralisme », in Tom Bottomore (éd.), *Modern Interpretations of Marx* (Oxford, 1981).

125. Rostow, *World Economy*, Table III-68, 279.

126. Ernest Gellner, « What is Structuralism ? », *The Times Literary Supplement*, 31 juillet 1981, 881-3.

VIII. PALIMPSESTES POUR LA LIBERTÉ

1. John Gribbin, *Our Changing Universe : the New Astronomy* (Londres, 1976).

2. Dr Edward Tryon, *Nature*, 246 (1973), 393.

3. *Wissenschaftliche Selbsbiographie* (Leipzig, 1948), cité par Thomas Kuhn in A.C. Crombie (éd.), *Scientific Change* (Londres, 1963), 348.

4. A.C. Ewing, « The linguistic theory of *a priori* propositions », *Proceedings of the Aristotelian Society*, XI 1939-1940, 217.

5. W.V.O. Quine, *From a Logical Point of View* (New York, 1953).

6. H. Putnam, « Is Logic Empirical ? » in R.S. Cohen (éd.), *Boston Studies in the Phylosophy of Science*, V 1969.

7. Susan Haack, *Deviant Logic : some philosophical issues* (Londres, 1974), XI.

8. J. Jay Zeman, *Modal Logic : the Lewis-modal Systems* (Oxford, 1973).

9. David Martin : *The Religious and the Secular* (Londres, 1969).

10. Edward Royle, *Victorian Infidels* (Manchester, 1974).

11. H. Newman, *The Idea of a University* (Londres, 1853).

12. Vincent C. Chrypinski, « Polish Catholicism and Social Change », in Bociurkiw *et al.* (éd.), *op. cit.*, 241-59; Peter Raina, *Political Opposition in Poland 1954-1977* (Londres, 1978), 406ff.

13. J.C.H. Aveling, *The Jesuits* (Londres, 1981), 355-65.

14. *Annuario Ufficiale* (Cité du Vatican), 1978.

15. Peter Nichols, *The Pope's Divisions : the Roman Catholic Church Today* (Londres, 1981), 22-38.

16. *Ibid.*, 35ff.

17. Edward Fashole-Like *et al.*, *Christianity in Independant Africa* (Londres, 1979).

18. Pour avoir deux aspects de ce processus, voir Ivan Vallier, *Catholicism, Social Control and Modernization in Latin America* (Santa Cruz, 1970), et Edward Norman, *Christianity in the Southern Hemisphere* (Oxford, 1981).

19. Roger Bastide, *The African Religions of Brazil* (Baltimore, 1978).

20. Bengt G.M Sundkler, *Zulu Zion and Some Zwazi Zionists* (Oxford, 1976).

21. John Bullock, *Death of a Country : Civil War in Lebanon* (Londres, 1977).

22. William Forbis, *Fall of the Peacock Throne* (New York, 1980), 45.

23. Kayhan Research Associates, *Iran's Fifth Plan* (Téhéran, 1974); Jahangir Amuzegar, *Iran : an Economic Profile* (Washington DC, 1977).

24. Forbis, *op. cit.*, 237ff.

25. *Ibid.*, 73-4.

26. Grace Goodell, « How the Shah De-Stabilized Himself », *Policy Review* (Washington DC, printemps 1981).

27. Forbis, *op. cit.*, 259-61.

28. Goodell, *op. cit.*

29. Forbis, *op. cit.*, 74.

30. Michael A. Ledeen et William H. Lewis, « Carter and the Fall of the Shah », *Washington Quarterly*, été 1980.

31. Shahrough Akhavi, *Religion and Politics in Contemporary Iran : Clergy-State Relations in the Pahlavi Period* (New York, 1980).

32. Tableaux donnés par les anciennes associations iraniennes Bar dans une lettre adressée au secrétaire général des Nations unies, août 1981.

33. Voir le rapport d'Amir Taheri, *Sunday Times*, 23 août 1981.

34. *Sunday Times*, 6 septembre 1981.

35. Pour les différentes versions concernant l'implication soviétique, voir M.E. Yapp in *The Times Literary Supplement*, 3 juillet, 753, et 25 septembre 1981, 1101; et Antony Arnold, *The Soviet Invasion of Afghanistan in Perspective* (Stanford, 1981), 68-71.

36. John Griffiths, *Afghanistan : Key to a Continent* (Londres, 1981).

37. *The Times*, 21 janvier 1980.

38. *Daily Telegraph*, 21 février 1980.

39. Nancy Peabody Newell et Richard S. Newell, *The Struggle for Afghanistan* (Cornell, 1981).

40. Selig S. Harrison, « Nightmare in Baluchistan », *Foreign Policy*, automne 1978.

41. Cité dans Cecil Kaye, *Communism in India*, édité par Subodh Roy (Calcutta, 1971), 272.

42. Hélène Carrère d'Encausse, *L'Empire éclaté*, 1979, Flammarion.

43. *Ibid.*

44. Lénine *Imperialisme*, préface.

45. Carrère d'Encausse, *L'Empire éclaté*,

et 42-3 pour la carte des nationalités.

46. *Ibid.*, 155.

47. Brian Silver, « The status of national minority languages in Soviet education : an assessment of recent changes », *Soviet Studies* 25 n° 1 (1974).

48. Y. Bilinsky, « Politics, Purge and Dissent in the Ukraine » in L. Kamenetsky (éd.), *Nationalism and Human Rights : Processes of Modernization in the USSR* (Colorado, 1977) ; P. Botychnyi (éd.), *The Ukraine in the Seventie :* (Oakville, Ontario, 1975), 246 ; Carrère d'Encausse, *L'Empire éclaté.*

49. Msksudov, *op. cit.* ; Carrère d'Encausse, *L'Empire éclaté.*

50. Carrère d'Encausse, *L'Empire éclaté.*

51. *Ibid.*, 173-4.

52. Christel Lane, « Some explanations for the persistence of religion in Soviet society », *Sociology*, mai 1974 ; voir Trevor Ling, *Karl Marx and Religion* (Londres, 1980).

53. Cité par Philip T. Girer, *Marxist Ethical Theory in the Soviet Union* (Dordrecht, 1978), 147.

54. « Macroeconomic evidence of the value of machinery imports to the Soviet Union » in J.R. Thomas *et al.* (éd.), *Soviet Science and Technology* (Washington DC, 1977) ; Stanislaw Gomulka, « The growth and the import of technology : Pologne 1971-1980 », *Cambridge Journal of Economics*, mars 1978.

55. Sampson, *The Moneylenders*, 265-6.

56. Talbot (éd.), *op. cit.*, 120ff., 139-43.

57. Rostow, *World Economy*, 303, 587 ; US Department of Agriculture, *The World Food Situation and Prospects to 1985* (Washington DC, décembre 1974).

58. Raymond F. Hopkins, « How to make food work », *Foreign Policy*, 27 (été 1977), 89-107 ; Dan Morgan, *Merchants of Grain* (New York, 1979).

59. CIA, *Potential of Trends in World Populations, Food Production and Climate* (Washington DC, août 1974).

60. Emma Rothschild, « Food Politics », *Foreign Affairs*, 54 (janvier 1976), 285-307.

61. Samuel P. Huntington, « Trade, Technology and Leverage : Economic Diplomacy », *Foreign Policy*, 32 (automne 1978), 75.

62. John D. Durand, « The Modern Expansion of World Population », *Proceedings of the American Philosophical Society*, 111 (juin 1967), 136-59.

63. Rostow, *World Economy*, Table I-8, 16.

64. *Ibid.*, Table I-13, 25.

65. *ONU Demographic Yearbook* 1971.

66 *Washington Post et Wall Street Journal*, 10 juillet 1980.

67 Rostow, *World Economy*, Table I-15, 30.

68 Texte de la constitution, H. Borton. *Japan's Modern Century* (New York, 1955), 4-507.

69 Kazuo Kawai, *Japan's American Interlude* (Chicago, 1960).

70 R.P. Dore, *Land Reform in Japan* (Oxford, 1959) ; Kurt Steiner, *Local Government in Japan* (Stanford, 1965).

71 John M. Maki, *Court and Constitution in Japan* (Seattle, 1964).

72 Richard Storry, *The Times Literary Supplement*, 5 septembre 1980, 970 ; voir J.W. Dower, *Empire and Aftermath : Yoshida Shigeru and the Japanese Experience, 1878-1954* (Harvard, 1980).

73 Andra Boltho, *Japan : an Economic Survey* (Oxford, 1975), 8 note ; S. Kuznets, *Economic Growth of Nations* (Harvard, 1971), 30-1, 38-40.

74 Rostow, *World Economy*, 275.

75 Ezra F. Vogel, « The Challenge from Japan », conférence donnée à Harvard sur la compétitivité des USA, 25 avril 1980.

76 J.A.A. Stockwin, *Japan : Divided Politics in a Growth Economy* (Londres, 1975), 1-3.

77 Beasley, *op. cit.*, 286.

78 Boltho, *op. cit.*, 167-8.

79 James Kirkup, *Heaven, Hell and Hara-Kiri* (Londres, 1974), 248-52.

80 CIA, *Handbook of Economic Statistics 1979* (Washington DC, 1980).

81 Cité par Frank Gibney, « The Ripple Effect in Korea », *Foreign Affairs*, octobre 1977.

82 Voir édition spéciale de *Wilson Review,*, automne 1979.

83 Cité par Sampson, *Les banquiers dans un monde dangereux*, trad. anglaise, Robert Laffont, 1982.

84 I.M.D. Little, « The experience and causes of rapid labour-intensive development in Korea, Taiwan, Hong Kong and Singapore, and the possibilities of emulation », *ILO Working Paper* (Bangkok, 1979).

85 Rostow, *World Economy*, 548-51.

86 *Handbook of Economic Statistics*

1979; David Nevin, *The American Touch in Micronesia* (New York, 1977).

87 Stefan de Vylder, *Allende's Chile : the political economy of the rise and fall of the Unidad Popular* (Cambridge, Mass., 1976); Brian Loveman, *Struggle in the Countryside : politics and rural Labour in Chile, 1919-1973* (Indiana, 1976).

88 Ian Roxborough *et al.*, *Chile : the State and Revolution* (Londres, 1977), 146-7.

89 *Ibid.*, 226.

90 *Newsweek*, 8 octobre 1973.

91 Joseph L. Nogee and John W. Sloan, « Allende's Chile and the Soviet Union », *Journal of Interamerican Studies and World Affairs*, août 1979.

92 W. Baer and I. Kerstenetsky (éd.), *Inflation and Growth in Latin America* (Homewood, Illinois, 1964).

93 Cité dans Sampson, *op. cit.*

94 Édition spéciale sur le Mexique, *Wilson Quarterly*, été 1979 ; Michael Meyer et William Sherman, *The Course of Mexican History* (Oxford, 1979).

95 Richard R. Fagen, « The Realities of Mexico-American Relations », *Foreign Affairs*, juillet 1977.

96 Peter Smith, *Labyrinths of Power : Political Recruitment in Twentieth-century Mexico* (Princeton, 1979).

97 E.L. Ullman, « Regional Development and the Geography of Concentration », *Papers and Proceedings of the Regional Science Association*, 4 (1958), 179-98.

98 H.S. Perloff *et al.*, *Regions, Resources and Economic Growth* (Université du Nebraska, 1960), 50.

99 Robert Estall, « The Changing Balance of the Northern and Southern Regions of the United States », *Journal of American Studies* (Cambridge), décembre 1980.

100 Ben J. Watternburg, « A New Country : America 1984 », *Public Opinion*, octobre-novembre 1979.

101 Kolakowski, *op. cit.*

102 Deutsch, *op. cit.*

103 James Watson, *La Double Hélice*, trad. anglais, Robert Laffont, 1968.

104 Franklin Portugal and Jack Cohen, *A Century of DNA : a history of the discovery of the structure and function of the genetic substance* (Massachusetts Institute of Technology, 1977).

105 Nicholas Wade, *The Ultimate Experiment : man-made evolution* (New York, 1977).

106 *Nature*, 17 septembre 1981, 176.

107 Notations de Edward Wilson, *Sociobiology* (Harvard, 1975) et *L'humaine nature*, trad. de l'anglais, Stock, 1979.

108 Charles Frankel, « Sociobiology and its Critics », *Commentary*, juillet 1979.

109 Lettre collective à *Science*, 30 avril 1976 ; pour d'autres textes, voir *The Sociobiology Debate : Readings on Ethical and Scientific Issues* (New York, 1978).

110 Alexander Pope, *An Essay on Man* (1733-4), Ep. I, ligne 2.

INDEX

(Les chiffres I et II renvoient respectivement au premier et au second volume de l'ouvrage.)

Cet ouvrage a été composé par Charente-photogravure
et imprimé par la S.E.P.C. à Saint-Amand-Montrond/Cher)
pour le compte des Éditions Laffont

Achevé d'imprimer le 22 octobre 1985

Nº d'édition : L. 460. Nº d'impression : 1830.
Dépôt légal : novembre 1985.